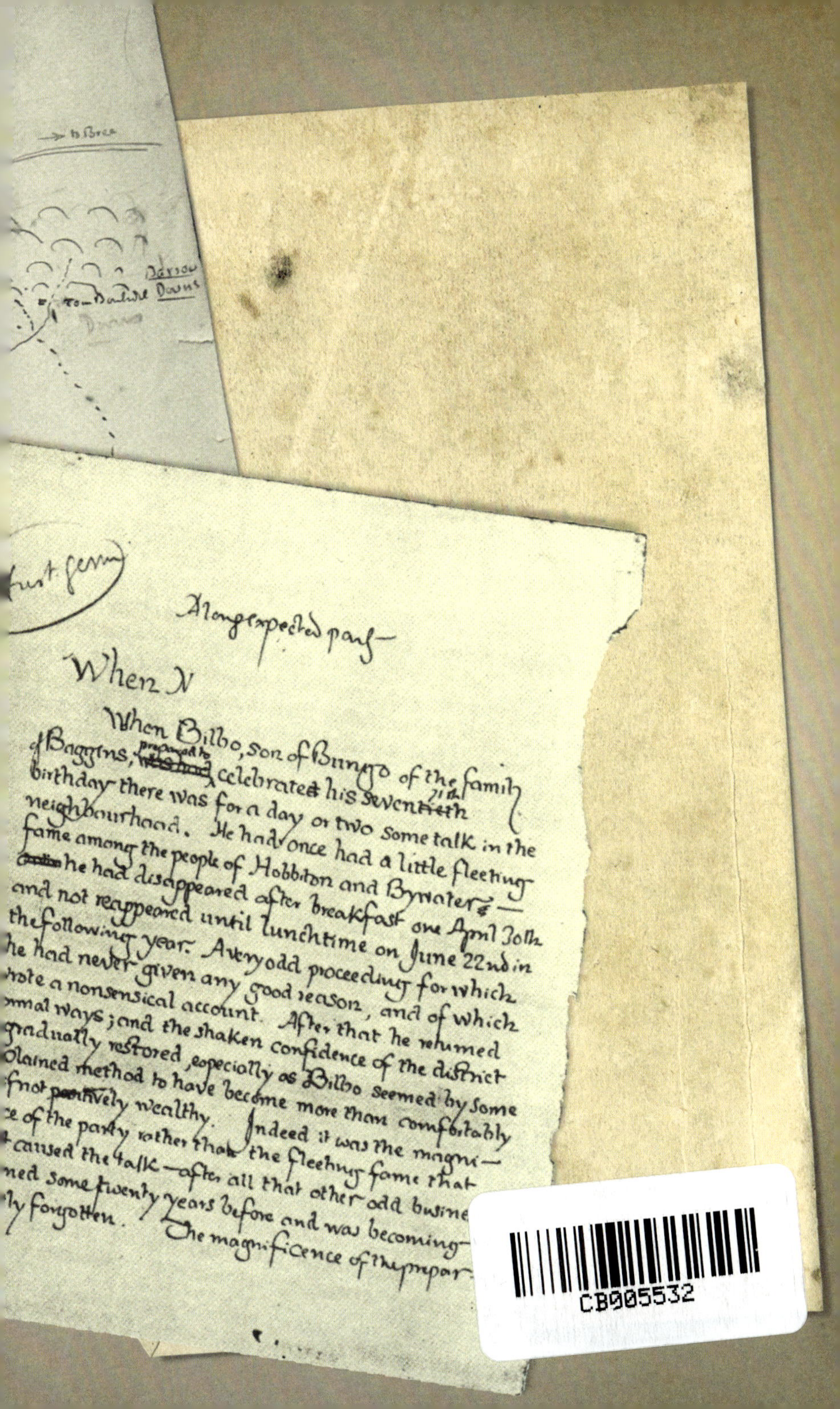

A long expected party

When N

When Bilbo, son of Bungo of the family
of Baggins, prepared to celebrate his seventieth
birthday there was for a day or two some talk in the
neighbourhood. He had once had a little fleeting
fame among the people of Hobbiton and Bywater;
he had disappeared after breakfast one April 30th
and not reappeared until lunchtime on June 22nd in
the following year. A very odd proceeding for which
he had never given any good reason, and of which
rote a nonsensical account. After that he returned
rmal ways; and the shaken confidence of the district
gradually restored, especially as Bilbo seemed by some
plained method to have become more than comfortably
f not positively wealthy. Indeed it was the magni-
ce of the party rather than the fleeting fame that
caused the talk — after all that other odd busine
ned some twenty years before and was becoming
ly forgotten. The magnificence of the prepar

ORTHANC (1)

A HISTÓRIA DA TERRA-MÉDIA

IX

SAURON DERROTADO

J.R.R. TOLKIEN

A HISTÓRIA DA TERRA-MÉDIA IX

SAURON DERROTADO

Editado por CHRISTOPHER TOLKIEN

Tradução de
REINALDO JOSÉ LOPES

Rio de Janeiro, 2024

Título original: *Sauron defeated*

COPIDESQUE Jaqueline Lopes
REVISÃO Gabriel Oliva Brum, Letícia Oliveira e Camila Reis
DESIGN DE CAPA Alexandre Azevedo
DIAGRAMAÇÃO Sonia Peticov

Dados Internacionais de Catalogação na Publicação (CIP)
(Câmara Brasileira do Livro, SP, Brasil)

Tolkien, J.R.R. (John Ronald Reuel)
Sauron Derrotado / J.R.R. Tolkien; tradução: Reinaldo José Lopes – 1. ed. – Rio de Janeiro, RJ: HarperCollins Brasil, 2024.

Título original: Sauron Defeated.
ISBN 978-65-5511-568-0

1. Ficção de fantasia. 2. Terra-média (lugar imaginário). 3. Tolkien, J.R.R. (Joh Ronald Reuel), 1892-1973. Senhor dos Anéis – Crítica, textual. I. Lopes, Reinaldo José. II. Título.

05-2024/86 CDD 823.912

Índice para catálogo sistemático: 823.912
Bibliotecária responsável: Aline Graziele Benitez – Bibliotecária – CRB-1/3129

HarperCollins Brasil é uma marca licenciada à Casa dos Livros Editora Ltda.
Todos os direitos reservados à Casa dos Livros Editora LTDA.

Rua da Quitanda, 86, sala 601A - Centro,
Rio de Janeiro/RJ - CEP 20091-005
Tel.: (21) 3175-1030
www.harpercollins.com.br

Sumário

Para
TAUM SANTOSKI

Prefácio

Com este livro, meu relato sobre a composição de *O Senhor dos Anéis* se completa. Lamento não ter conseguido circunscrever esse relato nem mesmo reservando para isso três grossos volumes; mas as circunstâncias foram tais que era sempre difícil projetar sua estrutura e prever sua extensão, e isso foi se intensificando, uma vez que, ao trabalhar em *O Retorno do Rei*, eu ignorava, em larga medida, o que estava por vir. Não tentarei fazer um estudo da história dos *Apêndices* neste momento. Esse trabalho certamente há de se mostrar tanto amplo quanto intrincado; e, já que meu pai logo se voltou mais uma vez, quando *O Senhor dos Anéis* foi completado, para os mitos e as lendas dos Dias Antigos, espero, depois deste livro, publicar seus principais escritos e reescritos que derivam desse período, alguns dos quais são totalmente desconhecidos.

Quando *O Senhor dos Anéis* ainda tinha um longo caminho a percorrer — durante a parada que atravessou 1945 e se estendeu a 1946, momento em que *O Retorno do Rei* mal tinha sido iniciado —, meu pai embarcara num trabalho de natureza muito diferente: *Os Documentos do Clube Notion*; e disso emergiu uma nova língua, o adunaico, e uma nova e impressionante versão da lenda númenóreana, *A Submersão de Anadûnê*, cujo desenvolvimento se entrelaçou de forma estreita com o de *Os Documentos do Clube Notion*. Para manter a ordem cronológica da composição, coisa que tem sido meu objetivo seguir (até onde eu era capaz de descobri-la) em *A História da Terra-média*, cheguei a pensar em incluir no Volume VIII, primeiro, a história da composição de *As Duas Torres* (a partir do ponto alcançado em *A Traição de Isengard*) e depois essa nova obra de 1945-46, reservando a história de *O Retorno do Rei* ao volume IX. Persuadiram-me a não fazer isso, e estou certo de que foi a decisão correta; e, assim, é no presente livro que essa grande disparidade de temas aparece — bem como a grande dificuldade de encontrar um título para a obra. O título sugerido por meu pai para o Livro VI de *O Senhor dos Anéis* era *O Fim da Terceira Era*; mas parecia muito insatisfatório dar a este volume o nome de *O Fim da Terceira Era e Outros Escritos*, quando os "outros escritos", constituindo dois terços do livro, versavam sobre matérias ligadas à Segunda Era (e a qualquer que seja a Era em que agora nos encontramos). *Sauron Derrotado* é a minha melhor tentativa de achar algum tipo de elo entre as diferentes partes e assim dar nome ao todo.

À primeira vista, minha edição de *Os Documentos do Clube Notion* e de *A Submersão de Anadûnê* pode parecer excessivamente complicada; mas, na verdade, organizei-os de tal modo que as obras em si estão apresentadas da forma mais clara possível. Assim, os textos finais das duas partes dos *Documentos* são ambos apresentados de maneira completa e sem qualquer interrupção editorial, tal como duas das versões d'*A Submersão de Anadûnê*. Todos os relatos e discussões sobre a evolução dessas obras ficam reservados a comentários e apêndices, os quais são facilmente identificáveis.

Em vista da grande disparidade entre a Parte Um e as Partes Dois e Três, achei que seria útil dividir o Índice Remissivo em dois, já que praticamente não há sobreposição de nomes entre elas.

Destaco, com muitos agradecimentos, a ajuda da Dra. Judith Priestman, da Biblioteca Bodleiana, e do Sr. Charles B. Elston, da Universidade Marquette, ao disponibilizar fotografias para uso neste livro (as da biblioteca estão nas pp. 63 e 176–9, enquanto as de Marquette se encontram nas pp. 36 e 168). Os Srs. John D. Rateliff e F.R. Williamson muito gentilmente me auxiliaram em determinados pontos ligados a *Os Documentos do Clube Notion*; e o Sr. Charles Noad, mais uma vez, cedeu generosamente seu tempo para uma leitura independente das provas e para checagem das citações.

Este livro é dedicado a Taum Santoski, em gratidão por seu apoio e encorajamento durante todo o meu trabalho com *O Senhor dos Anéis* e em reconhecimento à sua longa labuta ao organizar e preparar para cópia os manuscritos na Universidade Marquette, uma labuta que, apesar de sua enfermidade grave e cada vez pior, ele se esforçou para completar.

Depois que este livro foi para o prelo, o Sr. Rateliff me indicou a fonte da alusão de Arundel Lowdham ao "Porco na Bomba

Quebrada" (p. 224), a qual tinha me escapado, embora meu pai conhecesse a obra de onde provinha, e seus versos fizessem parte de seu grande repertório de recitações ocasionais. A menção vem de Lewis Carroll em seu livro *Sylvie and Bruno*, capítulo 10 — trecho no qual, entretanto, o Porco está sentado ao lado da Bomba, e não em cima dela:

> Havia um Porco a se sentar
> Ao lado da Bomba quebrada.
> Dia e noite era só implorar:
> Até as pedras iam chorar
> Ouvindo o casco dele estalar
> Sem poder dar sua pulada.[A]

Em *Sylvie and Bruno Concluded*, capítulo XXIII, esse passa a ser o primeiro verso de um poema chamado *O Conto do Porco*, no fim do qual o suíno, encorajado por uma Rã que passava, tenta, mas definitivamente fracassa na hora de pular em cima da Bomba:

> Lançou-se o Porco de supetão
> Contra a Bomba quebrada:
> Tombou e rolou feito um melão,
> De costas, expôs seu barrigão,
> Osso algum suportou a pressão,
> Foi fatal a pulada.[B]

Sobre um tema muito diferente, o Sr. Noad observou e me comunicou o fato curioso de que, no Esquema da Toca de Laracna reproduzido em *A Guerra do Anel*, p. 244, os pontos cardeais "N" e "S" marcados por meu pai foram trocados. Frodo e Sam, claro, estavam se movimento na direção leste dentro do túnel, e o sul estava à direita deles. Em minha descrição (p. 250), evidentemente segui os pontos cardeais sem pensar, e assim falei, de modo descuidado, dos túneis "na direção sul", em vez de apontar que eles estavam na direção norte, deixando o túnel principal perto de sua extremidade leste.

PARTE UM

O FIM DA TERCEIRA ERA

1

A História de Frodo e Sam em Mordor

Pressagiada por muito tempo, a história da destruição do Anel nos fogos do Monte da Perdição demorou a alcançar sua forma final. Primeiro, voltarei a examinar as concepções iniciais que aparecem em *O Retorno da Sombra* e *A Traição de Isengard* e depois apresentarei mais alguns esquemas preliminares da narrativa.

A concepção da Montanha de Fogo, único lugar onde o Anel poderia ser destruído, rumo ao qual a Demanda dirigir-se-á em última instância, remonta aos estágios mais antigos da composição de *O Senhor dos Anéis*. A ideia emergiu primeiro na conversa de Gandalf com Bingo Bolger-Bolseiro, predecessor de Frodo, em Bolsão (VI. 106): "Imagino que você teria de encontrar uma das Fendas da Terra nas profundezas da Montanha de Fogo e jogar o anel no Fogo Secreto, se realmente quisesse destruí-lo." Desde um esquema que quase certamente data de 1939 (VI. 470–1), a cena na Montanha aparece:

> No final
> Quando Bingo[> Frodo] finalmente chega à Fenda e à Montanha de Fogo, *ele não consegue jogar o Anel.* ? Ele ouve a voz do Necromante oferecendo-lhe grande recompensa – compartilhar o poder com ele, se Frodo não destruir o objeto.
>
> Naquele momento, Gollum – que parecia ter mudado de vida e os guiara por caminhos secretos dentro de Mordor – surge e tenta traiçoeiramente tomar o Anel. Eles lutam e Gollum pega o Anel e cai na Fenda.
>
> A montanha começa a rugir.

Dois anos mais tarde, num esboço substancial da história que viria ("A História Prevista a partir de Moria"), ainda estava longe de ficar claro, para o meu pai, exatamente o que aconteceu na Montanha (VII. 249):

> Orodruin [*escrito acima:* Monte da Perdição] tem três grandes fissuras nas encostas: Norte, Oeste, Sul [> Oeste, Sul, Leste]. São muito profundas e, a uma profundeza insondável se vê um brilho de fogo. De vez em quando, o fogo rola do coração da montanha e desce pelos canais pavorosos. A montanha assoma sobre Frodo. Ele chega a um lugar plano na encosta da montanha, onde a fissura está repleta de fogo — o poço de fogo de Sauron. Os Abutres estão vindo. Ele não consegue jogar o Anel. Os Abutres estão vindo. Tudo fica escuro aos seus olhos e ele cai de joelhos. Nesse momento, Gollum chega e luta com ele, e toma o Anel. Frodo cai de borco.

Em seguida, nesse mesmo esboço, encontra-se a seguinte passagem:

> Eles escapam de Minas Morgul], mas *Gollum segue.*
>
> É *Sam* quem luta com Gollum e o [? atira] finalmente no precipício.

Não muito depois disso, no esquema "A História Prevista a partir de Lórien" (VII. 404), meu pai observou que "Sam precisa sair de alguma maneira" (imagina-se que no começo da subida do Monte da Perdição) e que Frodo escalou a montanha sozinho:

> Sam precisa sair de alguma maneira. Tropeça e quebra a perna: acha que é uma fenda no chão — na verdade é Gollum. [? Faz ? Fazer] Frodo ir sozinho.
>
> Frodo sobe com dificuldade o Monte da Perdição. A terra treme, o chão está quente. Há um caminho estreito serpenteando para cima. Três fissuras. Próximo ao cume está o Poço-de-fogo de Sauron. Uma abertura na encosta da montanha leva para uma câmara cujo chão está fendido.
>
> Frodo se vira e olha para Noroeste, vê a poeira da batalha. Ruído débil de uma trompa. Trata-se de Lançavento, a Trompa de Elendil, que é soada apenas em necessidade extrema.
>
> Aves circundam. Pés atrás.

Depois da publicação de *A Traição de Isengard*, foi encontrado um esquema que obviamente tem relação próxima com essa passagem de "A História Prevista a partir de Lórien" (o que não necessariamente quer dizer que ele tenha sido escrito na mesma época), mas que é muito mais completo. Vou me referir a ele como texto **I**. As frases de abertura foram acrescentadas no alto da página, mas são contemporâneas da composição do texto.

(**I**) Sam cai e machuca a perna (na verdade Gollum o fez tropeçar). Frodo precisa seguir sozinho. (Gollum salta sobre Sam assim que Frodo se distancia.)

Frodo forceja sozinho pela encosta do Mte. da Perdição. A terra treme; o chão se torna quente. Há uma trilha estreita que serpenteia encosta acima. Ela cruza uma grande fissura, passando por uma ponte terrível. (Há três fissuras O. S. L.) Perto do cume fica o "Poço-de-fogo de Sauron". A trilha adentra uma abertura na lateral do Mte. e conduz a uma câmara de teto baixo, cujo assoalho está rasgado por uma profunda fissura. Frodo se volta para trás. Olha para o NO e vê poeira e fumaça da batalha? (Som de trompa — a Trompa de Elendil?) De repente, vê aves voando em círculos acima dele: elas descem e Frodo se dá conta de que são Nazgûl! Agacha-se na abertura da câmara, mas ainda não ousa entrar. Ouve passadas subindo a trilha.

No mesmo momento Frodo de repente sente, multiplicado muitas vezes, o impacto (invisível) do *olho que o busca*; e o do encantamento do Anel. Não deseja adentrar câmara ou jogar o Anel fora. Ouve ou sente uma voz profunda, lenta, mas urgentemente persuasiva falando: oferecendo a ele vida, paz, honra; rica recompensa; senhorio; poder; por fim, parte do Grande Poder — *se* ele se detiver e voltar, junto com um Espectro do Anel, para Baraddur. Isso o deixa realmente aterrorizado. Permanece imovelmente equilibrado entre resistir e ceder, atormentado durante o que lhe parece ser uma era atemporal e incontável. Então, de repente, surge um novo pensamento — que não vinha de fora —, um pensamento nascido dentro *dele próprio*: *ele* ficaria com Anel para si, e seria mestre de tudo. Frodo Rei dos Reis. Os hobbits deveriam governar (claro que ele não deixaria seus amigos de fora) e Frodo governaria os hobbits. Faria grandes poemas e cantaria grandes canções, e toda a terra floresceria, e todos seriam convidados para seus banquetes. *Ele coloca o Anel!* Um grande grito reboa. Nazgûl mergulham dos ares, vindos do Norte. O *Olho* de repente se torna semelhante a um raio de fogo, abrindo caminho, ávido e aguçado, saindo da fumaça ao norte. Agora ele luta para tirar o Anel — e não consegue.

Os Nazgûl vêm descendo em círculos — cada vez mais perto. Sem nenhum propósito claro, Frodo recua para dentro da câmara. O fogo borbulha na Fenda da Perdição. Tudo escurece e Frodo cai de joelhos.

Naquele momento, Gollum chega, arfando, e agarra Frodo e o Anel. Lutam ferozmente na própria beira do abismo. Gollum quebra o dedo de Frodo e pega Anel. Frodo cai desmaiado. Sam entra rastejando enquanto Gollum dança de alegria e, de repente, empurra Gollum para a fenda.

Queda de Mordor.

Talvez melhor seria fazer Gollum se arrepender de certa maneira. Ele está totalmente desgraçado e comete suicídio. Gollum agora é o dono dele, gritou. Ninguém mais vai tê-lo. Vou destruir todos vocês. Ele pula na fenda. O fogo enlouquece. É provável que Frodo seja destruído.

Forma de Nazgûl na porta. Frodo foi apanhado na câmara de fogo e não tem como sair!

Aqui todos teremos nosso fim juntos, disse o Espectro do Anel.

Frodo está muito cansado e sem ânimo para dizer não.

Você primeiro, disse uma voz, e Sam (com Ferroada?) apunhala o Cavaleiro Negro por trás.

Frodo e Sam escapam e fogem descendo a encosta da montanha. Mas não conseguiriam escapar da lava derretida escorrendo. Veem Águias espantando os Nazgûl. Águias os resgatam.

Deixar a saída do fogo *abaixo* deles de modo que ponte fique isolada e *um mar de fogo bloqueie o recuo dos dois* enquanto a montanha estreme e se esfarela. Gandalf montado em águia *branca* os resgata.

Ao lado da frase "Ele está totalmente desgraçado e comete suicídio", meu pai, mais tarde, escreveu *Não.*

Outro esquema, que chamarei de **II**, tem relação próxima com o esquema I apresentado há pouco. Está escrito em tinta, por cima de um texto a lápis mais breve, do qual muito pouco se pode ler — em parte por causa da escrita por cima, em parte por causa da própria letra (meu pai não conseguiu reler a conclusão da primeira frase e a marcou com pontos e uma interrogação).[1]

(**II**) Frodo agora sente força plena do Olho .... ? Não quer entrar na Câmara de Fogo ou jogar fora o Anel. Parece ouvir uma voz profunda, lenta e persuasiva falando: oferecendo vida e paz — depois rica recompensa, grande riqueza — depois senhorio e poder — e finalmente um quinhão do Grande Poder, se ele levar o Anel intacto para a Torre Sombria. Ele rejeita isso, mas fica parado — enquanto o pensamento surge (por mais que possa parecer absurdo): vai ficar com o Anel, usá-lo, e ele próprio terá o Poder sozinho; será Mestre de Tudo. Afinal, ele é um grande herói. Hobbits deveriam se tornar senhores dos homens, e ele seu Senhor, Rei Frodo, Imperador Frodo. Pensou nos grandes poemas que seriam compostos, e nas magnas canções, e viu (como se ao longe) um grande Banquete, e ele mesmo entronizado e todos os reis do mundo sentados a seus pés, enquanto toda a terra florescia.

(Provavelmente agora Sauron está cônscio do Anel e do perigo que ele corre, e esse é o seu último lance desesperado para deter Frodo, até que seu mensageiro consiga alcançar o Orodruin.)

Frodo coloca Anel! Um grande grito reboa. Uma grande sombra se lança de Baraddur, como uma ave. O Rei Mago está vindo. Frodo o sente — aquele que o apunhalou sob o Topo-do-Vento. Está usando o Anel e foi visto. Ele luta para tirar Anel e não consegue. O Nazgûl se aproxima veloz como tempestade. A única coisa na cabeça de Frodo é escapar dele e, sem pensar em sua missão, agora foge para dentro da Câmara de Fogo. Uma grande fissura a atravessa da esquerda para a direita. Fogo ferve dentro dela. Tudo escurece para Frodo, e ele cai de joelhos. Naquele momento, *Gollum* chega, arfando, e tenta agarrar o Anel. Isso desperta Frodo, e eles lutam na beira do abismo. Gollum quebra o dedo de Frodo e pega Anel. Frodo cai desmaiado. Mas Sam, que agora chegou, vem correndo de repente e empurra Gollum da beirada. Gollum e Anel caem no Fogo juntos. A Montanha borbulha e entra em erupção. Barad-dur cai. Uma grande poeira e *uma sombra sinistra* flutuam para longe na direção NE levadas pelo vento SO que se levantou. Frodo de repente acha que consegue ouvir e sentir o cheiro do Mar. Um horrendo grito estremecido é levado para longe e, até que desapareça na distância, todos os homens e todas as coisas ficam parados.

Frodo se vira e vê a porta bloqueada pelo Rei Mago. A montanha começa a entrar em erupção e se esfarelar. Aqui pereceremos juntos, diz o Rei Mago. Mas Frodo desembainha Ferroada. Não tem mais medo de tipo algum. É mestre dos Cavaleiros Negros. Ordena que o Cavaleiro Negro siga o Anel, seu mestre, e o lança no Fogo.

Então Frodo e Sam fogem da Câmara. O fogo está jorrando das encostas da montanha por três grandes canais, O, SE e S, e cria um lago ardente em volta dela. Estão isolados.

Gandalf, é claro, agora sabe que Frodo teve sucesso e que o Anel pereceu. Ele envia Gwaihir, a Águia, para ver o que está acontecendo. Algumas das águias caem, destruídas pelas chamas?[2] Mas Gwaihir dá um mergulho e carrega Sam e Frodo de volta para Gandalf, Aragorn etc. Júbilo com o reencontro — especialmente de Merry e Pippin?

Parece não haver nenhuma maneira certa de datar esse texto, mas a referência à chegada do Rei Mago vindo de Barad-dûr mostra, de qualquer modo, que seu destino nos Campos do Pelennor ainda não tinha sido imaginado. Inclino-me a achar que o trecho é relativamente tardio e poderia associá-lo, de forma hipotética, ao fim do esquema "A História Prevista a partir do Forannest" (VIII. 429):

> Gandalf sabe que o Anel deve ter chegado ao fogo. Repentinamente Sauron toma ciência do Anel e seu perigo. Vê Frodo ao longe. Em uma última tentativa desesperada, tira a atenção da Batalha (de modo que seus homens vacilam outra vez e são empurrados para trás) e tenta deter Frodo. Ao mesmo tempo, manda o Rei Mago como Nazgûl para a Montanha. Toda a trama fica clara para ele. ...

Gandalf pede que Gwaihir voe rápido para Orodruin.

Quanto a isso, cf. as palavras do esquema II que acabei de apresentar: "Provavelmente agora *Sauron está cônscio do Anel e do perigo que ele corre*, e esse é o seu *último lance desesperado para deter Frodo*"; e "Gandalf, é claro, agora sabe que Frodo teve sucesso e que o Anel pereceu. Ele envia Gwaihir, a Águia, para ver o que está acontecendo".

Volto-me agora para outros esquemas que precederam quaisquer das narrativas propriamente ditas do Livro VI. O primeiro deles, o Esquema **III**, também só foi encontrado recentemente; é uma página um tanto desconjuntada, com trechos rejeitados e acréscimos, mas todos foram feitos na mesma época. Creio que se trata do breve período de trabalho (outubro de 1944) quando meu pai começou a escrever "Minas Tirith" e "A Convocação de Rohan" e fez também muitos esquemas referentes ao Livro V; quanto à abertura do presente texto, cf. VIII. 311: "[12] Gandalf, e Aragorn, e Éomer, e Faramir derrotam Mordor. Atravessam para Ithilien. Ents e Elfos chegam do Norte. Faramir cerca Morghul e a tropa principal chega ao Morannon. Negociação." Como veremos, a história da luta e do morticínio na Torre de Kirith Ungol ainda não tinha surgido.

(**III**) Eles entram em Ithilien [12 >] 11[3] [e viram >] Éomer e Faramir investem contra Minas Morghul. O resto vira / para o norte rumo ao Morannon. Junto com Ents e Elfos vindos das Emyn Muil. Acampam na [*acrescentado*: margem S. (da) Planície da Batalha [14 >] anoitecer do dia 12. Negociação. Mensageiros [*sic*] de Sauron. Gandalf recusa. [*Acrescentado*: começa assalto ao Morannon.]

Sam resgata Frodo noite do dia 11/12. Descem para Mordor. [Gollum vem atrás deles. Enxergam uma vasta hoste se reunindo em Kirith Gorgor e precisam ficar escondidos (12). 12/13 Vão em frente e são rastreados por Gollum. *Essa frase foi riscada e substituída pelo seguinte:*] Frodo, do alto da torre, ergue frasco e, como se com visão élfica[4], vê o exército branco em Ithilien. Do outro lado, vê a vasta hoste secreta de Mordor (ainda não revelada) reunida nos campos mortos de Gorgor. ? Sauron se atrasa para capturar Frodo por causa da derrota em Gondor.

Mte. da Perdição (Orodruin) fica na planície da garganta interna de Kirith Gorgor, mas uma escuridão completa cai sobre região, e tudo que conseguem ver é o foto do Mte. da Perdição e, ao longe, o Olho de Baraddur. Não conseguem achar um caminho? É só na noite de 12 que eles alcançam encostas rochosas acima do nível de Kirith Gorgor. Lá eles veem uma imensa hoste acampada: é impossível ir adiante. Permanecem escondidos durante 13 — e são rastreados por Gollum. De repente a hoste inteira desmonta acampamento e some dali, deixando Mordor vazia. O próprio Sauron saiu à guerra.[5] Cruzam planície e escalam Mte. da Perdição. Frodo olha para trás e vê o exército branco rechaçado.

Frodo capturado na noite 10/11. Mas Shagrat persuade Gorbag a não mandar mensagem de imediato,[6] até ele conseguir procurar o *verdadeiro* guerreiro ainda à solta. Orques se espalham e caçam em Kirith Ungol (11). Sam afinal acha um jeito de entrar – ele precisa voltar e descer o passo[7] — e então acha um forte relativamente pequeno[8] com muitas casas, um portão e uma trilha que leva até a ravina. E só na [no entardecer >] noite de 11 que ele consegue entrar.

Resgate de Frodo no começo de 12. Shagrat manda mensagem para Lugburz. [*Acrescentado*: Como as mensagens funcionam. Sinal de Torre para Olho. Notícias.] Nazgûl chega a Torre e leva cota-de-malha e [roupas etc. >] uma espada para Baraddur (12).

Frodo e Sam se escondem nas pedras. A planície de Gorgor está coberta de exércitos. Ficam desesperados, pois cruzá-la é impossível. Devagar, vão seguindo caminho para o norte, até onde o desfiladeiro se estreita, até um ponto mais próximo do Mte. da Perdição* [> Dûm].[9]

Outro esquema (**IV**) descreve a captura de Frodo e seu resgate, feito por Sam, da Torre de Kirith Ungol; e esse também é outro texto do qual eu não estava ciente até recentemente. Como o

*O som é o mesmo de *Doom*, “Perdição” em inglês, mas a forma parece ser a do idioma élfico sindarin. [N.T.]

esquema II, está escrito com tinta por cima de um texto a lápis muito mais breve. Foi composto, obviamente na mesma época, no verso de uma página que carrega uma versão preliminar rejeitada (também a tinta, por cima do texto a lápis) do esquema "A marcha de Aragorn e derrota dos Haradrim", apresentado em VIII. 466–8, o qual precedeu a escrita de "A Batalha dos Campos do Pelennor" e muito provavelmente acompanhava o esquema "A História Prevista a partir do Forannest" (ver VIII. 466). Essa versão preliminar de "A marcha de Aragorn e derrota dos Haradrim", que tem características notáveis, é apresentada no fim deste capítulo (p. 30).

Nesse esquema IV, Gorbag é expressamente o "Mestre da Torre", enquanto no manuscrito passado a limpo de "As Escolhas de Mestre Samwise" ele é o Orque de Minas Morghul, como em RR. Deve-se notar, entretanto, que, em sua primeira aparição nesse texto, ele é o Orque de Minas Morghul, alterado imediatamente para Shagrat — nome que, porém, está marcado com uma interrogação. Essa interrogação sugere, para mim, que depois de ficar trocando várias vezes o nome daquelas belezinhas (ver VIII. 271–2, nota 46), meu pai não conseguia recordar qual decisão fizera e, naquele momento, não chegou o manuscrito do fim do Livro IV (cf. o caso de "Thror" e "Thrain", VII. 192–4). A mesma incerteza pode ser vista no esquema III acima (ver nota 6).

(IV) Frodo é capturado noite de 10–11. 12.mar Frodo na prisão. (Sauron se distrai com notícias sobre os Ents e a derrota das forças dele no Eastemnet pelos Ents e Elfos de Lórien.)

Durante algum tempo, nenhuma mensagem é enviada para a Torre Sombria — em parte por causa da .... geral.[10] Frodo é despido, e a cota-de-malha de *Mithril* é encontrada.

[Gorbag >] Shagrat (?) a cobiça e tenta impedir Gorbag de enviar mensagem: no começo, argumentando sobre necessidade de procurar aliado. Mas começa uma briga, e Shagrat e Gorbag lutam e seus homens se dividem em dois lados. Sam, por fim, acha meio de entrar — por um portão frontal voltado para Mordor — e por uma descida íngreme que chegava a um vale ou uma trincheira estreita além da qual há um barranco mais baixo.[11] No fim, Gorbag (Mestre da Torre) vence, porque tem mais homens, e Shagrat e toda a sua gente são mortos. Gorbag, então, envia notícias a Baraddur junto com a cota-de-malha de Mithril — mas se esquece do manto de Lórien.[12] Só restaram poucos homens para Gorbag, e tem de mandar dois deles (já que não querem ir sozinhos por medo do espião à solta) para Baraddur. Sam dá um jeito de entrar e mata um dos dois soldados remanescentes de Gorbag no portão, o outro na escada, e assim abre caminho para a Câmara Superior. Ali ele encontra Gorbag. Sam tira o Anel e luta com ele e o mata. Depois, entra na câmara de Frodo. Frodo deitado, amarrado e nu; recuperou o juízo devido a uma bebida que lhe foi dada por orques como antídoto do veneno — mas falou durante seu delírio e revelou seu nome e seu país, embora não sua missão.[13] Frodo está cheio de medo, pois no começo acha que foi um orque que entrou. Então ódio pelo portador do Anel o toma feito uma loucura, e ele repreende Sam chamando-o de traidor e ladrão. Sam entristecido; mas fala com gentileza, e o surto passa e Frodo chora. Essa é a noite do 13. Sam e Frodo escapam de Torre no 14.

Pode ser uma coisa boa aumentar em um dia o total de tempo que Frodo, Sam e Gollum levam para escalar Kirith Ungol, de modo que Frodo não seja capturado antes da noite de 11–12. Briga entre Orques no 12 e envio de mensagem naquela noite ou na manhã do 13 quando Gorbag sai vitorioso. Sam entra no 13. Do contrário, Sam teria de passar os dias 11 e 12 inteiros e parte do 13 tentando entrar na Torre.

Fazer com que Sam entre antes da luta e fique no meio dela. E assim deixar que Sam ouça a mensagem enviada para Baraddur?

O último esquema (**V**), embora tenha sido escrito de forma independente do esquema IV, evidentemente tem relação próxima com ela e traz a mesma história sobre a Torre de Kirith Ungol — Gorbag é o capitão da guarnição, e Sam o mata. Esse texto, que apresenta o primeiro relato detalhado da jornada de Frodo e Sam rumo ao Monte da Perdição, tem aparência idêntica ao de "A História Prevista a partir do Forannest" e claramente é um complemento dele.

No alto da página estão escritas estas notas sobre distâncias, que acabaram sendo riscadas:

De Minas Tirith para Osgiliath (extremidade O.) 24–5 milhas. Largura da cidade [*escrito por cima*: ruína] 4 milhas. Da extremidade leste de Osgiliath até Minas Morghul cerca de 60 milhas (52 até Encruzilhadas?). De Minas Morghul até o topo de Kirith Ungol (e o passo debaixo da Torre) 15 milhas em terreno plano. De Kirith Ungol até a crista da próxima ravina (mais baixa) depois da Vala são cerca de 15 milhas.

O parágrafo de abertura do texto principal está entre colchetes no original. Todas as mudanças mostradas aqui foram feitas a lápis, incluindo o recuo da maioria das datas em um dia.

(V) [Gorbag envia corredor veloz para Baraddur na man(hã) do 13. Ele não alcança a planície nem faz contato com nenhum cavaleiro até fim [> man(hã)] do 14? Um cavaleiro chega a Baraddur no 15 [> noite do 14] e, ao mesmo tempo, por meio dos Nazgûl, notícias da derrota diante de Gondor e da vinda de Aragorn são levadas a ele [Sauron].[14] Ele envia o Nazgûl para Kirith Ungol para obter mais informações. O Nazgûl descobre que a Torre está cheia de mortos e que o prisioneiro fugiu.]

Sam resgata Frodo e mata Gorbag no 14 [> 13]. Frodo e Sam escapam: longe da Terra, eles se disfarçam com roupas-órquicas. Dessa maneira, alcançam o fundo da Vala na noite do 14 [> 13]. Ficam surpresos porque não parece haver guarda nem ninguém por perto; mas evitam a estrada. (Uma escadaria íngreme desce da Torre e segue até a estrada principal, saindo de Minas Morghul, atravessando o passo de Kirith Ungol e a Planície de Mordor até Baraddur.) A escuridão é como a da noite.[15]

Em 15 [> 14] de março, eles escalam a ravina interna — com no máximo 1.000 pés, íngreme do lado O., descendo em encostas truncadas do lado L. Observam a Planície de Mordor, mas veem pouca coisa por causa do escuro [*acrescentado*: mas as nuvens são sopradas para longe]. Embora, por causa da feitiçaria de Sauron, o ar esteja livre de fumaça (para que suas tropas consigam se movimentar), ela fica parada, feito uma grande mortalha, no ar superior. Em grande medida, parece sair do Orodruin — ou é o que imaginam, onde, muito longe (50 milhas), debaixo da mortalha, há um grande brilho e um jorrar de chama. Baraddur (mais distante e ao S. da Montanha) está coberta com um manto de sombra impenetrável. Ainda assim, Frodo e Sam conseguem ver que toda a planície está cheia de tropas. Multidões de fogos se espalham pela terra até onde a vista alcança. Não têm esperança de atravessar. Frodo decide tentar achar um ponto onde a região descampada é mais estreita, em Kirith Gorgor ou perto dela. Eles descem para Vala de novo e seguem para o norte. Começam a contar o que lhes sobrou de comida com ansiedade. Estão com pouquíssima água. Frodo fraco depois do veneno — embora os orques tenham lhe dado algo para curar a ferida, e *lembas* pareça especialmente bom como antídoto, ele não consegue ir rápido.[16] Dão um jeito de seguir por 10 milhas ao longo da Vala.

No dia 16 [> 15], continuam a se arrastar ao longo da Vala, até que chegar a cerca de 25–30 milhas ao norte de Kirith Ungol.

No 17 [> 16], escalam encosta de novo e ficam escondidos. Mal ousam se movimentar de novo, mesmo na treva, porque conseguem ver abaixo deles grandes hostes de guerreiros, marchando pelo desfiladeiro na saída de Mordor. Frodo crê que estão indo para a guerra e imagina o que está acontecendo com Gandalf etc. [*Acrescentado*: Não, a maioria das tropas agora está *voltando para Mordor*.]

No 19 [> 18], já desesperados, eles descem e se escondem nas rochas na beira do desfiladeiro. Os movimentos das tropas de Sauron finalmente cessam. Faz-se um silêncio agourento. Sauron está esperando que Gandalf caia em armadilha. Noite do 19–20 [> 18-19] Frodo e Sam tentam cruzar o desfiladeiro e entrar em Ered-Lithui. (Por volta dessa época, fazer com que Sam tenha a suspeita de que Gollum ainda está por perto, mas sem dizer nada a Frodo?)

Depois de várias aventuras, eles chegam a Eredlithui num ponto cerca de 55 milhas a NO de Orodruin. 20 (em parte), 21, 22, 23 eles estão forcejando ao longo das encostas de Eredlithui.[17]

No 24 a comida e água deles acabou totalmente — e pouca força resta para Frodo. Sam sente que uma cegueira está vindo e imagina se isso se deve à água de Mordor.

Dia 24. Frodo, com um último esforço — desesperado demais para levar o medo em conta — alcança o sopé de Orodruin e, no 25, começa a subida. Há um rugido constante no subsolo, como de trovões em guerra. É noite. Frodo olha em volta, temendo a subida — uma grande compulsão de relutância cai sobre ele. Frodo sente o peso do Olho. E eis que o manto de sombra sobre Baraddur é posto de lado: e, feito uma janela que dá para um olho interior, ele vê o Olho. Cai desmaiado — mas a atenção do Olho na verdade está voltada para Kirith Gorgor e a batalha vindoura, e passa por Orodruin sem tocá-lo.

Frodo se recupera e começa a subida do Mte. da Perdição. Encontra um caminho serpenteante que conduz a algum destino desconhecido: mas a trilha é atravessada por largas fissuras. A montanha inteira está tremendo. Sam, meio cego, está ficando para trás. Ele tropeça e cai — mas grita pedindo que Frodo continue: e então, subitamente, Gollum o agarra por trás e sufoca seus gritos. Frodo continua sozinho, sem saber que Sam não está indo atrás dele, e fica em perigo. Gollum queria matar Sam, mas de repente fica cheio de medo de que Frodo possa destruir o Anel. Sam quase foi estrangulado, mas força-se a continuar assim que Gollum o solta.

Aqui o texto termina, e no final dele meu pai escreveu a lápis: "Continuar agora usando esboço antigo". É possível que estivesse se referindo ao esquema II (pp. 19–20), embora haja razão para achar (p. 21) que aquele esquema é mais ou menos da mesma época que o presente texto.

A cronologia da composição

Tenho razoável certeza de que meu pai retomou a escrita de *O Senhor dos Anéis* mais uma vez, depois da longa parada no fim de 1944, na parte final de 1946: foi quando ele voltou às aberturas abandonadas dos capítulos "Minas Tirith" e "A Convocação de Rohan". Quanto à cronologia subsequente da escrita, há poucas evidências além das afirmações bastante obscuras em suas cartas. Em 30 de setembro de 1946 (*Cartas* n. 106, para Stanley Unwin) ele disse que tinha "pegado novamente semana passada" e escreveu mais um capítulo, mas na verdade não há como saber que capítulo era esse; e em 7 de dezembro de 1946 (*Cartas* n. 107, para Stanley Unwin), ele escreveu: "Ainda espero terminar em pouco tempo minha 'magnum opus', o Senhor dos Anéis, e deixar o senhor vê-la dentro em breve, ou antes de janeiro. Estou nos últimos capítulos".

Numa carta não publicada, enviada para Stanley Unwin, de 5 de maio de 1947, ele escreveu: "Dificilmente [*Mestre Giles d'Aldeia*] é uma continuação digna de 'O Hobbit', mas a vida raramente me permite algum tempo consecutivo para trabalhar na verdadeira continuação."; e em outra, de 28 de maio, "Não tive chance de escrever nada". Em 31 de julho de 1947 (*Cartas* n. 109), estava dizendo: "A questão é terminar o material conforme concebido e então deixar que seja julgado"; e, oito meses depois (7 de abril de 1948, *Cartas* n. 114, para Hugh Brogan), ele escreveu: "Apenas a dificuldade de escrever os últimos capítulos e a falta de papel impediram até agora sua impressão. Espero ao menos terminá-la este ano..." Depois disso, em 31 de outubro de 1948 (*Cartas* n. 117, de novo para Hugh Brogan), ele escreveu: "Consegui fazer um 'retiro' no verão, e estou feliz em anunciar que finalmente tive sucesso em conduzir o 'Senhor dos Anéis' a uma conclusão bem-sucedida".

A única outra evidência que conheço se encontra em duas páginas nas quais meu pai fez uma lista de candidatos para uma colocação acadêmica, com notas sobre a experiência deles. Ao lado de vários dos nomes, ele anotou tanto a data de nascimento como a idade atual de cada um, e com base nisso fica claro que o ano era 1948. No verso de uma dessas páginas há esboços da passagem em "A Terra da Sombra" na qual Frodo e Sam veem a escuridão de Mordor recuando (RR, p. 1512); na segunda parte, a lista foi recoberta com esboços da discussão sobre comida e água em "A Torre de Kirith Ungol" (RR, p. 1503), enquanto o verso traz esboços muito primários do momento em que Sam descobre Frodo na Torre.

Assim, em dezembro de 1946, ele estava "nos últimos capítulos" de *O Senhor dos Anéis*, e tinha esperança de terminar o livro "antes de janeiro"; mas, em 1948, estava esboçando os capítulos de abertura do Livro VI. A explicação para isso deve ser, creio eu, que no fim de 1946 ele tinha completado ou quase completado o Livro V e, portanto (em relação com a obra inteira), podia sentir que agora estava "nos últimos capítulos"; e, subestimando muito (como tinha subestimado tantas vezes antes) o quanto era preciso contar antes que chegasse ao fim, achou que conseguiria terminar o livro dentro de um mês. Mas o ano de 1947 foi improdutivo, em larga medida, como implicam as cartas; e o Livro VI só foi escrito em 1948.

NOTAS

1 As poucas palavras e frases que consigo decifrar são suficientes para mostrar que a história, no texto subjacente, era substancialmente a mesma. O texto à tinta que está por cima termina antes do texto a lápis, e a última frase desse último está legível: "Thorndor mergulha em seu voo e carrega Sam e Frodo para longe. Eles se reúnem à hoste na Planície da Batalha". Batizar a águia que faz o resgate de *Thorndor* (forma mais antiga de *Thorondor*) é bastante surpreendente, mas talvez se possa explicar isso como uma reminiscência inconsciente (por causa da escrita muito rápida) do resgate de Beren e Lúthien em *O Silmarillion.*

2 Cf. o destino dos Nazgûl em RR (p. 1556): "E para o coração da tempestade [...] vieram os Nazgûl, precipitando-se como setas flamejantes, e, apanhados na ruína de fogo das colinas e do firmamento, crepitaram, murcharam e se extinguiram".

3 As datas ainda são de fevereiro. Sobre a mudança do mês, ver VIII. 385; quanto à cronologia desse texto, cf. aquela apresentada em VIII. 272.

4 Cf. o esquema "A História Prevista a partir de Fangorn" (VII. 515): "Depois, voltar para Frodo. Fazê-lo olhar na noite impenetrável. Então, usar o frasco, que escapou ... Com sua luz, ele vê as forças de libertação se aproximando e a hoste sombria saindo para encontrá-los." Sobre isso, afirmei (VII. 518, nota 15): "A luz do Frasco de Galadriel deve ser vista aqui como algo de poder imenso, uma verdadeira estrela na escuridão".

5 *O próprio Sauron saiu à guerra*: apesar do significado aparentemente claro dessas palavras, é impossível que meu pai quisesse dizer que Sauron não mais estava presente na Torre Sombria.

6 *Gorbag* substituiu *Yagûl* como nome do Orque de Minas Morghul no manuscrito passado a limpo de "As Escolhas do Mestre Samwise" (ver VIII. 271–2, nota 46). Aqui, "Shagrat persuade Gorbag a não mandar mensagem de imediato" sugere que Gorbag é o Orque da Torre, enquanto algumas linhas mais tarde "Shagrat manda mensagem para Lugburz"; ver o esquema seguinte, o de número IV, nas pp. 23–4.

7 *ele precisa voltar e descer o passo*: isto é, Sam precisa recuar pelos túneis, subir o passo e depois descer pelo outro lado dele (cf. RR, pp. 1287–90).

8 *f orte relativamente pequeno*: acho que o significado disso não é "só um *pequeno* forte", mas "um forte de verdade, mesmo que não muito grande, que não era simplesmente uma torre".

9 Sobre a grafia *Monte Dûm*, ver VII. 437, VIII. 142.

10 Meu pai não conseguiu ler as palavras escritas a lápis nesse ponto e colocou interrogações ao lado delas.

[11] Essa é a primeira descrição do Morgai (que está marcado e recebe esse nome no Segundo Mapa, VIII. 511, 514).

[12] O esquema "A marcha de Aragorn e derrota dos Haradrim", que tem associação próxima com o presente texto, traz uma breve passagem sobre o resgate de Frodo relacionada ao manto de Lórien (VIII. 467):

> Resgate de Frodo. Frodo jaz nu na Torre, mas Sam descobre que, por algum acaso, a capa-élfica de Lórien está caída no canto. Quando eles se disfarçam, jogam as capas cinzentas por cima e ficam praticamente invisíveis — em Mordor, as capas dos Elfos tornam-se um manto escuro de sombra.

[13] Cf. "A História Prevista a partir do Forannest" (VIII. 428):

> Ele [o embaixador de Sauron para a Negociação] leva o colete de Mithril e diz que Sauron já capturou o mensageiro — um *hobbit.* Como Sauron sabe? Ele, é claro, desconfiaria pelas visitas anteriores de Gollum que um mensageiro pequeno poderia ser um *hobbit.* Mas é provável que Frodo *tenha falado durante seu sono entorpecido* — não do Anel, mas o seu nome e a sua terra; e que Gorbag tenha enviado notícias.

[14] Um X a lápis foi colocado ao lado dessa frase. Cf. "A História Prevista a partir do Forannest" (VIII. 426)": "Sauron ... ouve falar de Frodo pela primeira vez em 15 de março e, ao mesmo tempo, pelos Nazgûl, da derrota em Pelennor e da vinda de Aragorn. ... Manda Nazgûl para Kirith Ungol buscar Frodo..."

[15] Ao lado desse parágrafo, na margem, está escrito: "Horror de Frodo quando Sam entra e parece um gobelim. O ódio pelo Portador-do-Anel o toma e palavras amargas de reproche pela traição veem-lhe aos lábios".

[16] Neste ponto, está escrito na margem: "Anel é grande fardo, pior porque ele tinha ficado livre dele por um tempo".

[17] Ao lado dessas datas está escrito "10 milhas, 15, 15, 15".

A versão preliminar rejeitada de "A Marcha de Aragorn e derrota dos Haradrim"

Já mencionei (pp. 22–3) que, no verso da página que traz o esquema IV (descrevendo a captura e o resgate de Frodo) está a forma original do esquema apresentado em VIII. 466–8, intitulada "A marcha de Aragorn e a derrota dos Haradrim". Trata-se de um texto muito enigmático, e apresento-o aqui de forma completa. Na verdade, foi escrito em três variantes. A primeira é o texto a lápis (**a**), a seguir:

> Aragorn toma Sendas dos Mortos no começo do dia 8 de março. Sai do túnel (uma estrada terrível) e alcança ponta do

Vale do Morthond no crepúsculo. Soa trompas [*riscado*: e desfralda estandarte], para assombro do povo, o qual [o] aclama como rei ressuscitado dos Mortos. Ele descansa por três horas e, conclamando todos a segui-lo e a enviar as flechas-de-guerra, ele cavalga para a Pedra de Erech. Trata-se de uma pedra disposta entre as embocaduras do Lamedui e o delta do Ethir Anduin para celebrar o desembarque de Isildur e Anárion. Fica a cerca de 275 milhas, pela estrada, da saída das Sendas dos Mortos. Aragorn cavalga 100 milhas e alcança o Vale do Ringlo (onde os homens estão se reunindo) em 9 de março. Lá, recebe notícias e homens. Cavalga, depois de descanso curto, para Lamedon (10) e depois vai para

Aqui essa versão foi abandonada e foi escrito um novo começo, também a lápis, a partir de "Aragorn toma Sendas dos Mortos"; mas esse texto (**b**) foi coberto por outro a tinta e só é possível lê-lo aqui e ali. A versão escrita por cima dele (**c**) diz o seguinte:

Aragorn toma Sendas dos Mortos man(hã) de 8 de março, passa por túneis das montanhas e sai na ponta do Vale do Morthond no crepúsculo. Homens do Vale estão cheios de medo, pois lhes parece que detrás das formas escuras dos cavaleiros vivos uma grande hoste de homens de sombra se aproxima quase tão rápido quanto cavaleiros. Aragorn prossegue noite adentro e alcança Pedra de Erech na man(hã) de 9 de março. Pedra de Erech era pedra negra famosa por ter sido trazida de Númenor e colocada ali para marcar o desembarque de Isildur e Anárion e a recepção deles como reis pelos homens sombrios da região. Ficava nas costas de Cobas, perto da foz do Morthond, e em volta dela havia uma muralha destruída, dentro da qual também havia uma torre destruída. Na câmara debaixo da torre, esquecido, estava uma das Palantir[i]. De Erech uma estrada seguia perto [do] mar, contornando numa curva as colinas de Tarnost e dali indo até Ethir Anduin e o Lebennin.

Na Pedra de Erech Aragorn desfralda seu estandarte (o de Isildur) com coroa branca e estrela e Árvore e soa trompas. Homens vêm até ele. (Os Homens-de-Sombra não podem ser vistos durante o dia.) Aragorn descobre que o que viu na Palantir de fato é verdade: Homens de Harad desembarcaram nas

> costas perto do Ethir, e seus navios velejaram estuário acima até Pelargir. Lá os homens de Lebennin montaram um bloqueio — na base de uma antiga fortificação. Os Haradwaith estão devastando a terra. São quase 350 milhas pela estrada da costa de Erech até Pelargir. Aragorn envia cavaleiros velozes para o norte, até os Vales, convocando os homens que restavam para marcharem sobre Pelargir. Ele próprio não toma a estrada da costa, já que está infestada de inimigos, mas, depois de um descanso, parte no crepúsculo de 9 de março — e viaja feito vento, por trilhas rudimentares, passando por Linhir até chegar aos Vaus do Lameduin (a cerca de 150 milhas de distância). Vê-se que a Hoste de Sombra o segue. Ele cruza o Morthond em Linhir, entra no Vale do Ringlo e faz com que toda a região se inflame para a guerra. Alcança o Lameduin entardecer de 10 de março. Homens se reuniram ali e estão resistindo a uma tentativa dos Haradwaith de cruzar Lebennin > NO. Aragorn e a Hoste de Sombra saem do escuro com a estrela branca brilhando na bandeira e os Haradwaith ficam aterrorizados. Muitos se afogaram no rio Lameduin. Aragorn acampa e cruza o Lameduin para entrar em Lebennin e marcha sobre Pelargir man(hã) de 11 de março. O terror do "Rei Negro" o precede, e os Haradwaith tentam fugir: alguns navios escapam descendo o Anduin, mas Aragorn se aproxima, destroçando os Haradwaith diante de si. A Hoste de Sombra acampa nas margens do Anduin diante de Pelargir no anoitecer de 11 de março. À noite, põem fogo em navios sob guarda, destroem os Haradwaith e capturam 2 embarcações. Na man(hã) do 12 começam a subir o Anduin, com capitães dos Haradwaith remando.

O detalhe extraordinário em relação a isso, claro, é o local de Erech. Parece claro além de qualquer dúvida, a partir das evidências apresentadas em *A Guerra do Anel* (ver especialmente o capítulo "Muitas Estradas Ruman ao Leste (1)") que, desde sua concepção original, Erech ficava nos sopés meridionais das Ered Nimrais, perto da nascente do Morthond: Erech tem, de forma óbvia, uma relação próxima com as Sendas dos Mortos. Por que então meu pai agora decidiu mudá-la de lugar, primeiro (no texto **a**) para a costa, entre as fozes do Lameduin e o Ethir Anduin, e depois (nos textos **b** e **c**) para o Porto de Cobas (ao norte de Dol Amroth: ver o Segundo Mapa, VIII. 510)? Sou incapaz de propor alguma explicação para isso.

A geografia da versão **c** é, à primeira vista, difícil de acompanhar. A rota de Aragorn no texto **a** é compreensível: tudo o que se diz é que ele cavalgou da ponta do Vale do Morthond "para a Pedra de Erech"; ele alcança o Vale do Ringlo e depois vai em frente até entrar em Lamedon (região que, nesse estágio, ficava a leste do rio Lameduin: ver VIII. 512). A distância de 275 milhas da saída das Sendas dos Mortos até Erech "entre as embocaduras do Lamedui e o delta do Ethir Anduin" é, entretanto, grande demais, e talvez seja um erro, sendo o correto 175 milhas. (Sobre a forma *Lamedui*, ver VIII. 509, 512.) Na versão **c**, entretanto, Aragorn deixa Erech "nas costas de Cobas, perto da foz do Morthond" e "viaja feito vento, por trilhas rudimentares, *passando por Linhir até chegar aos Vaus do Lameduin* (a cerca de 150 milhas de distância)... *Ele cruza o Morthond em Linhir, entra no Vale do Ringlo... Alcança o Lameduin.*" Da maneira como está, essa passagem não faz sentido; mas a explicação é que a jornada de Aragorn está descrita duas vezes na mesma passagem. A primeira afirmação abrange a frase "viaja feito vento, por trilhas rudimentares, passando por Linhir até chegar aos Vaus do Lameduin (a cerca de 150 milhas de distância)". A segunda afirmação é "Ele cruza o Morthond em Linhir, entra no Vale do Ringlo... Alcança o Lameduin". O significado disso deve ser que Linhir, aqui, está na posição anterior, acima do Porto de Cobas (ver VIII. 512).

O texto **c** afirma que a estrada da costa saindo de Erech contornava, fazendo uma curva, "as Colinas de Tarnost". Esse nome está escrito a lápis ao lado de um ponto no quadrado Q 12 do Segundo Mapa, na extremidade norte das colinas entre os rios Lameduin e Ringlo (ver VIII. 510, 512, onde eu disse que, até onde sabia, o nome *Tarnost* não ocorre em outros textos).

Por fim, nas linhas finais do texto **b**, às quais não se sobrepõe outro texto, o nome *Haradrianos* é dado aos Haradwaith.

2

A Torre de Kirith Ungol

Parece que meu pai voltou à história de Frodo e Sam mais de três anos depois de ter "colocado o herói em tal apuro" (como disse numa carta de novembro de 1944, VIII. 264) "que nem mesmo um autor será capaz de livrá-lo sem trabalho e dificuldade". Como mostra um dos esquemas apresentados no capítulo anterior, entretanto, ele tinha continuado a avaliar a questão e, enquanto o Livro V ainda estava sendo escrito, descobrira o elemento essencial do resgate de Frodo por Sam: a briga entre Shagrat e Gorbag na Torre de Kirith Ungol, levando à matança mútua de quase todos os orques, tanto os da Torre quanto os de Minas Morgul, antes que Sam chegasse (pp. 23–4).

Seu primeiro esboço ("**A**") do novo capítulo se estendia até o ponto no qual Sam, descendo a trilha a partir da Fenda, vê os dois orques serem flechados conforme saem correndo do portão da Torre e, olhando para cima e observando a alvenaria das muralhas à sua esquerda, se dá conta de que, para entrar, "o portão era o único caminho" (RR, p. 1485). Nesse esboço, chegou-se ao texto do livro publicado, em grande medida, mas não em todos os aspectos. Em primeiro lugar, o capítulo começa assim: "Por um tempo, Sam permaneceu atordoado diante da porta fechada. Bem longe lá dentro, ouvia os sons das vozes de orques que clamavam..." Fica claro que Sam não estava fisicamente atordoado, como acontece com ele na versão final da história. Sobre isso, ver pp. 38–9.[1]

Em segundo lugar, quando Sam, tateando para achar o caminho para voltar do portão inferior dentro do túnel, pôs-se a pensar em seus amigos (RR, p. 1478), o texto diz: "No mundo lá fora era o escuro antes da aurora no dia 12 de março segundo a contagem do Condado, o terceiro dia desde que ele e Frodo tinham chegado às Encruzilhadas, e Aragorn estava chegando perto do Anduin e da frota de Umbar, e Merry começava o terceiro dia de sua cavalgada desde o Fano-da-Colina, e a floresta de Druadan se estendia diante dele; mas, em Minas Tirith, Pippin se postava insone nas muralhas [?esperando], pois [os] Fortes do Passadiço tinham caído e o inimigo estava vindo".

Em terceiro lugar, a fortaleza de Kirith Ungol foi inicialmente concebida como um edifício que se erguia "em quatro grandes lances", não três como em RR (p. 1481), e sua estranha estrutura, como que fluindo pela encosta da montanha, está esboçada na página do rascunho (reproduzida na p. 36) ao lado da descrição do texto; essa descrição, originalmente a lápis, mas recoberta com tinta, é a seguinte:

E naquela luz horrenda Sam se postou aterrado; pois agora conseguia ver a Torre de Kirith Ungol em toda a sua força. O chifre que podiam ver aqueles que subiam o passo vindos do Oeste não era mais que o torreão mais alto dela. Sua face oriental subia em quatro grandes lances a partir de uma plataforma na muralha da montanha, cerca de 500 pés abaixo. A parte de trás dava para a grande encosta, e ela fora construída com quatro bastiões pontiagudos de habilidosa alvenaria, seus lados voltados para nordeste e sudeste, um acima o outro, diminuindo* conforme subiam, enquanto à volta do lance mais baixo havia uma muralha com ameias, cercando um pátio estreito. Seu portão se abr[ia] a SE, para uma estrada larga. A muralha do [?lado de fora] .... estava na beira de um precipício.

* [O nível mais baixo provavelmente se projetava cerca de 50 jardas da encosta, o seguinte 40, o seguinte 30, o do topo 20 — e no topo [*ou* ponta] do último ficava o torreão. As alturas eram de 50 pés, 40 pés, 30 pés, 20 ?]

Com olhos negros e baços, as janelas fitavam as planícies de Gorgoroth e Lithlad; algumas [?forma(vam)] uma fileira de buracos com brilho rubro, que ia subindo. Talvez marcassem o trajeto de alguma escada que ia até o torreão.

Com um choque repentino de percepção, Sam se deu conta de que essa fortaleza tinha sido construída não para deixar pessoas de fora de Mordor, mas para mantê-las dentro! De fato, era em sua origem uma das obras de Gondor de muito tempo atrás: o posto avançado oriental da defesa de Ithilien e Minas Ithil, construído

A Torre de Kirith Ungol

quando, depois da derrocada de Sauron, nos dias da Última Aliança, os Homens do Oeste mantinham vigília sobre a terra maligna onde suas criaturas ainda se demoravam. Mas, tal como se dera com as Torres dos Dentes que vigia[vam] Kirith Gorgor, Nargos e ? [*sic*],[2] assim aqui também a vigília e guarda tinham falhado, e a traição entregara a Torre aos Espectros do Anel. [?E] então havia muito tempo que fora ocupada por coisas malignas. E, desde seu retorno a Mordor, Sauron a achava útil.

A passagem a lápis que se segue ao fim da parte escrita por cima com tinta diz o seguinte:

... mantinham vigília sobre a terra maligna onde suas criaturas ainda se demoravam. Mas, tal como se dera com as Torres dos Dentes sobre Kirith Gorgor, assim aqui a vigília e guarda tinham falhado e a traição cedera a Torre. Mas Sauron também a achava útil. Pois tinha poucos serviçais e muitos escravos. Ainda assim, o propósito da Torre era, como outrora, manter pessoas do lado de dentro.

Sam olhou e viu como a torre controlava a estrada principal vinda do passo atrás dela; a estrada em que estava era apenas um caminho estreito que descia serpenteando para dentro da escuridão e parecia se juntar a um caminho mais largo, que ia do portão até a estrada.

Essa página foi retirada do texto A por causa da ilustração (a única retratando a Torre de Kirith Ungol que meu pai chegou a fazer), a qual foi enquadrada de modo rudimentar com linhas, e colocada junto com o segundo manuscrito passado a limpo (**E**), embora nessa fase da escrita a fortaleza tivesse três lances, e não quatro.

O esboço original continua até o fim dessa maneira, e nesse ponto aparece a diferença mais importante em relação à narrativa de RR (p. 1484):

Não havia dúvidas sobre o caminho que precisava seguir, mas, quanto mais olhava, menos gostava daquilo. Colocou o Anel de novo e começou a descer. Agora conseguia ouvir os gritos e sons de luta outra vez. Tinha descido cerca de metade do caminho quando, saindo do portão sombrio e passando pelo brilho rubro, vieram dois orques correndo. Não viraram para o seu lado, mas pareciam estar tentando chegar à estrada principal quando caíram e ali ficaram, parados. Aparentemente tinham sido flechados por outros a partir do andar mais baixo ou do beiral do portão.[3] Depois disso, mais nenhum saiu. Sam seguiu em frente. Chegava agora [ao] ponto onde [o] caminho de descida encostava no muro inferior da torre, conforme se projetava da rocha atrás dela. Havia um ângulo estreito ali. Ele parou de novo, feliz por ter essa desculpa; mas logo viu que não havia meio de entrar. Não havia apoio algum na rocha lisa ou na alvenaria [?encaixada] e, cem pés acima dele, o muro se projetava, franzindo o cenho. O portão era o único caminho.

Aqui o primeiro rascunho para. Assim, a passagem inteira em RR (p. 1483) na qual Sam é tentado a colocar o Anel e reivindicá-lo para si, com sua mente se enchendo de fantasias grandiosas (derivadas daquelas de Frodo no Monte da Perdição nos esquemas I e II, pp. 17–9), está faltando; mas, no ponto onde o rascunho termina, meu pai escreveu (claramente na mesma época): *Sam não deve usar Anel.* Sem dúvida foi essa percepção que o fez abandonar esse texto.

Ele começou de imediato um segundo esboço, "**B**", na maior parte do tempo escrito de forma legível a caneta, com o número "52"[4] e o título "A Torre de Kirith Ungol". A abertura do texto era igual ao da versão A (p. 34): "Por um tempo, Sam permaneceu atordoado diante da porta fechada. Bem longe lá dentro, ouvia os sons das vozes de orques que clamavam..." No manuscrito passado a limpo de "As Escolhas do Mestre Samwise", o texto dissera (seguindo o esboço original) que "Sam arremessou-se contra ela e caiu", frase alterada a lápis para "Sam arremessou-se contra as chapas aferrolhadas e caiu ao chão". Esse trecho foi repetido na primeira versão datilografada daquele capítulo; só na segunda versão a expressão "sem sentidos" foi introduzida. A explicação disso é que, enquanto estava escrevendo o esboço B de "A Torre de Kirith Ungol", meu pai de repente teve uma ideia, que anotou na margem da página, dizendo a si mesmo que "precisava dar tempo a Frodo para ele se recuperar e lutar"[5] e que, para conseguir isso, "Sam precisa *desmaiar* na parte externa do portão inferior". Sem dúvida foi nesse momento que ele alterou a abertura do texto B:

Por um tempo, Sam permaneceu atônito diante da porta fechada. Então, desesperado e enlouquecido, lançou-se contra a

> porta brônzea e caiu para trás, atordoado; na escuridão mergulhou fundo. Quanto tempo isso durou ele não sabia dizer; mas, quando voltou a si, tudo ainda estava escuro.

Ao lado da passagem no esboço A que se refere a outros eventos do mundo naquela hora (pp. 34–5), meu pai anotou: "Fazer com que Frodo e Sam fiquem mais um dia nas Epheldúath. Assim, Frodo é capturado noite do 12, quando Merry estava na Floresta Druadan e Faramir estava de cama de febre e Pippin estava com o Senhor, mas Aragorn comandava sua frota". Em B, a passagem então ficou assim:

> A oeste, no mundo lá fora, era a noite profunda de 12 de março segundo a contagem do Condado, três dias desde que ele e Frodo tinham passado pelo perigo de Minas Morgul; e agora Aragorn estava comandando a frota negra no Anduin, e Merry, na Floresta de Druadan, estava ouvindo o Homem Selvagem, enquanto em Minas Tirith as chamas rugiam e [o grande assalto sobre os Portões tinha começado >] o Senhor se sentava ao lado da cama de Faramir na Torre Branca.

Ao lado de "março" nessa passagem, meu pai rabiscou na margem: "Criar nomes dados por hobbits para meses".

No ponto em que Sam, na crista do passo, olhou através da terra de Mordor até Orodruin ("sua luz ... resplandecia agora nas rijas faces das rochas, de forma que estas pareciam ensopadas de sangue", RR, p. 1481), meu pai parou brevemente e escreveu a seguinte nota atravessando a página:

> Mudança no Anel conforme ele fica próximo da fornalha onde foi feito. Sam se sente *enorme* — e nu. Ele sabe que *não* deve usar o Anel ou desafiar o Olho; e sabe que não é grande o bastante para isso. O Anel vai ser um fardo desesperado que não ajuda em nada de agora em diante.

A Torre de Kirith Ungol ainda está construída com quatro lances, não três, e a nota acerca das dimensões dos bastiões foi mantida (ver p. 35), embora as dimensões tenham sido alteradas:

> [O lance mais baixo se projetava cerca de 40 jardas da encosta quase perpendicular, o segundo 30, o terceiro 20, o do topo 10;

e a altura deles diminuía na mesma medida, 80 pés, 70 pés, 60 pés, 40 pés, e o torreão do topo cerca de 50 pés acima do topo do .... paredão da montanha.]

Esse texto afirma que a estrada de Minas Morgul, chegando ao Passo de Morgul, atravessava "uma vala acidentada no espinhaço interno que entrava pelo vale de Gorgor no seu caminho para a Torre Escura"; o nome *Morgai* ainda não tinha sido criado (cf. RR, p. 1481). O termo *Gorgor* foi alterado, provavelmente de imediato, para *Gorgoroth* (cf. VIII. 307). As Torres dos Dentes, no início, não receberam nomes nesse texto, mas *Narchost e Carchost* foram acrescentados depois.

Seguindo a nota sobre o tema do Anel que acabamos de apresentar, esse rascunho, na prática, chega ao texto de RR sobre a tentação de Sam e sua recusa dela, até o ponto onde o texto A terminava ("O portão era o único caminho", p. 1485). A partir desse ponto o texto B tem aparência mais tosca e, em parte, adota uma forma de esquema.

Sam fica imaginando quantos orques viviam na Torre com Shagrat e quantos homens Gorbag tem [*nota marginal*: Fazer com que os homens de Gorbag sejam mais numerosos em capítulo final do Livro IV][6] e por quê, afinal, estavam lutando. "É agora!", gritou. Desembainhou Ferroada e correu na direção do portão aberto — só para sentir um choque, como se tivesse trombado com alguma teia, como a de Laracna, mas *invisível*. Não conseguia ver nenhum obstáculo, mas algo forte demais para que sua vontade o sobrepujasse barrava o caminho. Então, logo na entrada do portão, ele viu as Duas Sentinelas. Eram, até onde conseguia enxergar naquela treva, como grandes figuras sentadas em cadeiras, cada uma tinha três corpos, e três cabeças, e suas pernas voltadas para dentro e para fora e para a passagem do portão. Suas cabeças eram como faces de abutres, e em seus joelhos estavam apoiadas mãos semelhantes a garras.[7] Tinham sido esculpidas em rocha negra, ao que parecia, imóveis, e, no entanto, tinham consciência; algum espírito horrendo de vigilância maligna habitava nelas. Reconheciam um inimigo e proibiam sua entrada (ou fuga). Com enorme ousadia, porque não havia mais nada a fazer, Sam pegou o frasco de Galadriel. Parecia ver um bruxulear nos olhos de azeviche das Sentinelas, mas lentamente sentiu que a oposição delas se desmanchava em medo. Saltou para dentro, mas, na hora em que fez isso, como se por algum sinal dado pelas Sentinelas, ouviu um grito estridente vindo do alto da Torre.

> Em RR (p. 1486), bem na hora em que Sam saltou pela entrada do portão, ele "teve consciência, tão claramente como se uma barra de aço houvesse se fechado atrás dele, que a vigilância delas fora renovada. E daquelas cabeças malignas veio um grito, agudo e estridente, que ecoou nos muros altíssimos diante dele. Muito no alto, como um sinal de resposta, um sino áspero deu uma única badalada". Na margem do presente texto, ao lado da passagem, há uma anotação: "Ou fazer com que Sentinelas se fechem com um estrondo. Sam caiu numa armadilha mais uma vez".

O pátio está cheio de orques assassinados. Alguns jazem aqui e ali, mortos à espada ou flechados, mas muitos ainda jazem agarrados uns aos outros, no ato de estrangular ou apunhalar seus oponentes. Dois arqueiros que estão bem na entrada do portão — provavelmente aqueles que flecharam os orques fugitivos — jazem varados por trás com lanças. [Ferroada, repara Sam, só está brilhando de modo tênue.]

Sam cruzou apressado o pátio e, para seu alívio, descobriu que a porta na base da Torre estava aberta. Não encontrou ninguém. Tochas estão acesas em seus suportes. Uma escada, visível no lado direito, segue para cima. Ele a sobe correndo e chega ao espaço estreito diante da segunda porta. "Bem!", disse a si mesmo, seu ânimo melhorando um pouco, "Bem! É como se Shagrat ou Gorbag estivesse do meu lado e fizesse meu serviço por mim. Não sobrou ninguém vivo!" E com isso se deteve, percebendo de repente o sentido pleno do que tinha dito: não sobrou ninguém vivo. "Frodo! Frodo!", chamou, esquecido de tudo, e correu para a segunda porta. Um orque salta sobre ele [*na margem*: Dois orques].

Sam mata o [> único] orque e o outro corre, gritando por Shagrat. Sam vai subindo cuidadosamente. A escada agora segue pela parte de trás da passagem de entrada e sobe até o próprio Torreão (o Portão Brônzeo fica mais ou menos no mesmo nível que o pátio?). Sam ouve vozes e vai atrás delas escondido. O orque corre aos tropeções escada acima. "Shagrat!", berra ele. "Aqui está ele, o outro espião." Sam o segue. Ouve o orque avisando Shagrat.

Shagrat está deitado, ferido, perto de corpo morto de Gorbag. Todos os homens de Gorbag foram mortos, mas mataram todos os de Shagrat menos esses dois.

Um pedaço isolado de papel parece ser, muito provavelmente, a continuação desse esquema e o primeiro esboço da nova história sobre a fuga da Torre. No fim do trecho, a caligrafia vira um garrancho tão ruim que muitas palavras e frases são impossíveis de ler.

Shagrat tem tentado, em vão, mandar mensagens para Baraddûr. A Briga começou por causa dos tesouros. Gorbag cobiçava a cota-de-malha de mithril, mas fingiu que precisavam fazer uma busca pelo espião desaparecido primeiro. Ele mandou seus homens capturarem a muralha e o portão e exigiu a cota-de-malha. Mas Shagrat não quer saber de concordar. Frodo foi enfiado em câmara do torreão e despido. Shagrat dá a ele um pouco de remédio e começa a interrogá-lo. Shagrat junta os objetos para mandá-los a Baraddur (Lugburz). Gorbag tenta entrar à força e matar Frodo.

Gorbag e Shagrat lutam.

Quando Shagrat ouve a notícia (embora orque diga que o outro espião não é um guerreiro grande), fica apavorado, já que está ferido. Faz uma trouxa com os tesouros e tenta escapulir. Precisa chegar a Lugburz. Assim, quando Sam aparece de um salto, com frasco e espada brilhante, ele foge. Sam o persegue; mas desiste, porque [?ouve] Frodo [?chorando]. Ele vê Shagrat lá embaixo, saindo correndo do portão — e, no começo, não se dá conta do infortúnio causado pela chegada de notícias a Lugburz. O orque que ficou para trás está atormentando Frodo. Sam entra correndo e o mata.

Cena de entrega do Anel. Frodo perdeu seu manto e ....[8] Ele precisa se vestir com as roupas do orque [*ou* com roupas de orques]. Sam faz o mesmo mas fica com manto e Ferroada. Frodo tem de usar armas-órquicas. A espada sumiu.[9] Ele conta a Sam sobre a luta. Fazem planos.

A oposição das Sentinelas. A Torre parece cheia de mal. Grito se ouve conforme escapam. E, como se em resposta, um Nazgûl mergulha vindo do céu negro, [?brilhando .... ?com] um rubro cruel, e se empoleira no muro. Enquanto isso, eles descem correndo a estrada e, assim que conseguem, deixam-na e vão até o abrigo das rochas perto do fundo da vala. Ficam pensando no que fazer.

Comida.[10] Bebida. Tinham encontrado a sacola de Frodo e .... [?num canto] remexida — mas orques não se atrevem a tocar *lembas*. Juntaram o que sobrou dele, em fragmentos destroçados. Orques precisam beber. [?Eles enxergam] [um] poço no pátio. Sam experimenta a água — diz que é melhor Frodo não arriscar. Parece razoável. Enchem seus cantis. Agora é dia 13 de março, trocar para dia 14? Calculam que têm [?o suficiente] para cerca de uma semana com cuidado ou, num aperto desesperado, para dez dias. Qual é a distância.

Escalam a encosta inferior e descobrem que não dá para arriscar atravessar a planície naquele ponto — onde ela é larga e cheia de inimigos.

O Nazgûl [?explora] Torre e vê que há [??problema] e sai voando. Frodo acha que é melhor ir para o norte, onde a planície se estreita — tinha visto esboço de mapa de Mordor na casa de Elrond — e ir para longe de Kirith Ungol, para a qual [??atenções agora estão dirigidas]. Ele lamenta o fato de que Shagrat tinha escapado com *objetos pessoais*.

Capítulo termina com o Nazgûl, com um brilho vermelho, voando em círculos sobre a Torre [??e ele grita como] ..... de orques começa a vasculhar o [?passo] e a estrada e ele pousa por ali.

Creio que, nesse estágio, meu pai começou o capítulo de novo, e esse foi o primeiro manuscrito a ser completado ("**D**"). Recebeu a numeração "52", mas ganhou um título novo, "A Torre-órquica"; o número, mais tarde, foi alterado para "50" (coisa que não consigo explicar), e o título "A Torre de Kirith Ungol" (que recebera no esboço B) voltou.

Novos rascunhos em estágio inicial começam no ponto em que Sam entra pelo portão da Torre, mas até esse ponto o texto final foi escrito com base nos esboços A e B descritos acima, numa forma que só difere da presente em RR em alguns pontos menores. O capítulo, nessa fase, começa exatamente como se vê na obra publicada (ver pp. 38–9), e Sam agora precisa dar a volta escalando a porta de pedra que leva ao portão inferior, já que ainda não consegue achar o ferrolho dela (nota 1). Os eventos "na direção oeste do mundo" são descritos com as mesmas palavras (com o acréscimo, depois de "Pippin via a loucura crescendo nos olhos de Denethor", de "e Gandalf labutava na defesa derradeira"); mas a data ("meio-dia do décimo quarto dia de março" em RR) passou a ser "manhã do décimo terceiro dia de março". O nome *Morgai* aparece como um acréscimo imediato ao texto (p. 40). A Torre agora tem três lances, e a nota sobre as dimensões dos bastiões, ainda presente (ver pp. 35, 39–40), foi adaptada a esse fato: os lances agora se projetam 40, 30 e 20 jardas da encosta, e suas alturas são de 80, 70 e 60 pés, alteradas logo depois que o texto foi escrito para 100, 75 e 50 pés. "O topo estava 25 pés acima de Sam e, acima dele, ficava o chifre do torreão, mais 50 pés."[11]

A partir de "'Agora está feito!', disse Sam. 'Agora toquei a campainha da porta da frente!'", outro texto de rascunho ("**C**") prossegue. Essa versão foi escrita com uma letra tão difícil que boa parte dela mal seria compreensível se não tivesse sido seguida tão de perto na cópia passada a limpo D.[12] Nessa fase, a história final foi alcançada, e há pouco a comentar sobre esses textos. No ponto da narrativa no qual Sam subiu até o teto do terceiro lance da Torre (o mais alto), há um pequeno diagrama em D mostrando a forma do espaço aberto (que não é visto com clareza no desenho reproduzido na p. 36): retangular na base, mas com os lados se juntando para formar uma ponta (cf. os "bastiões pontiagudos" mencionados na descrição da Torre), mais ou menos com a forma de um palheiro. À afirmação de que a escadaria estava "coberta por um pequeno recinto abobadado no meio da plataforma, com portas baixas que davam para o leste e o oeste", o texto D acrescenta "Ambas estavam abertas": isso foi omitido no segundo manuscrito ("**E**"), talvez sem querer. O nome do único orque sobrevivente além de Shagrat é *Radbug* tanto em C como em D (*Snaga* no livro publicado; ver o Apêndice F do SdA, p. 1866), e o nome *Radbug* foi mantido na versão final como o de um orque cujos olhos Shagrat diz ter espremido para fora (RR, p. 1490); em C, os orques que Sam viu saírem correndo do portão e serem flechados quando fugiam são *Lughorn* e *Ghash* > *Muzgash* (*Lagduf* e *Muzgash* no texto D, tal como no livro). Enquanto em RR Snaga declara que "o grande combatente" (Sam) é "um desses Elfos de mãos sangrentas ou um dos *tarks* imundos", e que o fato de ele ter passado pelas Sentinelas é "serviço de *tark*",[13] o texto C diz "isso é serviço élfico"; D traz "um desses magos imundos, talvez" e "isso é serviço de mago" (com "mago" sendo alterado a lápis para "*tark*", termo que aparece no segundo manuscrito E no momento da composição).

É num único ponto que a história, conforme está contada no esboço C, difere do que está em D. Quando Gorbag se levanta do meio dos cadáveres no teto, Sam percebe que ele, tal como em RR (p. 1492), tem nas mãos "uma lança de lâmina larga e cabo curto, quebrado"; em C, por outro lado, ele carrega "uma espada vermelha [?e brilhante]. Era a sua própria espada, a que ele deixara com Frodo". Sobre isso, cf. texto B (p. 42 e nota 9): "Frodo tem de usar armas-órquicas. A espada sumiu".

A canção de Sam, entoada enquanto ele se sentava na escada do torreão, sofreu muitas mudanças.[14] Apresento-a aqui na forma que tem no texto D, a qual foi precedida por versões menos trabalhadas, mas muito similares.

Nas pedras me sento sozinho;
o fogo se enrubesceu,
Alta é a torre, escuro o monte;
tudo aqui já morreu.
Pode no oeste o sol brilhar,
lá há flor em primavera
abrindo-se e vicejando:
lá o tentilhão espera.

Mas cá só me ponho a pensar
em dias verdejantes,
em terra fresca e juventude:
são dias tão distantes.
Pois são passado e se perderam
co' as sombras a jazer
sobre o meu pobre coração
e a esperança a morrer.

Mas inda assim eu penso em ti;
ao longe teu rosto amado
a caminhar perto de casa
num dia iluminado.
Era tão bom poder te ouvir
chamar, fazer-te o bem,
correr e tomar tua mão;
mas agora a noite vem.
Sento-me agora além do mundo:
onde estás a jazer?

Querido mestre, ouve, eu te peço,
Ouve antes de morrer.[A]

A segunda estrofe foi alterada no manuscrito:

Pois para sempre se perderam
e cá estou a jazer,
enterrado fundo nas sombras,
e a esperança a morrer.[B]

Nessa mesma fase, os dois últimos versos da canção ficaram assim:

Ó Mestre, ouve a minha voz,
Responde antes de morrer.[C]

Nessa forma, a canção aparece no segundo manuscrito E. Numa fase posterior, foi reescrita nesse texto e se tornou praticamente uma outra canção, mas ainda manteve, quase inalterada, a segunda metade da primeira estrofe original, que então se tornou o conjunto de versos da abertura:

Ao Sol nas terras do Ocidente
há flores em primavera
abrindo-se e vicejando:
lá o tentilhão espera.[D]

Novas correções desses versos no manuscrito levaram à forma final (RR, p. 1495).

Um último ponto tem a ver com a escada: "De repente a resposta surgiu diante de Sam: o recinto superior era acessível por um alçapão no teto do corredor", RR, p. 1496. Em meu relato sobre o manuscrito passado a limpo de "As Escolhas do Mestre Samwise", não descrevi um desenvolvimento no texto das últimas palavras de Shagrat e Gorbag que Sam entreouviu antes que eles atravessassem o portão inferior da Torre (DT, p. 1214). No esboço do texto, só Shagrat fala:

"É, até o recinto do alto", Shagrat estava dizendo, "bem lá em cima. Sem nenhum jeito de descer se não for pela escada estreita da Sala de Vigia embaixo. Ele vai ficar seguro lá."

Na cópia passada a limpo esse trecho foi mantido, mas Shagrat começa dizendo "É, isso vai funcionar" (como se a sugestão tivesse vindo de Gorbag), e "a escada" foi substituída por "a escadaria estreita". Assim, pode-se ver que esse elemento da história já estava presente quando o Livro IV foi concluído. Os desenvolvimentos posteriores da conversa entre os orques, nos quais Gorbag argumenta contra a proposta de Shagrat, e Shagrat declara que não confia em todos os seus "rapazes", nem em nenhum dos de Gorbag, nem no próprio Gorbag (e não menciona que o recinto mais alto pode ser alcançado pela escada), foram acrescentados ao primeiro texto datilografado de "As Escolhas do Mestre Samwise" nesse momento, como se pode depreender do fato de que esboços rápidos dessas passagens se encontram numa página com rascunhos de trechos de "A Terra da Sombra". Curiosamente, meu pai escreveu no alto dessa folha: "Único jeito de subir é por escada", como se essa ideia só tivesse aparecido naquele momento.[15]

NOTAS

1 Quando Sam voltou para a porta de pedra do corredor dos orques, "ele achou o ferrolho do lado de dentro" (enquanto em RR ele não conseguiu achar o aparato e teve de escalar a abertura). Isso foi mantido no segundo esboço, o texto B.

2 Para nomes anteriores das Torres dos Dentes, ver o Índice Remissivo de *A Guerra do Anel*, verbetes *Naglath Morn, Nelig Myrn*. O nome *Nargos* aqui é uma volta a um dos nomes originais (*Gorgos* e *Nargos*) das torres que vigiavam Kirith Ungol, quando esse ainda era o nome do principal passo que dava acesso a Mordor: ver VII. 403 e nota 41.

3 Esses dois orques, que sobreviveram no texto final (RR, p. 1485), originalmente apareceram no esquema IV (pp. 23–4) como mensageiros enviados a Barad-dûr. Naquele momento, não havia indícios de que eles não tinham completado sua missão.

4 Nesse estágio, é de se imaginar que "A Pira de Denethor" e "As Casas de Cura" constituíam as duas partes do Capítulo 49 (VIII. 455), enquanto o restante do Livro V era dividido entre os capítulos 50 e 51 (o manuscrito passado a limpo de "O Portão Negro se Abre" recebe a numeração 51).

5 No fim das contas, é claro, Frodo não lutou, e nenhum esboço desse período sugere que tenha lutado. É possível que, nessa fase, antes que ele viesse a escrever a nova história do resgate de Frodo, meu pai ainda estivesse pensando nos termos da trama original em "A História Prevista a partir de Lórien", quando Frodo era mais ativo (VII. 393 e seguintes).

6 No manuscrito passado a limpo de "As Escolhas do Mestre Samwise", Sam se pergunta: "Há quantos lá? Trinta, quarenta ou mais?". A alteração para

"Trinta ou quarenta, pelo menos da torre, e muitos mais lá debaixo, calculo" (DT, p. 1204) foi feita no primeiro texto datilografado do capítulo. — No esquema IV (pp. 23–4), os orques da Torre são os mais numerosos.

[7] Cf. a concepção original das Sentinelas vigiando a entrada de Minas Morgul em "A História Prevista a partir de Lórien", texto escrito anos antes (VII. 400): "Era como se alguma vontade negando-lhe passagem surgisse como cordas invisíveis através do caminho. Sentiu a pressão de olhos invisíveis. ... As Sentinelas estavam sentadas ali: sombrias e imóveis. Não mexeram as mãos semelhantes a garras, postas sobre os joelhos, não mexeram as cabeças veladas nas quais nenhum rosto se podia ver..." Ver também o diagrama esquemático das Sentinelas em VII. 407–8.

[8] A palavra ilegível talvez possa ser *joia* (isto é, o broche do manto-élfico).

[9] *A espada sumiu*: trata-se da espada de Sam, a das Colinas-dos-túmulos; cf. "As Escolhas de Mestre Samwise" (DT, p. 1041): "'Se for para eu ir em frente', disse ele, 'então preciso pegar sua espada, com sua licença, Sr. Frodo, mas vou pôr esta outra deitada ao seu lado, assim como esteve ao lado do antigo rei no morro tumular...'" Ver pp. 44–5.

[10] Essa passagem sobre as provisões de comida é agua está marcada para ser colocada antes — sem dúvida após as palavras "Fazem planos". As palavras ilegíveis na frase depois de "Comida. Bebida." podem ser lidas, concebivelmente, como *bastão jogados*, isto é, "Tinham achado a sacola de Frodo e o bastão jogados num canto, remexidos".

[11] Algumas outras diferenças de detalhes merecem ser registradas. Enquanto em RR o texto diz "Nem mesmo as sombras negras, estendendo-se fundas onde o brilho rubro não podia alcançá-las, o ocultariam por muito tempo da visão noturna órquica", o texto D prossegue: "dos orques que se movimentavam de lá para cá". Isso foi incorporado a partir do esboço B e permaneceu no segundo manuscrito do capítulo (E), de onde foi removido. — A rejeição de Sam à tentação de reivindicar o Anel como seu foi formulada assim: "Tudo de que precisava, e tudo que lhe era devido, era o pequeno jardim de um jardineiro livre, não um jardim que inchasse até virar um reino; suas próprias mãos para usar, não as mãos de outros. Serviço oferecido com amor era a sua natureza, não assenhorar-se desse serviço, seja por medo ou benevolência altiva". — Depois das palavras "Na verdade, não tinha nenhuma dúvida" (RR, p. 1293), vem o seguinte no texto D: "mas estava sozinho e não estava acostumado com isso, ou com agir por iniciativa própria". A essa frase meu pai acrescentou depois, antes de riscar tudo, "Já que não havia ninguém mais por lá, ele tinha de conversar consigo mesmo".

[12] Algumas passagens não estão presentes no esboço C, mas não acho que tenha sido porque certas páginas se perderam: na verdade, o texto D aqui passa a ser a fase inicial da composição da narrativa. Assim, a passagem nas pp. 1297–8 de RR, de "Foi subindo cada vez mais" até "'Maldito seja, Snaga, seu vermezinho'"

está faltando; e aqui o texto D vai ficando claramente mais tosco e cheio de correções feitas no ato da composição. O esboço C, em estágio muito tosco, para perto do começo da conversa de Sam com Frodo na câmara mais alta (RR, p. 1305), e a partir daquele ponto apenas passagens isoladas de esboços sobreviveram; mas a parte final de D sofreu muitas correções conforme foi sendo escrita e, naquele momento, em larga medida, passou a ser a composição primária do capítulo.

[13] Cf. SdA, Apêndice F (RR, p. 1612): na forma órquica do westron, "*tark*, 'homem de Gondor', era uma forma degradada de *tarkil*, uma palavra do quenya usada em westron para alguém de ascendência númenóreana".

[14] Para as ideias originais de meu pai sobre a canção que Sam entoou em seu momento de desespero, ver VII. 392.

[15] Quando Frodo e Sam saíram pelo portão da Torre, Frodo gritou: *Alla elenion ancalima! Alla* só foi alterado para *Aiya* quando o livro estava no prelo (cf. VIII. 269, nota 29).

3

A Terra da Sombra

Parece evidente que o capítulo "A Terra da Sombra" foi completado rapidamente e num só impulso de composição; os esboços (aqui chamados, em conjunto, de "**A**") consistem, em larga medida, de passagens escritas de modo muito rudimentar, imediatamente transferidas para e desenvolvidas em um primeiro manuscrito contínuo ("**B**"), ao qual foi dado o número "53" (ver as pp. 42–3) e o título "Monte da Perdição", depois alterado para "A Terra da Sombra". Só em umas poucas passagens meu pai chegou a seguir momentaneamente um caminho malsucedido na narrativa.

A primeira delas tem a ver com o momento em que Sam e Frodo entreouvem a conversa dos orques no vale abaixo do Morgai, trecho que, no início, tinha sido concebido de modo muito diferente do da história em RR (pp. 1325–6). O esboço A nesse ponto é, tal como em todos os outros lugares, extremamente difícil de ler.

Logo depois [três >] dois orques apareceram. Usavam roupa negra, sem emblemas, e estavam armados com arcos, uma estirpe pequena, de pele negra com narinas largas que farejavam, evidentemente rastreadores de algum tipo. .... estavam conversando em alguma fala horrenda e ininteligível; mas, conforme passaram farejando em meio às pedras, a menos de 20 jardas onde os hobbits esperavam, Frodo viu que um estava carregando no braço uma cota-de-malha negra muito parecida com a que ele tinha abandonado. [O orque] fungou nela como se para recordar o odor. De repente, levantando a cabeça, soltou um grito. Foi respondido, e da direção oposta (de Kirith Ungol, que agora tinha ficado algumas milhas para trás) ... grandes orques guerreiros apareceram com escudos .... [?pintados] com o Olho.

Começou então uma [?algaravia] de conversas na língua comum. "Nar", disse o rastreador, "não tem rastro nenhum mais pra frente. Nem desse cheiro, mas a gente não está [?tranquilo]. Alguém que não tinha de se meter por aqui andou passando. Cheiro diferente, mas é um cheiro ruim: a gente também perdeu essa trilha, o tal subiu pras montanhas".

"Cês são úteis pra caramba, bando de cheiradores", grunhiu um orque dos maiores. "Pra mim olhos são melhores que esse nariz cheio de ranho que cês têm. Viu alguma coisa?"

"O que tem pra olhar?", grunhiu o rastreador.

Em meio a várias outras dissensões órquicas nos esboços confusos, a história final emerge, com apenas dois orques, um soldado e um pequeno rastreador: meu pai teve algum trabalho para decidir qual fala ofensiva pertencia a qual personagem.

O esboço da passagem na qual Sam descreveu a Frodo tudo o que tinha acontecido (RR, p. 1327) é o seguinte:

Depois que ele terminou de falar, Frodo não disse nada por algum tempo, mas tomou a mão de Sam e a apertou. Por fim, mexeu-se um pouco. "Então é nisso que dá ficar bisbilhotando, Sam", disse. "Mas fico pensando se você vai voltar algum dia. Talvez fosse mais seguro ser transformando num sapo, como Gandalf ameaçou. Lembra-se daquele dia, Sam", perguntou ele, "quando você estava podando as plantas debaixo da janela?"

"Lembro, Sr. Frodo. E aposto que as coisas viraram [uma] bagunça feia por lá agora, com [?aquela] Lobélia e o Cosimo[1] dela, com sua licença. Vai haver problema se um dia a gente voltar."

"Eu não me preocuparia com isso se fosse você", disse Frodo. "Temos de ir em frente agora. Para o Leste, o Leste, Sam, não o Oeste. Fico imaginando: quanto tempo vai levar até que sejamos pegos e todo esse esconde-esconde e trabalho duro termine?"

É curioso que Sam, ao falar de modo sombrio sobre o estado das coisas no Condado, atribua o problema a Lobélia e Cosimo Sacola-Bolseiro. No esboço original do Espelho de Lothlórien, quando ele era o Espelho do Rei Galdaran, e quando era Frodo quem tinha as visões do Condado, a ideia era que ele visse "Cosimo Sacola-Bolseiro muito rico, comprando terras"; mas não havia menção a Cosimo na primeira versão narrativa dessa cena (VII. 295, 299).

A entrega de Ferroada e do Frasco de Galadriel para Sam foi inserida no primeiro manuscrito (B), da seguinte forma:

"Você precisa tomar conta do presente da Senhora para mim, Sam", disse ele. "Não tenho nenhum lugar onde deixá-lo, exceto nas minhas mãos, e preciso das duas no escuro. E precisa ficar com Ferroada também, já que perdi a sua espada. Tenho uma lâmina-órquica, mas não acho que me caiba dar algum golpe de espada de novo."

Foi nesse momento, ao que parece, que meu pai passou a ter uma nova percepção sobre as terras na extremidade noroeste de Mordor, dando-se conta de que o vale atrás do Morannon era fechado também em sua ponta sul por grandes esporões que se projetavam das Ephel Dúath e das Ered Lithui. Na forma original do texto B, Frodo contou o seguinte sobre seu conhecimento da geografia de Mordor (cf. RR, p. 1328):

"Não tenho uma noção muito clara, Sam", disse Frodo. "Em Valfenda, antes de partir, vi mapas antigos, feitos antes que o Senhor Sombrio retornasse para cá, e me lembro deles vagamente. Eu tinha um pequeno esquema secreto, com nomes e distâncias: ele me foi dado por Elrond, mas se perdeu com todas as minhas outras coisas. Acho que eram dez léguas, ou até doze, da Ponte até os Estreitos, um ponto onde as cadeias do oeste e do norte projetam esporões e criam uma espécie de portão para o vale profundo que fica atrás do Morannon. A Montanha se ergue sozinha na planície, mas fica mais perto da cadeia do norte. Quase 50 milhas, eu acho, a partir do Estreitos — mais que isso, claro, se tivermos de ficar perto da beira dos morros do outro lado."

Numa versão revisada desse trecho, Frodo diz: "Acho que, sem contar a nossa escalada desnecessária, cobrimos, digamos, [vinte milhas >] seis ou sete léguas no rumo norte, a partir da Ponte, desde que começamos". A versão final desse manuscrito diz que a distância que eles atravessaram foi de sete léguas, acrescenta que são "em torno de dez léguas" da Ponte até o encontro dos esporões montanhosos e ainda mais cinquenta milhas de lá até o Monte da Perdição. Em RR essas distâncias são de doze léguas, não sete; vinte léguas, não dez; e sessenta milhas, não cinquenta: ver mais detalhes na Nota sobre a Geografia no fim deste capítulo.

Quando Frodo e Sam afinal puseram seus olhos nos confins norte-ocidentais de Mordor, vistos a partir do sul (RR, p. 1329), os nomes *Durthang* e *Carach Angren* "*as Mandíbulas Férreas*" aparecem no esboço original, mas o vale detrás das Carach Angren é chamado de *o Narch*.[2] O rascunho, nesse ponto, é parcialmente legível, mas é possível ler o suficiente para mostrar que a disposição do terreno estava perfeitamente clara diante dos olhos de meu pai assim que ele alcançou esse ponto da narrativa. No texto B, o nome *Boca-ferrada* aparece, embora o vale atrás dele ainda seja chamado de "o vale profundo do Narch".[3]

Uma característica notável do esboço original da história é que não há nenhuma menção a Gollum (ver RR, 1331). Enquanto Frodo dormia, Sam saiu dali sozinho e encontrou água, tal como em RR, mas depois disso "o resto daquele dia cinzento passou sem incidentes. Frodo dormiu por [?horas]. Sam não o despertou, mas, confiando mais uma vez na 'sorte', dormiu por muito tempo ao lado dele". Gollum aparece no texto B neste trecho:

Naquele momento, pensou ter tido um vislumbre de uma forma ou sombra negra passando entre as pedras mais acima, perto do esconderijo de Frodo. Tinha quase voltado até onde estava seu patrão quando teve certeza. De fato, lá estava Gollum! Se sua vontade lhe tivesse dado força para um grande salto, Sam teria se lançado diretamente contra as costas de seu inimigo; mas, naquele momento, Gollum se deu conta dele e olhou para trás. Sam teve um rápido vislumbre de dois olhos pálidos, agora repletos de uma luz insana e malevolente, e então Gollum, pulando de pedra em pedra com grande agilidade, fugiu para cima da encosta e desapareceu do outro lado de sua beirada.

O fim do capítulo, com a história de Frodo e Sam sendo forçados a se juntar ao bando-órquicoque está descendo de Durthang, e a fuga deles durante a confusão na encruzilhada perto da Boca-ferrada, foi completado sem hesitação em quase tudo, exceto detalhes menores.[4]

NOTAS

1 Sobre Cosimo Sacola-Bolseiro, mais tarde chamado de Lotho, ver VI. 350, VII. 43.

2 Foi durante o trabalho na parte final de "A Terra da Sombra" que meu pai mapeou pela primeira vez sua nova concepção sobre a extremidade noroeste de Mordor, num pedaço de papel que traz do outro lado rascunhos da história da marcha forçada de Frodo e Sam no meio da tropa de orques que iam de

Durthang para a Boca-ferrada. Nesse pequeno esboço de mapa, o vale fechado entre o Morannon e a Boca-ferrada recebe o nome de *Narch*, mais tarde alterado para *Udûn*. Na minha descrição do Segundo Mapa em VIII. 514, notei que o vale, de início, estava marcado como *Gorgoroth*, mas que esse nome foi riscado "e, no seu lugar, o nome *Narch Udûn* foi escrito a lápis". De fato, está claro que apenas *Narch* tinha sido escrito originalmente, e que *Udûn* é o termo que foi usado para substituí-lo.

[3] Esse trecho foi alterado mais tarde para "o vale profundo de Kirith Gorgor" e, depois, para "o vale profundo de Udûn" (ver nota 2).

[4] Alguns desses detalhes presentes na forma mais antiga da conclusão do capítulo podem ser mencionados. Os orques "feitores de escravos" são chamados de "dois dos grandes e ferozes *uruks*, os orques-lutadores", e essa parece ser a primeira vez que a palavra foi usada (embora o nome *Uruk-hai* tivesse aparecido muito antes, VII. 479, VIII. 36, ver também pp. 513–4); e o texto diz que "um dos feitores de escravos com *olhos que enxergavam à noite* espiaram as duas figuras na beira da estrada". Enquanto em RR esse orque diz "Toda a sua gente devia estar dentro de Udûn antes de ontem à tarde", aqui ele diz "dentro da divisa de Narch"; e, depois das palavras "Não sabem que estamos em guerra?", ele acrescenta: "Se a gente élfica se sair bem dessa, não vão tratar vocês com tanta bondade".

Nota sobre a Geografia

No primeiro esboço do capítulo, quando Frodo e Sam subiram até a crista do Morgai e, olhando para o leste, viram o Monte da Perdição, ele estava "ainda a umas 30 milhas de distância, talvez, diretamente a leste de onde os hobbits estavam". No texto B, no manuscrito seguinte e no texto datilografado final enviado para a editora, a distância passou a ser "sete léguas ou mais", e só foi alterada para "quarenta milhas pelo menos" (RR, p. 1322) num estágio muito tardio. É impossível que "30 milhas", e menos ainda "sete léguas", correspondam a qualquer um dos mapas. No Segundo Mapa, a distância em linha reta para o leste, do Morgai até o Monte da Perdição (em sua segunda posição, mais ocidental, ver VIII. 514), é de pouco menos de 50 milhas, enquanto no Terceiro Mapa (o último mapa geral de pequena escala que meu pai fez), passou a ser de 80 milhas. No mapa de grande escala que mostra Rohan, Gondor e Mordor, a distância é algo inferior a 60 milhas, da maneira como o Monte da Perdição foi disposto inicialmente; mas, quando o monte foi transferido mais para o oeste, ela passou a ser de 43 milhas (menos de 40 no meu mapa redesenhado que foi publicado em *O Retorno do Rei*), com o que o texto de RR está de acordo.

A distância da ponte do Morgai abaixo de Kirith Ungol até a Boca-ferrada foi estimada de memória por Frodo (p. 52) como de "dez léguas, ou até doze" (30–36 milhas); e "pelo menos dez léguas" continuou no texto datilografado final antes de ser alterado para o número em RR (p. 1328), "pelo menos vinte léguas". O Segundo Mapa não permite uma medição precisa da distância entre a ponte do Morgai e a Boca-ferrada, uma vez que a concepção do fechamento do vale atrás do Morannon por esporões das Ephel Dúath e Ered Lithui não tinha surgido quando ele foi feito, mas tal distância poderia ser calculada como tendo entre 30 milhas e 40 milhas; no mapa de grande escala, ela passa a ser de 56 milhas, ou pouco menos de 19 léguas, o que corresponde às vinte léguas de RR.

A estimativa feita por Frodo da distância entre a Boca-ferrada e o Monte da Perdição como sendo de cerca de 50 milhas, do mesmo modo, continuou em todos os textos até ser substituída, no fim das contas, por 60 milhas. Essa distância é de mais ou menos 50 milhas no Segundo Mapa, cerca de 80 no Terceiro Mapa e 62 no mapa de grande escala considerando a localização inicial do Monte da Perdição; quando ele foi transferido mais para o oeste, a distância da Boca-ferrada passou a ser de 50 milhas. A mudança de 50 para 60 no fim da história textual do RR, assim, estranhamente é o contrário do desenvolvimento do mapa.

No rascunho original, Sam e Frodo chegaram à estrada para a Boca-ferrada "depois que ela já tinha seguido por cerca de 4 milhas depois da fortaleza-órquicade Durthang e virado um pouco para o norte, de modo que a longa descida detrás do caminho ficasse escondida deles [?se apressando] pela estrada perigosa. Estavam andando fazia uma hora e tinham coberto talvez umas 3 milhas sem encontrar inimigo algum quando ouviram aquilo que tinham temido o tempo todo ..." Em B, "chegaram afinal à estrada no ponto em que, depois de descer velozmente a partir de Durthang, ela se tornava mais nivelada e seguia, debaixo da ponte, rumo à Boca-ferrada, numa distância de talvez dez milhas". Tal como em A, fazia só uma hora que estavam na estrada quando foram alcançados pelos orques, e no texto foi acrescentado, neste ponto, que "talvez ainda faltassem seis milhas antes que a estrada deixasse sua plataforma elevada e descesse para a planície". No manuscrito seguinte e no texto datilografado final enviado para a gráfica, os hobbits ainda alcançavam a estrada "no ponto onde ela virava para o leste na direção da Boca-ferrada, a dez milhas de distância", e ainda era depois de apenas uma hora na estrada que eles paravam e, pouco depois, eram vistos. No texto datilografado, meu pai emendou "dez milhas" para "vinte milhas" e "uma hora" para "três horas", mas a versão final em RR ficou "depois de percorrerem cerca de doze milhas eles pararam". No mapa de grande escala, o trajeto de Frodo e Sam seguindo o vale abaixo do Morgai está marcado, e o ponto onde o percurso deles desembocou na estrada vindo de Durthang é de 20 milhas de distância Boca-ferrada; a mudança no texto, assim, muito provavelmente foi feita para acomodá-lo ao mapa. A mudança segundo a qual os hobbits tinham seguido pela estrada por três horas ou doze milhas antes de serem pegos claramente é consequência da distância aumentada até a Boca-ferrada, com o objetivo de reduzir o tempo que Frodo e Sam tiveram de se submeter ao ritmo violento imprimido pelos orques antes de escaparem.

Nota sobre a Cronologia

Há datas escritas nas margens dos textos originais deste capítulo. Nesse estágio, a cronologia da jornada a partir de Kirith Ungol pode ser estabelecida assim:

14 de março Aurora: Frodo e Sam descem para o vale abaixo do Morgai. O vento muda e a escuridão começa a ser rechaçada.
Noite de 14–15 de março: Os dois dormem abaixo da crista do Morgai; Sam vê uma estrela.
15 de março Alcançam o topo do Morgai e veem o Monte da Perdição; descem e continuam pelo vale; entreouvem os dois orques brigando.
Noite de 15–16 de março: Continuem pelo vale no rumo norte.
16 de março Passam o dia escondidos no vale.
Noite de 16–17 de março: Continuam pelo vale.
17 de março Escondidos. Veem Durthang e a estrada que desce de lá. Gollum reaparece.
Noite de 17–18 de março: Tomam a estrada que sai de Durthang e são forçados a se juntar à companhia-órquica.

Essa cronologia está de acordo com a data de 14 de março para a Batalha dos Campos de Pelennor (ver VIII. 502–3); tanto no esboço A como no primeiro manuscrito B do capítulo, afirma-se "Era a manhã de 14 de março... Théoden jazia moribundo nos Campos de Pelennor". Aqui, no RR (p. 1315), era a manhã de 15 de março; e todas as datas com apresentadas acima encontram-se um dia depois na história final.

4

O Monte da Perdição

O esboço original do capítulo "O Monte da Perdição" foi escrito continuando o primeiro manuscrito completo B de "A Terra da Sombra", o qual, nesse estágio, era chamado de "O Monte da Perdição" (ver p. 50), mas a divisão do texto em dois capítulos foi feita logo.

A parte posterior do capítulo unificado original (que continuarei a designar como "**B**") é notável pelo fato de que o esboço principal constitui um texto completo, com praticamente nada que corresponda a rascunhos preparatórios de passagens individuais, e, embora o texto não esteja polido, tendo muitas correções feitas no momento da composição, ele é legível em quase toda a sua extensão; além disso, muitas passagens sofreram só mudanças menores mais tarde. É possível que algo do material mais primitivo tenha desaparecido, mas me parece bem mais provável que a extensa reflexão que meu pai tinha dedicado à subida do Monte da Perdição e à destruição do Anel lhe permitiu, quando por fim veio a escrever essas cenas, montá-las de forma mais rápida e segura do que quase qualquer outro capítulo anterior em *O Senhor dos Anéis*. Ele sabia desde muito antes (ver p. 15) que, quando Frodo (ainda chamado de "Bingo") chegasse à Fenda da Perdição, ele seria incapaz de lançar fora o Anel, e que Gollum tomaria o objeto e cairia nas chamas. Mas como ele caiu? Em esquemas posteriores, o papel de Sam foi levado em conta. Meu pai sabia que Sam foi atacado por Gollum na subida da Montanha e se atrasou, de modo que Frodo fez a subida final sozinho; e sabia também que Gollum se apoderou do Anel, levando junto o dedo de Frodo. Mas, por muito tempo, ele pensou que fora Sam que, finalmente abrindo caminho até a Câmara de Fogo, empurrara Gollum, junto com o Anel, para dentro do abismo. Em nenhum dos esquemas mais tardios apresentados no Capítulo 1 ele chegou à articulação final da história; mas parece que existem boas razões para achar que eles fazem parte do período de escrita do Livro V, e, se minhas deduções cronológicas estiverem corretas (ver pp. 27–8), ele tivera tempo de sombra para "descobrir o que realmente aconteceu" antes que de fato viesse a descrever os momentos finais da Demanda.

Como eu já disse, a forma final de "O Monte da Perdição" foi alcançada, em larga medida, já no primeiro rascunho (B), e apresento a seguinte passagem breve (que também é interessante por outra razão) para exemplificar (cf. RR, p. 1353):

"Patrão!", gritou ele. Então Frodo se mexeu e falou com voz clara — de fato, uma voz mais clara e mais poderosa do que Sam jamais o ouvira usar, e ela se ergueu acima da pulsação e dos tumultos da fenda no Monte da Perdição, ecoando no teto e nas paredes.

"Eu vim", disse ele. "Mas não posso fazer o que vim fazer. Não o farei. O Anel é meu." E, de repente, desapareceu da vista de Sam. O hobbit engoliu em seco, mas naquele momento muitas coisas aconteceram. Algo atingiu Sam com violência nas costas, suas pernas fraquejaram, e ele foi jogado de lado, batendo a cabeça contra o chão pedregoso. Jazeu ali parado.

E ao longe, enquanto Frodo punha o Anel, o Poder em Baraddur foi abalado, e a Torre tremeu de suas fundações até sua soberba e amarga coroa. O Senhor Sombrio, de repente, estava cônscio dele, o Olho, varando todas as sombras, mirou através da planície a porta em Orodruin, e toda a trama [> artifícios] lhe foi desvelada. Sua ira se inflamou feito chama repentina e seu medo era como uma grande fumaça negra, pois ele conhecia seu perigo mortal, o fio do qual pendia seu destino. De todas as suas políticas e teias sua mente se libertou, e através de todo o seu reino um tremor correu, seus escravos se acovardaram, e seus exércitos pararam e seus capitães, de repente sem rumo, desprovidos de vontade, hesitaram e se desesperaram. Mas seu pensamento agora estava debruçado, com toda a sua força avassaladora, sobre a Montanha; e a seu chamado, rodopiando com um grito ...ante, numa última corrida desesperada, vinham voando, mais rápidos que o vento, os Nazgûl, os Espectros-do-Anel, com uma tempestade de asas se arremessaram rumo ao Monte da Perdição.

As palavras de Frodo "Mas *não posso fazer* o que vim fazer" foram mudadas mais tarde, no texto B, para "Mas *agora não resolvo fazer* o que vim fazer". Não acho que a diferença seja muito significativa, uma vez que já era um elemento central nos esquemas a ideia de que Frodo *escolheria* tomar o Anel para si; a mudança nas palavras não faz mais do que enfatizar que seu ato foi plenamente voluntário. (No segundo texto do capítulo, o manuscrito passado a limpo "**C**",[1] Sam gritou, um pouco antes disso, não apenas "Patrão!", como no primeiro texto e em RR, mas "Patrão! Aja depressa!" — essas palavras foram colocadas entre colchetes provavelmente na época em que foram escritas.)

Essa passagem é notável por mostrar em que grau meu pai passara a identificar o Olho de Barad-dûr com a mente e vontade de Sauron, de modo que podia falar de "sua ira, seu medo, seu pensamento" referindo-se ao Olho. No segundo texto, o C, ele trocou o possessivo *its* para *his*[*] quando escreveu de novo essa passagem.

Algumas outras diferenças no texto original merecem ser registradas. Na manhã posterior à fuga dos hobbits do bando-órquicoque marchava para a Boca-ferrada, depois das palavras de Frodo "Consigo fazer isso. Preciso" (RR, p. 1338), o texto B, inicialmente, continuava assim:

> No fim, decidiram se arrastar, aproveitando qualquer cobertura que achassem, na direção da cadeia setentrional [e depois virar para o sul >] até que estivessem mais distantes da vigilância dos baluartes, e depois virar para o sul.
>
> Conforme passavam de cava para cava, ou seguiam fissuras no chão pedregoso, deixando sempre, se pudessem, algum anteparo entre eles e a direção norte, viram que a mais oriental das três estradas também ia na mesma direção. Era, de fato, a estrada para a Torre Sombria, como Frodo imaginara.
>
> Ele olhou para o caminho. "Vou me esgotar totalmente num só dia rastejando e me agachando desse jeito", disse. "Se vamos em frente, precisamos arriscar. Temos de tomar a estrada."

Nesse ponto meu pai parou, riscou o trecho e o substituiu com uma passagem muito próxima da existente em RR, na qual é Sam

[*] Ou seja, a palavra *seu* deixa de se referir a uma coisa, o Olho, para a qual se usa *its* em inglês, e passa a se referir a uma pessoa no masculino, *his* — o próprio Sauron. [N.T.]

que percebe que eles não podem mais prosseguir daquela maneira e precisam se arriscar a tomar a estrada para a Torre Sombria.

Outra diferença sutil no texto original aparece depois das palavras de Frodo a Sam na manhã em que deixaram a estrada e viraram para o sul, no rumo do Monte da Perdição: "Eu não consigo, Sam. É tanto peso para carregar, tanto peso" (RR, p. 1341).

Sam sabia o que ele queria dizer, mas, procurando algum encorajamento em meio ao desespero, respondeu: "Bem, Sr. Frodo, por que não aliviar a carga um pouco? Estamos indo para aquele lado tão diretamente quanto pudermos." Apontou para a Montanha. "Não adianta levar nada de que não vamos precisar com certeza."

Feito uma criança, distraída de seus problemas por alguma brincadeira de faz-de-conta, Frodo considerou as palavras dele com seriedade por um momento. Então disse: "Claro. Deixar para trás tudo que não queremos. Viajar leve, esse é o negócio, Sam!" Pegou seu escudo-órquico e lançou-o longe, e atirou seu capacete na mesma direção; e, desabotoando o cinto pesado, jogou-o, junto com a espada e a bainha, com estrondo no chão. Até o manto cinzento ele jogou fora.

Sam olhou para ele com pena.

Esse trecho foi riscado imediatamente e substituído pelo texto em RR, no qual Sam sugere que deveria carregar o Anel por algum tempo. Mas nem no texto B nem na cópia passada a limpo C há menção do frasco de Galadriel ou da caixinha que ela deu a Sam.[2]

A altura do Monte da Perdição era concebida de forma diferente no início: "Eram, de fato, uns 3.000 pés da base até a .... cratera irregular em seu cume. Um terço daquela altura agora se estendia abaixo dele ..." O Texto C ainda difere do de RR (p. 1348): "Os flancos confusos e acidentados de sua grande base espalhada se elevavam por talvez três[3] mil pés acima da planície, e acima deles assomava, *com uma altura quase igual*, o alto cone do centro, feito um vasto forno de secagem ou uma chaminé encimada por uma cratera recortada. Mas Sam já chegara *a meio caminho* da base ..." (onde o texto de RR traz "com mais metade dessa altura" e "a mais da metade da altura da base". O desenho feito por meu pai, reproduzido em *Pictures of J.R.R. Tolkien*, n. 30, e neste livro, na p. 63, a partir de uma página pequena que carrega também um fragmento dos esboços desta parte do capítulo, parece mostrar a concepção final, com o cone "com mais metade dessa altura" em relação à "base"; mas nesse desenho a porta das Sammath Naur fica ao pé do cone, enquanto em todas as versões do texto a estrada da subida dava "nas alturas do cone superior, mas ainda longe do cume fumegante, para uma escura entrada".[4]

Quando Gollum se lançou sobre Sam enquanto ele carregava Frodo estrada acima, tanto no texto original como na versão passada a limpo C, Sam não apenas rasgou as costas das mãos quando caiu de frente (RR, p. 1350), mas também cortou a testa no chão. Em B, ao lado das palavras "Mas Sam não lhe deu mais atenção. Lembrou subitamente do patrão. Olhou para o alto da trilha e não conseguiu vê-lo" (RR, p. 1352), meu pai escreveu na margem: "a cabeça dele estava sangrando?". Esse ponto não foi inserido no texto C, mas, num ponto um pouco anterior, depois das palavras "A mão de Sam hesitou. Sua cabeça fervilhava com a ira e a lembrança do mal" (RR, p. 1352), o texto C diz: "O sangue gotejava de sua testa". Ambas as referências ao sangramento na testa de Sam posteriormente foram riscadas. Não está claro para mim o que meu pai tinha em mente nesse ponto. À primeira vista, parece haver uma conexão com a cegueira de Sam no esquema V (p. 26): "Sam sente que uma cegueira está vindo e imagina se isso se deve à água de Mordor ... Sam, meio cego, está ficando para trás", mas esse trecho para ter sido inserido para explicar que, quando Gollum atacou, Frodo foi em frente, sem perceber o que tinha acontecido; enquanto aqui o sangue nos olhos de Sam era o resultado do ataque de Gollum, e ele próprio conclamou Frodo a continuar. É possível que o corte da testa seja uma maneira de explicar por que Sam não conseguia ver Frodo quando olhou para o alto da trilha, e que isso tenha sido retirado do texto quando meu pai chegou ao ponto em que Sam foi derrubado por Gollum, mais uma vez, nas Sammath Naur: "Estava atordoado e o sangue que lhe escorria da cabeça pingava em seus olhos" (RR, p. 1354).

Quando Sam conclamou Frodo a continuar a subida sozinho enquanto ele lidava com Gollum, Frodo respondeu, tanto em B como em C: "A Demanda agora há de ser toda cumprida", enquanto em RR ele diz: "Este é o fim derradeiro".

No fim do capítulo, depois das palavras "Precipitou-se como açoites chicoteantes uma torrente de chuva negra" (RR, p. 1355), o primeiro texto passa imediatamente para o trecho "'Bem, isso é o fim, Sam', disse uma voz ao seu lado." Aqui, meu pai escreveu na margem logo depois: "Colocar aqui (ou no próximo capítulo?) visão da nuvem destroçada saindo de Baraddur [?crescendo] até ganhar forma de um enorme [?homem] negro que estende um braço ameaçador impotente e é soprada para longe". A palavra "homem" está pouquíssimo clara, mas não consigo fazer nenhuma outra leitura dela. Mais tarde, nesse ponto do manuscrito, ele escreveu "Queda dos Espectros-do-Anel" com uma marcação de inserção, e a passagem "E para o coração da tempestade, com um grito que penetrou todos os outros sons ..." aparece em C.

Finalmente, os sentimentos de Sam são descritos assim no manuscrito B: "Se é que ele sentia alguma coisa em toda aquela ruína do mundo, era talvez, acima de tudo, um grande regozijo, o de ser um serviçal mais uma vez, e saber quem era seu patrão [*acrescentado*: e entregar a ele a liderança]". Esse trecho foi repetido em C, mas rejeitado e substituído pela versão de RR. Nas palavras finais de Frodo, no texto original, ele não fala em perdoar Gollum.[5]

NOTAS

[1] O manuscrito passado a limpo C tem o título de "O Monte da Perdição" e a numeração "54" (ver pp. 50, 57); o número foi alterado mais tarde para "52" (ver p. 62).

[2] O uso em vão do Frasco por parte de Sam quando ele entrou nas Sammath Naur (RR, p. 1353) aparece no texto B. O acréscimo acerca do Frasco e da caixa foi feito mais tarde ao texto C.

A passagem na qual Sam se recorda de chapinhar na Lagoa de Beirágua com os filhos do Fazendeiro Villa (RR, p. 1344) também está ausente do texto B. Essa é uma das poucas passagens deste capítulo para a qual há um esboço separado (antes de sua introdução no texto C), e nela pode-se ver o aparecimento dos nomes dos filhos de Villa.

[3] *três* foi alterado a lápis para *dois* no manuscrito (C), mas *três* acabou sobrevivendo.

[4] Tanto no texto B como no C, apesar da afirmação anterior (tal como em RR) que a estrada desembocava "na parte mais alta do cone superior ... numa entrada sombria", a passagem correspondente à de RR, p. 1353, diz que a estrada "com um último trecho passou *através da base do cone* e chegou à porta escura", enquanto em RR o texto diz "com um último trecho para o leste, [ela] *passou por um corte na face do cone* e chegou à porta escura".

Em há um pequeno esboço do Monte da Perdição que meu pai riscou, e ali a entrada para as Sammath Naur está disposta a cerca de um terço da

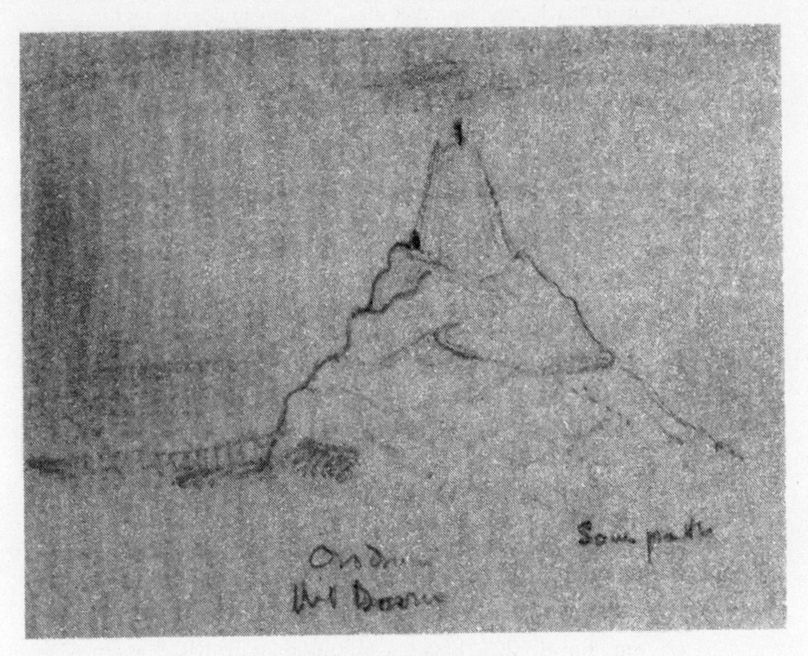

O Monte da Perdição

altura total do cone (o qual, no desenho, é mais curto em relação à base do que naquele reproduzido na p. 63). Aqui a estrada desaparece depois de dar a volta no lado leste do cone, abaixo da porta, e a impressão (o desenho é difícil de entender) é que ela reaparece mais para cima, vindo da esquerda (o leste) e terminando na porta.

5 Alguns pontos acerca dos nomes neste capítulo podem ser mencionados. No parágrafo de abertura, tanto o texto B quanto o C dizem "Ouviu que o tumulto e os gritos diminuíam gradualmente à medida que as tropas passavam para entrar na Narch", enquanto RR diz "passavam através da Boca-ferrada"; ver pp. 52–3. O nome *Sammath Naur* não aparece em B, mas é inserido no texto C sem qualquer hesitação inicial quanto à sua forma.

Nota sobre a Cronologia

A cronologia ainda estava um dia atrasada em relação à de RR (ver p. 56). Ao cair da noite na data em que os hobbits escaparam do bando-órquico na Boca-ferrada, meu pai escreveu na margem do texto B "18 termina"; esse dia passou a ser 19 de março em RR (em *O Conto dos Anos*, "Frodo e Samwise escapam e começam sua jornada ao longo da estrada à Barad-dûr"). A referência à passagem dos Capitães do Oeste pela Encruzilhada e à queima dos campos de Imlad Morghul (termo grafado dessa maneira), entretanto, está presente no texto B no mesmo ponto em que aparece em RR (p. 1339): ver VIII. 506.

No texto B, ao lado das palavras "Chegou enfim um terrível cair da noite; e, mesmo enquanto os Capitães do Oeste se avizinhavam do fim das terras viventes, os dois caminhantes chegaram a uma hora de desespero absoluto" (cf. RR, pp. 1339–40), meu pai escreveu "fim do 22". Essa é a mesma data de RR e, assim, vem depois disso no texto original "Haviam passado cinco dias desde que escaparam dos orques" (isto é, 18–22 de março), enquanto RR diz "quatro dias".

5

O Campo de Kormallen

No primeiro esboço deste capítulo, meu pai mais uma vez chegou, na maior parte de suas páginas, a uma abordagem extraordinariamente próxima da forma final, e isso é ainda mais impressionante quando se considera que ele não tinha nenhum plano ou esquema do capítulo diante de si. Tinha escrito muitas menções a um grande banquete que se seguiria à vitória final (VII. 252, 405, 527; VIII. 328, 466), mas nada jamais havia sido detalhado a respeito dela além do fato de que deveria ter lugar em Minas Tirith.[1] Que esse texto ("**A**") de fato era a primeira vez que tal história era colocada no papel e que nada o precedeu parece óbvio a partir da natureza do próprio manuscrito, a qual tem todas as marcas de uma composição primária.[2] Ele foi seguido por uma cópia passada a limpo ("**B**"), trazendo o número e título "55 O Campo de Kormallen", que também foi escrito a lápis mais tarde no texto A.

Foi só no fim da canção do menestrel sobre Frodo dos Nove Dedos e o Anel da Perdição que o primeiro texto, A, diverge em algum ponto narrativo, e até mesmo em expressão, da forma em RR. Há, entretanto, vários detalhes interessantes.

Um deles diz respeito às Águias. Quando a passagem (RR, p. 1357) descrevendo a vinda deles acima do Morannon foi escrita originalmente, ela dizia:

Vieram Gwaihir, o Senhor-dos-ventos, e seu irmão Lhandroval, maiores de todas as águias do norte, mais poderosos dos descendentes de Thorondor [*acrescentado*: o Grande > o antigo], que construía seus ninhos nos picos imensuráveis das Thangorodrim [*alterado imediatamente para* as Montanhas Circundantes] quando a Terra-média era jovem.

No *Quenta*, §15 (IV. 157), conta-se que, depois da Batalha das Lágrimas Inumeráveis, "Thorndor, Rei das Águias, removeu seus ninhos das Thangorodrim para as elevações ao norte das Montanhas Circundantes [*em volta da planície de Gondolin*], e lá vigiava, sentando-se sobre o marco do Rei Fingolfin". No *Quenta Silmarillion* de 1937, não há menção das Águias habitando as Thangorodrim, e, na época da queda de Fingolfin em seu duelo com Morgoth, antes da Batalha das Lágrimas Inumeráveis, Thorondor veio ao resgate do corpo do rei "de seu ninho, em meio aos picos das Gochressiel" (isto é, as Montanhas Circundantes; V. 340, §147). Por outro lado, na narrativa abandonada "De Tuor e a Queda de Gondolin", apresentada em *Contos Inacabados*, que eu creio ter sido escrita em 1951, Voronwë fala a Tuor sobre "o povo de Thorondor, que outrora habitava nas próprias Thangorodrim antes que Morgoth se tornasse tão poderoso, e que agora mora nas Montanhas de Turgon desde a queda de Fingolfin" (p. 56).

É claro que Gwaihir, o Senhor-dos-ventos, tinha aparecido com frequência antes disso em *O Senhor dos Anéis* (por muito tempo, a grafia foi *Gwaewar*, mas passou a ser *Gwaihir* durante a escrita do capítulo "O Cavaleiro Branco", VII. 507). No *Quenta Silmarillion*, (ver V. 360), Gwaewar tinha sido uma das três águias que vieram até Angband para o resgate de Beren e Lúthien; a forma mais antiga dessa passagem diz:

Thorondor os conduziu, e os outros eram Lhandroval (Asa-larga) e Gwaewar, seu vassalo.

O texto seguinte (também escrito em 1937) diz:

Thorondor era seu líder; e com ele estavam seus mais poderosos vassalos, Lhandroval de asas largas e Gwaewar, senhor do vento.

Numa revisão dessa passagem, que pode ser datada de 1951, *Gwaewar* foi alterado para *Gwaihir*. Como apontei em V. 361, os nomes dos vassalos de Thorondor foram suprimidos no *Silmarillion* publicado (p. 248) por conta da presente passagem em RR, mas isso certamente foi um erro: está claro que meu pai repetiu deliberadamente os nomes. Tal como em tantos outros casos em *O Senhor dos Anéis*, ele tirou de *O Silmarillion* o nome *Gwaewar* para designar a grande águia, amiga de Gandalf, e, quando *Gwaihir* substituiu *Gwaewar* em *O Senhor dos Anéis*, fez a mesma alteração no nome da águia em *O Silmarillion*. Usou também *Lhandroval*[β] como nome do irmão de Gwaihir; e acrescentou um novo nome, *Meneldor* (RR, p. 1359).

Quando ocorre a queda do Portão Negro, Gandalf diz apenas: "O Reino de Sauron está acabado"; mas a isso meu pai acrescentou, provavelmente de imediato: "Assim passa a Terceira Era do Mundo". Isso foi colocado entre colchetes, e "O Portador-do-Anel cumpriu sua Demanda" foi escrito nas margens.

Para Gwaihir, Gandalf diz: "Não hás de me achar um fardo maior do que quando me levaste de Zirakinbar, onde minha antiga vida se consumiu". *Zirakinbar* foi um termo mantido em todos os textos do capítulo e só foi alterado para *Zirakzigil* nas provas do livro. Sobre esses nomes, ver VII. 210–1 e 508 junto com a nota 6.

Outra diferença em A que sobreviveu por muito tempo (chegando até ao texto datilografado final do capítulo) foi a ausência da expressão de assombro de Sam ao ver Gandalf ao lado da sua cama ("Gandalf! Pensei que estava morto! Mas daí pensei que eu mesmo estava morto....", RR, p. 1362).

A data do Campo de Kormallen (era assim que o nome era grafado até o texto datilografado final) foi citada assim por Gandalf no texto A:

"Meio-dia?", indagou Sam, com a cabeça confusa. "Meio-dia de qual dia?"

"O terceiro dia do Ano Novo", disse Gandalf, "ou, se quiser, o vigésimo-oitavo dia de março no Registro do Condado. Mas em Gondor o Ano Novo sempre começará no dia 25 de março, quando Sauron caiu, e quando vocês foram trazidos do fogo para o Rei. ..."[4]

Se 25 de março é o Dia do Ano Novo, 28 de março seria o quarto dia do Ano Novo em Gondor, e meu pai escreveu "quarto" em cima de "terceiro", sem, no entanto, riscar "terceiro". A lápis, ele escreveu "sétimo" do lado, e "o último dia" acima de "o vigésimo-oitavo dia", embora isso faça com que o mês tivesse 31 dias.* Sua razão para isso é indicada de forma vaga por uma nota na margem: "Mais tempo necessário para [?reunir] mantimentos, digamos (isto é, "digamos que seja o sétimo dia").[5]

Na cópia passada a limpo B, conforme foi escrita originalmente, Gandalf diz "O sétimo do Ano Novo; ou, se quiser, o último dia de março no Registro do Condado"; isso foi alterado

*No calendário do Condado, março tinha 30 dias, e não 31, como no nosso. [N.T]

para "O décimo-quarto do Ano Novo" e "o sexto dia de abril no Registro do Condado". Mesmo considerando que março teria 31 dias, 6 de abril seria o décimo-terceiro dia do Ano Novo, e "sexto" foi alterado mais tarde para "sétimo", e por fim para "oitavo", tal como em RR. Não sei precisamente quais considerações impeliram meu pai a prolongar tão grandemente o tempo durante o qual Sam e Frodo jazeram dormindo.

A primeira conversa deles com Gandalf termina assim no texto A:

"O que havemos de usar?", disse Sam, pois só conseguia ver as roupas velhas e esfarrapadas com as quais tinham viajado, dobradas no chão ao lado das camas.

"As roupas com as quais foram achados", disse Gandalf. "Nenhuma seda e nenhum linho, nem qualquer armadura ou adorno heráldico, poderiam ser mais honrosos. Mas depois disso havemos de ver."

Esse trecho sobreviveu em todos os textos até a prova de impressão, na qual "As roupas com as quais foram achados" foi alterado para "As roupas com as quais fizeram sua jornada". Foi só na Segunda Edição de 1966 que a passagem foi alterada e ampliada, modificando as palavras de Gandalf para "As roupas que usaram a caminho de Mordor.[6] Mesmo os trapos-órquicos que você usou na terra negra, Frodo, hão de ser conservados", e quando ele devolve o Frasco de Galadriel e a caixa que ela deu a Sam (RR p. 1363; cf. p. 60 e nota 2).

Os gritos de louvor quando Frodo e Sam chegaram ao Campo de Kormallen passaram por muitas mudanças. Em todos os textos do capítulo, frases em inglês antigo gritadas pelos Cavaleiros de Rohan estavam misturadas às demais. A forma do "Louvor" no texto A é esta (com um pouco de pontuação oriunda do texto B, que é muito similar):

Longa vida aos pequenos! Louvai-os com grande louvor! Cuio i Pheriannath anann, aglar anann! Louvai-os com grande louvor! Hale, hale cumath, wesath hale awa to aldre. Fróda and Samwís! Louvai-os! Kuivië, kuivië! laurea'esselínen![7] *Louvai-os!*

Na cópia passada a limpo B, as palavras em inglês antigo foram alteradas para *Wilcuman, wilcuman, Fróda and Samwís!*, e as palavras em quenya passaram a ser *Laitalle, laitalle, andave laita!* No primeiro texto datilografado, a expressão em inglês antigo *Uton herian holbytlan!* Foi acrescentada antes de *Laitalle, laitalle*; e no segundo texto datilografado (o final), as palavras em quenya passaram a ser *A laituvar, laituvar, andave laita!* Elas foram alteradas, no texto datilografado, para *A laita te, laite! Andave latuvalme!* Assim, a forma que aparece nas provas de impressão é:

Longa vida aos Pequenos! Louvai-os com grande louvor! Cuio i Pheriannath annan! Aglar anann! Louvai-os com grande louvor! Wilcuman, wilcuman, Fróda and Samwís! Louvai-os! Uton herian holbytlan! A laita te, laita te! Andave laituvalmet! Louvai-os! Os Portadores-do-Anel, louvai-os com grande louvor!

O texto final do "Louvor", com a forma que tem em RR, foi datilografado por cima da prova de gráfica.

A partir do fim da canção do menestrel (RR, p. 1365), o texto original A prossegue assim:

E então Aragorn ficou de pé e toda a hoste se levantou, e eles foram para um pavilhão que tinha sido preparado, para lá comer e beber e se alegrar.

Mas, conforme Sam e Frodo desceram do trono com Aragorn, chamou a atenção de Sam um pequeno soldado, ao que parecia, trajando o prateado e ébano dos guardas do rei: mas era alguém pequeno, e Sam ficou pensando o que um menino como aquele estava fazendo em tal exército. Então, de repente, exclamou: "Ué, veja, Sr. Frodo. Veja só. Ora essa, se não é o Pippin, o Sr. Peregrin Tûk, devo dizer. Ora essa, mas dá para ver que há mais histórias além das nossas para ouvir. Vai demorar semanas até a gente entender tudo."

"Sim", disse Frodo, "já consigo me ver trancado num quarto em algum lugar fazendo anotações durante dias, ou Bilbo vai ficar tremendamente desapontado".

E assim foram para o banquete e, a um sinal de Aragorn, Pippin foi com eles.[8]

A página que trazia esse texto foi rejeitada; no verso dela há um esquema da história que viria a seguir (ver p. 74, "A História Prevista a partir de Kormallen"). Uma página diferente foi usada para substituí-la, mas mais uma vez o desenvolvimento da trama acabou sendo insatisfatório:

Mas primeiro Frodo e Sam foram conduzidos à parte e levados a uma tenda, e lá suas antigas vestimentas foram retiradas, mas dobradas e colocadas de lado com honra; e linho limpo lhes foi trazido. Mas Gandalf veio e com ele ia um escudeiro, não parecendo mais do que um garoto pequeno, embora trajando o prateado e o ébano da guarda do rei, e para maravilha de Frodo e Sam eles traziam a espada e o manto élfico e a cota-de-malha de mithril que tinham sido tirados deles; e para Sam trouxeram uma cota-de-malha banhada a ouro, e na mão direita de Frodo, nos dedos médio[9] e mínimo, puseram pequenos anéis de mithril, cada um deles com uma gema semelhante a uma estrela. Mas a maravilha de todas essas coisas era nada perto da que tomou o rosto de Sam quando olhou para o rosto do escudeiro e o reconheceu.

E Sam gritou: "Ué, veja, Sr. Frodo. Veja só! Nossa, se não é o Pippin, o Sr. Peregrin Tûk, eu deveria dizer. Ora, minha nossa, posso ver que há mais histórias a contar do que a nossa. Vai levar semanas de conversa até que a gente entre nos eixos."

"Vai mesmo", disse Pippin. "Mas no momento é hora do banquete, e é melhor vocês não deixarem ninguém esperando. Mais tarde vai ser preciso trancar Frodo numa torre em Minas Tirith até ele fazer anotações sobre todos os nossos feitos, ou Bilbo vai ficar terrivelmente desapontado."

Essa passagem foi reconstruída de imediato para remover Pippin da cena, e Gandalf chega à tenda sozinho, tal como em RR (p. 1366). Quando ele coloca os anéis de mithril nos dedos de Frodo, o banquete começa de imediato:

... e na mão direita de Frodo, nos dedos médio e mínimo, ele colocou delicados anéis de mithril, finos como tramas de seda, mas cada um portando uma pequena gema, luzente como uma estrela.[10] E, quando ficaram prontos, e depois que diademas de prata foram postos em suas cabeças, foram para o banquete, e se sentaram com Gandalf, e lá estavam Aragorn e o Rei Éomer de Rohan e todos os Capitães do Oeste, e lá também estavam Legolas e Gimli.

[*Riscado de imediato*: "Com isso são seis membros da Companhia", disse Sam a Frodo. "Onde estão os o(utros)] Mas, quando foi trazido o vinho, veio um escudeiro para servir aos Reis de Gondor e Rohan, ou assim parecia, e ele estava trajado com o prateado e o ébano dos guardas do Rei; mas era pequeno, e Sam ficou pensando o que tal menino estaria fazendo num exército de homens poderosos. [*Então se segue o reconhecimento de Pippin por Sam, tal como acima.*]

"Vai mesmo", disse Pippin, "e começaremos assim que este banquete terminar. Nesse meio tempo, você pode tentar falar com Gandalf. Ele não é mais tão fechado quanto costumava ser, ainda que agora fique rindo mais do que falando".

E assim, afinal, aquele dia feliz terminou; e, quando o sol se foi e a lua crescente[11] se ergueu devagar acima da névoa do Anduin e bruxuleou por entre as folhas que balançavam, Frodo e Sam se sentaram em meio à fragrância noturna de Ithilien e conversaram noite adentro com Pippin e Gandalf e Legolas e Gimli.

Por fim, Gandalf se levantou. "As mãos do Rei são mãos que curam, queridos amigos", disse ele. "Mas vocês chegaram perto da beira mesma da morte e, embora tenham dormido um sono longo e abençoado, ainda assim agora é tempo de descansar de novo. E não só vocês, Frodo e Sam, mas você também, Peregrin. Pois, quando o tiraram de debaixo dos mortos, dizem que até Aragorn perdeu as esperanças de salvá-lo."

Provavelmente de imediato, esse trecho foi corrigido em toda a sua extensão para fazer com que Merry também estivesse presente (ver nota 8), e a última parte dele (as palavras de despedida de Gandalf) foi, por sua vez, rejeitada. Por meio de mais esboços muito rudimentares, o texto ficou mais próximo da versão final, ainda que não completamente, no manuscrito A. Nesse estágio, a fala de Gimli (RR, p. 1368) terminava assim:

"... E, quando ergui aquele enorme cadáver de cima de ti, então tive certeza de que estavas morto. Podia ter arrancado minha barba. E isso foi só uma semana atrás. Para a cama vais agora. E também eu hei de ir."

Com base nesse trecho pode-se ver que se tratava do "sétimo dia do Ano Novo": ver pp. 67–8.[12] O esboço continua até o fim da seguinte maneira:

"E eu", disse Legolas, "hei de caminhar nas matas desta bela terra, o que é descanso suficiente. E, nos dias que virão, se meu senhor-élfico o permitir, alguns de nosso povo hão de se mudar para cá, pois a terra é mais formosa do que quaisquer terras nas quais já habitaram;[13] e então ela será abençoada por algum tempo. Mas o Anduin está perto, e o Anduin vai descendo até o mar. Para o mar, para o mar, e as alvas gaivotas gritando, para o mar e o mar e a alva espuma voando", e assim, cantando, ele desceu a colina.

E então os outros partiram e Frodo e Sam foram para suas camas e dormiram; e de manhã a hoste se preparou para retornar a Minas Tirith. Os navios tinham chegado e estavam atracados sob Cair Andros, e logo todos zarpariam através do Grande Rio e, assim, em paz e tranquilidade, passariam pelos relvados verdes de Anórien e chegariam à Pelennor e às torres sob o alto Mindolluin, a cidade dos homens de Gondor, última memória de Ociente.

Assim, o nome *Kormallen* não foi introduzido no texto original do capítulo, e não se afirma que o Campo ficava perto de Henneth Annûn; mas esboços rabiscados que foram inseridos mais tarde na última página do manuscrito mostram como texto final emergiu:

E de manhã se levantaram de novo e passaram muitos dias em Ithilien, pois o Campo de Kormallen, onde a hoste estava acampada, ficava perto de Henneth Annûn, e eles vagavam aqui e ali, visitando as cenas de suas aventuras, mas Sam se demorava sempre em alguma sombra das matas para ter, talvez, algum vislumbre do Olifante. E, quando ouviu que no cerco de Gondor tinham estado cinquenta deles, pelo menos, mas que todos estavam mortos, achou aquilo uma grande perda. E, nesse meio-tempo, a hoste descansou, pois tinham labutado muito e lutado longa e duramente contra os remanescentes dos Lestenses e Sulistas; e esperavam também aqueles que deviam retornar.

Na cópia passada a limpo B, o texto final da Primeira Edição só não estava presente em uns poucos pontos, a maioria dos quais já mencionados no relato acima e nas notas;[14] mas uma mudança importante na descrição da vestimenta de Frodo e Sam antes do banquete (RR, p. 1366) foi feita na Segunda Edição. Na versão do texto da Primeira Edição (que remonta, sem mudanças, ao manuscrito passado a limpo B), a passagem dizia:

> ... Para Sam ele trouxe uma cota-de-malha banhada a ouro, e o manto-élfico todo refeito das manchas e rasgos que sofrera; e, quando os Hobbits se aprontaram, e diademas de prata foram postas em suas cabeças, foram para o banquete do Rei, e se sentaram à mesa dele com Gandalf ...

Na Segunda Edição foi acrescentada a passagem na qual Gandalf traz Ferroada e a espada de Sam, e na qual Frodo teve de ser convencido a usar uma espada e aceitar Ferroada de volta. Nesse momento também foi acrescentada a referência à "Pausa do Silêncio" antes de o banquete começar.

NOTAS

1 Havia uma sugestão (VIII. 466) de que a história da passagem pelas Sendas dos Mortos deveria ser contada durante o "banquete da vitória em Minas Tirith", mas essa ideia, é claro, acabou sendo abandonada.

2 Pode ser que o primeiro esboço de "O Campo de Kormallen" tenha sido escrito antes do manuscrito passado a limpo de "O Monte da Perdição". Uma indicação disso é o fato de que, enquanto em RR (p. 1360) "uma grande fumaça e vapor jorrou das Sammath Naur", o texto A diz "um grande fogo foi arrotado pela caverna": ver p. 64, nota 5.

3 O primeiro esboço A traz a grafia *Lhandroval* em todas as ocorrências, mas a cópia passada a limpo B traz a forma *Landroval*, tal como em RR.

4 Tanto no texto A como no B, é Frodo que faz a pergunta "Qual rei, e quem é ele?". No primeiro texto datilografado, a pergunta de Sam "O que havemos de vestir?" foi transferida para Frodo, mas voltou para Sam no texto datilografado final.

5 Talvez seja possível comparar esse trecho com a frase em "O Regente e o Rei", RR, p. 1377: "Merry foi convocado [*de Minas Tirith*] e partiu com as carroças que levaram provisão de bens a Osgiliath e dali, por navio, a Cair Andros".

6 Frodo estava nu quando Sam o encontrou na Torre de Kirith Ungol; teve se vestir com "calças compridas peludas de alguma imunda pele de animal e uma túnica de couro sujo" (RR, p. 1309).

7 *laurea'esselínen* foi alterado, quando o texto foi escrito, para *ankalim'esselínen*.

8 Nesse estágio, quando apenas um pouco de tempo havia passado desde a queda de Sauron, Merry ainda estaria em Minas Tirith; cf. nota 5.

9 Meu pai chamava o penúltimo dedo (o "quarto dedo" ou "anular") de "terceiro dedo"; assim, no caso de Frodo, "lhe faltava o terceiro dedo" (RR, p. 1361)

10 Os anéis de mithril colocados nos dedos de Frodo foram mantidos na cópia passada a limpo B, lugar onde essa passagem foi riscada.

11 A "lua crescente" foi mantida em B e no primeiro texto datilografado, onde foi trocada por "a lua redonda".

[12] É estranho que, em B, Gimli diga aqui, não como em RR "E só faz um dia que começaste a te erguer e andar por aí", mas "alguns dias" (isso foi corrigido no manuscrito).

[13] Essa frase foi mantida em B e no primeiro texto datilografado, onde foi riscada.

[14] A esses detalhes podemos acrescentar a retenção do nome *Narch* em "E passaram sobre o Narch e Gorgoroth" (RR, p. 1359), mais tarde corrigido para *Udûn*. No fim do capítulo diz-se de início no texto B que "quando sete dias do mês de maio tinham passado, os Capitães do Oeste partiram de novo", mas isso foi alterado para "quando o mês de maio estava chegando", e ao mesmo tempo a última frase do capítulo foi alterada de "pois o Rei entraria pelos portões com o nascer do Sol" para "era a Véspera de Maio, e (o Rei entraria...)".

A História Prevista a partir de Kormallen

Essa página (ver pp. 68–9) foi rabiscada a lápis com a letra mais impossível que meu pai era capaz de produzir. Não marquei com interrogações certo número de palavras que acho que são prováveis, mas não totalmente certas, e escrevi por extenso vários nomes que aparecem apenas como iniciais. A primeira frase foi escrita separadamente do resto do esquema, seja antes ou depois.

Gimli explica como Pippin foi salvo.

Cena seguinte — A Hoste parte de Cair Andros e [*leia-se* nos] navios e entra em Gondor.

Cena muda para Merry e para Faramir e Éowyn.

Retorno do Rei Elessar. Sua coroação. Seus julgamentos ..... de Berithil.

Os hobbits esperam. Pois vai haver um casamento. Elrond e Galadriel e Celeborn chegam e trazem Finduilas.

O casamento de Aragorn e Finduilas.

Também o de Faramir e Éowyn.

O fim da Terceira Era é pressagiado. O que os Anéis realizaram. Seu poder se desvaneceu. Galadriel e Elrond se preparam para partir.

Os hobbits retornam com Éomer para o funeral de Théoden e depois seguem pelo Desfiladeiro de Rohan [?com ..... e os Dúnedain].

Encontram Saruman e ele é [?perdoado].

Chegam a Valfenda e vão ver Bilbo. Bilbo dá a ele Ferroada e a cota-de-malha. Mas está ficando velho.

Voltam para o Condado [*acrescentado na margem*: via Bri, pegam pônei] e expulsam Cosimo Sacola-Bolseiro. Lobélia está morta — ela teve um acesso numa [?briga]. Sam replanta as árvores. Frodo volta para Bolsão. Tudo fica em paz por um ano ou dois. E então, certo dia, Frodo leva Sam para uma caminh[?ada] até a Ponta do Bosque. E [?eis que lá estão muitos] Elfos. Frodo cavalga até os Portos e diz adeus a Bilbo. Fim da Terceira Era.

O Livro de Sam.

Fica claro que meu pai escreveu esse esquema enquanto estava trabalhando em "O Campo de Kormallen", e, de fato, o estágio preciso da escrita provavelmente pode ser deduzido: pois as palavras de Gimli no fim da tarde, nas quais ele falou sobre encontrar Pippin debaixo da pilha de mortos, ainda não tinham sido acrescentadas ("Gimli explica como Pippin foi salvo"). A posição precisa dessas notas na história da composição do Livro VI confere a elas um particular interesse. Várias características do fim da história aparecem agora pela primeira vez, tais como o casamento de Faramir e Éowyn; Bilbo entregando a cota-de-malha de mithril e Ferroada a Frodo ("esquecendo que já fizera isso", RR, p. 1407); o tempo de paz e quietude depois do retorno dos hobbits ao Condado (embora o fato de que "a caixa de Sam restaura Árvores" fosse sabido havia muito tempo, VII. 339); e a caminhada de Frodo com Sam até a Ponta do Bosque. Mas a morte de Lobélia Sacola-Bolseiro, antes do retorno dos hobbits, tendo um acesso (de fúria? — a palavra que representei como *briga* é pouco mais do que uma suposição), não foi permanente: ela seria ressuscitada, sobreviveria ao seu aprisionamento durante as tribulações do Condado e terminaria seus dias agindo de forma muito mais esclarecida.

Esse esquema é tão elíptico quanto tantos outros dos esboços de meu pai sobre o curso posterior da história, concentrando-se em elementos específicos e ignorando ou apenas sugerindo outros; e é difícil saber qual ideia narrativa subjaz às palavras "Frodo cavalga até os Portos e diz adeus a Bilbo". Muitos anos antes (VI. 471), ele escrevera que quando "Bingo" retornasse ao Condado, ele traria a paz e depois "se instala em uma pequena cabana no alto do cume verde – até que um dia ele vai com os Elfos para o oeste, além das torres." (cf. também outra nota escrita naquela época, VI. 470: "Ilha no mar. Levar Frodo até lá no final."). No esquema "A História Prevista a partir de Moria" (VII. 253), ele tinha concluído sua sinopse da seguinte maneira:

28 O que acontece com o Condado?
Última cena. Elfos indo embora navegando [*acrescentado:* Bilbo com eles] ...
29 Sam e Frodo vão para uma terra verde junto ao Mar?

Em outra nota daquele período (VII. 339), ele disse: "Quando idosos, Sam e Frodo zarpam para a ilha do Oeste ... Bilbo termina a história". Provavelmente por volta da época da escrita do capítulo "O Rei do Paço Dourado", ele tinha escrito (VII. 531) que, quando ficassem idosos, Frodo e Sam iriam ver Galadriel e Bilbo. Por outro lado, na carta que me enviou em 29 de novembro de 1944 (ver VIII. 265), ele foi inteiramente claro — e preciso — em suas previsões:

> Mas a cena final será a passagem de Bilbo, Elrond e Galadriel pelos bosques do Condado a caminho dos Portos Cinzentos. Frodo se unirá a eles e atravessará o Mar (fazendo a ligação com a visão que ele tivera de uma distante terra verde na casa de Tom Bombadil).

Uma vez que essa é, claro, a história do último capítulo de *O Senhor dos Anéis*, é realmente estranho descobrir, no presente texto, que ele tinha se desviado dela — já que "Frodo cavalga até os Portos e diz adeus a Bilbo" obviamente não é uma frase que possa ser interpretada de outra maneira. Suspeito, portanto, que na verdade não há mistério algum: ou seja, que nessas notas, escritas muito velozmente, meu pai apenas tenha escrito "Bilbo" querendo dizer "Sam".

Também chama a atenção a referência ao encontro com Saruman — a palavra "perdoado" aqui não é algo certo, mas é difícil ler qualquer outra coisa ali. Que eles encontrariam Saruman na jornada para casa era já uma ideia antiga (ver "A História Prevista a partir de Moria", VII. 253), mas naquele esquema isso aconteceria em Isengard, e o conteúdo daquela cena, é claro, tinha sido removido para um ponto muito anterior da narrativa (VII. 513–4). Uma nota posterior (VII. 339) diz que "Saruman se torna um mágico itinerante e um enganador", mas nada mais tinha sido contado a respeito dele depois que foi deixado como prisioneiro em Orthanc, sob a guarda dos Ents, até agora.

6

O Regente e o Rei

Minhas afirmações sobre "O Campo de Kormallen" (p. 65) podem ser repetidas no caso de "O Regente e o Rei": o esboço preliminar ("**A**") deste capítulo, embora escrito de forma menos cuidada e rápida, foi alterado muito pouco mais tarde. Entretanto, há certo número de diferenças nos detalhes.[1]

O texto A não tinha título, mas "Faramir e Éowyn" foi colocado a lápis depois. Seguiu-se um manuscrito passado a limpo "**B**", com o número "56", mas sem título; a esse texto foi acrescentado a lápis o título "Os Vigias nas Muralhas", o qual foi alterado para "O Regente e o Rei". No texto B, os números de páginas só vão até o trecho "E ficou ali até vir o Rei Éomer" (RR, p. 1379); onde se diz "Agora estava tudo preparado na cidade", no alto de uma nova página, começa outra numeração a partir de "1".

No caso desse capítulo, meu pai fez um terceiro manuscrito muito caprichado, o "**C**", dando-lhe o número "54". Debaixo do título "O Regente e o Rei", ele escreveu a lápis "(i) O Regente"; mas, embora haja um espaço grande no texto depois de "E ficou ali até vir o Rei Éomer", onde a nova numeração de página começa no texto B, não há um segundo subtítulo.

No começo do capítulo na versão A, o Diretor das Casas de Cura, depois das palavras "Ele suspirou e balançou a cabeça" (RR, p. 1371), prossegue:

"Essa opção ainda pode nos caber a todos", disse ele, "quer a escolhamos ou não. Mas, esse meio-tempo, devemos suportar com paciência as horas de espera. Essa nem sempre é a parte mais fácil. Mas quanto a vós, Senhora, estareis mais bem preparada para enfrentar à vossa maneira o mal que pode vir se agirdes como pedem os curadores, enquanto ainda há tempo."

Esse trecho foi rejeitado antes que o capítulo continuasse muito além da passagem, pois palavras similares foram atribuídas a Faramir mais tarde no texto inicial (RR, p. 1373). E, quando o Diretor olhou por sua janela e viu Faramir e Éowyn, enxergando nessa visão um alívio para seus cuidados, o texto diz: "Pois lhe tinha sido relatado que o Senhor Aragorn dissera: 'Se ela despertar em desespero, então morrerá, a menos que outra cura venha, a qual não posso dar'".

O manto azul bordado com estrelas que Faramir dá a Éowyn quando o tempo esfria foi feito, segundo o texto A, para a mãe dele, "Emmeril", nome alterado no momento da escrita para "Rothinel de Amroth, que morrera antes do tempo". Esse nome sobreviveu no manuscrito seguinte, o texto B, onde foi alterado para Finduilas (ver p. 83).

As palavras da Águia que trouxe as novas a Minas Tirith sobre a queda da Torre Sombria foram formuladas inicialmente assim:

O reino de Sauron terminou e o Anel da Perdição não mais existe e o Rei foi vitorioso, ele atravessou o Portão Negro em triunfo e todos os seus inimigos hão fugido.

O nome *Kormallen* surgiu nesse texto. Meu pai deixou um espaço em branco para o nome conforme ia escrevendo: "E Éowyn não foi, embora seu irmão lhe mandasse uma mensagem implorando para que viesse até o campo de [entre Henneth Annûn e Cair Andros]" (cf. RR, p. 1377 e p. 72 acima), mas evidentemente ele escreveu o nome na margem de imediato, já que ele aparece no texto original poucas linhas depois.

Na conversa entre Éowyn e Faramir que vem depois disso ela diz, n texto A, "Eu amo ou amei a outro". Essa frase sobreviveu no texto B, onde as palavras dela foram alteradas para "Eu tinha esperanças de ser amada por outro", e logo depois para "Eu desejava".

Um pouco depois nesse capítulo (RR, p. 1381), Ioreth (nome grafado assim só nesse momento; antes era Yoreth) chama os hobbits de *Periannath* (cf. *Ernil i Pheriannath* no capítulo "Minas Tirith", RR, p. 1117, *Ernil a Pheriannath* VIII. 342), e isso se manteve na Primeira Edição de *O Senhor dos Anéis*, alterando-se a grafia para *Periain* na Segunda Edição.

Há diferenças substanciais no relato original sobre a vinda de Aragorn a Minas Tirith e sua coroação diante das muralhas em relação à história de RR (pp. 1380–3). A chegada de Aragorn, Gandalf, Éomer, Imrahil e os quatros hobbits ao espaço aberto diante do Portão foi descrita muito brevemente no texto A: não há menção aos Dúnedain nem ao traje de Aragorn. O escrínio no qual a Coroa Branca estava posta não é descrito ("de *lebethron* negro cingido de prata" no texto B, tal como em RR; cf. VIII. 218). Quando Faramir, entregando seu cargo como o "Último Regente de Gondor", deu a Aragorn o bastão branco, Aragorn não devolveu o objeto; não disse nada a Faramir nesse ponto, e Faramir de imediato proclamou: "Homens de Gondor, não tendes mais um Regente, pois eis que alguém retornou para reivindicar a realeza, afinal. Aqui está Aragorn, filho de Arathorn ..." Entre os títulos, Faramir chama Aragorn de "chefe dos Dúnedain do Norte", mas não de "portador da Estrela do Norte". Depois da descrição da coroa, vem este trecho:

E Aragorn se ajoelhou, e Faramir de um lado e de outro o Príncipe Imrahil puseram a coroa sobre sua cabeça, e então Gandalf pôs sua mão no ombro de Aragorn e pediu que se levantasse. E, quando se levantou, todos os que o contemplaram fitaram-no em silêncio ... e uma luz estava à volta dele. E então Faramir disse "Eis o Rei!" e quebrou seu bastão branco.

Por fim, quando Aragorn chegou à Cidadela, um acréscimo na margem de A diz que "a bandeira da Árvore Coroa e Estrelas foi içada acima dela" (A bandeira da Árvore e das Estrelas" no texto B, tal como em RR); ver VIII. 335, 457, 468.

A referência aos Dúnedain "de prata e cinza" e a descrição de Aragorn com cota de malha negra e manto branco preso com uma grande joia verde foi acrescentada no texto B, mas a "a estrela na testa, atada por um delgado filete de prata" só foi inserida na Segunda Edição; do mesmo modo, Faramir ainda o proclamava como "chefe dos Dúnedain do Norte" ("de Arnor", Segunda Edição) e não o chamava de "portador da Estrela do Norte" na Primeira Edição (ver VIII. 355, 367; 457 e nota 10).

Rápidos adendos nas margens do texto A fazem Aragorn devolver o bastão branco a Faramir com as palavras "Esse cargo ainda não chegou de todo a seu fim" (cf. RR, p. 1381: "Esse cargo não findou e há de ser teu e de teus herdeiros enquanto durar minha linhagem"), e trazem um primeiro esboço sobre o desejo dele de ser coroado por aqueles "por cuja labuta e valentia conquistei minha herança". Aqui, a cerimônia toma a seguinte forma: "Gandalf tomou a coroa e pediu que Frodo e Sam pusessem também suas mãos sobre ela, e eles colocaram a Coroa Branca de Gondor sobre a cabeça de Aragorn"; enquanto em RR, a pedido de Aragorn, Frodo trouxe a coroa para Gandalf, o qual, então, completou a coroação sozinho. Em B, o texto de RR foi alcançado em todos os pontos nessa cena, com exceção das palavras de Elendil repetidas por Aragorn quando ele ergueu a coroa,[2] as quais têm a seguinte forma: *Et* Ëarello *Endorenna lendien. Símane maruvan, ar hildinyar, kenn' Iluve-metta!* Uma tradução feita a lápis mais tarde é virtualmente a mesma de RR (p. 1382): "Do Grande Mar para a Terra-média eu vim. Aqui habitarei, e os meus herdeiros, até o fim do mundo". No terceiro manuscrito, o C, as palavras são as mesmas do texto B, exceto a troca de *kenn'* por *tenn'* (tal como em RR), mas depois foram alteradas para *Et* Ëarello *Endorenna nilendie. Sinome nimaruva yo hildinyar tenn'Ambar-metta!*

Um visitante notável em meio às muitas embaixadas que vieram até o Rei em Minas Tirith pode ser encontrado no texto A:

... e os escravos de Mordor ele libertou e lhes deu todas as terras em volta do Lago Núrnen, para que fossem deles. E por último veio ter com ele Ghân-buri-Ghân das Matas Selvagens e dois de seus chefes, e eles estavam trajados em vestimentas de folhas verdes em honra ao rei, e deitaram suas testas nos pés de Aragorn; mas ele pediu que se levantassem e os abençoou e lhes deu a Floresta de Druadan para que fosse deles, de modo que nenhum homem jamais pudesse adentrá-la sem sua permissão.

Esse trecho não foi rejeitado no manuscrito, mas não está presente em B. Sobre a história posterior do último encontro com os Homens Selvagens das Matas, ver pp. 86, 93.

As palavras de Éowyn a Faramir (RR, p. 1385), dizendo que ela precisava retornar a Rohan com Éomer, mas que depois do funeral de Théoden ela retornaria, estão ausentes do texto A (mas foram acrescentadas a B). As afirmações, em RR, que os Cavaleiros de Rohan deixaram Minas Tirith no dia 8 de maio e que os filhos de Elrond foram com eles, não se acham em nenhum dos textos e estão ausentes da Primeira Edição; por outro lado, o retorno de Elladan e Elrohir a Minas Tirith com a companhia de Valfenda e Lothlórien (RR, p. 1388) aparece já no texto A. Esse mesmo manuscrito diz que "os Companheiros do Anel viviam com Gandalf numa casa na Cidadela, e iam de lá para cá conforme desejavam; mas Legolas, na maior parte do tempo, sentava-se nas muralhas e olhava para o sul, na direção do mar". Que a casa ficava na Cidadela é uma informação que não se repete em B, texto que, entretanto, reteve as palavras acerca de Legolas; essa frase se perdeu, provavelmente de forma não intencional, no texto C.

Na história sobre Gandalf e Aragorn em sua subida do Mindolluin (RR, pp. 1386–8), há algumas diferenças a mencionar em relação à forma final do texto. Na versão original, não se diz que eles subiram à noite e observaram as terras no começo da manhã, nem há menção do antigo caminho até o fano "aonde apenas os reis costumavam ir"; e Gandalf, em suas palavras a Aragorn, não fala dos Três Anéis, mas diz:

"... Pois embora muitas coisas tenham sido salvas, muitas estão indo embora. E todas essas terras que vês, e aquelas que estão à volta delas, hão de ser habitações e reinos de Homens, a quem deves guiar. Pois este é o princípio do Domínio dos Homens, e outras gentes vão partir, diminuir e se desvanecer."

O manuscrito B traz o texto final nessa passagem. Em A, Aragorn diz "Ainda tenho o dobro do tempo de vida de outros homens"; isso foi mantido em todos os textos seguintes e só foi alterado durante a leitura das provas de granel de RR (no qual há uma diferença entre a Primeira e a Segunda Edição: na Primeira, Aragorn diz "posso ter vida muito mais longa que outros homens", enquanto na Segunda a frase é "hei de ter").

Quando Aragorn vê o rebento de árvore na beira da neve, ele grita, no texto A, *En túvien!*, frase que passa a ser *En a túvien!* no texto B. Essa forma foi mantida em C, mas corrigida para *En* [*?in*] *túviet*; no texto (datilografado) final do capítulo, a frase se repete, mas depois foi apagada, e a forma *Yé! utúvienyes* foi escrita no lugar dela. A passagem continua no texto A, com uma letra extremamente difícil de ler:

"... eu a encontrei, pois aqui está uma descendente de Nimloth, mais antiga das árvores. E como veio ter aqui, pois ainda não tem sete anos de idade?"

E Gandalf disse: "Em verdade aqui está um rebento da linhagem de Telperion Ninquelóte, à qual os Elfos da Terra-média dão o nome de Nimloth. Nimloth, a bela, de muitos nomes, Silivros e Celeborn[3] e Galathilion de outrora. Mas quem há de dizer como veio ter aqui na hora que foi designada? Mas as aves do ar são muitas, e talvez, através das eras, conforme senhor sucedia senhor ..... na Cidade e a árvore fenecia, aqui, onde ninguém procurava por ela, a [?raça] de Nimloth tinha [?já florescido] oculta na montanha, tal como a raça de Elendil jazia escondida nos ermos do Norte. Contudo, a linhagem de Nimloth é em muito mais antiga que a tua linhagem, senhor Elessar."

Quanto aos nomes que aparecem nessa passagem, cf. o *Quenta Silmarillion* em V. 248, §16:

> Silpion a primeira era chamada em Valinor, e Telperion e Ninquelótë e muitos outros nomes, em canção; mas os Gnomos a chamam de Galathilion.

Uma nota de rodapé nesse texto (V. 248) acrescenta:

> Outros nomes de Silpion entre os Gnomos são Silivros, chuva reluzente (que em forma élfica é Silmerossë), Nimloth, flor pálida, Celeborn, árvore de prata ...

O manuscrito B, neste ponto, tem o mesmo texto que o de RR, no qual Aragorn não cita o nome da "Mais Antiga das Árvores" e Gandalf diz "Deveras este é um rebento da linhagem de Nimloth, a bela; e esta veio da semente de Galathilion, e este fruto de Telperion de muitos nomes, Mais Antiga das Árvores". Em *O Silmarillion*, capítulo 5 (p. 94), conta-se que Yavanna fez para os Elfos de Tirion

> ... uma árvore semelhante a uma imagem menor de Telperion, salvo que ela não produzia luz de seu próprio ser; Galathilion é o

nome dado a ela na língua sindarin. Essa árvore foi plantada nos pátios sob a Mindon e lá floresceu, e suas mudas eram muitas em Eldamar. Dessas, uma foi depois plantada em Tol Eressëa, e prosperou ali, e foi chamada de Celeborn; da qual veio, na plenitude do tempo, como se conta em outro lugar, Nimloth, a Árvore Branca de Númenor.[4]

No texto A o rebento não "parecia segurar-se só de leve à terra", mas "Aragorn e Gandalf cavaram fundo".

No relato sobre a chegada dos viajantes de Valfenda e Lórien no fim do capítulo, não se afirma em nenhum dos textos que Elrond trouxe o cetro de Annúminas e o entregou a Aragorn; isso foi inserido apenas na prova final do livro. A filha de Elrond recebe o nome de Finduilas (VIII. 437, 454, 499; nesse estágio, o nome da mãe de Faramir era Rothinel, p. 78) e, no texto A, meu pai acrescentou, depois de "sua filha Finduilas", "[e filha de Celebrian, rebenta de Galadriel]". Essa é a primeira menção de Celebrian, com esse nome ou qualquer outro. Na última frase do capítulo A, Aragorn "desposou Finduilas Meio-Elfa"; esse nome foi mantido no texto B, no qual a mãe de Faramir, Rothinel, passou a ser chamada Finduilas, e o nome da filha de Elrond foi alterado para Arwen, chamada de Undómiel.[5]

NOTAS

1 Pode-se presumir que todos os nomes em RR que não foram mencionados no meu relato já estavam presentes no texto A, com exceção de *Beregond*, que só deixou de ser *Berithil* no manuscrito C. Assim, Elfhelm é chamado de "Elfhelm, o Marechal" (RR, p. 1380; cf. VIII. 418); e o último rei da linhagem de Anárion é Ëarnur, aqui citado pela primeira vez (RR, p. 1382; cf. VIII. 187). A referência bastante estranha a Min-Rimmon (RR, p. 1379: "as novas haviam se espalhado por todas as partes de Gondor, de Min-Rimmon até Pinnath Gelin e as longínquas costas do mar") remonta ao texto A.

2 As palavras de Elendil não aparecem no texto A.

3 Em A, o nome *Celeborn* está grafado com C; o mesmo ocorre com *Celebrian*. Nesse capítulo e no seguinte, a grafia com *C* voltou a ser com *K* nos terceiros manuscritos, cuidadosamente escritos, mas em ambos ela foi corrigida e voltou a ser com *C*.

4 Cf. também o *Akallabêth* em *O Silmarillion*, p. 346, e *Dos Anéis de Poder e da Terceira Era*, *ibid.* p. 388.

[5] O nome *Arwen* surgiu pela primeira vez na cópia passada a limpo do capítulo seguinte, "Muitas Despedidas": ver p. 91.

Nota sobre a Cronologia

Um detalhe curioso da cronologia que aparece neste capítulo tem a ver com o lapso de tempo entre a partida da hoste de Minas Tirith e a destruição do Anel.

No começo do capítulo, ao lado das palavras "Quando os Capitães tinham partido havia apenas dois dias", o número "19" está escrito na margem de A, uma referência ao dia 19 de março. Essa é a cronologia descrita em VIII. 507, de acordo com a qual a marcha saindo de Minas Tirith começou no dia 17 (dia 18 em RR).

Quando, em RR (p. 1374), fala-se do "quinto dia depois do primeiro em que a Senhora Éowyn foi ter com Faramir", e que esse foi o dia da destruição do Anel e da queda da Torre Sombria, o mesmo está afirmado no texto A (e nos manuscritos subsequentes); e, no alto daquela página, meu pai anotou: "F. vê E. no 19. 20, 21, 22, 23, 24, 25". Esse dia, portanto, era 24 de março. Mas isso é estranho, uma vez que já no primeiro esboço de "O Campo de Kormallen" Gandalf tinha declarado que "em Gondor o Ano Novo sempre começará no dia 25 de março, quando Sauron caiu..." (p. 67). No texto A, Éowyn diz que esse dia correspondia a "sete dias [desde] que ele [Aragorn] partiu" (RR, p. 1375), o que está de acordo com a data de 24 de março para a destruição do Anel. Mas meu pai, conforme escrevia, trocou "sete" por "nove", o que presumivelmente faria com que a dia da libertação fosse 26 de março. Então, trocou "nove" por "oito", chegando ao dia 25, e "oito" é o que aparece nos textos B e C, sendo trocado em C para "sete", tal como em RR: imagino que isso implique que a data da partida de Minas Tirith tinha sido alterada para o dia 18. — Sobre o significado da data de 25 de março, ver T.A. Shippey, *The Road to Middle-earth* (1982), pp. 151–2.

7

Muitas Despedidas

O esboço original desse capítulo (texto "**A**") foi paginado de forma contínua com o de "O Regente e o Rei" e não trazia título. Em comparação com a forma posterior do capítulo, o relato inicial das "muitas despedidas" feito por meu pai era marcadamente breve e esparso; e, embora a letra dele seja muito difícil de ler e, aqui e ali, completamente ilegível, apresentarei de forma completa uma parte substancial do texto, pois ele difere em muitíssimos pontos da história em RR.

A abertura, entretanto, permaneceu quase inalterada do primeiro esboço ao texto final (com exceção da troca de *Rainha Finduilas* para *Rainha Arwen*), até o trecho "'Então peço licença para partir logo', disse Frodo." Depois disso temos (sem nenhuma menção ao presente da Rainha):

"Dentro de três dias partiremos", disse Aragorn. "Pois havemos de cavalgar com você por grande parte do caminho. Também temos tarefas a fazer."

E assim foi que o Rei de Gondor e sua rainha saíram mais uma vez pelas Estradas do Norte, e muitos cavaleiros seguiram com eles; e os Príncipes de Dol Amroth e Ithilien; e o Rei Éomer e os homens de sua casa também estavam naquele séquito, pois ele viera ao casamento de seu senhor e irmão. E com lentas canções da Marca eles trouxeram dos Paços [*provavelmente um erro, o certo seria* os Santuários] e de seu lugar de repouso em Rath Dínen o Rei Théoden sobre uma padiola dourada; e, como alguém que ainda dormia profundamente, deitaram-no numa grande carroça com Cavaleiros de Rohan à volta dela, e a bandeira do rei levada diante dele. E Merry, sendo seu escudeiro, e um Nobre da Marca dos Cavaleiros, seguia na carroça e guardava as armas do rei que morrera. Mas para os outros companheiros foram fornecidas montarias de acordo com sua estatura, e Frodo e Sam cavalgavam ao lado do rei, com Gandalf montado em Scadufax; e com eles também iam Legolas e Gimli montados em Hasufel[1], que os carregara em tantos lugares.[2]

E lentamente e em paz eles adentraram Anórien. E .... a Matagris[3] sob o Amon Dîn.

Aqui meu pai parou e se perguntou se a cena dos Homens Selvagens prestando vassalagem deveria ser colocada aqui — referindo-se, imagino, à história no texto original de "O Regente e o Rei", na qual Ghân-buri-Ghân e dois de seus chefes acabam indo até Minas Tirith (p. 80). Depois disso, ele escreveu: "e lá estava Ghân-buri-Ghân nas fímbrias das árvores, e ele lhes prestou vassalagem conforme passavam" (ver p. 94). O texto continua:

E assim, afinal, depois de muitos dias (15?), eles trouxeram o Rei Théoden de volta à sua própria terra, e chegaram a Edoras, e ali ficaram e descansaram; e nunca esteve tão belo e cheio de luz o Paço Dourado, pois nenhum rei da Cidade do Sul jamais viera até ali antes. E ali fizeram o funeral de Théoden, e ele foi posto numa casa de pedra com muitas coisas belas, e sobre ele foi erguido um grande morro, o oitavo daqueles que estão no lado leste do Campo-dos-Túmulos, e ele foi coberto com torrões verdes de relva [e] de belas sempre-em-mentes. E então os Cavaleiros da Casa do Rei cavalgaram em torno do túmulo, e um entre eles cantou uma canção sobre Théoden, filho de Thengel, que trouxe luz aos olhos do povo da Marca e tocou os corações de todos, até daqueles que não conheciam [aquela] língua. E Merry, que estava postado ao pé do morro, chorou.[4]

E, quando as exéquias terminaram e a última canção foi entoada, houve um grande banquete no paço e, quando chegaram à hora em que todos deviam beber à memória dos homens magnos, à frente se pôs Éowyn, Senhor de Rohan, dourada como o sol e alva como a neve, e ela trouxe adiante a taça para Eomer, Rei da Marca, e ele bebeu à memória de Théoden. E então um menestrel cantou, citando pelo nome todos os reis da [?Marca] em sua ordem, e por último o Rei Éomer; e Aragorn se levantou e [lhe desejou] saúde [e] bebeu a ele. E então Gandalf se levantou e pediu que todos os homens se erguessem, e eles se ergueram, e ele disse: "Eis aqui uma última saudação[5] antes que finde o banquete. A última, mas não a menor. Pois digo agora o nome [de alguém >] daqueles que não hão de ser esquecidos e sem cujo valor nada mais do que foi feito teria valido de algo; e digo diante de todos vós os nomes de Frodo do Condado e Samwise, seu serviçal. E os bardos e os menestréis deveriam lhes dar novos nomes: *Bronwe athan Harthad* e *Harthad Uluithiad*, Firmeza para além da Esperança e Esperança inabalável."[6]

E em honra a esses nomes os homens beberam; mas Sam ficou muito vermelho e murmurou para Frodo: "Não sei o que meu Papai pensaria dessa mudança: ele sempre foi contra nomes esquisitos. 'Os cavalheiros podem fazer como bem quiserem', dizia ele, 'com esses nomes como Rórius e Rôntius, mas pra gente simples algo mais curto fica melhor'. Mas, mesmo que eu conseguisse pronunciar um nome desses, acho que não ia servir para mim. Minha esperança ... . humilde, Sr. Frodo, ..."[7]

> O anúncio do noivado de Faramir e Éowyn, feito por Éomer, e as palavras trocadas entre Éowyn e Aragorn, são particularmente difíceis de ler, mas a passagem não difere significativamente daquela em RR (pp. 1394–5). O texto, então, prossegue:

E, depois do banquete, aqueles que deviam partir se despediram do Rei Éomer, e Faramir ficou com ele, pois não queria mais ficar longe de Éowyn. E Finduilas também permaneceu ali e se despediu de seu pai e seus irmãos. Mas Aragorn seguiu em frente com os companheiros, e eles chegaram ao Abismo de Helm e ali repousaram. E então Legolas pagou sua promessa a Gimli e entrou nas Cavernas Cintilantes; e, quando retornou, ficou em silêncio, pois dizia que apenas Gimli poderia achar as palavras justas. "E agora", disse ele, "iremos a Fangorn", com o que Gimli não pareceu muito contente.

E assim passaram .... para Isengard e viram como os Ents tinham se ocupado, pois todo o círculo de pedra fora removido e replantado com árvores, mas em meio aos pomares Orthanc se erguia ainda, alta e [? inexpugnável]. E lá estavam Barbárvore e outros Ents para recebê-los, e ele louvou todos os seus feitos, sobre os quais parecia ter notícias detalhadas. "Mas os Ents fizeram a sua parte", disse ele. "E não haveria nenhum Paço Dourado para o qual retornarem se não fosse por Barbárvore e seu povo. Pois pegamos um grande exército daqueles — *burarum* — daqueles orques que estavam descendo pelo Descampado e os espantamos para longe. Ou do contrário o rei das campinas [?nunca] teria conseguido cavalgar para longe."

E Gandalf louvou seus trabalhos e, por fim, Barbárvore lhes disse adeus com muitas e longas palavras, dizendo que tinha acrescentado alguns versos novos. E, quanto Merry e Pippin afinal lhe disseram adeus, ele .... a eles e disse "Bem, minha gente alegre! Tomai um trago antes de irdes!" E eles disseram "Sim, com certeza!" E o Ent olhou para eles do outro lado da cuia e disse "Cuidado! Pois já crescestes de novo desde que vos vi!" E os dois riram, e depois ele [?ficou] triste e disse "E não esqueçais que, se alguma vez ouvirdes notícias das Entesposas, deveis mandar-nos uma mensagem". E Aragorn observou "As terras do Leste agora estão abertas". Mas Barbárvore meneou a cabeça e disse que ficavam muito distantes.

Mas Legolas e Gimli disseram adeus ali e entraram em Fangorn, e dali pretendiam [?viajar] juntos para seus próprios países. "Ai de nós, nossas terras ficam tão separadas! Mas mandaremos mensagens a Valfenda." E Elrond olhou para eles e respondeu: "Mandai antes mensagens ao Condado".

Então cavalgaram até o Desfiladeiro de Rohan, e Aragorn se despediu deles no exato lugar onde Pippin tinha olhado dentro da Palantír. E Pippin disse "Queria que tivéssemos uma para ver todos os nossos amigos". "Mas resta apenas uma", respondeu Aragorn ....., "e o rei precisa cuidar dela. Mas não esqueças que meu reino agora fica também no Norte; e mais tarde posso ir até ele de novo."

E assim, lentamente, eles adentraram as terras ermas a oeste das montanhas e prosseguiram para o norte, e o verão se esvaiu; e Galadriel e Celeborn e sua gente atravessaram a Escada do Riacho-escuro e voltaram a Lórien. Mas Elrond e Gandalf, e os hobbits, retornaram enfim a Valfenda.

O capítulo termina, nessa primeira versão, com um rascunho muito rudimentar do tempo que os hobbits passaram com Bilbo, mas a maior parte dos pontos essenciais da forma final está presente. As principais diferenças estão nos presentes de Bilbo: "Então Bilbo deu a Frodo sua cota-de-malha e sua espada, e deu a Sam um monte de livros da tradição, e deu a Merry e Pippin um monte de bons conselhos". O poema do velho hobbit (*A Estrada segue sempre avante*) não está presente, mas o manuscrito indica que um poema deveria ser inserido nesse ponto. A afirmação de Gandalf de que ele continuaria com os hobbits "pelo menos até Bri" não aparece; e, na partida de Valfenda, as palavras de adeus de Elrond a Frodo, embora sejam as mesmas que em RR (sugerindo que "mais ou menos nesta época do ano" ele deveria "procurar por Bilbo nas matas do Condado") também foram ouvidas pelos outros: "E eles não entenderam totalmente o que ele queria dizer, e Gandalf, é claro, não quis explicar". O texto então segue direto para o que passaria a ser a abertura do capítulo seguinte, "Rumo ao Lar".

Esse primeiro manuscrito foi muito aumentado com a inserção de materiais novos. A história da visita a Isengard foi reelaborada, e o relato de Barbárvore sobre a soltura de Saruman aparece — um prelúdio necessário, é claro, para o encontro com Saruman e Língua-de-Cobra na jornada do que restava da companhia para o norte. Há algumas diferenças em relação ao texto de RR, mas elas são pequenas.[8] As falas de despedida de Barbárvore com Celeborn e Galadriel aparecem nessa fase, diferindo da forma final apenas na frase em quenya: *O vanimar vanimalion ontari* (ver a nota 16).

Um longo adendo retoma a narrativa com as palavras "Então eles cavalgaram rumo ao Desfiladeiro de Rohan" (cf. RR, p. 1400), e a partida de Aragorn está contada com quase as mesmas palavras que em RR; mas Galadriel diz a ele: "Pedra-élfica, através da escuridão chegaste a teu desejo. Usa bem os dias de luz", e Celeborn comenta: "Parente, adeus, mas tua sina é semelhante à minha; pois nosso tesouro há de durar mais do que nós dois" (ver pp. 160–1 e nota 16).

A história do encontro com Saruman, à qual tinha sido feita uma referência muito oblíqua em "A História Prevista a partir de Kormallen" ("Encontram Saruman e ele é [?perdoado]", p. 74), agora é contada de forma completa, mas com certo número de diferenças, uma delas bastante notável. Não há nenhuma indicação sobre onde ou quando o encontro ocorreu: depois que a companhia tinha cruzado o Isen, eles "entraram na terra erma a oeste das montanhas, e viraram para o norte, e o verão foi se esvaindo. E, muitos dias depois, alcançaram um velho apoiado num cajado ..." Ver ainda a p. 95.

À afirmação de Saruman "Estou buscando um caminho para sair de seu reino", Gandalf, de início, responde:

"Então estás seguindo pela direção errada [*entre colchetes*: como parece ser tua sina], a menos que desejes chegar ao extremo Norte e lá morrer congelado. Pois do Mar, no Oeste, até o Anduin, e dali por muitos dias de marcha rumo ao leste, está o domínio do Rei, e para o leste, sem muita demora, ele espalhar-se-á além das águas do Rúnaeluin."[9]

Sem riscar esse trecho, meu pai o substituiu por:

"Então tens grande distância a percorrer", disse Gandalf, "e deverias estar seguindo para o leste. Contudo, mesmo assim, terias de viajar para longe, e verias a fronteira do reino dele sempre disposta atrás de ti."

Essa versão foi riscada, e o texto final aqui é: " 'Então tens grande distância a percorrer", disse Gandalf, "e não vejo esperança em tua jornada....' "

Língua-de-Cobra ainda chama a si mesmo de *Frána*, não *Gríma* (cf. VII. 524, VIII. 72). O mais curioso é a concepção inicial claramente diferente da resposta de Saruman à generosidade de Merry (a frase que coloquei entre colchetes presumivelmente foi abandonada):

"Minha, minha, sim, e paguei caro por ela", disse Saruman, agarrando a sacola. E então, de repente, ele pareceu ficar tocado pelo ato. "Bem, eu agradeço", disse. "[Você não está cantando de galo, e seu olhar bondoso talvez não seja fingido.] Você parece um sujeito honesto, e talvez não tenha vindo aqui cantar de galo para cima de mim. Vou lhe contar uma coisa. Quando chegar ao Condado, cuidado com Cosimo, e se apresse, ou pode ficar sem erva."

"Brigado", disse Merry, "e, caso se canse de vagar pelo ermo, venha ao Condado".

Meu pai sabia que Saruman adquirira seu suprimento de erva-de-cachimbo no Condado (ver VIII. 77, nota 8). Não há nenhuma indicação certa de que, nesse estágio, ele tivesse começado a conceber quaisquer outras relações mais próximas entre Saruman e Cosimo Sacola-Bolseiro, mas, no esboço original de "O Expurgo do Condado", essa ideia já estava presente de forma ampla (ver p. 112). Por outro lado, uma característica notável do presente esboço é que Saruman *não* estava presente em pessoa no Condado e não coordenou os últimos estágios da espoliação do lugar.

Uma vez que, como se verá a seguir, a totalidade da conclusão de *O Senhor dos Anéis*, desde "Muitas Despedidas" até o "Epílogo", foi escrita num único rascunho contínuo, parece perfeitamente possível que todo esse material novo tenha sido introduzido no esboço original de "Muitas Despedidas" *depois* que o primeiro rascunho de "O Expurgo do Condado" tenha sido escrito. Se for esse o caso, muito provavelmente foi durante a composição e o desenvolvimento da presente passagem que meu pai concebeu pela primeira vez a visita de Saruman ao Condado (já que, na narrativa propriamente dita, a decisão de fazer essa visita também surgiu na cabeça de Saruman nessa ocasião, RR, p. 1403); de fato, é possível que o convite extraordinariamente desastrado de Merry (embora a ideia tenha sido imediatamente abandonada, como veremos num instante) tenha sido o gérmen dessa história.

Não sei exatamente o que meu pai tinha em mente quando escreveu as palavras de Saruman nesse ponto, "Quando chegar ao Condado, cuidado com Cosimo, e se apresse, ou pode ficar sem erva". A frase certamente mostra que Saruman sabia o que estava acontecendo lá, mas é igualmente certo que deve ser entendida como um bom conselho da parte de Saruman, para retribuir o presente de Merry. Mas meu pai assinalou a resposta de Merry com um grande ponto de interrogação, e de imediato, na mesma página, reconhecendo que o orgulho, a amargura e a malevolência de Saruman jamais poderiam ser afetados por tal gesto de Merry Brandebuque, ele escreveu a passagem presente em RR (p. 1403): "Isto é só uma restituição simbólica. Vocês pegaram mais, tenho certeza ..."

O primeiro esboço A foi seguido pela indispensável cópia passada a limpo "**B**", e essa, por sua vez (tal como em "O Regente e o Rei"), por um terceiro texto, o "**C**", escrito com a letra mais bonita de meu pai. Mais tarde, o texto B recebeu a numeração e o título "57 Muitas Despedidas".[10] Embora a forma final do capítulo tenha sido alcançada, em grande medida, no texto B, ainda há certo número de diferenças menores em relação ao texto de RR; menciono aqui algumas das que são mais dignas de nota e reúno mais alguns detalhes na nota 16.

Foi no texto B que o nome *Arwen* apareceu pela primeira vez. No parágrafo de abertura do capítulo, nesse texto, a Rainha recebeu o nome de *Ellonel*, mas isso foi alterado de imediato para, mais uma vez, *Finduilas*, e esse nome reaparece nas duas ocorrências seguintes (bem como *Vespestrela* na frase "Mas agora usa isto em memória de Pedra-élfica e Vespestrela, com quem tua vida foi enredada", RR, p. 1391). Deve ter sido nesse ponto que meu pai determinou que o nome dela não era *Finduilas* e que ele precisava descobrir qual era o nome certo; pois, numa página em que havia esboços rápidos das frases na abertura do capítulo, é possível vê-lo experimentando outros nomes, tais como *Amareth*, *Emrahil*. Escreveu *Elrond Elladan Elrohir Emrahil*, *Finduilas* > *Emrahil* e, ao lado do último (evidentemente para evitar a confusão com *Imrahil*), *Imrahil* > *Ildramir*; mas por fim, de forma clara e firme, escreveu *Arwen Undómiel*. Imediatamente depois disso, no texto B em sua forma original, Éomer diz a Gimli "Mas agora porei a Rainha Arwen Vespestrela em primeiro lugar" (RR, p. 1392).

Na versão inicial das palavras de Arwen a Frodo, ela diz: "A minha escolha é a de Lúthien, e escolhi tal como ela, por fim", as palavras "por fim" foram omitidas numa segunda versão da passagem; e, sobre a dádiva ao hobbit, ela diz o seguinte em B:

"... Mas em meu lugar hás de ir, Portador-do-Anel, quando a hora chegar e se o desejares então: pois tuas feridas foram profundas, e teu fardo é pesado. Mas hás de adentrar o Oeste até que todas as tuas feridas e teu cansaço sejam curados. [*Riscado de imediato*: Toma isto como sinal, e Elrond não recusar-te-á." E ela tirou de seu cabelo uma gema branca feito uma estrela] Toma contigo o Frasco de Galadriel e Círdan não recusar-te-á. Mas agora usa isto em memória de Pedra-élfica e Vespestrela, com quem tua vida foi enredada!" E ela tomou nas mãos uma gema branca ...

No terceiro manuscrito, o C, foi alcançado o texto de RR.

Merethrond, o Grande Salão de Banquetes em Minas Tirith (RR, p. 1391), é mencionado em B como um local que ficava "na Cidadela" (afirmação omitida no texto C). Numa página de esboços rápidos dessa passagem, meu pai rabiscou uma pequena planta da Cidadela. Ela é mostrada como um círculo contendo sete círculos pequenos (torres) a distâncias iguais uns dos outros dentro da circunferência, um dos quais disposto ao lado da entrada. Um pouco mais longe está marcado o Pátio da Fonte, ao centro, a Torre Branca e o Salão dos Reis, e um pouco mais longe ainda, do lado oeste da Cidadela, a Casa do Rei. À direita (a norte) da Torre Branca fica o Salão de Banquetes. Os contornos de outros prédios aparecem entre as torres.

Quando Aragorn e Éomer vão até os Fanos, eles "chegaram à tumba que tinha sido construída em Rath Dínen" (onde o texto C traz a expressão de RR, "às tumbas em Rath Dínen"); e, retornando com o féretro, "passaram pela Cidade, onde todo o povo ficou de pé em silêncio; mas os cavaleiros de Rohan que seguiam o féretro cantavam em sua própria língua um lamento para aquele que tombara" (tal como no texto A, p. 83, "com lentas canções da Marca"). Esse trecho foi alterado para "os cavaleiros de Rohan ... caminhavam também em silêncio, pois a hora das canções ainda não era chegada" (cf. RR, p. 1393).

O encontro com Ghân-buri-Ghân (ver p. 86) foi mais desenvolvido, com a reutilização da passagem original no capítulo anterior (pp. 80–1) na qual o chefe dos Homens Selvagens veio a Minas Tirith:

... e chegaram à Floresta Cinzenta ao pé de Amon Dín. E ali, ao lado da estrada, à sombra das árvores, estava Ghân das Matas Selvagens e dois de seus chefes a seu lado, e estavam todos trajados em vestimentas de folhas verdes para honrar o rei. Pois Ghân-buri-Ghân disse: "Ele foi grande rei; ele varreu escuro com ferro brilhante. E agora homens das Casas-de-pedra têm rei, ele não vai deixar escuro voltar". E ele e seus chefes encostaram suas testas nos pés de Aragorn; e ele pediu que se levantassem, e os abençoou, e lhes deu a Floresta de Druadan para ser só deles, de modo que nenhum homem jamais poderia entrar ali sem a permissão deles. Então eles se curvaram e desapareceram entre as árvores.

Esse trecho foi riscado, e uma versão que o substitui pode ser encontrada na última página do texto B de "O Regente e o Rei", quase igual à de RR (p. 1392), na qual os Homens Selvagens permanecem invisíveis e apenas seus tambores são ouvidos. Nessa versão, os arautos acrescentam: "e quem quer que mate alguém de seu povo está matando os amigos do rei".

Todos os nomes dos Reis da Marca recitados pelo menestrel no Paço Dourado são apresentados desta vez, mas meu pai pulou *Folcwine*, bisavô de Théoden; foi um mero deslize, já que Folcwine aparece na lista mais antiga dos reis (VIII. 479), e sem ele há apenas sete morros do lado leste do Campo-dos-Túmulos. Mas a omissão lhe escapou, e o nome de Folcwine só foi inserido na Segunda Edição. O décimo-primeiro rei (*Háma* na lista original) passou a ser *Léof* (alterado para *Léofa* na Segunda Edição).[11]

Quando Merry se despede de Éomer e Éowyn (RR, p. 1395), eles o chamam de "Meriadoc do Condado e da Marca" — o nome *Holdwine* ("da Marca") só foi introduzido nas provas de granel; e Éomer diz o seguinte sobre a trompa dada como presente, que ele não atribui a Éowyn:

"... mas não aceitarás nada além das armas que te foram dadas. Isso suportarei, porque, embora sejamos de outras terras e outra gente, ainda assim és para mim um parente querido cujo amor só pode ser retribuído com amor. Mas este único presente te imploro agora que aceites ..."

A trompa é descrita com as mesmas palavras de RR; mas depois vem este trecho:

"Esta é uma herança de nossa casa", disse Éowyn, "e nas profundezas do tempo ela foi feita para nossos ancestrais pelos anãos [*riscado*: de Valle], e Eorl, o Jovem, a trouxe do Norte.

A afirmação de que a trompa "veio do tesouro de Scatha, a Serpe" foi incluída na prova de granel.

O encontro com Barbárvore, nesse texto B, chega à forma em RR em quase todos os pontos. A imprecação do Ent contra os Orques, nesse texto, tem a seguinte forma: *henulka-morimaite-quingatelko--tingahondo-rakkalepta-saurikumba.*[12] Um ponto curioso é que Gandalf diz aqui "A Terceira Era começa", frase repetida no texto C, mas corrigida nele para "A Nova Era começa", tal como em RR. Podemos comparar essa afirmação com a carta escrita por meu pai em novembro de 1944 (*Cartas*, n. 91, e também VIII. 265): "Assim termina a Idade Média e o Domínio dos Homens começa", e, antes ainda, o discurso de Saruman diante de Gandalf em Isengard (VII. 182): "Os Dias Antigos acabaram. Os Dias Médios estão passando. Os Dias Recentes estão começando"; mas, em "A História Prevista a partir de Kormallen" (pp. 74–5) aparecem as frases "O fim da Terceira Era é pressagiado" e "Fim da Terceira Era".

A resposta de Gandalf quando Barbárvore relata que tinha permitido a Saruman sair livre de Orthanc continua igual à do texto A (ver nota 8): Barbárvore agora diz "Uma serpente sem presas pode rastejar onde quiser", mas essa frase ainda não leva Gandalf a observar que a Saruman "ainda restava um dente ... o veneno de sua voz", frase que foi inserida no texto C. Gimli, em seu adeus, ainda conclui sua fala tal como no texto A (p. 88): "Ai de nós, nossas terras ficam tão separadas! Mas mandaremos mensagens a Valfenda quando pudermos"; ao que Elrond agora responde: "Mandai-as antes a Gondor, ou então ao Condado!".

Mais uma vez, tal como no texto A (nota 8), Barbárvore não diz quando a soltura de Saruman tinha acontecido, e isso se manteve na Primeira Edição; na Segunda Edição, a frase "Sim, foi embora" foi alterada para "Sim, foi embora faz sete dias".[13]

O encontro propriamente dito com Saruman agora não tem virtualmente nenhuma diferença em relação ao texto de RR, mas o lugar onde ele aparece é um pouco diferente na Primeira Edição se comparada à versão revisada da Segunda. O texto da Primeira Edição era este: (RR, p. 1401):

> Logo a companhia minguante chegou ao Isen, e o atravessou, e chegou às terras ermas além do rio, e passou pelas fronteiras da Terra Parda. E os Terrapardenses fugiram e se esconderam, pois tinham medo do povo-élfico, apesar de na verdade poucos deles jamais chegarem às suas terras. Mas os viajantes não lhes deram atenção, pois eram ainda uma grande companhia e estavam bem providos de tudo de que necessitavam; e seguiram seu caminho à vontade, montando tendas quando queriam; e, conforme seguiam, o verão foi terminando.
>
> Depois que tinham passado pela Terra Parda e chegaram a lugares onde pouca gente tinha morada, e até aves e feras raramente eram vistas, viajaram através de uma mata que descia das colinas no sopé das Montanhas Nevoentas, que agora marchavam à sua direita. Ao saírem outra vez para terreno aberto, alcançaram um ancião apoiado em um cajado...

Conforme assinalado acima, na Segunda Edição, Barbárvore contou a Gandalf que Saruman tinha ido embora havia sete dias; e, na revisão da passagem que acabei de citar, o texto da Primeira Edição ("Depois que tinham passado pela Terra Parda e chegaram a lugares onde pouca gente tinha morada, e até aves e feras raramente eram vistas, viajaram através de uma mata ...") foi alterado para "No sexto dia depois de se separarem do Rei, viajaram através de uma mata ..." Com essa mudança, a companhia ainda estava na Terra Parda quando deram com Saruman e, um pouco mais tarde na narrativa, depois de "Imagino que ele ainda possa causar algum mal, de um modo pequeno e mesquinho" (RR, p. 1404), meu pai acrescentou na Segunda Edição: "No dia seguinte seguiram para o norte da Terra Parda, onde já não habitava ninguém, apesar de ser uma região verde e agradável" (o norte da Terra Parda, e não as terras ao norte da Terra Parda, agora passa a ser a região desabitada).

A partir desse ponto, o fim do episódio com Saruman, o texto B continua:

Setembro chegou com uma manhã dourada faiscando acima de brumas prateadas; e, olhando adiante, viram ao longe, no leste, o sol iluminando três picos que se projetavam alto no céu através de nuvens flutuantes: Caradhras, Celebras e Fanuiras.[14] Estavam perto, mais uma vez, dos Portões de Moria. E então veio outra despedida ...

Isso deve significar que foi em 1º de setembro que eles viram as Montanhas de Moria. A ideia foi desenvolvida em uma emenda tardia ao texto C, chegando à forma da Primeira Edição:

Setembro chegou com dias dourados e noites de prata. Por fim nasceu uma bela manhã, reluzindo acima das névoas brilhantes; e, olhando de seu acampamento em uma colina baixa, os viajantes viram, longe no leste, o Sol iluminando três picos que se projetavam alto no céu através de nuvens flutuantes: Caradhras, Celebdil e Fanuidhol. Estavam perto dos Portões de Moria.

Ali demoraram-se então durante sete dias, pois estava próxima a hora de outra despedida ...

Na Segunda Edição, essa passagem (a partir de "Setembro chegou ...") foi ampliada com referências ao rio Cisnefrota, às cascatas e ao vau que a companhia atravessou.[15]

Em vários pontos menores, o texto B recebeu mais alterações a respeito da estadia dos hobbits em Valfenda, mas, para todos os efeitos, a forma final agora tinha sido alcançada.[16]

NOTAS

1 *Hasufel* provavelmente é só um lapso de memória, embora o nome tenha sobrevivido até ser corrigido no terceiro manuscrito. Hasufel era o cavalo de Aragorn em Rohan, e o animal que carregava Legolas e Gimli era Arod.

2 Pippin não é mencionado, mas numa forma rejeitada da passagem afirma-se que ele "cavalgava com o Príncipe de Ithilien, pois era o escudeiro do Regente".

3 a *Matagris*: antes citada (como "Matas Cinzentas") apenas num mapa pequeno em um esboço de "A Cavalgada dos Rohirrim", VIII. 419.

[4] Aqui há uma marcação de inserção, provavelmente com referência a versos que seriam apresentados nesse ponto (embora não haja versos aqui no segundo e terceiro manuscritos: ver nota 16).

[5] [No original,] em *wished him hail* [lhe desejou saúde] (se lido corretamente) na frase precedente, *hail* significa "saúde, felicidade, prosperidade"; na frase *Here is a last hail* [Eis aqui uma última saudação] de Gandalf, a palavra parece se usada de foma elíptica, como se fosse "Eis aqui um último gole de saudação".

[6] A palavra que apresento como *athan* está muito pouco clara e é incerta.

[7] O louvor de Gandalf a Frodo e Sam, e esse vislumbre cativante do Feitor em meio ao cerimonial de Edoras, desapareceram no segundo texto. *Rôntius* evidentemente é uma forma abreviada de *Gerontius*, o nome do Velho Tûk; e suponho que o Feitor tenha colado a terminação "erudita" ou grã-fina *-us* no nome de Rory (Brandebuque). Mas as opiniões dele não se perderam totalmente. Quando discutiu com Frodo o nome de seu filho mais velho ("Os Portos Cinzentos", RR, pp. 1458–9), Sam disse: "Ouvi alguns lindos nomes em minhas viagens, mas acho que são um pouco grandiosos demais para uso e abuso diário, como se poderia dizer. O Feitor, ele diz: 'Faça com que seja curto, e aí não vai ter que encurtar antes de poder usar'." — O comentário final de Sam, infelizmente, é de todo ilegível; a palavra que vem antes de *humilde* talvez seja *ficando*, ou *bem*, mas a palavra anterior certamente não é *era*.

[8] As duas árvores sentinelas que passaram a crescer onde tinham ficado os portões de Isengard não aparecem aqui. A conversa de Aragorn e Gandalf com Barbárvore depois que ele menciona a destruição dos Orques (desancados por ele usando apenas adjetivos em inglês) no Descampado é diferente do que se lê em RR (p. 1397), embora parte desse diálogo tenha sido usada um pouco depois no texto final:

> "Nós o sabemos", disse Aragorn, "e é algo que nunca há de ser esquecido, nem se há de esquecer vosso assédio a Isengard, e é nossa esperança que vossa floresta possa crescer de novo em paz. Há espaço de sobra a oeste das montanhas."
>
> "Florestas podem crescer", disse Barbárvore com tristeza; "matas podem se espalhar, mas não os Ents; não há Entinhos agora."
>
> "Nunca, pelo menos, enquanto a Marca e Gondor subsistirem", disse Gandalf; "e terá de ser por um tempo realmente longo para que pareça longo aos olhos dos Ents. Mas e quanto à tua tarefa mais importante, Fangorn? ..."

Barbárvore não diz quanto tempo fazia desde que Saruman se fora (ver p. 95); e Gandalf não diz a ele que Saruman achara seu ponto fraco e o persuadira com "o veneno de sua voz", mas comenta apenas "Bem, ele se foi, então, e isso é tudo o que há para se dizer" (o que lembra seu resignado "Bem, bem, ele se foi" quando ouviu de Legolas, no Conselho de Elrond, sobre a fuga de Gollum, SA, p. 367). Tronquesperto não aparece no momento da entrega das chaves de Orthanc: "'Está trancada', disse Barbárvore, 'trancada por Saruman, e aqui estão as chaves', e deu três chaves negras a Aragorn".

[9] *Rúnaeluin*: as últimas quatro letras não estão totalmente claras, mas essa parece ser, em grande medida, a interpretação mais provável. Será que *Rúnaeluin* é o Mar de Rhûn?

[10] O terceiro manuscrito, o C, recebeu a numeração de capítulo "55". Essa redução dos números em dois algarismos começa com "A Torre de Kirith Ungol" (p. 38).

[11] Na Primeira Edição, enquanto o décimo-primeiro rei é chamado de *Léof* pelo menestrel em Edoras em "Muitas Despedidas", na lista dos Reis da Marca no Apêndice A (II) o décimo-primeiro rei é *Brytta*, sem nenhuma outra explicação. Na Segunda Edição, a explicação foi acrescentada: "Seu povo o chamava *Léofa*, pois era amado por todos; era generoso e auxiliava todos os necessitados".

[12] Os adjetivos em inglês no texto B são os mesmos que os de RR: "olhomau, mãonegra, pernatorta, empedernidos, mãosdegarra, barriga imunda, sanguinários". Em C as palavras *quingatelko* e *rakkalepta* foram omitidas e, depois, *henulka e saurikumba* foram riscadas e *tingahondo* foi alterada para *sincahondo*. Por fim, *sincahondo* foi alterada, no texto datilografado da gráfica, para *sincahonda*, tal como em RR.

[13] Num exemplar da Primeira Edição que meu pai usou para fazer alterações que seriam incorporadas à Segunda Edição, ele acrescentou à seção "Os Principais Dias da Queda de Barad-dûr até o Fim da Terceira Era", no Apêndice B, a data "*15 de agosto* Barbárvore liberta Saruman", mas, por alguma razão, isso não foi incluído na Segunda Edição. Ver a Nota sobre Cronologia abaixo.

[14] Quanto aos nomes *Celebras* e *Fanuiras*, ver VII. 210, 359.

[15] O curso desse rio já estava marcado no Primeiro Mapa (VII. 360), descendo das Montanhas Nevoentas para se juntar ao Griságua acima de Tharbad. Não há referência a ele no texto da Primeira Edição, mas o rio recebeu o nome de *Glanduin* no Apêndice A (I, iii, primeiro parágrafo). Os acidentes ou mal-entendidos que dificultaram a representação dele no mapa que acompanha *O Senhor dos Anéis* são detalhados em *Contos Inacabados*, pp. 296–8.

[16] O texto B não diz que a única parte da história dos hobbits que realmente interessou a Bilbo foi o relato sobre a coroação e o casamento de Aragorn; nem que ele tinha esquecido que já dera Ferroada e a cota-de-malha de mithril a Frodo; nem que seus livros de saber tinham lombadas vermelhas. Todas essas mudanças foram introduzidas no manuscrito C, o terceiro. Os livros receberam o título *Traduções do Élfico, por B. B., Cavalheiro*; o termo *Cavalheiro* foi retirado na prova de granel.

Registro aqui vários outros detalhes, em sua maioria relativos a nomes, nos quais o texto B diferia do de RR.

A referência a Merry como um "Cavaleiro da Marca" foi mantida, como no texto A (p. 85), e depois riscada. Sobre a troca de *Arod* por *Hasufel*, ver a nota 1.

Os versos aliterantes da canção dos Cavaleiros de Rohan conforme cavalgavam em torno do túmulo de Théoden só foram inseridos num adendo ao quarto texto, a versão datilografada para a gráfica, junto com a passagem que os precede, na qual a canção dos Cavaleiros recorda "a voz de Eorl gritando acima da batalha no Campo de Celebrant" e "o corno de Helm [que] ressoou nas montanhas". O menestrel do rei, autor da canção, recebe o nome de *Gleowin* no texto B e *Gléowine* em C; e *os Campos-dos-Túmulos* em A se transformam em *o Campo-dos-Túmulos* em B.

Nas palavras do adeus de Éomer a Merry (RR, p. 1395), ele menciona os feitos do hobbit "nos campos de Mundberg", nome emendado em C para *Mundburg* (ver VIII. 421–2).

O nome com que Barbárvore designa Lórien era grafado como *Laurelindórinan*, e essa forma sobreviveu na Primeira Edição, passando a ser *Laurelindórenan* na Segunda. Ele ainda diz a Galadriel e Celeborn *O vanimar vanimalion ontari* (p. 89), sendo o *O* trocado para *A* no texto B e *ontari* para *nostari* no texto C. A vírgula depois de *vanimar* foi acrescentada na segunda edição. Em VIII. 34, mencionei notas tardias de meu pai sobre fragmentos de outras línguas encontrados em *O Senhor dos Anéis*, as quais, no caso da maior parte do livro, foram escritas com tanta pressa que normalmente são inutilizáveis. A tradução dele da frase *O vanimar, vanimálion nostari*, entretanto, pode ser decifrada (à luz das próprias palavras em quenya): "belos, geradores daqueles que são belos", e ao lado da tradução uma nota dizendo "*nosta* gerar"; cf. as *Etimologias* no Vol. V, radicais BAN, NŌ, ONO.

O nome de Língua-de-Cobra continuou sendo *Frána* (p. 90) nos textos B e C, mas foi alterado para *Gríma* no texto datilogradafo final; e Gandalf ainda chama Carrapicho de *Barnabas* (RR, p. 1411).

Nota sobre a Cronologia

No esboço original do capítulo, o texto A, praticamente não havia indicações de cronologia: Aragorn diz a Frodo (p. 85) que eles vão partir de Minas Tirith dentro de três dias, mas isso diz respeito apenas ao fim dos "dias de regozijo", cuja duração não é determinada; e a jornada entre Minas Tirith e Rohan foi de quinze dias.

No texto B, Aragorn diz a Frodo que eles vão partir dentro de sete dias, e que "daqui a três dias Éomer retornará até aqui para levar Théoden de volta para que repouse na Marca", coisa que Éomer de fato fez; e tudo isso foi mantido em *O Senhor dos Anéis*, junto com os quinze dias da jornada até Rohan. Mas nem o texto B nem o C dão indicações mais claras que as do esboço original sobre o tempo que transcorreu nos estágios da jornada entre Edoras e Valfenda, e pode ser que meu pai não tenha dado muita atenção a essa matéria até a preparação final do livro. Um fato curioso é que a cronologia de "Os Principais Dias da Queda de Barad-dûr até o Fim da Terceira Era", no Apêndice B (e que é a mesma, quanto a isso, em ambas as edições), não concorda com o texto de "Muitas Despedidas", seja quanto ao retorno de Éomer em relação à partida para Edoras ou quanto ao tempo que essa jornada levou para ocorrer. Na cronologia de "Os Principais Dias", Éomer retornou a Minas Tirith em 18 de julho, e a cavalgada que partiu da Cidade com a carroça do Rei Théoden começou no dia seguinte, 19 de julho, não quatro dias depois, tal como em "Muitas Despedidas"; enquanto a chegada em Edoras é datada de 7 de agosto, dezoito dias mais tarde, e não quinze, como no texto.

Como já mostrei, não há nenhuma indicação de data para o encontro de Saruman com os viajantes conforme eles cavalgavam para o norte na Primeira Edição; na Segunda Edição, a passagem foi alterada para dizer que o encontro se deu no sexto dia desde que tinham se despedido do Rei, e que eles ainda estavam na Terra Parda (ver p. 95). Mas, na verdade, essa data já estava presente na Primeira Edição, na cronologia de "Os Principais Dias" em *O Conto dos Anos*:

> *22 de agosto* Eles chegam a Isengard; despedem-se do Rei do Oeste ao pôr do sol.
> *28 de agosto* Eles alcançam Saruman; Saruman se dirige para o Condado.

Quando o texto C foi escrito, ainda era em 1º de setembro que os viajantes viam as Montanhas de Moria, mas correções tardias (ver p. 96) acabaram produzindo, ou melhorando, a cronologia de "Os Principais Dias":

> *6 de setembro* Eles param à vista das Montanhas de Moria.
> *13 de setembro* Celeborn e Galadriel partem, os outros rumam para Valfenda.

Em 21 de setembro, o dia anterior ao aniversário de Bilbo, Gandalf e os hobbits retornam a Valfenda, tendo gasto um tempo muito menor (por estarem montados) do que aquele que levaram para alcançar Moria em sua jornada de ida, nove meses antes.

8

Rumo ao Lar

O esboço original A de "Muitas Despedidas" continuava com a abertura de "Rumo ao Lar" (ver pp. 88–9), mas meu pai traçou uma linha separando os capítulos e começou uma nova paginação, provavelmente na fase inicial do trabalho. Ao mesmo tempo, rabiscou um título para o novo capítulo: "Retorno para Casa". Esse texto prosseguiu com uma paginação contínua diretamente até o fim de *O Senhor dos Anéis* e incluía o Epílogo.

Esse último dos primeiros esboços encerra a obra com estilo: se não é o mais difícil de todos os manuscritos de *O Senhor dos Anéis,* certamente tem poucos rivais. Até a altura da Batalha de Beirágua (ver p. 122), ele dá a impressão de ter sido escrito num único grande impulso, e com rapidez crescente. Ideias que aparecem em trechos anteriores do texto são contraditas mais tarde sem correções das passagens anteriores. Na parte que corresponde a "Rumo ao Lar" e ao início de "O Expurgo do Condado", entretanto, o texto não apresenta dificuldades excessivas, principalmente porque a forma final da história não foi alterada de forma muito substancial em relação ao primeiro esboço, mas também porque a letra de meu pai, embora seja muito descuidada em todo o manuscrito, foi ficando pior apenas gradualmente conforme o texto prosseguia.

Aqui, divido o texto em três capítulos, tal como em RR. Em todos eles, o esboço original é chamado, é claro, de texto "**A**". Sobre a história da visita ao *Pônei Empinado* não há muita coisa a registrar. A abertura dela é esta (RR, p. 1410):

Agora, portanto, eles voltavam seus rostos para o lar; e, embora cavalgassem, agora o faziam devagar. Mas estavam em paz e sem pressa, e, se tinham saudade de seus companheiros de aventuras, ainda tinham Gandalf consigo, e a jornada prosseguiu razoavelmente bem assim que passaram além do Topo-do-vento. Pois nos vaus do Bruinen Frodo parou e não desejava atravessá-lo, e dali até o Topo-do-vento ficou silencioso e inquieto; mas Gandalf nada disse.

E, quando chegaram à colina, Frodo disse "Apressemo-nos" e não queria olhar para ela. "Meu ferimento dói", explicou, "e a lembrança das trevas pesa sobre mim. Não é verdade que certas coisas, Gandalf, jamais podem ser totalmente curadas?"

"Ai de nós, assim é", disse o mago.

"É assim, pelo que creio, com meus ferimentos", confirmou Frodo. ...

Essa página do texto A (que traz o fim da versão posterior de "Muitas Despedidas" e o começo de "Rumo ao Lar") foi substituída, muito provavelmente logo de início, por uma nova página com um número de capítulo, "58", e nela a passagem de abertura fica mais próxima daquela em RR: a data da travessia dos Vaus do Bruinen está presente (6 de outubro, tal como em RR), e Frodo fala de sua dor nesse lugar, não embaixo do Topo-do-vento, mas o que ele diz é: "É meu ombro, meu ferimento dói. E meu dedo também, aquele que se foi, mas sinto dor nele, e a lembrança da escuridão pesa sobre mim."[1]

Quando Carrapicho vai até a porta do *Pônei Empinado*, ele não entende errado o grito de Nob "Eles voltaram", tal como em RR, nem vem correndo armado com um bastão:

E Barnabas foi saindo, esfregando as mãos no avental e com ar tão atarantado quanto de costume, embora houvesse pouca gente em volta, e não muita conversa na Sala Comum; de fato, na luz fraca da lamparina, ele parecia bem mais enrugado e preocupado.

"Bem, bem", disse ele, "Não esperava ver mais nenhum de vocês, essa é a verdade: depois de se enfiarem nos ermos com aquele Troteiro ..."

Qualquer que tenha sido a resposta de Carrapicho ao pedido de Gandalf "E se tiver erva-de-fumo vamos abençoá-lo", ela não foi registrada. Quando o estalajadeiro argumenta (RR, p. 1416) que não quer "toda uma multidão de estranhos acampando aqui e se estabelecendo ali e estragando a região inculta", Gandalf diz a ele:

"... Há espaço suficiente para os reinos entre o Isen e o Griságua, e ao longo das costas entre o Griságua e o Brandevin. E muita gente costumava viver mais ao norte, a umas cem milhas ou mais de distância de vocês, na[s] Colina[s] do Norte e ao lado do Nenuial ou Vespertúrvio, se é que ouviu falar dele. Eu não ficaria surpreso se o Fosso dos Mortos se enchesse de homens viventes de novo. Norforte dos Reis é o nome correto do lugar na sua língua. Algum dia o Rei pode vir outra vez."[2]

Com exceção dessas passagens, o texto de "Rumo ao Lar" em RR já estava virtualmente presente no esboço inicial,[3] ainda que, naturalmente, com muitas pequenas mudanças nos diálogos que viriam depois, isso até o fim do capítulo: aqui há uma diferença notável na narrativa. A conversa entre os hobbits quando eles deixam Bri é muito semelhante à de RR, mas sem a referência de Merry à erva-de-fumo e sem o comentário de Gandalf sobre Saruman e seu interesse pelo Condado:

"Fico pensando no que ele [Carrapicho] quis dizer", comentou Frodo.

"Consigo imaginar em parte, de qualquer jeito", disse Sam, num tom sombrio. "O que eu vi no Espelho. Árvores cortadas e tudo o mais, e o velho feitor expulso de casa. Eu deveria ter voltado antes."

"Seja lá o que for, o Cosimo vai estar por trás do negócio", acrescentou Pippin.

"Por trás, sim, mas não na origem do problema", corrigiu Gandalf.

Esse trecho fica perto do pé de uma página, mas não exatamente nele. No espaço vazio da folha, meu pai escreveu esta anotação:

Gandalf deveria ficar em Bri. Deveria dizer: "Vocês podem enfrentar problemas, mas quero que vocês mesmos resolvam a situação. Magos não deveriam interferir nesse tipo de coisa. Não tentem abrir nozes com marretas, ou vão acabar estragando a polpa. E isso já aconteceu muitas vezes, de qualquer jeito. Em algum momento eu apareço".

O espaço em branco talvez tivesse sido deixado como uma pausa; de qualquer modo, essa anotação foi feita mais tarde (ainda que não muito mais tarde), já que o texto continua na página seguinte e Gandalf não deixou os hobbits: ele está presente e desempenha certo papel no encontro com os guardas do portão na Ponte do Brandevin (no começo do capítulo seguinte em RR, "O Expurgo do Condado": pp. 106–7).

Eles atravessaram o ponto da Estrada Leste onde tinham se despedido de Bombadil, e quase esperavam vê-lo de pé ali para cumprimentá-los conforme passavam. Mas não havia sinal dele, e uma bruma cinzenta estava cobrindo as Colina[s]-dos-Túmulos no rumo sul, e um véu profundo escondia a Floresta Velha ao longe.

Frodo parou e olhou para o sul com ar saudoso. "Gostaria de ver o velho camarada de novo. Fico pensando em como ele está."

"Tão bem quanto sempre, pode ter certeza", disse Gandalf. "Bastante despreocupado e, se me permite dizer, nem um pouco interessado em qualquer coisa que tenha acontecido conosco. Haverá tempo para visitá-lo mais tarde. Se eu fosse vocês, teria mais pressa para chegar em casa agora, ou só chegaremos à Ponte do Brandevin quando os portões estiverem trancados."

"Mas não há portão nenhum", afirmou Merry, "pelo menos não na Estrada. Há o Portão da Terra-dos-Buques, é claro."

"Não havia portão nenhum, você quer dizer", respondeu Gandalf. "Acho que agora vão encontrar alguns."

Encontraram mesmo. Já tinha escurecido fazia tempo quando, exaustos e molhados, chegaram ao Brandevin e descobriram que o caminho estava barrado nas duas extremidades da Ponte ...

O primeiro esboço foi seguido por uma cópia passada a limpo (texto "**B**") de "Rumo ao Lar", já com esse título, e depois por um manuscrito cuidadoso e elegante (texto "**C**"). Desde o texto B a forma final do capítulo já tinha sido alcançada em quase todos os detalhes.[4]

NOTAS

1 A razão da mudança foi que a recorrência da dor da ferida de Frodo deveria depender da data, não do lugar. Ver também as pp. 146–7, notas 3 e 4.

2 O nome *Nenuial* aparece pela primeira vez aqui. Não consigo explicar a forma curiosa (mas indiscutível) *Vespertúrvio*; *Vesperturvo* (e *Fornost Erain*) aparecem no segundo texto do capítulo.

3 O retorno de Bill, o Pônei é citado por Carrapicho usando quase as mesmas palavras que em RR (cf. VII. 527, VIII. 265). — Dois outros detalhes

menores podem ser mencionados aqui. A espada de Gandalf (RR, p. 1415) é chamada de *Orcrist* (o nome da espada de Thorin Escudo-de-carvalho): foi um simples deslize, o qual, entretanto, sobreviveu até o terceiro manuscrito do capítulo, quando o nome foi trocado para *Glamdring*. A entrada de Bri que dava para a estrada que vinha do Topo-do-Vento é chamada de "Portão-leste", e isso só foi trocado para "Portão-sul" no texto datilografado da gráfica; cf. a planta de Bri, VI. 414.

4 Em suas palavras de despedida aos hobbits, Gandalf diz no texto B: "Não estou indo para o Condado. Vocês precisam resolver os assuntos de lá por si mesmos. Levar-me com vocês seria como usar uma marreta para quebrar nozes". Sobre a última frase, cf. a nota, escrita no texto A, na p. 103. — *Troteiro* e *Cosimo* foram mantidos no manuscrito C e só então foram alterados para *Passolargo* e *Lotho*; *Barnabas* sobreviveu até o texto datilografado final e foi corrigido para *Cevado* nele.

9

O Expurgo do Condado

Como vimos no último capítulo, o longo esboço do texto A prossegue pelo que passou a ser "O Expurgo do Condado" sem interrupções; a partida de Gandalf à procura de Tom Bombadil, local onde o fim do capítulo passaria a ficar, ainda não estava presente na história. Quando os viajantes chegaram à Ponte do Brandevin, a recepção deles foi idêntica à de RR, mas o grito de Sam "Vou arrancar seu aviso quando o encontrar" é seguido de:

"Ora, vamos lá!", disse o mago. "Meu nome é Gandalf. E aqui estão um Brandebuque, um Tûk, um Bolseiro e um Gamgi, então, se não abrirem logo, vão ter mais problemas do que gostariam, e muito antes do nascer do Sol."

Nisso, uma janela bateu, e uma multidão de hobbits foi saindo da casa com lamparinas, e eles abriram o portão do outro lado, e alguns atravessaram a Ponte. Quando olharam para os viajantes, pareceram ficar mais assustados do que nunca.

"Vamos, vamos", disse Merry, reconhecendo um dos hobbits. "Se você não me conhece, Hob Guarda-Cerca, deveria. ..."

Antes que a narrativa fosse muito adiante, o texto foi corrigido, e as palavras de Gandalf passaram a ser ditas por Frodo: "'Ora, vamos lá!', disse Frodo. "Meu nome é Frodo Bolseiro. E aqui estão um Brandebuque, um Tûk e um Gamgi ...'"

O interrogatório de Hob Guarda-Cerca (RR, p. 1422) é um emaranhado de nomes e títulos. Pelo que consigo ver, ele tinha a seguinte forma quando foi escrito inicialmente, com algumas alterações feitas de imediato:

"Sinto muito, Sr. Merry, mas temos ordens."

"Ordens de quem?"

"Do Prefeito, Sr. Merry, e do Condestável-chefe."

"Quem é o Prefeito?", disse Frodo.

"O Sr. [Cosimo >] Sacola de Bolsão.

"Ah, é ele, então", disse Frodo. "E quem é o Condestável-chefe?"

"O Sr. [Bolseiro >] Sacola de Bolsão."

"Ah, é? Bem, estou feliz que ele tenha tirado o Bolseiro do nome, pelo menos. E ele vai ter de sair de Bolsão também, se eu ouvir mais alguma bobagem."

Caiu um silêncio sobre os hobbits do outro lado do portão. "Não vai prestar ficar falando desse jeito", disse Hob. "Ele vai acabar ouvindo. E, se fizerem tanto barulho assim, vão acordar o Grandão."

"Vou acordá-lo de um jeito que vai deixar o sujeito surpreso", disse Gandalf. "Se você quer dizer que o seu precioso Prefeito anda dando emprego para rufiões vindos do ermo, então não voltamos cedo demais." Apeou do cavalo e, pondo as mãos no portão, arrancou o aviso dali, e o jogou no chão bem nas fuças dos hobbits.[1]

Essa foi a última aparição de Gandalf antes da despedida final nos Portos Cinzentos.[2] Nesse ponto, "Gandalf" foi trocado por "Frodo", e "cavalo" por "pônei", e presumivelmente foi nessa altura que a nota apresentada na p. 103 ("Gandalf deveria ficar em Bri ...") foi apensada ao manuscrito. Veremos, no material que se segue, que nessa versão original da narrativa Frodo desempenhava um papel muito mais agressivo e dominante nesses eventos do que o visto em RR, chegando mesmo a matar mais de um dos rufiões em Beirágua e o líder deles em Bolsão, apesar das palavras que ele disse a Sam, já presentes no primeiro manuscrito de "A Terra da Sombra" (p. 52; RR, p. 1327): "Não acho que me caiba dar algum golpe de espada de novo" (ver a frase acrescentada na nota 23).

O relato sobre a estadia dos hobbits na casa dos guardas ao lado da Ponte do Brandevin naquela noite é quase idêntico ao da forma final, mas faltam-lhe alguns detalhes (como o comentário de Hob Guarda-Cerca segundo o qual estoques de erva-de-fumo estavam "indo em segredo" antes mesmo que Frodo e seus companheiros deixassem o Condado, e as críticas de outros hobbits à indiscrição de Hob, RR, p. 1424). É Frodo, e não Merry, quem ameaça Bill Samambaia e se livra dele. Na narrativa sobre a "prisão" do grupo em Sapântano,[3] "um dos Condestáveis" conta a eles que, segundo as ordens do Condestável-chefe (ver nota 1), eles deviam ser levados para os *Tocadeados* em Grã-Cava (cf. RR, p. 1425), e é nesse lugar que o termo aparece pela primeira vez (ver p. 113). Acontece que, ao contrário do que se vê na versão posterior da história, Robin Covamiúda era, na verdade, o líder do bando de Condestáveis (ver p. 108):

Para frustração dos Condestáveis, Frodo e todos os seus companheiros rugiram de tanto rir. "Vamos lá", disse Frodo. "Robin Covamiúda, você é nascido e criado na Vila-dos-Hobbits. Não seja tonto. Mas, se estão indo pelo mesmo caminho que nós, vamos com vocês, e tão quietinhos quanto quiserem."

"Para que lado está indo, Senhor Bolseiro?", disse o Condestável Covas-miúdas,[4] com um sorriso aparecendo em seu rosto, o qual ele rapidamente desmanchou.

"Para Vila-dos-Hobbits, é claro", disse Frodo. "Para o Bolsão. Mas não precisa andar mais do que quiser."

"Muito bem, Sr. Bolseiro", disse o Condestável, "mas não esqueça que o prendemos."

A conversa de Sam com Robin Covamiúda se conclui de forma mais abrupta no texto A (cf. RR, pp. 1426–7):

"... Você sabe como me candidatei a Condestável sete anos atrás, antes de tudo isso. Me dava uma chance de dar uma volta pelo Condado e ver gente e ouvir as notícias, e ficar de olho nas estalagens. Mas todos nós tivemos de jurar fazer o que o Prefeito manda. Tudo bem fazer isso na época do velho Bolinho de Farinha. Lembra-se dele? — o velho Will Pealvo de Grã-Cava. Mas agora é diferente. Ainda assim, a gente teve de jurar."

"Você não deveria jurar", disse Sam, "devia parar com esse negócio de condestar."

"Não é permitido", respondeu Robin.

"Se eu ouvir mais vezes 'não é permitido'", disse Sam, "vou ficar irritado."

"Não posso dizer que ia ficar chateado de ver isso", comentou Robin, baixando a voz. "Pra falar a verdade, você voltar, com o Sr. Frodo e tudo, é a melhor coisa que aconteceu nesse ano. O Prefeito está pegando no pé pra valer."

"Vão é pegar no pé dele, e não vai demorar muito", retrucou Sam.

A Casa-do-Condado[5] em Sapântano era tão ruim quanto os alojamentos no portão. ...

Nesse texto, é Frodo, e não Merry, que faz os Condestáveis marcharem na frente durante a viagem para Sapântano, e não há menção ao seu ar "um tanto triste e pensativo" enquanto seus companheiros riam e cantavam. O incidente envolvendo o velho "feitor" na beira da estrada, que riu da cena absurda, e com Merry proibindo os Condestáveis de incomodá-lo, está ausente;[6] mas, quando os Condestáveis desistem da sua marcha forçada na Pedra das Três Quartas, enquanto Frodo e seus amigos continuam cavalgando para Beirágua, com o líder dizendo que eles estavam resistindo à prisão e que ele não poderia ser responsabilizado, mais uma vez é Frodo, e não Pippin, que diz "Vamos resistir a muitas coisas mais, e não vamos lhe pedir para responder por isso".

O horror, especialmente por parte de Frodo e Sam, quando eles chegam a Beirágua e veem o que tinha acontecido por lá, está contado no texto A de modo muito semelhante ao da forma final; mas, a partir das palavras de Sam "Quero encontrar o Feitor" (RR, p. 1429), apresento o texto completo, pois as diferenças agora começam a se multiplicar, e não demora muito para que a história evolua de uma maneira totalmente distinta da presente na forma final do capítulo. Nesse ponto, a letra de meu pai é de uma dificuldade extraordinária e vai ficando pior; foi uma luta elucidá-la mesmo no nível apresentado aqui. Sou o responsável por grande parte da pontuação e inseri palavras omitidas onde a presença delas era óbvia, palavras corrigidas que tinham desinências erradas e assim por diante.

"Vai ficar escuro, Sam, antes de chegarmos lá", disse Frodo. "Vamos chegar lá de manhã. Uma noite só não vai fazer diferença agora.

"Gostaria que a gente tivesse dado uma volta pela Terra-dos--Buques primeiro", lamentou Merry. "Sinto que vem problema pela frente. Por lá a gente teria ouvido todas as notícias e conseguido alguma ajuda. Seja lá o que Cosimo andou aprontando, não pode ter ido muito longe na Terra-dos-Buques. Os moradores de lá não iam aguentá-lo bancando o ditador!"

Todas as casas estavam trancadas, e ninguém os cumprimentou. E se puseram a imaginar o motivo disso até que, chegando ao Dragão Verde, que era quase a última construção do lado da Villa-dos-Hobbits, ficaram espantados e perturbados ao ver quatro homens de caras feiosas fazendo hora no fim da rua. Sujeitos vesgos como os que tinham visto em Bri. "E em Isengard também", resmungou Merry. Tinham porretes nas mãos e trompas nos cintos. Quando viram os viajantes, saíram de perto do muro onde tinham ficado encostados e foram andando pela estrada, bloqueando o caminho.

"Onde pensam que estão indo?", disse um. "Essa num é a estrada pra Grã-Cava. E cadê a desgraça dos Condestáveis?"

"Vindo na nossa cola direitinho", respondeu Frodo. "Com os pés meio inchados, talvez. Vamos esperá-los."

"Caramba, eu disse pro Chefão [> Grande Charcoso] que não prestava mandar aqueles tontinhos. A gente é que devia ir, mas o Chefão [> Charcoso], disse não, e .... [> o Chefão deixa o sujeito fazer do jeito dele.][7]

"E se vocês tivessem ido, que diferença isso faria, ora?", disse Frodo calmamente. "Não estamos acostumados com ladrões pé-de-chinelo neste país, mas sabemos como lidar com eles."

"Pé-de-chinelo, hein", ironizou o homem, "então é assim que você fala, é? Vai ganhar uma lição de boas maneiras se num tiver cuidado. Melhor não confiar muito no bom coração do Chefão. [*Acrescentado na margem*: Ele é legal com quem é legal com ele, mas não vai aceitar esse tipo de conversa.] Até que ele é mole. Mas é só um hobbit. E este país precisa de alguém um pouco maior pra ficar em ordem. E vai ganhar alguém assim, aliás, e antes do fim do ano, ou meu nome não é Charcoso. Aí vocês vão aprender umas coisas, bando de ratinhos."

"Bem", disse Frodo, "acho isso muito interessante. Estava pensando em esperar aqui e bater na porta de manhã, mas acho melhor bater na porta do Chefão agora mesmo, se com isso você se refere ao meu primo, o Sr. Cosimo. Ele vai gostar de saber logo o que está acontecendo."

O sujeito vesgo riu. "Oh, ele sabe direitinho, mesmo fingindo não saber. Quando a gente termina com os chefões, a gente se livra deles. E de qualquer um que ficar no caminho, entendeu?" [*Acrescentado na margem, como substituição ou variante*: "Oh, Cosimo", disse ele, e riu de novo, olhando de esguelho para seus camaradas. "Ah, Chefão Cosimo! [*Riscado*: Lógico que ele sabe, ou sabia.] Não se preocupe com ele. Tem sono pesado, e eu não tentaria acordar o sujeito agora. Mas a gente não vai deixar vocês passarem. A gente está cheio de .... no nosso caminho."]

"Sim, entendi", respondeu Frodo. "Estou começando a entender um bocado de coisas. Mas temo que você esteja atrasado em relação ao momento e às notícias, Rufião Charcoso. Seus dias acabaram. Você vem de Isengard, creio eu. Bem, eu mesmo vim do Sul, e esta notícia pode lhe interessar. A Torre Sombria caiu, há um Rei em Gondor, Isengard não existe mais e Saruman é um pedinte nos ermos. Vocês são os dedos de uma mão que foi decepada, e o braço e o corpo também estão mortos. Os mensageiros do Rei, e não valentões de Isengard, logo começarão a passar pelo Caminho Verde."

O homem o encarou, pego de surpresa por um instante. Então fez cara de superior. "Bota banca, bota banca, galinho de briga montado no seu pônei", disse ele. "Palavras grandonas e mentiras gorduchas não vão assustar a gente. Mensageiros do Rei?", zombou. "Quando eu enxergar os sujeitos, talvez eu leve você a sério."

Isso era demais para Pippin. Enquanto pensava no menestrel em Kormallen e no louvor daquela bela hoste, e ali estava esse malandro vesgo chamando o Portador-do-Anel de galinho de briga. [*sic*] Desembainhou sua espada num clarão e foi para a frente, lançando de lado seu manto, de modo que o prata e o negro de Gondor que ele ainda usava pudessem ser vistos. "Nós somos os mensageiros do Rei", disse. "[E eu sou o escudeiro de Frodo dos Nove Dedos, Cavaleiro de Gondor, e de joelhos na estrada é como você vai ficar, ou daremos um jeito em você. >] E eu sou o escudeiro do Senhor de Minas Tirith, e aqui está Frodo dos Nove Dedos renomado entre todos os povos do Oeste. Você é um tolo. De joelhos na estrada, ou vou enfiar esta perdição dos trols em você." A espada brilhava rubra nos últimos raios do sol. Merry e Sam se juntaram atrás dele; mas Frodo não fez movimento nenhum.

O homem e seus colegas, pegos de surpresa pelas armas e pela fala repentina e feroz, abriram caminho e saíram correndo pela estrada na direção da Vila-dos-Hobbits, mas sopraram suas trompas conforme corriam.

"Bem, não voltamos cedo demais", disse Merry.

"Nem um dia cedo demais", concordou Frodo. "Pobre Cosimo. Espero que não tenhamos selado o destino dele."

"O que você quer dizer, Frodo?", perguntou Pippin. "Pobre Cosimo? ... Eu é que selaria o destino dele se conseguisse pegá-lo."

"Não acho que você entendeu direito tudo isso", explicou Frodo. "Embora devesse entender. Você esteve em Isengard.

Mas pude conversar com Gandalf, e falamos muito atravessando longas milhas. Pobre Cosimo! Bem, sim. Ele é perverso e tonto ao mesmo tempo. Mas foi apanhado na sua própria rede. Não consegue entender? Ele passou a comerciar com Saruman e ficou rico em segredo, comprou isso e aquilo sem contar para ninguém e depois [?contratou] esses rufiões. Saruman os enviou para "ajudá-lo" e mostrar a ele como construir e [??consertar] ... tudo ... E agora, claro, estão mandando nas coisas em nome dele — e não vai demorar para que deixe de ser no nome dele. [?Na verdade] ele é um prisioneiro em Bolsão, imagino."

"Bem, estou atordoado", disse Pippin. "De todos os fins da nossa jornada, esse é o último que eu esperava: lutar com meio-orques no próprio Condado para Cosimo, o Pústula, entre todas as pessoas!"[8]

"Lutar?", disse Merry. "Bem, parece que é isso. Mas, afinal de contas, somos só 4 hobbits, mesmo estando armados. Não sabemos quantos rufiões estão por aí. Acho que podemos acabar precisando da marreta para quebrar essa noz, afinal de contas."[9]

"Bem, não vamos conseguir ajudar o Primo Pústula esta noite", disse Frodo. "Precisamos procurar cobertura para esta noite."

"Tenho uma ideia, Sr Frodo", disse Sam. "Vamos até a casa do velho Jeremy Villa.[10] Ele costumava ser um sujeito corajoso, e tem um monte de rapazes, todos amigos meus."

"Quem, o Fazendeiro Villa, descendo a Alameda Sul?", perguntou Frodo. "Vamos tentar!" Viraram e, voltando algumas jardas, cavalgaram pela alameda, e chegaram aos portões depois de um quarto de milha. Embora fosse cedo, a casa de fazenda estava toda escura, e nem um só cão latia. "'Não é permitido', pelo jeito", resmungou Sam. Bateram na porta, duas vezes. Então, devagar, uma janela se abriu um pouco acima deles e uma cabeça foi posta para fora.

"Nada, não é rufião não", murmurou uma voz. "São só hobbits."

"Não dá bola pra eles não, Jeremy", pediu outra voz (a da esposa do fazendeiro, pelo som). "Só vai trazer problema, e a gente já tem o suficiente."

"Vão embora e sejam bons sujeitos", disse o fazendeiro, rouco. "Ou não venham pela porta da frente, pelo menos. Se precisam muito de alguma coisa, deem a volta até a porta de trás logo de manhã, antes que eles estejam por aí. Tem um monte deles na rua agora."

"Sabemos disso", respondeu Frodo. "Mas já espantamos todos. É o Sr. Frodo Bolseiro e seus amigos que estão aqui. Voltamos. Mas precisamos de abrigo por uma noite. O celeiro já resolve."

"Sr. Frodo Bolseiro?", engasgou o lavrador. "Sim, e o Sam está com ele", acrescentou Sam.

"Certo! Mas não grite", disse o fazendeiro. "Estou descendo."

Os trincos foram abertos com cuidado, e Sam se deu conta de que nunca tinha visto aquela porta ser trancada, quanto mais com trincos, antes. O Fazendeiro Villa colocou a cabeça para fora e olhou para eles no lusco-fusco. Seus olhos primeiro ficaram arregalados quando ele os viu, e depois sérios. "Bem", disse ele, "as vozes parecem as certas, mas nunca que eu ia reconhecer vocês. Entrem." Havia uma luz fraca no corredor, e ele examinou os rostos do grupo de perto. "Certo mesmo", comentou ele, e riu com alívio. "Sr. Bolseiro e Sam e Sr. Merry e Sr. Pippin. Bom, sejam bem-vindos, mais do que bem-vindos. Mas é um retorno pra casa meio triste. Ficaram longe tempo demais."

"Que aconteceu com o meu feitor", disse Sam, ansioso.

"Não tá muito bom, mas também não tá muito ruim", explicou o Fazendeiro Villa. "Está numa da[?quelas novas] Casas-do-Condado, mas ele aparece na minha porta de trás e a gente dá um jeito de ele comer melhor do que alguns desses coitados. Não tá tão ruim."

Sam deu um suspiro de alívio. "Casas-do-Condado", disse. "Ainda vou queimar elas todas."

Entraram na cozinha e se sentaram ao lado do fogo, que o fazendeiro soprou até ficar bem forte. "A gente tem ido cedo pra cama esses dias", disse ele. "Luz de noite é uma coisa que atrai perguntas indiscretas. E esses rufiões, eles ficam por aí de noite e dormem até tarde. O começo da manhã é a melhor hora pra nós."

Conversaram por algum tempo e descobriram que as inferências de Frodo até que tinham sido certeiras. Havia uns vinte rufiões aquartelados na Vila-dos-Hobbits, e Cosimo estava em Bolsão; mas nunca era visto fora da casa. "A mãe dele eles pegaram e colocaram nos Tocadeados em Grã-Cava faz três [?meses]", disse o fazendeiro. "Estou menos chateado por ela do que por alguns outros que eles pegaram. Mas ela bateu de frente com eles direitinho, não dá pra negar. Mandou eles saírem da casa, e por isso pegaram a velha."

"Hm", disse Frodo. "Então temo que tenhamos criado problemas para o senhor. Pois ameaçamos quatro deles e os expulsamos.

O Chefão do grupo é um tal de Charcoso, como ele mesmo se chama. Temi que aparecessem mais. Eles sopraram suas trompas e foram embora."

"Ah, eu ouvi eles", disse o fazendeiro. "É por isso que a gente trancou tudo. Eles vão atrás de vocês logo, a menos que tenham assustado eles mais do que estou achando. Mas o que eu acho é que eles iam sair correndo de qualquer coisa do tamanho deles. A gente ia varrer os sujeitos daqui se conseguisse se unir."

"Eles têm armas?"

"Não mostram elas, no máximo a gente vê chicotes, bastões e facas, o suficiente pro serviço sujo deles", disse o fazendeiro. "Mas talvez tenham. Alguns têm arcos e flechas, de qualquer jeito, e disparam [?bem rápido] e reto. Flecharam três neste distrito, até onde eu sei." Sam rangeu os dentes.

Ouviu-se um grande estrondo na porta da frente. O fazendeiro desceu silenciosamente o corredor, apagando a luz, e os outros o seguiram. Ouviu-se outro estrondo ainda mais alto. "Abra, seu rato velho, ou vamos botar fogo pra você sair", gritou uma voz rouca lá fora.

"Estou indo", disse o fazendeiro, todo [?tremendo]. "Suba sem fazer barulho e veja quantos estão lá", orientou Sam. E [?sacudiu as correntes] e ....ou os trincos enquanto o fazendeiro subia as escadas e voltava.

"Diria que uma dúzia, pelo menos, mas é o bando todo, acho", contou ele.

"Melhor ainda", disse Frodo. "Vamos em frente."

Os quatro hobbits ficaram encostados na parede do outro lado da porta. O fazendeiro [?destrancou] os trincos, virou a chave e depois [?se esgueirou de volta] pelas escadas. A porta se abriu e [?assomaram] para dentro a cabeça e os ombros de Charcoso. Deixaram que ele entrasse; e então, rapidamente, Frodo enfiou a ponta de sua espada no pescoço dele. O rufião caiu, e ouviu-se um rugido de fúria do lado de fora. "Vamos queimar eles, vamos queimar eles", gritaram vozes, "vai pegar lenha." "Nada, arranca eles pra fora", disseram dois, e se enfiaram no corredor. Tinham espadas nas mãos, mas Frodo, agora detrás da porta, bateu-a de repente na cara do que vinha em segundo lugar, enquanto ... Sam trespassava o outro com Ferroada.[11] Então os hobbits saltaram para fora. O rufião que tinha caído de cara no chão estava [?apoiado no batente da porta]. Ele fugiu, com sangue escorrendo pelo nariz. O fazendeiro ... pegou a espada do rufião que caíra e ficou de guarda na porta. Os hobbits vasculharam furtivamente o quintal. Toparam com dois rufiões trazendo lenha da pilha de madeira e ...aram e os mataram antes que soubessem que estavam sendo atacados. "É que nem caçar rato", disse Sam. "Mas por enquanto foram só quatro e mais um com o nariz quebrado."

Nesse momento, ouviram Merry gritando "Gondor para a Marca", saíram correndo e o encontraram num canto do celeiro com quatro rufiões [?encurralando-]o, mas que ele estava conseguindo afastar com a espada. Tinham só facas e porretes. Frodo e Sam vieram correndo de um lado, e Pippin do outro. Os rufiões fugiram soprando suas trompas, mas mais um tombou pela espada de Frodo antes que conseguisse escapar.

Escutaram o fazendeiro chamar. Voltaram correndo. "Um a menos", disse o Fazendeiro Villa. "Peguei o sujeito quando corria. O resto desceu a alameda correndo, soprando as trompas como se fosse uma caçada."

"Foram seis ao todo", disse Frodo. "Mas sem dúvida as trompas vão atrair mais deles. Quantos estão na vizinhança?"

"Não muitos", disse o fazendeiro. "A maioria fica por aqui ou em Grã-Cava, e vão pra qualquer lugar onde tenha serviço sujo pra fazer. Não veio mais nenhum [?deles] desde a primavera passada. Eu ... digamos que não tenha muito [mais do que] uns cem no Condado inteiro. Se a gente conseguisse dar um jeito de se unir."

"Então vamos começar esta noite", disse Frodo. "Despertem o pessoal. Acendam as luzes das casas. Chamem todos os rapazes e hobbits crescidos. Bloqueiem a estrada ao sul e mandem batedores até lá."

Não demorou muito até que toda Beirágua ficasse desperta e cheia de vida de novo. Luzes brilhando nas janelas e gente nas portas. E houve até vivas ao Sr. Frodo. Alguns hobbits acenderam uma fogueira na Curva da Estrada[12] e dançaram em volta dela. Afinal de contas, era só se[is] de outubro[13], uma bela noite de fim de outono. Outros partiram para espionar o entorno da região.

Aqueles que subiram para as bandas da Vila-dos-Hobbits disseram que havia um bafafá e tanto no lugar. Notícias sobre o retorno do Sr. Frodo tinham chegado, e as pessoas estavam saindo de casa. Os rufiões pareciam ter deixado o lugar livre. "Fugiram pra Grã-Cava, onde eles transformaram os Tocadeados numa fortaleza, foi o que eles fizeram, eu acho", disse o Fazendeiro Villa. "Mas vão voltar. Não tem saída do lado do Oeste.[14] Pros lados de Tuqueburgo eles nãos descem. Nunca cederam pra eles lá. E já [?bateram] em mais de um rufião na Casa-dos-Tûks.[15] Tem um tipo de cerco acontecendo."

"Vamos mandar uma mensagem para eles. Quem vai?" Nenhuma resposta.

"Eu vou, é claro", disse Pippin. "É a minha região. Tenho orgulho dela. Não dá mais do que 14 milhas, voando feito um corvo ou viajando como um Tûk que conhece todos os caminhos, daqui onde estou até o Longo Smial de [?Tuqueburgo] onde eu nasci.[16] Alguém vem comigo? Bem, não importa. Vou trazer alguns tuquelandenses [?valentes] para cá de manhã."

Frodo mandou outros mensageiros para todas as aldeolas e fazendas próximas o suficiente para que gente bem disposta viesse correndo até eles.

Nada mais naquela noite.

De manhã, vindos da Vila-dos-Hobbits, e de Beirágua e das redondezas, estavam reunidos cerca de 100 hobbits adultos com porretes, bastões, facas, forcados e picaretas e machados e foices. Chegaram mensagens dizendo que uma dúzia ou mais dos rufiões tinha sido vista seguindo no rumo oeste, para Grã-Cava, na noite anterior. Então um hobbit veio correndo dizer que cerca de cinquenta tuquelandenses tinham chegado, montados em pôneis, ao entroncamento da Estrada Leste, e que umas duas centenas estavam marchando atrás deles. "O país inteiro tá um levante só, parece incêndio", disse ele. "É genial! A gente tá feliz demais que o senhor voltou, Sr. Frodo. Era o que a gente precisava."

Frodo agora tinha forças suficientes. Tinha [?o] bloqueio .. ... o Leste .....[17] e colocou um monte deles atrás da sebe de cada lado do caminho. Estavam sob o comando de Pippin. "Não sei o que vocês acham", disse ele a Merry e Sam. "Mas me parece que ou os rufiões vão todos se reunir em Grã-Cava e lutar até o fim: nesse caso vamos ter de convocar o Condado e desencavá-los de lá; ou, o que é mais provável, vão voltar com força total para estas bandas, para o precioso Chefão deles. São quarenta milhas no mínimo até Grã-Cava. A menos que eles consigam pôneis (que não iam ajudar muito) ou tenham cavalos, não vão conseguir voltar durante um ou dois dias."

"Eles vão mandar um mensageiro", disse Sam, "e esperar em algum lugar até que seus amigos cheguem; isso vai agilizar um pouco as coisas. Mesmo assim, não vejo como eles conseguiriam fazer isso até depois de amanhã, no mínimo."

"Bem, então", disse Frodo, "é melhor passar o tempo seguindo para a Vila-dos-Hobbits e dar uma palavrinha com o Primo Cosimo."

"Certíssimo, Sr. Frodo", disse Sam, "e eu vou dar uma olhada no feitor."

Assim, deixando Pippin encarregado da Estrada e o Fazendeiro Villa em Beirágua, Frodo, Sam e Merry cavalgaram para a Vila--dos-Hobbits. Foi um dos dias mais tristes da vida dos três. A grande chaminé se elevava diante deles e, conforme chegaram à vista da vila, perceberam que o antigo moinho se fora, e que uma grande construção de tijolos vermelhos recobria o riacho. Ao longo da estrada de Beirágua, todas as árvores tinham sido derrubadas, e casinhas feiosas sem jardins em [?um deserto] ..... de cinzas ou cascalho. Quando olharam colina acima, ficaram engasgados. A velha fazenda à direita tinha sido transformada numa oficina ou [?construção] [?comprida ?grande] com muitas janelas novas. As castanheiras tinham sumido. A Rua do Bolsinho não passava de um buraco cheio de areia, e o Bolsão, mais acima, não podia ser visto porque uma fileira de puxados e cabanas feiosas estava na frente.[18]

[*O trecho seguinte foi riscado e substituído imediatamente*: Um hobbit mal-ajambrado [?largado sujo] estava fazendo hora na porta do novo moinho. Tinha a cara [?manchada] e [?mascava alguma coisa]. "A melhor cópia do Bill Samambaia em tamanho menor que eu já vi", disse Sam.

Ted Ruivão não parecia ter reconhecido o grupo, mas encarou os três com cara de triunfo até já terem quase passado por ele.

"Indo ver o Chefão?", disse. "É meio cedo. Mas vão ver o aviso no portão. São vocês que andam fazendo toda aquela bagunça em Beirágua? Se forem, melhor não [?tentar] falar com o Chefão. Ele tá bravo. Sigam o meu conselho e deem o fora. Ninguém quer vocês aqui. Agora a gente tem serviço pra fazer no Condado e não quer essa cambada barulhenta."

"A gente nem sempre consegue o que quer, Ted Ruivão", disse Sam. "E eu sei dizer o que vai acontecer com você, gostando ou não: um banho." Ele pulou do pônei e, antes que o atônito Ted soubesse o que ia acontecer, Sam o acertou direto no nariz e, erguendo-o com algum esforço, jogou-o do lado da ponte, fazendo a água espirrar.]

Um hobbit sujo, com aparência desleixada, estava fazendo hora na ponta ao lado do moinho. Tinha o rosto e as mãos cheios de fuligem, e mascava alguma coisa. "A melhor cópia do Bill Samambaia em tamanho menor que eu já vi", disse Sam. "Então é esse tipo de coisa que o Ted Ruivão admira, é? Não estou surpreso."

Ted olhou para ele e cuspiu. "Indo ver o Chefão?", perguntou. "Se for isso, tão chegando cedo demais. Ele não vê nenhum visitante antes das onze não, nem mesmo quem se acha o maioral. E não vai querer ver vocês, de qualquer jeito. O seu lugar é nos Tocadeados, isso sim. Melhor ouvir o meu conselho e sair de fininho antes que eles peguem vocês. A gente não quer gente assim aqui. Agora a gente tem serviço pra fazer no Condado."

"Estou vendo", disse Sam. "Sem tempo para tomar banho, mas com tempo para ficar encostado na parede. Bom, não se preocupe, Ted, vamos achar algo para você fazer antes que o ano passe mais ainda. E, nesse meio-tempo, feche essa sua boca. Tenho contas a acertas nesta vila, e é melhor você parar de me olhar feio, ou vai arranjar uma conta muito alta pra pagar."

Ted riu. "Tá fora de moda, Sr. Samwise, com seus elfos e seus dragões. Se fosse você, ia pegar um daqueles navios que [tão] [?sempre] velejando, pelo que diz aquela sua história. Volta pra Bebelândia e balança o seu berço e para de incomodar a gente. Vamo fazer uma cidade grande aqui, com vinte moinhos. Cem casas novas ano que vem. Coisarada grande vindo do Sul. Camaradas que sabem trabalhar com metais e fazer grandes buracos no chão. Vai ter forjas fazendo barulho e [?apitos a vapor] e engrenagens rodando. Elfos não conseguem fazer coisas assim."

Sam olhou para ele, e as respostas atravessadas morreram em seus lábios. Sacudiu a cabeça.

"Não se preocupe, Sam", disse Frodo. "Está sonhando de olhos abertos, pobre coitado. E está bem desatualizado. Deixe estar. Mas o que havemos de fazer com [ele] é que preocupa um pouco. Espero que não muita gente tenha pegado essa doença."

"Se eu soubesse de toda a malandragem que Saruman estava aprontando", disse Merry, "teria enfiado minha bolsa garganta abaixo dele."

Foram subindo com tristeza a estrada sinuosa até Bolsão. O Campo da Festa estava cheio de montículos de terra, como se toupeiras enlouquecidas tivessem passado por ele, mas por algum milagre a árvore ainda estava de pé, agora deixada ao léu e quase sem folhas.[19] Por fim, chegaram até a porta. A corrente da campainha estava esticada, sem a sineta. Não era possível tocá-la, nenhuma batida na porta tinha resposta. Finalmente, empurraram a porta e ela se abriu. Entraram. O lugar fedia, estava cheio de sujeira e desordem, mas parecia estar desabitado fazia algum tempo. "Onde aquele miserável do Cosimo está se escondendo?", disseram. Não havia nada vivo em nenhum cômodo além de camundongos e ratos.

"Isto é pior do que Mordor", disse Frodo. "Muito pior, de certa maneira." "Ah", disse Sam, "é um negócio que toca na gente, como se diz, porque é a casa da gente, e está tudo tão, tão mesquinho, sujo [e] desleixado. Sinto muito, Sr. Frodo. Mas estou feliz por não ter ficado sabendo antes. Durante todo o tempo que a gente passou naqueles lugares ruins, fiquei com o Condado na cabeça, e esse era o meu descanso, se é que o senhor me entende. Eu não ia conseguir ter esperança nenhuma se soubesse de tudo isso."

"Eu entendo", disse Frodo. "Eu disse praticamente a mesma coisa para Gandalf muito tempo atrás.[20] Deixe isso para lá, Sam. A nossa tarefa é fazer com que tudo fique certo de novo. Trabalho difícil, mas não vamos nos incomodar. Sua caixa vai ser útil."

"Minha caixa?", disse Sam. "Glória e brilho do Sol, Sr. Frodo, mas é claro. Ela sabia, é claro que ela sabia. Me mostrou um pouco no Espelho. Abençoada seja. Eu tinha quase esquecido dela. Mas vamos achar aquele Chefão primeiro."

"Ei, vocês, o que estão fazendo? Parem já com isso!" Uma voz alta ecoou. Correram para a porta e viram um homem grandalhão, de pernas curvadas, vesgo, [?dolorosamente ??curvado] atravessando o campo, vindo de um dos puxados. "O que em nome de Mordor estão querendo?", berrou. "Parem já com isso. Venham aqui, seus ratos-do-Condado, eu [?vi] vocês."

Saíram e foram ao encontro dele. Quando chegaram perto o suficiente para que os visse, ele parou e ficou olhando para o grupo, e a Frodo pareceu que ele estava .... [?e] e com um pouco de medo. "Estamos procurando o Chefão", disse ele, "ou é assim que eu acho que vocês o chamam. O Sr. Cosimo do Bolsão. Sou primo dele. Costumava morar aqui."

"Ei, rapazes, ei, [?venham aqui]", gritou o homem. "Aqui estão eles. Pegamos."

Mas não houve resposta.

Frodo sorriu. "Acho, Rufião Charcoso, que [?nós] devíamos gritar 'Pegamos ele'? Se está chamando os seus outros rufiões, temo que eles tenham se mandado. Para Grã-Cava, pelo que me disseram. Disseram que você tem sono pesado.[21] Bem, e agora?" Os hobbits desembainharam suas espadas e o cercaram de perto; mas ele recuou. Muito semelhantes aos de orques eram todos os seus movimentos, e ele agora ele estava agachado com suas mãos quase tocando o chão. "Vontade de explodir e esmigalhar aqueles tontos", disse ele. "Por que não me avisaram?"

"Pensaram em si mesmos primeiro, imagino", retrucou Frodo, "e, de qualquer jeito, você deu ordens estritas de que não deviam perturbar o seu sono. Estão em todos os cartazes. Vamos. Quero ver o Chefão. Onde está ele?"

O homem pareceu confuso. Depois riu. "Estão olhando pra ele", disse. "Eu sou o Chefão. Eu é que sou o Charcoso."

"Então onde está o Sr. Cosimo de Bolsão?"

"Não me pergunte", disse o homem. "Ele viu o que estava acontecendo e deu no pé uma noite dessas. Coitado do idiota. Mas livrou a gente do trabalho de torcer aquele pescoço. A gente já estava cheio dele. E é mais fácil se virar sem o sujeito. Não tinha a fibra da mãe dele."

"Entendi", afirmou Frodo. "Então vocês, rufiões de Isengard, andam bancando os valentões neste país faz um ano, e [??fingindo] serem Prefeitos e Condestáveis e tudo o mais, e comendo a maior parte da comida e ...endo as pessoas e construindo os seus casebres imundos. Para quê?"

"Quem é você", disse o homem, "pra vir com esse 'para quê?' comigo? Eu sou o Chefão. E faço o que quiser. Esses porquinhos precisam aprender a trabalhar e eu tô aqui pra ensinar. Saruman quer produtos, quer provisões, e quer um monte de coisas que tão paradas por aqui. E vai ter tudo isso, ou a gente vai torcer o pescoço de todos vocês, bando de ratinhos, e pegar a terra pra gente."

"Isengard é uma ruína, e Saruman vaga como pedinte", disse Frodo. "Seu tempo já passou, Rufião Charcoso. A Torre Sombria caiu e há um Rei em Gondor, e há um Rei também no Norte. Viemos da parte do Rei. Dou-lhe três dias. Depois disso, será um fora-da-lei, e, se acharem você neste Condado, há de ser morto, assim como matou o [?desgraçado do] Cosimo. Vejo em seus olhos que está mentindo e, em suas mãos, que você o estrangulou. Seu caminho é colina abaixo e [para] o Leste. Seja rápido!"

O homem-orque olhou para eles com uma feição de ódio arrogante tal que eles não tinham visto nem mesmo em todas as suas aventuras. "... vocês são mentirosos, que nem toda a sua raça. Amigos-dos-Elfos e .... E quatro contra um, por isso são tão corajosos."

"Muito bem", disse Frodo, "um contra um." Tirou seu manto. De repente brilhava, uma pequena figura de valentia trajada de mithril, feito um príncipe-élfico. Ferroada estava em sua mão;[22] mas ele não tinha muito mais do que a metade da estatura de Charcoso. O rufião tinha uma espada, e a desembainhou, e, numa [?fúria], golpeou Frodo segurando a arma com as duas mãos. Mas Frodo, aproveitando a vantagem de seu tamanho e sua [?coragem], conseguiu se aproximar, usando o manto como escudo, e fez-lhe um corte na perna acima do joelho. E então, enquanto o homem-orque, com um gemido e uma praga, ia caindo em cima dele, Frodo deu uma estocada para cima, e Ferroada atravessou o corpo dele.

Assim morreu Charcoso, o Chefão, [?no] .... onde ficara o jardim de Bilbo. Frodo, [??rastejando] para sair debaixo do corpo, olhou para ele enquanto limpava Ferroada na grama. "Bem", disse ele, "se algum dia Bilbo ouvir falar disto, vai acreditar que o mundo mudou mesmo! Quando Gandalf e eu nos sentamos aqui, muito tempo atrás, acho que pelo menos uma coisa que eu jamais teria adivinhado é que o último golpe da batalha seria dado nesta porta."[23]

"Por que não?", disse Sam. "Muito certo e correto. E estou feliz que tenha sido dado pelo senhor, Sr. Frodo. Mas, se me permite dizer, embora tenha sido um dia grandioso em Kormallen, e o mais feliz que tive até hoje, nunca senti que o senhor recebeu todo o louvor que merece."

"É claro que não, Sam", respondeu Frodo. "Sou um hobbit. Mas por que resmungar? Você mesmo foi muito mais negligenciado. Nunca há um único herói em qualquer história verdadeira, Sam, e todas as pessoas boas estão em dívida com outras. Mas, se fosse preciso escolher um herói, e apenas um, eu escolheria Samwise."

"Aí o senhor estaria errado, Sr. Frodo", disse Sam. "Pois sem o senhor eu não sou nada. Mas o senhor e eu juntos, Sr. Frodo: bem, aí é mais do que qualquer um dois sozinho."

"É mais do que qualquer coisa de que eu tenha ouvido falar", disse Merry. "Mas, quanto ao último golpe da batalha, não tenho tanta certeza. Você deu um fim nessa porcaria de Chefão, enquanto eu só fiquei olhando. Tenho uma [?sensação] de que, pelas trompas lá longe, vamos descobrir que Pippin e os Tûks deram a última palavra. Graças aos céus que o meu ..... é Tûk Brandebuque."

Foi como ele disse. Enquanto eles lidavam com o Chefão, as coisas tinham esquentado em Beirágua. Os rufiões não eram bobos. Tinham mandado um homem a cavalo a uma [?distância] de trompa tocada de Grã-Cava (pois tinham muitos sinais de trompa). À meia-noite, tinham todos se reunido em Encruzamento,[24] 18 milhas a oeste do [?cruzamento] da Estrada de Beirágua. Tinham [?seus próprios cavalos] nas Colinas Brancas e saíram cavalgando feito um incêndio. Atacaram a barreira na estrada às 10 da manhã, mas cinquenta deles foram mortos. Os outros tinham se dispersado e escaparam. Pippin tinha matado [?cinco], e ele próprio tinha se ferido.

Assim terminou a [??feroz] batalha de Beirágua, a única batalha que chegou a acontecer no Condado. E ela costuma ganhar pelo menos um capítulo só para ela em todas as histórias oficiais.

Demorou algum tempo antes que os últimos rufiões fossem caçados. E, por mais estranho que pareça, e embora os hobbits estivessem pouco inclinados a acreditar nisso, um bom número deles mostrou estar longe de ser incurável.

Esse trecho está no final de uma página, e com ele a letra hoje terrivelmente difícil de ler chega ao fim: pois a página seguinte é perfeitamente legível, e essa letra melhor continua até o fim do esboço, que também é o fim de *O Senhor dos Anéis*. A paginação, entretanto, é contínua, e a explicação mais provável parece ser que simplesmente tenha ocorrido uma interrupção na escrita nesse ponto.

A divisão entre "O Expurgo do Condado" e "Os Portos Cinzentos" ocorre num ponto, em RR, que não corresponde a nenhuma passagem do esboço original, mas é conveniente fazer essa interrupção aqui, depois de mais um parágrafo acerca do destino dos "rufiões", e apresentar a continuação posterior do esboço nos capítulos seguintes.

Caso se entregassem, eram tratados com bondade e alimentados (pois, em geral, estavam meio mortos de fome depois de se esconder nas matas), e então levados até as fronteiras. Esse grupo era de Terrapardenses, não homens-orques/meia-casta, que originalmente tinham vindo porque sua própria terra estava numa situação horrível, e Saruman lhes dissera que havia uma boa região, com muita coisa para comer, lá longe no Norte. Conta-se que eles acharam que seu próprio país estava muitíssimo melhor nos dias do Rei e ficaram felizes em retornar; mas certamente os relatos que espalharam (exagerando, para disfarçar sua vergonha) sobre os hobbits numerosos e guerreiros (para não dizer ferozes) do Condado ajudou a proteger os hobbits de mais problemas.

É muito impressionante que aqui, virtualmente no fim de *O Senhor dos Anéis*, e no que diz respeito a um elemento do conjunto sobre o qual meu pai meditara muito, a história, quando ele a pôs no papel pela primeira vez, tenha ficado tão diferente da forma final (ou que ele tenha fracassado de forma tão clara na hora de captar "o que realmente aconteceu"!). E isso não é só porque a história original seguiu uma direção errada, como se viu depois, quanto todos os quatro "viajantes" foram para a casa do Fazendeiro Villa, nem porque ele não percebeu que Saruman era o verdadeiro "Chefão", o Charcoso, em Bolsão, mas acima de tudo porque Frodo, aqui, é retratado em todos os estágios como uma inteligência enérgica e dominadora, belicoso e resoluto em suas ações; e o texto final do capítulo tinha sido alcançado, em grande medida, quando a concepção alterada sobre o papel de Frodo no Expurgo do Condado foi incorporada.

Tentar elucidar como meu pai estava desenvolvendo a ideia do personagem "Charcoso" conforme estava escrevendo talvez seja uma questão menor, mas certamente não é fácil fazê-lo. As afirmações feitas no texto são as seguintes:

- O líder dos homens-órquicos em Beirágua afirma (pp. 109–10) que havia dito ao Chefão que não adiantava mandar hobbits para fazer as coisas, e que os homens deviam ter ido, mas que o Chefão dissera que não. Isso foi alterado, fazendo o homem dizer que tinha dado esse conselho ao "Grande Charcoso", mas que Charcoso dissera que não, e que "o Chefão deixou ele fazer do seu jeito".
- Mais tarde, na mesma conversa, esse homem diz: "E vai ganhar alguém assim, aliás, e antes do fim do ano, ou meu nome não é Charcoso". Depois, Frodo o chama (p. 111) de "Rufião Charcoso".

- Quando os rufiões chegaram à casa do Fazendeiro Villa, foi "Charcoso" que assomou na porta; e Frodo o matou com sua espada.
- O homem que tentou acuar os hobbits em Bolsão (cujas características órquica são muito enfatizadas) é chamado de "Rufião Charcoso" por Frodo (p. 120).
- Frodo diz a esse homem que quer ver o Chefão; ao que ele retruca: "Eu sou o Chefão. Eu é que sou o Charcoso."
- Mais tarde, Frodo o chama novamente de "Rufião Charcoso", e o mata com Ferroada em combate singular.

Considerando o estado do texto, não há solução para esse problema se não considerarmos que meu pai mudou sua concepção conforme escrevia, sem alterar as passagens anteriores. Isso provavelmente significaria que o nome "Charcoso", qualquer que seja sua base enquanto nome, foi transferido do malandro vesgo em Beirágua quando meu pai se deu conta de que "o Chefão" (Cosimo Sacola-Bolseiro) era um título agora usado de modo puramente nominal por uma presença mais impiedosa e sinistra em Bolsão: esse era o "Charcoso".[25] Então, de repente, depois que o presente esboço foi concluído, meu pai percebeu quem realmente tinha suplantado Cosimo, e Saruman assumiu o nome de "Charcoso".[26]

De qualquer modo, é completamente certo que Saruman só adentrou o Condado em pessoa durante o desenvolvimento do presente capítulo. Por outro lado, sua associação malévola anterior com Cosimo Sacola-Bolseiro estava presente no esboço original, como se pode ver nos comentários de Frodo em Beirágua (pp. 112–3) e nos de Merry no Bolsão (p. 118: "Se eu soubesse de toda a malandragem que Saruman estava aprontando, teria enfiado minha bolsa garganta abaixo dele").

Era preciso muito mais trabalho para chegar à história que se lê em *O Retorno do Rei*, e o veículo desse desenvolvimento foi o complicado segundo manuscrito "**B**", que recebeu a numeração "59" e, de início, o título "O Conserto do Condado". Parece muito provável que a presença de Saruman em Bolsão já tinha sido formulada quando meu pai começou a escrever esse texto, e as referências a "Charcoso" são iguais às de RR; mas, enquanto nos detalhes e na formulação esse texto avança muito rumo à forma final, ele ainda estava seguindo o texto A em certos traços, e a grande mudança na trama (na qual a luta na casa do Fazendeiro Villa foi retirada) acontece durante a escrita do manuscrito.

Antes que esse ponto da história seja alcançado, o detalhe mais notável é que Frodo mantém sua dominância e sua liderança resoluta. O incidente com o velho "feitor" que ridiculariza o bando de Condestáveis em sua marcha forçada saindo de Sapântano foi inserido no texto B, mas é Frodo, e não Merry, que ordena bruscamente que o líder deles deixe o idoso em paz. O líder dos Condestáveis ainda é, de forma clara, Robin Covamiúda ("'Covamiúda!', disse Frodo. 'Mande seus camaradas voltarem a seus lugares imediatamente'"); mas sua substituição por um líder formal e anônimo teve lugar durante a composição desse texto.[27]

No texto B, houve um desenvolvimento notável na explicação de Frodo a Pippin acerca de Cosimo, Saruman e a situação na qual o Condado se encontrava (ver pp. 111–2). Esse trecho foi removido (cf. RR, p. 1432) quando, num pedaço de papel inserido no manuscrito B, passou a ser o Fazendeiro Villa o responsável por recontar, com base em seu conhecimento pessoal, a história recente do Condado; mas Villa, é claro, não sabia quem era Charcoso, e presumivelmente não faria muita diferença para ele saber que o Chefão era Saruman.

"Não acho que você tenha entendido direito", disse Frodo. "Embora tenha estado em Isengard, e tenha ouvido tudo o que ouvi desde então. Sim, pobre Cosimo! Ele foi um tolo perverso. Mas está apanhado na própria armadilha agora. Não percebe? Saruman se interessou por nós e pelo Condado faz um bom tempo, e começou a espionar. [*Acrescentado*: Foi o que disse Gandalf.] Uma boa parte da gente estranha que andou rondando a região por um bom tempo antes que nós partíssemos deve ter sido mandada por ele. Suponho que ele tenha entrado em contato com Cosimo dessa maneira. Cosimo era bastante rico, mas sempre quis mais. Imagino que tenha começado a comerciar com Saruman, e foi ficando mais rico em segredo, comprando isso e aquilo sem contar a ninguém. [*Acrescentado*: Saruman precisava de suprimentos para sua guerra.]"

"Ah!", disse Sam, "tabaco, um ponto fraco de Saruman. [> "Sim!", disse Pippin. "E tabaco para ele mesmo e para seus protegidos!] Suponho que Cosimo tenha botado as mãos na maior parte do produto. E nos campos da Quarta Sul também, não seria de se espantar."

"Imagino que sim", disse Frodo. "Mas logo ele passou a ter ideias mais ambiciosas. Começou a contratar [> parece ter contratado] rufiões; ou Saruman os enviou até ele, para "ajuda-lo". Chaminés, árvores cortadas, todas aquelas casinhas malfeitas. Essas coisas parecem imitações das ideias de Saruman sobre 'melhoramentos'. Mas agora, é claro, os rufiões é que estão por cima ..."

O texto, depois disso, passa a ser o de RR; mas, depois da advertência de Frodo sobre o tema das mortes (RR, p. 1432), o manuscrito continua da seguinte forma, aproveitando e expandindo o texto A (p. 112):

"Depende de quantos desses rufiões estão por aí", disse Merry. "Se houver um monte deles, então certamente isso vai significar luta, Frodo. E não vai ser tão fácil depois disto. Pode acabar sendo uma noz dura o suficiente para a marreta de Gandalf. Afinal de contas, somos só quatro hobbits, mesmo estando armados."

"Bem, não vamos conseguir ajudar o Primo Pústula esta noite", disse Pippin; "precisamos descobrir mais. Ouviu aquela trompa soando? Evidentemente há mais rufiões aqui perto. Temos de nos esconder logo. A noite vai ser perigosa."

"Tenho uma ideia", disse Sam. "Vamos até a casa do velho Villa. Ele sempre foi um sujeito corajoso, e tem um monte de rapazes que eram todos amigos meus."

"Você quer dizer o Fazendeiro Villa, descendo a Alameda Sul?", disse Frodo. "Vamos tentar falar com ele!"

Viraram e, algumas jardas para trás, deram com a Alameda Sul, que saía da estrada principal; depois de um quarto de milha, ela os levou até os portões do fazendeiro.

Na história sobre a chegada deles à fazenda, a recepção que tiveram lá e a conversa com o Fazendeiro Villa, meu pai seguiu o texto A (pp. 112–4) de perto, com algumas expansões menores, mas sem se distanciar da narrativa esboçada (excetuando o fato de que o tempo de Lobélia Sacola-Bolseiro na prisão fica maior: "'Pegaram a mãe dele faz seis meses', disse Villa, 'fim de abril passado'"). Mas, a partir da batida na porta da frente, a história muda:

Ouviu-se, naquele momento, uma forte batida na porta. O Fazendeiro Villa desceu o corredor discretamente, apagando a luz. Os outros o seguiram. Ouviu-se uma segunda batida, mais forte.

"Abra, seu rato velho, ou a gente vai botar fogo pra você sair!", gritou uma voz rouca do lado de fora. A Sra. Villa, num cômodo ao lado, abafou um grito. Descendo as escadas que levavam até a cozinha, cinco hobbits jovens vieram, fazendo barulho, dos cômodos de cima, onde dormiam. Carregavam bastões grossos, mas nada mais.

"Estou indo", gritou o fazendeiro, chacoalhando as correntes e fazendo uma algazarra com os trincos. "Quantos são?", sussurrou para seus filhos. "Uma dúzia, pelo menos", disse o Jovem Tom, o mais velho, "talvez o bando todo."

"Melhor ainda", disse Frodo. "Agora vamos! Abram e depois fiquem atrás. Não se juntem a nós, a menos que precisemos muito de ajuda."

Os quatro hobbits, de espadas desembainhadas, ficaram de costas para a parede diante da qual a porta se abria. Veio um grande golpe na tranca, mas naquele momento o fazendeiro puxou o último trinco, e se esgueirou alguns passos, com seus filhos, de volta ao corredor [*acrescentado*: e virou um canto, ficando fora da vista]. A porta se abriu lentamente e assomou ali a cabeça do rufião que já tinham encontrado. Ele deu um passo à frente, abaixando-se, segurando uma espada. Assim que entrou totalmente, os hobbits, que agora estavam atrás da porta aberta, fecharam-na com estrondo. Enquanto Frodo colocava um dos trincos de volta, os outros três saltaram sobre o rufião por trás, derrubaram-no de cara no chão e sentaram em cima dele. O sujeito sentiu uma fria lâmina de aço em seu pescoço.

"Fique parado e quieto!", disse Sam. "Villa!", chamou Merry. "Corda! Nós temos uma. Amarre-o!"

Mas os rufiões do lado de fora começaram a atacar a porta de novo, enquanto outros estavam quebrando as janelas com pedras. "Prisioneiro!", disse Frodo. "Você parece ser um líder. Detenha seus homens ou pagará pelos danos!"

Arrastaram-no para perto da porta. "Vão pra casa, seus tontos!", gritou ele. "Eles me pegaram e vão me apagar se vocês continuarem. Saiam daqui! Avisem o Charcoso!"

"Pra quê?", respondeu uma voz do lado de fora. "A gente sabe o que o Charcoso quer. Vamos lá, moçada! Vamos queimar todo mundo lá dentro! O Charcoso não vai sentir falta daquele tapado; quem comete erros não presta pra ele. Queima tudo! Rápido com isso e peguem lenha!"

"Tente de novo!", disse Sam, com ar sombrio.

O prisioneiro, agora desesperadamente assustado, urrou: "Ei, moçada! Nada de incêndios! Chega de incêndios, foi o que o Charcoso disse. Mandem um mensageiro. Podem acabar descobrindo que quem cometeu um erro foi vocês. Ei! Tão ouvindo?"

"Tá bom, moçada!", disse a outra vez. "Dois de vocês voltem cavalgando, e rápido. Dois vão pegar lenha. O resto faz um círculo em volta do lugar!"

"Bem, qual o próximo passo?", disse o Fazendeiro Villa. "Pelo menos eles não vão começar a botar fogo na casa antes de cavalgar até o Bolsão e voltar: digamos uma meia hora, levando em conta o tempo de conversar. Bando de assassinos! Nunca pensei que fossem começar a botar fogo nas coisas. Usaram fogo pra expulsar um monte de gente antes, mas faz um bom tempo que não faziam isso. Pelo que entendemos, o Chefão tinha parado com isso. Mas vejam bem, preciso pensar na esposa e na minha filha Rosinha."

"Só há duas coisas a fazer", respondeu Frodo. "Um de nós precisa sair de fininho e buscar ajuda: instigar o povo. Deve haver uns 200 hobbits já crescidos não muito longe daqui. Ou então temos de forçar nossa saída todos juntos, com sua esposa e filha no meio do grupo, e fazer isso logo, enquanto dois deles estão fora e antes que mais venham."

"Risco demais pra quem sair de fininho", disse Villa. "Forçar a saída juntos, isso é o que vale, e subir a alameda o mais rápido que der."

A passagem de conclusão, a partir de "Só há duas coisas a fazer", foi escrita numa letra que foi ficando cada vez mais garranchada, e o texto termina aqui, sem chegar ao pé de uma página. A história do ataque à casa de fazenda já tinha se desviado fortemente da presente no esboço original (na qual Frodo e Sam mataram dois dos invasores na porta da frente e quatro outros foram mortos no quintal antes que o resto deles fugisse); e, nesse ponto, meu pai decidiu que tinha seguido um caminho errado. Talvez não conseguisse imaginar nenhuma forma crível pela qual eles pudessem forçar a saída da casa (com os jovens Villa e a mãe deles no meio do grupo) e atravessar o círculo de homens sem se ferir. De qualquer modo, a totalidade dessa parte do texto B, a partir de "'Você quer dizer o Fazendeiro Villa, descendo a Alameda Sul?', disse Frodo" (p. 112), foi retirada do manuscrito e substituída por um novo começo, com Frodo dizendo, em resposta à sugestão de Sam de que todos deveriam ir até a casa de Villa: "Não! Não adianta 'abrigar-se'", tal como em RR (p. 1432), onde, entretanto, é Merry que diz isso. Também é Frodo, e não Merry, que responde à pergunta de Pippin ("Fazer o quê?") com "Instigar o Condado! Agora! Acordar todo o nosso povo", e diz a Sam que ele pode ir rápido para fazenda de Villa se quiser; ele conclui dizendo "Agora, Merry, você tem uma trompa da Marca. Vamos ouvi-la!".

A história do retorno dos quatro hobbits ao centro de Beirágua, o chamado da trompa de Merry, o encontro de Sam com o Fazendeiro Villa e seus filhos, a visita dele à Sra. Villa e Rosa e a fogueira acesa pelos aldeões é contada usando virtualmente as mesmas palavras que as de RR (pp. 1433–5), sendo que a única diferença é que a ordem de colocar barreiras atravessando a estrada nas duas extremidades de Beirágua é dada por Frodo, e não por Merry. Quando o Fazendeiro Villa conta que fazia uma ou duas semanas que o Chefão (nome que ainda recebe em todo o texto B, ainda que corrigido mais tarde para "o Chefe") não era visto, o manuscrito diverge um pouco do texto de RR, pois Tom Villa, o jovem, interrompe seu pai nesse ponto:

"Pegaram a mãe dele, aquela Lobélia", lembrou o Jovem Tom. "Isso seria uns seis meses atrás, quando começaram a montar puxados em Bolsão sem a permissão dela. Lobélia mandou os sujeitos embora. Então pegaram ela. Puseram nos Tocadeados. Pegaram outros que fazem mais falta pra gente; mas não dá pra negar que ela teve mais peito com eles do que a maioria."

"É lá que está a maioria deles", disse o fazendeiro, "lá em Grã-Cava. Transformaram os velhos Tocadeados num verdadeiro forte, pelo que a gente ouviu falar, e saem de lá pra ficar vagando por aí, 'recolhendo' coisas. Ainda assim, acho que não tem mais do que umas duas centenas deles, somando todos, no Condado. Dá pra dominar o bando, se a gente ficar junto."

"Eles têm armas?", perguntou Merry.

Isso talvez sugira que os *Tocadeados* eram uma prisão antes que qualquer "rufião" viesse para o Condado. Mais tarde, a história que o Jovem Tom conta sobre Lobélia foi retirada dessa parte da narrativa e substituída pela pergunta de Pippin, "A Vila-dos-Hobbits não é o único lugar deles, não?", o que leva ao relato do Fazendeiro Villa sobre os outros lugares onde os "rufiões" estão enfurnados além da Vila-dos-Hobbits, tal como em RR (p. 1436), e uma ideia diferente sobre a origem dos Tocadeados: "uns túneis antigos em Grã-Cava".

A pergunta de Merry ("Eles têm armas?") leva, tal como em RR, ao relato do Fazendeiro Villa sobre a resistência dos Tûks, mas sem a referência ao pai de Pippin (Paladin Tûk), o Thain, e sua recusa em sequer considerar as pretensões de Lotho (Cosimo):

> "Aí está, Frodo!", disse Merry. "Eu sabia que íamos precisar lutar. Bem, eles começaram."
>
> "Não exatamente", disse o Fazendeiro Villa, "pelo menos não os disparos. Os Tûks começaram com isso. Veja, os Tûks têm aquelas tocas fundas nas Colinas Verdes, os Smiles[28], como eles dizem, e os rufiões não conseguem entrar nelas ..."

Com Frodo ainda firme na sela em Beirágua, Merry saiu cavalgando com Pippin para Tuqueburgo (algo que ele não faz em RR). Depois que eles saem, Frodo reitera sua determinação contra qualquer matança que possa ser evitada (tal como em RR, p. 1437), mas depois continua: "Vamos receber uma visita da gangue da Vila-dos-Hobbits muito em breve. Faz mais de uma hora desde que despachamos os quatro rufiões daqui. Não façam nada até eu dar a ordem. Vamos deixar eles virem!" Em RR, é Merry que dá o alerta de que os homens da Vila-dos-Hobbits logo virão para Beirágua, e ele conclui dizendo "Agora tenho um plano"; ao que Frodo meramente responde "Muito bom. Faça os preparativos". A chegada dos homens e a armadilha para eles ao lado da fogueira onde o Fazendeiro Villa estava esperando, aparentemente sozinho, é narrada exatamente como na história final, exceto pelo fato de que, claro, é Frodo, e não Merry, que se adianta até o líder; e, quando esse entrevero termina, e os homens são enfiados dentro de uma de suas próprias cabanas, o Fazendeiro Villa diz "O senhor voltou na hora H, Sr. Frodo".

Depois disso vem o relato de Villa para Sam sobre as condições em que se encontra o Feitor ("ele tá numa daquelas novas Casas--do-Condado, chamo elas de Casas-do-Chefão") e a partida de Sam para buscá-lo, virtualmente igual à de RR (p. 1439). Mais uma vez, é Frodo, e não Merry, que posta sentinelas e guardas, e vai sozinho, com o Fazendeiro Villa, até a casa dele: "Sentou-se com a família na cozinha, e eles fizeram algumas perguntas educadas, mas estavam muito mais preocupados com acontecimentos no Condado. No meio da conversa veio entrando Sam, com o Feitor." O relato do fazendeiro sobre as "encrencas", terminando com a história contada pelo Jovem Tom sobre como Lobélia foi despachada para os Tocadeados (RR, pp. 1440–2), foi inserido no texto B por meio de um pedaço grande de papel; e, nesse momento, as suposições de Frodo sobre como tudo começara (p. 125) e os comentários anteriores do Jovem Tom sobre Lobélia (p. 129) foram removidos.[29]

A entrada do Feitor na cozinha dos Villa é contada tal como em RR (p. 1442); mas depois disso, no texto B, vem o seguinte:

De manhã cedo eles ouviram o chamado ressonante da trompa de Merry, e vieram marchando quase cem Tûks e outros hobbits de Tuqueburgo e das Colinas Verdes. O Condado estava todo aceso, disseram eles, e os rufiões que rondavam a Terra dos Tûks tinham fugido; a maioria para o leste, rumo ao Brandevin, perseguidos por outros Tûks.

Agora havia forças suficientes para montar uma guarda robusta na Estrada Leste, de Grã-Cava até o Brandevin, e para outra guarda em Beirágua. Quando tudo isso ficou resolvido, sob a supervisão de Pippin, Frodo, Sam e Merry, junto com o Fazendeiro Villa e uma escola de cinquenta pessoas, partiram para a Vila-dos-Hobbits.

O texto, então, continua com a história da chegada deles à Vila-dos-Hobbits e do encontro com Ted Ruivão, a entrada do grupo em Bolsão, contada, quase palavra por palavra, como em RR (p. 1447);[30] e termina com a aparição de Saruman e o assassinato dele perpetrado por Língua-de-Cobra (sobre isso, ver a p. 134). O texto B termina exatamente como o capítulo em RR, com Merry dizendo "E é o último fim da Guerra, espero", Frodo chamando a situação de "o último dos golpes" e Sam completando "Não vou chamar de fim antes de limparmos a sujeira". No entanto, dessa maneira, não há Batalha de Beirágua!

A Batalha é descrita em páginas inseridas que receberam uma numeração adicional ("19a, 19b") à paginação consecutiva do texto que acabei de descrever. Se essa paginação significa que tais páginas foram escritas e inseridas mais tarde, e é difícil dizer o que mais ela poderia significar, poderia parecer que meu pai (ainda seguindo a história do texto A, na qual a visita à Vila-dos-Hobbits precedia a batalha, p. 121) tinha ido até o fim do episódio em Bolsão sem se dar conta que a história da Batalha de Beirágua ainda precisava ser contada. Mas isso me parece pouco crível. É muito mais provável que ele tenha percebido, conforme escrevia a história da visita à Vila-dos-Hobbits, que a ordem da narração em A precisava ser invertida, de modo que o capítulo terminaria com o último dos golpes da Guerra "mesmo à porta de Bolsão"; mas ele adiou a batalha e a inseriu mais tarde no texto que já tinha uma paginação contínua.

Seja lá quando isso tenha sido feito, o texto existente (no qual as disposições para a defesa na manhã seguinte foram seguidas de imediato pela visita à Vila-dos-Hobbits) foi alterado para aquele presente em RR (p. 1443), e a aproximação dos homens pela estrada, vindos de Encruzada, e a emboscada a eles na estrada com barrancos altos indo para Beirágua foram contados quase como na história final: umas poucas diferenças nessa passagem são causadas principalmente pelo fato de Merry ter ido com Pippin para Tuqueburgo. O mensageiro vindo da Terra dos Tûks não se refere ao Thain (ver p. 130) e diz que "O Sr. Peregrin e o Sr. Merry estão vindo com toda a gente que conseguimos enviar"; é Nick Villa, e não Merry, que tinha ficado acordado e relatado a aproximação dos homens, cujo número ele estimou em "cinquenta ou mais" ("cerca de cem", RR); e, quando os Tûks chegaram, "o chamado ressonante da trompa de Merry se fez ouvir". Mas, a partir do ponto no qual o caminho para escapar da emboscada foi bloqueado diante dos rufiões, quando os hobbits empurraram mais carroças para a estrada, o texto B diverge marcadamente da história contada em RR:

Uma voz falou com eles de cima. "Bem", disse Frodo, "vocês entraram numa armadilha. Seus colegas da Vila-dos-Hobbits fizeram o mesmo, e todos são prisioneiros agora. Baixem suas armas! Depois recuem vinte passos e se sentem. Qualquer um que tentar escapar será flechado."

Muitos dos homens, apesar das pragas emitidas por seus companheiros mais vilanescos, obedeceram de imediato. Mas mais de uma vintena deu meia-volta e foi à carga, descendo a alameda. Arqueiros hobbits, posicionados em aberturas nas sebes, flecharam seis antes que eles alcançassem as carroças. Alguns deles desistiram, mas dez ou mais atravessaram e saíram correndo, e se espalharam campo afora, rumando para a Ponta do Bosque, ao que parecia.

Merry deu um forte chamado com sua trompa. Vieram em resposta chamados ao longe. "Não irão longe!", disse ele. "Toda essa região agora está fervilhando com caçadores."

Os rufiões mortos foram colocados em carroças, levados dali e enterrados numa antiga cova de cascalho ali perto, nas Covas da Batalha, como sempre foram chamadas depois disso. Os outros tiveram de marchar para o vilarejo, para se juntar a seus colegas.

Assim terminou a Batalha de Beirágua, 1419, a [única >] última batalha travada no Condado, e a única desde os Verdescampos, 1137,[31] lá longe na Quarta Norte. Em consequência disso, embora tenha custado apenas seis vidas no caso dos rufiões, sem hobbits mortos, há um capítulo só para ela em todas as histórias oficiais, e os nomes de todos aqueles que tomaram parte na luta se transformaram num Rol aprendido de cor. A ascensão bastante considerável dos Villa em fama e fortuna data dessa época.

A conexão com a visita à Vila-dos-Hobbits é feita com estas palavras:

Quando tudo ficou resolvido, e uma refeição do meio-dia fora de hora foi consumida, Merry disse: "Bem, Frodo, agora é hora de lidar com o Chefe." O Fazendeiro Villa reuniu uma escolta de uns cinquenta hobbits robustos, e depois eles partiram a pé para Bolsão: Frodo, Sam, Merry e Pippin iam na frente.

As palavras "Quando tudo ficou resolvido" agora são usadas para se referir ao fim da batalha e ao destino dado aos rufiões mortos e capturados; anteriormente (p. 131), a referência era aos arranjos feitos para se defrontar com os inimigos que se aproximavam.

A história do encontro com Saruman em Bolsão foi escrita duas vezes no texto B, com a primeira forma logo virando um garrancho quando meu pai pensou melhor sobre a abertura do episódio. Essa primeira versão da abertura é a seguinte:

"Sem dúvida, sem dúvida. Mas não enfiou, e, portanto, sou capaz de lhe dar as boas-vindas ao lar!" Ali, de pé na porta, estava Saruman, com aspecto bem alimentado e bem menos desacorçoado do que antes; seus olhos brilhavam de malícia e divertimento.

Uma súbita percepção iluminou Frodo. "Charcoso!", disse. Saruman riu. "Então você ouviu esse nome, não é? Creio que todos os meus homens costumavam me chamar assim nos tempos melhores. Eram tão devotados. E, assim, o apelido me seguiu até aqui, é? Realmente acho isso muito animador."

"Não consigo imaginar o porquê", retrucou Frodo. "E o que está fazendo aqui, de qualquer modo? Só um pouco de malandragem mesquinha? Gandalf disse que achava que você ainda era capaz disso."

[*Riscado*: "Ainda precisa perguntar?", disse Saruman.] "Vocês me fazem rir, seus lordezinhos hobbits", zombou Saruman. "Cavalgando por aí com toda essa gente importante, tão seguros e tão contentes consigo mesmos; achando que fizeram grandes coisas e que agora podem simplesmente voltar e ficar ociosos no campo. O lar de Saruman pode ser arruinado, e ele pode ser expulso. Mas não o Sr. Bolseiro. Oh, não! Ele é um sujeito muito importante.

"Mas, mesmo assim, o Sr. Bolseiro é um tolo. E não consegue nem cuidar dos seus próprios assuntos, sempre se metendo nos de outras pessoas. É de se esperar em um pupilo de Gandalf. Tem de ficar enrolando no caminho e cavalgar pelo dobro da distância necessária. O Condado ficaria bem. Bom, depois do nosso pequeno encontro, achei que poderia ir na frente e lhe dar uma lição. Teria sido uma aula mais instrutiva se você tivesse enrolado mais. Ainda assim, já fiz muita coisa que você achará difícil de consertar no tempo que tiver. Será um aviso para que você deixe outras pessoas em paz e não seja tão arrogante. E me dará algo bastante agradável no que pensar, para compensar minhas injúrias."

A segunda versão do episódio no texto B é virtualmente idêntica à presente em RR, com exceção de que lhe falta qualquer referência ao horrendo cadáver de Saruman e à névoa que subiu dele e ficou pairando "como pálido vulto amortalhado" sobre a Colina da

Vila-dos-Hobbits; e essa passagem só foi inserida quando meu pai a escreveu nas provas de gráfica de *O Retorno do Rei*.

Uma nota que ele escreveu ao lado do episódio num exemplar da Primeira Edição é interessante:

> Saruman deu a volta e entrou na Terra Parda[32] em 28 de ago. Depois, seguiu para a antiga Estrada Sul e então foi para o norte, atravessando o Griságua em Tharbad, e depois no rumo NO., para o Vau Sarn, chegando assim ao Condado e à Vila-dos-Hobbits em 22 de setembro: uma jornada de cerca de 460 [milhas] em 25 dias. Assim, cobriu uma média de 18 milhas por dia — evidentemente se apressando o máximo que podia. Assim, teve apenas 38 dias nos quais operar suas maldades no Condado; mas boa parte delas já tinha sido colocada em prática pelos rufiões, de acordo com as ordens dele — já planejadas e dadas antes do saque de Isengard.

22 de setembro é a data atribuída à chegada de Saruman ao Condado em *O Conto dos Anos*, e 30 de outubro é a da chegada dos "viajantes" à Ponte do Brandevin.

Num estágio tardio da composição do texto B (mas antes da inserção do longo trecho no qual o Fazendeiro Villa reconta a história do Condado desde que Frodo e seus companheiros tinham partido, ver p. 131 e a nota 29), meu pai percebeu que a experiência de Frodo tinha mudado tanto o hobbit, fazendo com que ele se recolhesse em si mesmo de tal maneira, que ele seria incapaz de ter o papel que o texto lhe atribuíra no Expurgo do Condado. A narrativa, da maneira que estava, não requeria grandes mudanças; o retrato inteiramente diferente do papel de Frodo nos eventos foi criado por meio de muitas alterações de pequena escala (muitas vezes realizadas apenas trocando "Frodo" por "Merry") e alguns acréscimos breves. Virtualmente todas essas mudanças foram assinaladas no relato das páginas anteriores.

Um terceiro manuscrito, muito caprichado ("**C**") veio depois do texto B, e aqui o texto de RR foi alcançado em quase todas as passagens, e a maioria das exceções tem a ver com detalhes muito pequenos. Foi nesse manuscrito que Cosimo Sacola-Bolseiro passou a ser Lotho, e as referências ao Thain foram introduzidas (ver pp. 130, 133). O número de homens presentes na Batalha de

Beirágua foi aumentado para "mais de setenta", e a batalha se tornou muito mais feroz, com os homens encurralados escalando as ribanceiras acima da estrada e atacando os hobbits, já na primeira versão de C; correções posteriores fizeram com que os números dos homens e dos mortos de ambos os lados aumentassem mais ainda. A frase original de C, "O próprio Merry matou o maior dos rufiões", foi alterada para "... o líder, um grande brutamontes vesgo semelhante a um enorme orque"; sobre isso, cf. a descrição do homem-orque "Charcoso" em Bolsão no texto A, p. 120. Finalmente, um acréscimo importante foi feito ao texto C acerca de Frodo: "Frodo estivera na batalha, mas não sacara a espada e seu principal papel fora evitar que os hobbits, enraivecidos por suas perdas, matassem aqueles entre os inimigos que depusessem as armas" (RR, p. 1445).

Faltava então apenas a passagem descrevendo a partida do espírito de Saruman e seu cadáver.

NOTAS

[1] A passagem, mais tarde, foi corrigida a lápis. A pergunta "Quem é o Prefeito?" foi atribuída a Merry, e a resposta passou a ser "O Chefão em Bolsão"; a pergunta de Frodo, "E quem é o Condestável-Chefe?" recebeu a mesma resposta. Depois vem o trecho: "Chefão? Chefão? Quer dizer o Sr. Cosimo, suponho." "Suponho que sim, Sr. Bolseiro, mas temos de dizer apenas O Chefão nos dias de hoje."

Mais à frente, onde, em RR (p. 1424), o texto diz "Evidentemente o novo 'Chefe' tinha meios de obter notícias", a passagem do texto A é "O Novo Prefeito [?ou] Condestável Chefe"; mas a expressão foi alterada para "o Chefão ou Condestável Chefe". Quando são "presos" em Sapântano, Frodo e seus companheiros ficam sabendo que "São ordens do [Prefeito >] Condestável Chefe", no ponto onde RR (p. 1425) diz "ordens do Chefe".

[2] Mas ver p. 145.

[3] O nome do vilarejo era *Sapedra*, com *Sapântano* escrito em cima como alternativa (e *Sapântano* é o que ocorre no texto mais tarde); e a data da partida deles da Ponte do Brandevin era "5 de novembro na contagem do Condado", com o numeral "1º" (a data em RR) escrito em cima. O vilarejo ficava "a cerca de 25 milhas da Ponte" ("cerca de 22 milhas" em RR).

[4] O nome *Covamiúda* foi escrito dessa forma, tal como em RR, na primeira ocorrência, mas depois passou a ser grafado *Covas-miúdas*.

[5] "Casa-do-Condado" é o termo usado em A para "Casa-de-Condestáveis" em RR. Sam pergunta o que o termo significa e Robin Covas-miúdas responde:

"Bem, você deveria saber, Sam. Ficou em uma na noite passada, e não foi com a cara do lugar, pelo que a gente ouviu."

[6] Ver p. 125.

[7] O texto aqui é muito difícil. Em cima de "(eu disse pro) Chefão", meu pai escreveu primeiro "Tom Altão" antes de alterar o termo para "Grande Charcoso". O final dos comentários do rufião, da maneira como foi escrito originalmente, é impossível de ser lido: "mas o Chefão diz que não, e [?Tom Altão] ..... jeito" (uma possibilidade distante seria "faz do seu jeito").

[8] Aqui há uma nota no manuscrito que é parcialmente ilegível: "...... só Cosimo ...... O que aconteceu com Otho?". Em "Três Não é Demais" (*A Sociedade do Anel*, p. 123), afirma-se que Otho Sacola-Bolseiro "morrera alguns anos antes, na idade madura, porém decepcionada, de 102 anos", e isso remonta a um estágio antigo da escrita do livro.

[9] Ver a nota apresentada na p. 103 ("Gandalf deveria ficar em Bri . . .").

[10] Em RR, o Fazendeiro Villa recebe o nome de Tom.

[11] Ferroada tinha sido dada a Sam por Frodo em "A Terra da Sombra" (p. 52; RR, p. 1327); mas Frodo empunha a espada em seu combate com o chefe dos homens-orques em Bolsão (p. 121). Em uma passagem que foi introduzida na Segunda Edição, Frodo foi instado a recebê-la de volta no Campo de Cormallen (ver p. 72).

[12] *Curva da Estrada*: a virada para o oeste da estrada rumo à Vila-dos-Hobbits no Lago de Beirágua. No mapa de grande escala do Condado que fiz em 1943 (VI. 136), a curva é mais acentuada e forma algo mais próximo de um ângulo reto do que no mapa pequeno em *A Sociedade do Anel*.

[13] *Outubro* é um erro, o correto é *novembro*: ver nota 3.

[14] Com a frase "Não tem saída do lado do Oeste", o Fazendeiro Villa queria dizer, suponho, que não havia outro caminho para voltar a Grá-Cava além de tomar a Estrada Leste, uma vez que os rufiões não podiam ou não queriam passar pela Terra dos Tûks.

[15] Há algumas páginas de texto escrito rapidamente a lápis que repetem, com alterações e extensões menores, essa seção do capítulo em A, talvez feitas porque meu pai reconheceu a quase ilegibilidade do original, e essas páginas ajudaram a elucidar o texto aqui e ali (de modo característico, as palavras ou frases que desafiam a elucidação no texto original ganham forma diferente no segundo). Nesse ponto, o texto a lápis diz: "Eles pegaram um ou dois rufiões e jogaram os sujeitos na Tûkasa" (junção de "Tûk" + "casa").*

[16] Não sei se *o Longo Smial* é considerado a mesma coisa que a *Casa-dos-Tûks*. — Essa é a primeira aparição da palavra *smial*, que claramente parece ter sido escrita assim, embora, no segundo texto de "O Expurgo do Condado", a grafia

*Em inglês, *Tookus*, derivado de *Took* + *house*. [N.T.]

seja *Smiles* (ver a p. 130 e nota 28). Já que Pippin nasceu no Longo Smial, ele deve ser um predecessor dos Grandes Smials. Eles ficavam em Tuqueburgo (Pippin, na Floresta de Fangorn, fala da "Grande Casa dos Tûks, lá longe nos Smials em Tuqueburgo", DT, p. 686), mas o nome, da forma que foi escrito aqui, na verdade não é *Tuqueburgo*: se parece mais com *Tuquebéri* (e não é *Tuquebúri*). Entretanto, há muitas palavras escritas incorretamente nesse manuscrito (na linha seguinte do texto, por exemplo, a palavra que apresentei como "valentes" [*stout*, em inglês] só pode ser interpretada, na verdade, como "postados" [*stood*].

[17] Uma interpretação concebível para esse trecho do texto seria "ele mandou que o bloqueio da [Estrada] Leste fosse reforçado", embora nenhum bloqueio desse tipo na estrada tivesse sido mencionado. O segundo texto dessa parte do capítulo, feito a lápis (ver nota 15), diz: "Ele mandou montarem um bloqueio na encruzilhada da Estrada." Esse texto termina algumas poucas linhas depois desse ponto.

[18] É interessante revisitar as referências iniciais sobre a destruição do Condado. Numa nota que provavelmente data da época do esquema "A História Prevista a partir de Moria" (VII. 257), meu pai escreveu: "Cosimo o industrializou. Fábricas e fumaça. Os Ruivões têm uma fábrica de biscoitos. Encontram ferro"; e, na referência mais antiga ao Espelho em Lothlórien, Frodo veria "Árvores sendo derrubadas e um edifício alto sendo feito onde ficava o velho moinho. Feitor Gamgi despejado. Transtornos manifestos, quase guerra, entre Pântano e a Terra-dos-Buques, de um lado — e o Oeste. Cosimo Sacola-Bolseiro muito rico, comprando terras" (VII. 295; cf. também VII. 299, onde há uma referência à chaminé alta sendo construída no local do velho moinho).

No trecho que diz "A velha fazenda à direita", é possível que o certo seja trocar "direita" por "esquerda"; cf. a pintura de meu pai retratando a Vila-dos-Hobbits e as palavras do texto final de "O Expurgo do Condado" (RR, p. 1446): "A Granja Velha do lado oeste fora demolida, e seu lugar fora ocupado por fileiras de barracões alcatroados."

[19] Numa parte posterior do manuscrito (p. 142), a Árvore no Campo da Festa tinha sido cortada e queimada.

[20] Trata-se de uma referência a "A Sombra do Passado" (SA, p. 118): "Sinto que, contanto que o Condado fique para trás, seguro e confortável, eu acharei a vida errante mais suportável: vou saber que em algum lugar existe base firme, mesmo que meus pés não possam mais pisar ali."

[21] *Disseram que você tem sono pesado*: cf. as palavras do homem-orque em Beirágua, falando de Cosimo (um acréscimo ao texto, p. 110): "Tem sono pesado, e eu não tentaria acordar o sujeito agora."

[22] Anteriormente nessa narrativa, Sam usara Ferroada: p. 114 e nota 11.

[23] No alto da página na qual as palavras de Frodo aparecem, meu pai escreveu: "'Ah, e em Mordor o senhor disse que jamais daria outro golpe de espada', disse Sam. 'Isso mostra que a gente nunca sabe essas coisas.'" Ver p. 107.

[24] *Encruzamento*: *Encruzada* em RR. Meu mapa original do Condado em escala grande, feito em 1943 (VI. 136) traz o nome *Encruzamento*, bem como o publicado em *A Sociedade do Anel*; mas o segundo manuscrito de "O Expurgo do Condado" traz *Encruzada*. É de se imaginar que meu pai mudou de ideia sobre a forma do nome, mas esqueceu de alterar o mapa.

[25] Não se explica como Frodo sabia que essa pessoa, quando ele a encontrou em Bolsão, chamava-se "Charcoso".

[26] Cf. as palavras de Saruman no fim do capítulo (p. 134): "Creio que todos os meus homens costumavam me chamar assim nos tempos melhores. Eram tão devotados" (RR: "Toda a minha gente costumava me chamar assim em Isengard, creio. Um sinal de afeto, possivelmente"). A nota de rodapé ao texto de RR, p. 1448, "Era provavelmente [um termo] de origem órquica: *Sharkū* [na Segunda Edição, *Sharkû*], 'ancião'" só foi acrescentada quando o livro estava no prelo.

[27] Um relato reescrito sobre a voz de prisão em Sapântano e a conversa de Sam com Robin Covamiúda foi inserido no manuscrito B. Ele é quase igual ao de RR, mas, na versão original, a resposta de Robin à pergunta de Sam, "Então foi assim que ficaram sabendo de nós, foi?" era diferente:

> "Não diretamente. Veio uma mensagem do Chefe em Bolsão, umas duas horas atrás, dizendo que vocês tinham de ser presos. Desconfio que alguém deve ter se esgueirado da Ponte e ido até Tronco, onde fica um bandinho dos Homens dele. Alguém passou por Sapântano montado num cavalo grande na noite passada."

Isso foi alterado de imediato para o texto que consta de RR (p. 1427), mas com a frase "Ontem à noite veio um [corredor] de Glebafava". *Glebafava* é o termo que constava da Primeira Edição nesse ponto. Na Segunda Edição, foi trocado por *Fossobranco* (lugar que, embora aparecesse no mapa do Condado, nunca é mencionado no texto da Primeira Edição), e o nome *Glebafava* foi dado à fazenda de Magote em "Um Atalho para Cogumelos" (SA, p. 155): "Estamos nas terras do velho Fazendeiro Magote" na Primeira Edição passou a ser "Aqui é Glebafava, as terras do velho Magote."

[28] Cf. *o Longo Smial* no texto A (nota 16). Um esboço da presente passagem diz: "aqueles lugares profundos, os Velhos Smiles nas Colinas Verdes". Eu imagino que meu pai tenha introduzido *Smiles* por ser a ortografia mais natural se essa palavra antiga tivesse sobrevivido em inglês moderno, mas depois a abandonou (foi trocada por *Smials* no texto B) porque é possível interpretá-la de um jeito absurdo.* Cf. o Apêndice F (II, "Da Tradução"): "*smial* (ou *smile*), "escavação", é uma forma provável para uma descendente de *smygel*".

---

*Acaba lembrando a palavra *smile*, ou "sorriso" em inglês. [N.T.]

[29] Esse trecho foi inserido num estágio tardio da escrita do livro, pois, tal como em RR, Merry interrompe o Fazendeiro Villa com uma pergunta ("Quem é esse Charcoso?"); assim, ele não está mais em Tuqueburgo com Pippin, mas tinha assumido seu papel como comandante das operações em Beirágua.

[30] As únicas diferenças dignas de notas são que as árvores ao longo da Estrada de Beirágua tinham sido derrubadas "como combustível para o motor"; e que alguns homens ainda estavam presentes nos barracões em Vila-dos-Hobbits, os quais, "quando viram o exército de hobbits se aproximando, fugiram pelos campos."

[31] O Prólogo de *O Senhor dos Anéis* afirma que, "antes da abertura desta história", "a única [batalha] que já fora combatida dentro das fronteiras do Condado estava além da lembrança do vivos: a Batalha dos Verdes-campos, R.C. 1147, em que Bandobras Tûk desbaratou uma invasão de Orques." A data de 1137 foi corrigida para 1147 no texto C. — Ver p. 154.

[32] Na Primeira Edição, o encontro com Saruman teve lugar depois que o grupo tinha deixado a Terra Parda: ver p. 95.

10

Os Portos Cinzentos

A escrita original do último capítulo de *O Senhor dos Anéis* corresponde à continuação do longo esboço ininterrupto (texto "A") que se estende desde "O Expurgo do Condado" e "Rumo ao Lar" (ver pp. 101, 106) e que eu segui até o fim da Batalha de Beirágua na p. 122. Esse texto prossegue dizendo:

E assim o ano foi chegando ao fim. Nem Sam era capaz de achar que eram poucas a fama e a honra que Frodo recebia em seu próprio país. Os Tûks estavam seguros demais de sua posição tradicional — e, afinal de contas, a terra de sua gente tinha sido a única que nunca se rendera aos rufiões — e também eram generosos demais para ter algum ciúme real disso; contudo, estava claro que o nome Bolseiro iria se tornar o mais famoso da história dos Hobbits.

A partir desse ponto, o texto do manuscrito A, descuidado mas agora totalmente legível, tem como principal diferença em relação à forma final do capítulo não o que é de fato contado, nem como as coisas são contadas, mas a ausência de várias características significativas e uma quantidade considerável de detalhes, que foram acrescentados mais tarde. Por exemplo, enquanto o resgate de Lobélia Sacola-Bolseiro dos Tocadeados em Grã-Cava e o destino das propriedades dela são narrados de forma muito semelhante à de RR, não há menção a Fredegar Bolger; e nada é dito sobre a caçada aos bandos de homens no sul do Condado, conduzida por Merry e Pippin. Frodo se torna o Prefeito, não o Vice-Prefeito, embora a diferença seja apenas de título, já que ele colocou como condição para aceitar o cargo que Will Pealvo se tornasse Prefeito de novo "assim que a bagunça fosse arrumada"; e sua inatividade no cargo não é mencionada. Na primeira versão do relato de meu pai

(RR, pp. 1453–5) sobre o trabalho de restauração e reparo, o plantio de mudas por parte de Sam, a fertilidade do ano 1420[1] e o casamento de Sam com Rosa Villa, o texto final já foi formulado, em larga medida. Nesse texto não há referência aos "Homens de Charcoso", e o nome jocoso dado em Beirágua à versão restaurada da Rua do Bolsinho é "Fim dos Rufiões". A semente na caixa de Galadriel é descrita como "semelhante a uma noz ou baga seca", de cor amarelo-dourada; Sam a planta no Campo da Festa "onde a árvore tinha sido queimada" (ver p. 119).

No texto A, não há referência à primeira enfermidade de Frodo em março de 1420, quando, na ausência de Sam, o Fazendeiro Villa o encontrou na cama "apertando na mão uma joia branca que pendia de uma corrente em volta de seu pescoço" (o presente de Arwen, registrado em "Muitas Despedidas"). A passagem em RR (p. 1457) descrevendo a bela roupagem e magnificência de Merry e Pippin, contrastando-a com os "trajes normais" de Frodo e Sam, não está presente e, portanto, a outra referência à joia branca que Frodo sempre usava também está ausente do texto. Uma vez que meu pai tinha escrito, algumas páginas antes, que "Nem Sam era capaz de achar que eram poucas a fama e a honra que Frodo recebia em seu próprio país", o quadro diretamente oposto a isso de RR não aparece, é claro: "Frodo afastou-se discretamente de todas as ocorrências do Condado, e Sam ficou condoído de perceber quão pouca honra Frodo tinha em seu próprio país. Poucas pessoas sabiam ou queriam saber de seus feitos e aventuras ..."

A enfermidade de Frodo no dia 6 de outubro de 1420, data do ataque dos Espectros-do-Anel no Topo-do-Vento dois anos antes, está registrada, mas não a de março de 1421. A atribuição do nome *Elanor* à filha mais velha de Sam ("nascida em 25 de março, como Sam devidamente anotou") por sugestão de Frodo é narrada, e o mesmo vale para a descrição do grande livro com capa e contracapa de couro vermelho, sem que haja, entretanto, qualquer menção da página de rosto e da sequência de títulos rejeitados por Bilbo; as páginas escritas do livro terminavam no Capítulo 77 (e esse número foi marcado com uma interrogação).[2]

A última parte do capítulo foi colocada no papel com grande segurança, embora nem todos os elementos da história finalizada estivessem presentes de imediato. No encontro de Frodo e Sam com os Elfos na Ponta do Bosque, não há menção aos Grandes Anéis de

Elrond e Galadriel;[3] em Mithlond, Círdan, o Armador, não aparece (mas é inserido na narrativa por meio de um adendo posterior na margem), nem se fala de Gandalf como portador do Terceiro Anel; e a visão que Frodo tem da "longínqua paisagem verde sob um breve nascer do sol" está ausente (embora também haja um rascunho desse trecho na margem; a ligação da travessia do Mar feita por Frodo "com a visão que ele tivera de uma distante terra verde na casa de Tom Bombadil" tinha sido feita na carta escrita por meu pai em novembro de 1944, ver p. 76). Apresento aqui o texto do manuscrito A a partir da chegada do grupo a Mithlond:

E quando haviam passado pelo Condado contornando os sopés meridionais das Colinas Brancas, chegaram às Colinas Distantes e às Torres e contemplaram o Mar; e desceram finalmente até Mithlond, os Portos Cinzentos no longo braço de mar de Lûn. E lá estava um navio ancorado no porto, e nos píeres havia também alguém trajado de branco. Era Gandalf, e ele os recebeu; e ficaram felizes, pois então souberam que também tomaria o navio com eles.

Mas Sam agora estava triste em seu coração, e lhe parecia que, se a despedida seria amarga, ainda pior seria a jornada solitária para casa. Mas, enquanto estavam de pé ali, prontos para ir a bordo, lá vieram cavalgando Merry e Pippin, com grande pressa. E, em meio a suas lágrimas, Pippin ria. "Você tentou nos deixar para trás uma vez antes e se deu mal, Frodo, e desta vez quase conseguiu, mas se deu mal de novo." "Desta vez não foi Sam que dedurou você", disse Merry, "mas o próprio Gandalf."

"Sim", disse Gandalf. "Será melhor que retornem três juntos que um sozinho. Bem, finalmente aqui, caros amigos, nas praias do Mar, chega o fim de nossa sociedade na Terra-média. Vão em paz; e eu não direi 'não chorem', pois nem todas as lágrimas são más."

Então Frodo beijou Merry e Pippin, e Sam por último de todos, e subiu a bordo, e as velas foram içadas, e o vento soprou, e lentamente o navio foi velejando, descendo o [?pálido] Golfo de Lûn. E era noite de novo; e Sam contemplou o mar cinzento e viu uma sombra sobre as águas, que se perdeu no Oeste. E ele ficou por algum tempo ouvindo o suspiro e o murmúrio das ondas nas costas da Terra-média, e o som delas permaneceu em seu coração para sempre, embora nunca falasse disso. E Merry e Pippin ficaram em silêncio ao lado dele.

A longa cavalgada de volta ao Condado é contada com quase as mesmas palavras que as de *O Retorno do Rei*. E assim a Terceira Era chegou ao seu derradeiro fim, com a mais memorável das despedidas, sem hesitação e com simplicidade segura; as vozes inconfundíveis de Merry e Pippin, a voz ainda mais inconfundível de Gandalf em suas últimas palavras na Terra-média, e o princípio da viagem que estava levando para o Verdadeiro Oeste os hobbits Bilbo e Frodo, deixando Sam para trás.

Um manuscrito do capítulo transformado numa entidade separada (texto "**B**") veio depois disso, mais tarde numerado "60" e intitulado "Os Portos Cinzentos". Foi escrito antes da visão alterada sobre a reputação de Frodo no Condado fosse inserida na narrativa, mas, com emendas e acréscimos, alcançou a forma final em quase todos os detalhes nos quais o texto A diferia dela. Meu pai ainda não tinha se dado conta, entretanto, de que Fredegar Bolger fora lançado nos Tocadeados junto com Will Pealvo e Lobélia Sacola-Bolseiro; e, sobre Lobélia, dizia um primeiro esboço da passagem que "Ela nunca se recuperou da notícia sobre o assassinato do pobre Cosimo, e disse que não tinha sido culpa dele; tinha sido desencaminhado por aquele Charcoso perverso e nunca quis fazer mal algum."

A primeira enfermidade de Frodo ainda estava ausente na forma original do texto B, e, quando foi introduzida nele, era descrita com estas palavras:

Sam estava fora em março, fazendo seu trabalho de reflorestamento, e Frodo ficou contente, pois andara se sentindo enfermo, e teria sido difícil esconder isso de Sam. No dia 12 de março[4] sentiu dor e o peso de uma grande sensação de trevas, e não conseguia fazer muito mais do que andar de lá para cá, segurando a joia da Rainha Arwen. Mas, depois de algum tempo, o surto passou.

Uma ideia que nunca teve prosseguimento aparece numa passagem rabiscada rapidamente nesse manuscrito, aparentemente com o objetivo de ser incluída antes de "A pequena Elanor tinha quase seis meses de idade, e 1421 entrara no outono" (RR, p. 1459):

No meio-do-verão Gandalf apareceu de repente, e sua visita foi lembrada por muito tempo por causa das coisas impressionantes que aconteceram com todas as fogueiras (que as [?crianças] hobbits acendiam na véspera do meio-do-verão). Todo o Condado ficou aceso com luzes de muitas cores até que chegou a aurora, e parecia que o fogo [??corria selvagem por causa dele] por toda a região, de maneira que a grama se inflamava com joias cintilantes, e nas árvores estavam penduradas flores vermelhas e douradas durante toda a noite, e o Condado ficou cheio de luz e canção até que a aurora veio.

Não é possível achar nenhum outro traço dessa ideia. Talvez meu pai tenha achado que, quando Gandalf declarou que seu tempo tinha acabado, queria dizer nada menos do que isso.[5]

A página de rosto do Livro Vermelho do Marco Ocidental aparece pela primeira vez no texto B, com os títulos de Bilbo escritos um acima do outro e todos riscados (esse era o significado da palavra "assim" em "riscados um após o outro, assim:", RR, p. 1460):

Memórias de um Gatuno Amador
Minha Jornada Inesperada
Lá e de Volta Outra Vez   E o Que Aconteceu Depois
Aventuras de Cinco Hobbits
O Caso do Grande Anel (compilado dos registros e notas de B. Bolseiro e outros)
O Que os Bolseiros Fizeram na Guerra do Anel

(aqui terminava a caligrafia de Bilbo e Frodo escrevera:)

A
Queda
do
Senhor dos Anéis
e
O Retorno do Rei
(conforme visto por B. e F. Bolseiro, S. Gamgi,
M. Brandebuque, P. Tûk, suplementado por informações
fornecidas pelos Sábios)

No texto datilografado que veio depois de B, foi acrescentado o seguinte:

Junto com certos excertos dos Livros de Saber
traduzidos por B. Bolseiro em Valfenda[6]

No texto os Três Anéis dos Elfos aparecem nos dedos de seus portadores, mas eles ainda não recebem seus nomes. Foi só quando o livro chegou às provas de granel que a expressão "Vilya, o mais poderoso dos Três" foi acrescentada à descrição do Anel de Elrond, o Anel de Gandalf recebeu o nome "Narya, o Grande" e o de Galadriel se tornou "Nenya, o anel lavrado de *mithril*".

Por fim, tanto em A quanto em B meu pai colocou entre colchetes, seu sinal costumeiro de dúvida, algumas das palavras de Frodo a Sam na Ponta do Bosque, da seguinte forma: "Não, Sam. Pelo menos não ainda, não para além dos Portos. [Apesar de você também ter sido um Portador-do-Anel, ainda que por pouco tempo: sua vez poderá chegar.]"

NOTAS

1 Ausente do relato sobre o ano de 1420 está a sentença de RR, p. 1455: "Todas as crianças nascidas ou concebidas naquele ano, e foram muitas, eram belas de se ver e fortes, e a maioria tinha lindos cabelos dourados que antes foram raros entre os hobbits." Isso foi inserido no primeiro texto datilografado. Ver p. 171, nota 12.

2 No texto seguinte, o último capítulo inacabado do Livro Vermelho recebeu o número "72", e no primeiro texto datilografado isso foi alterado para "80", tal como em RR.

3 O canto em honra a Elbereth começava assim:

O Elbereth Gilthoniel
Silivren pennar oriel!
Gilthoniel O Elbereth

Cf. VI. 487. Esse trecho se repete no segundo texto do capítulo, mas *oriel* foi emendad para íriel. A versão se repetiu no primeiro texto datilografado, e então a abertura foi alterada para a forma que tem em RR:

A! Elbereth Gilthoniel
silivren penna míriel
o menel aglar elenath ...

À pergunta de Bilbo (RR, p. 1462), "Você vem?", Frodo responde aqui: "Sim, estou indo, *antes que a ferida retorne*. E os Portadores-dos-Anéis devem ir juntos." Frodo estava falando da enfermidade que lhe sobreveio em 6 de outubro, a data em que recebeu a ferida no Topo-do-Vento, em cada um dos anos posteriores. No momento da fala era o dia 22 de setembro (o aniversário de Bilbo); no dia 29 desse mês o navio zarpou dos Portos Cinzentos. No terceiro aniversário do ataque no Topo-do-Vento *O Senhor dos Anéis* termina, pois foi nesse dia, de acordo com *O Conto dos Anos*, que Sam retornou a Bolsão.

[4] A data foi corrigida para 13 de março no texto seguinte, datilografado. Na cronologia final, esse era o aniversário do envenenamento de Frodo por Laracna, conforme anotado em *O Conto dos Anos*. A terceira enfermidade de Frodo, no ano seguinte, também caiu em 13 de março, de acordo com *O Conto dos Anos*.

[5] Mas talvez ele pretendesse que uma visita final de Gandalf ao Condado fosse registrada; conforme Gandalf disse quando se separou dos hobbits na nota ao manuscrito de "Rumo ao Lar" (p. 104): "Aparecerei em algum momento".

[6] Nos dois textos datilografados do capítulo, os riscos foram omitidos, e o primeiro título de Bilbo, "Memórias de um Gatuno Amador", foi substituído por "Meu Diário". "O Que Aconteceu Depois" ainda era mostrado como um acréscimo, e as palavras "e amigos" foi acrescentada depois de "Bolseiros" no título final de Bilbo; nas margens de ambos os textos datilografados, meu pai anotou que as correções deveriam ser impressas como tais, representando a página de rosto original. A forma definitiva da página foi inserida nas provas de granel.

11

O Epílogo

As palavras que encerram *O Senhor dos Anéis*, "'Bem, estou de volta', disse ele", não tinham essa função quando meu pai as escreveu no longo esboço do manuscrito A, que acompanhamos nos capítulos anteriores. É óbvio, tomando como base o manuscrito, que o texto continuou sem interrupção;[1] e, de fato, não há indicativo de que meu pai considerasse o que estava escrevendo como algo claramente separado do material precedente. Apresento agora essa última parte do texto A: a letra é bastante descuidada, mas legível ao longo de todo o manuscrito. As idades dos filhos de Sam foram acrescentadas, quase certamente na época da composição: Elanor 15, Frodo 13, Rosa 11, Merry 9, Pippin 7.

E numa certa noite de março [acrescentado: 1436][2], Mestre Samwise Gamgi estava aproveitando o repouso ao lado de uma lareira em seu estúdio, e as crianças estavam todas reunidas à volta dele, como não era de maneira alguma incomum, embora isso sempre fosse considerado uma indulgência especial.

Ele estava lendo em voz alta (como era comum) um grande Livro Vermelho num suporte, e numa banqueta ao lado dele se sentava Elanor, e ela era uma linda menina, de pele mais clara que a maioria das donzelas-hobbits, e mais esbelta, e agora tinha chegado à sua adolescência; e ali estava o garoto Frodo em cima do tapete, apesar do nome uma cópia tão exata de Sam quanto poder-se-ia desejar, e Rosa, Merry e Pippin estavam sentados em cadeiras grandalhonas demais para eles. Cachinhos D'Ouro tinha ido para a cama, pois nisso as previsões de Frodo tinham errado ligeiramente e ela viera depois de Pippin, e só tinha cinco anos e o Livro Vermelho ainda era meio demais para ela. Mas não era a última da linhagem, pois parecia provável que Sam e Rosa fossem rivalizar com o velho Gerontius Tûk no número de seus filhos com tanto sucesso quanto Bilbo ao ultrapassar a idade dele. Havia o pequeno Ham, e havia Margarida em seu berço.

"Bem, querida", disse Sam, "ela crescia lá naquela época, porque a vi com os meus próprios olhos."

"Ainda cresce lá, papai?"

"Não vejo por que não cresceria, Ellie. Nunca mais fui viajar por aí, como você sabe, tendo toda esta meninada para cuidar — ralezinha pendurada na aba do casaco, é como o velho Saruman chamaria vocês. Mas o Sr. Merry e o Sr. Pippin, eles estiveram no sul mais de uma vez, pois lá é meio que o lugar deles também agora."

"E não é verdade que eles ficaram grandões?", perguntou Merry. "Queria ficar grandão como o Sr. Meriadoc da Terra-dos-Buques. Ele é o maior hobbit que jamais existiu: maior que Bandobras."

"Não é maior do que o Sr. Peregrin de Tuqueburgo", indagou Pippin, "e ele tem um cabelo que é quase dourado. Ele é o Príncipe Peregrin lá longe na Cidade de Pedra, papai?"

"Bem, ele nunca disse isso", respondeu Sam, "mas ele é tido em alta conta, isso eu sei. Mas, olhem só, onde a gente estava mesmo?"

"Em lugar nenhum", disse o menino Frodo. "Quero ouvir sobre a Aranha de novo. Gosto mais das partes em que você aparece, papai."

"Mas papai, você estava falando de Lórien", disse Elanor, "e se a minha flor ainda cresce lá."

"Imagino que sim, querida Ellie. Pois, como eu estava dizendo, o Sr. Merry, ele diz que, apesar de a Senhora ter partido, os Elfos ainda vivem lá."

"Quando posso ir lá ver? Quero ver Elfos, papai, e quero ver a minha própria flor."

"Se você olhar no espelho, vai ver uma flor mais doce", disse Sam, "embora eu não devesse ficar falando isso, pois você vai descobrir logo sozinha."

"Mas isso não é a mesma coisa. Quero ver a colina verde e as flores brancas e as douradas, e ouvir os Elfos cantarem."

"Então talvez você faça isso um dia", respondeu Sam. "Eu disse a mesma coisa quando tinha a sua idade, e muito depois, e não parecia haver esperança, e ainda assim tudo aconteceu."

"Mas os Elfos ainda estão velejando para longe, não estão, e logo não vai haver mais nenhum, vai, papai?", disse Rosa; "e então tudo aquilo vai ser só lugares, e muito bonitos, mas, mas ..."

"Mas o quê, menina Rosinha?"

"Mas não como nas estórias."

"Bem, seria assim se todos eles fossem zarpar", disse Sam. "Mas me contaram que não estão mais zarpando. O Anel partiu dos Portos, e aqueles que se decidiram a ficar quando Mestre Elrond partiu estão ficando. E, portanto, ainda haverá Elfos por muitos e muitos anos."

"Ainda assim, acho que foi muito triste quando Mestre Elrond deixou Valfenda e a Senhora deixou Lórien", ponderou Elanor. "O que aconteceu com Celeborn? Ele está muito triste?"

"Imagino que sim, querida. Os Elfos são tristes, e é isso que os torna tão belos, e é por isso que não os vemos por muito tempo. Ele vive em sua própria terra, como sempre viveu", disse Sam. "Lórien é a terra dele, e Celeborn ama as árvores."

"Não é que ninguém no mundo não tem um Mallorn como a gente tem, papai?", perguntou Merry. "Só a gente e o Senhor Keleborn."[3]

"É o que eu acredito", disse Sam. Secretamente, esse era um dos maiores orgulhos de sua vida. "Bem, Keleborn vive em meio às Árvores, e é feliz do seu jeito élfico, não duvido. Os Elfos, eles têm a sorte de poder esperar. O tempo dele ainda não chegou. A Senhora veio até a terra dele e agora se foi;[4] e ele ainda tem a terra. Quando se cansar dela, pode deixá-la. O mesmo no caso de Legolas, ele veio com seu povo e eles vivem na terra do outro lado do Rio, Ithilien, se você conseguir falar esse nome, e fizeram com que ela ficasse muito agradável, de acordo com o Sr. Pippin. Mas ele irá para o Mar algum dia, não duvido. Mas não enquanto Gimli ainda estiver vivo."

"O que aconteceu com Gimli?", perguntou o rapazinho Frodo. "Eu gostava dele. Por favor, posso ganhar um machado logo, papai? Sobrou algum orque?"

"Ouso dizer que sobraram alguns se você souber onde procurar", disse Sam. "Mas não no Condado, e você não vai ganhar um machado de decepar cabeças, Frodo, meu rapaz. Não fabricamos esses. Mas Gimli, ele veio trabalhar para o Rei na Cidade, e ele e seu povo trabalharam por tanto tempo que se acostumaram com ela e ficaram orgulhosos de seu trabalho, e no fim foram morar nas montanhas a oeste, atrás da Cidade, e ainda estão por lá. E Gimli vai visitar, ano sim, ano não, as Cavernas Cintilantes."

"E Legolas costuma visitar Barbárvore?", perguntou Elanor.

"Não sei dizer, querida", respondeu Sam. "Nunca ouvi falar que alguém tivesse visto um Ent desde aqueles dias. Se o Sr. Merry ou o Sr. Pippin viram algum, estão guardando segredo. Muito fechados, aqueles Ents."

"E eles nunca acharam as Entesposas?"

"Bem, nós não vimos nenhuma por aqui, vimos?", disse Sam.

"Não", concordou a menina Rosinha; "mas eu procuro quando entro num bosque. Gostaria que as Entesposas fossem achadas."

"Eu também", disse Sam, "mas temo que esse seja um problema antigo, antigo demais e profundo demais para gente como nós resolver, minha querida. Mas chega de perguntas por esta noite, pelo menos até depois da ceia."

"Mas isso não vai ser justo", disseram juntos Merry e Pippin, que ainda não eram adolescentes. "A gente vai ter de ir direto para a cama."

"Não falem comigo assim", respondeu Sam, severo. "Se num é justo que a Ellie e o Fro fiquem acordados depois da ceia, num é justo que eles nasceram antes, e num é justo eu ser seu pai e cês não são meus filhos. Então chega disso, tratem de fazer o que cabe pra vocês, ou eu conto pro Rei."

Eles tinham ouvido essa ameaça antes, mas algo na voz de Sam fez com que ela soasse mais séria nessa ocasião. "Quando você vai ver o Rei?", disse o menino Frodo.

"Mais cedo do que você pensa", disse Sam. "Bem, ora, vamos ser justos. Vou contar pra todos vocês, pra quem fica acordado e pra quem vai pra cama, um grande segredo. Mas vocês que não me fiquem cochichando e acordando os mais novos. Guardem pra amanhã."

Um silêncio profundo de expectativa caiu sobre todas as crianças: olhavam para ele como as crianças-hobbits de outros tempos tinham observado o mago Gandalf.

"O Rei está vindo para cá", disse Sam, solenemente.

"Vindo para Bolsão!", gritaram as crianças.

"Não", disse Sam. "Mas está vindo para o norte. Não vai entrar no Condado, porque deu ordens para que ninguém do Povo Grande entre nesta terra de novo depois daqueles Rufiões; e ele próprio não virá só para mostrar que fala sério. Mas ele virá até a Ponte. E —" Sam fez uma pausa. "Ele enviou um convite muito especial para cada um de vocês. Sim, citando os nomes!"

Sam foi até uma gaveta e pegou um grande pergaminho. Era negro e coberto de letras de prata.

"Quando isso chegou, papai?", disse Merry.

"Chegou pelo correio da Quarta Sul três dias atrás [*escrito em cima*: na quarta-feira]", disse Elanor. "Eu vi. Estava embrulhado em seda e fechado com grandes selos."

"Isso mesmo, meus olhos brilhantes", disse Sam. "Agora olhem." Ele desenrolou a carta. "Está escrito em élfico e em língua simples", disse Sam. "E diz: *Elessar Aragorn Arathornes** *o Pedra-Élfica Rei de Gondor e Senhor das Terras do Oeste vai se achegar à Ponte do Baranduin no primeiro dia da Primavera, ou na Contagem do Condado o vigésimo-quinto dia de março próximo, e deseja ali saudar a todos os seus amigos. Em especial, ele deseja ver Mestre Samwise Prefeito do Condado, e Rosa sua esposa, e Elanor, Rosa, Cachinhos D'Ouro e Margarida suas filhas, e Frodo, Merry, e Pippin e Hamfast seus filhos*. Aí está, todos os seus nomes estão aí.

"Mas não são os mesmos nas duas listas", disse Elanor, que sabia ler.

"Ah", disse Sam, "isso é porque a primeira lista é em élfico. O seu nome é o mesmo, Ellie, nas duas, porque seu nome é élfico; mas Frodo é *Iorhail*, e Rosa é *Beril*, e Merry é *Riben* [> *R..el* > *Gelir*], e Pippin é *Cordof*, e Cachinhos D'Ouro é *Glorfinniel*, e Hamfast é *Marthanc*, e Margarida é *Arien*. Então agora vocês já sabem."

"Bem, isso é esplêndido", disse Frodo, "agora todos nós temos nomes élficos, mas qual é o seu, papai?"

"Bem, isso é um tanto peculiar", disse Sam, "pois na parte élfica, se querem saber, o que o Rei diz é *Mestre Perhail, que deveria antes ser chamado de Lanhail*, e isso significa, acredito eu, "Samwise ou Semissábio, que deveria antes ser chamado de Só-sábio". Então, agora que vocês sabem o que o Rei acha do seu papai, talvez deem mais ouvidos ao que ele fala."

"E façam mais um monte de perguntas pra ele", disse Frodo.

"Quando é 25 de março?", perguntou Pippin, para quem os dias ainda eram a medida de tempo mais longa que ele realmente conseguia compreender. "Isso é logo?"

*No original, Tolkien usa o patronímico "Arathornsson", "filho de Arathorn". A forma equivalente em português é a terminação "-es", presente em sobrenomes como "Fernandes" e "Rodrigues" ("filho de Fernando", "filho de Rodrigo"). Daí a forma adotada aqui. [N.T.]

"É daqui a uma semana", respondeu Elanor. "Quando começamos a viagem?"

"E que roupa a gente vai usar?", disse Rosa.

"Ah", suspirou Sam. "A Senhora Rosa terá algo a dizer sobre isso. Mas vocês vão ficar surpresos, meus queridos. Fomos avisados sobre isso faz muito tempo e nos preparamos para esse dia. Vocês vão com as roupas mais lindas que já viram, e nós vamos viajar num coche. E se todos vocês forem muito bonzinhos e ficarem tão lindos quanto agora, eu não ficaria surpreso de jeito nenhum se o Rei nos convidasse para ir com ele até sua casa perto do Lago. E a Rainha estará lá."

"E a gente vai ficar acordado para a ceia?", disse Rose, para quem a proximidade da promoção para a adolescência fazia com que isso fosse uma preocupação sempre presente.

"Vamos ficar lá por semanas, até a colheita do feno, pelo menos", disse Sam. "E faremos o que o Rei disser. Mas, quanto a ficar acordado para a ceia, sem dúvida a Rainha falará com ele. E agora, se vocês não têm o suficiente sobre o que ficar cochichando por horas, e sobre o que sonhar até que o sol nasça, então não sei o que mais posso contar para vocês."

As estrelas estavam brilhando num céu claro: era o primeiro dia da temporada clara e luminosa que vinha todo ano ao Condado no fim de março, e era, todo ano, recebida e louvada como algo surpreendente para aquela época do ano.

Todas as crianças estavam na cama. Luzes ainda bruxuleavam na Vila-dos-Hobbits e, em muitas casas, eram pontinhos iluminados no campo que escurecia. Sam ficou de pé à porta e olhou para o leste, ao longe. Trouxe a Senhora Rosa para junto de si e abraçou-a apertado. "18 [> 25] de março",[5] disse ele. "Nessa época, dezessete anos atrás, Rosa, minha esposa, eu achava que jamais ver-te-ia de novo. Mas continuei tendo esperança."

["E eu nunca tinha tido esperança nenhuma, Sam", respondeu ela, "até aquele dia exato; e então, de repente, eu tive. No meio da manhã, comecei a cantar, e meu pai disse 'Quieta, menina, ou os Rufiões vão vir', e eu retruquei 'Deixe que venham. O tempo deles vai acabar logo. Meu Sam está voltando.' E ele voltou."][6]

"E você voltou", disse Rosa.

"Voltei", disse Sam; "pro lugar mais amadíssimo do mundo todo. Eu estava dividido naquela época, menina, mas agora estou todo inteiro. E tudo o que eu tenho, e tudo o que eu tive, eu ainda tenho."

Aqui o texto, conforme foi originalmente escrito, termina, mas mais tarde meu pai acrescentou a ele o seguinte:

Eles entraram e trancaram a porta. Mas, assim que o fez, Sam ouviu de repente o suspiro e o murmúrio do mar nas costas da Terra-média.

Não se pode duvidar que era assim que ele pretendia, naquela época, que *O Senhor dos Anéis* terminasse.

Uma cópia passada a limpo (texto "**B**") foi feita depois, com o título "Epílogo", sem numeração de capítulo; mais tarde, "Epílogo" foi alterado para "O Fim do Livro", mais uma vez sem numeração. As mudanças feitas no esboço original foram marcadamente poucas: ajustes muito pequenos e melhoras na fluidez da conversa entre Sam e seus filhos, bem como a alteração ou ampliação de certos detalhes.

Merry Gamgi agora sabe que Bandobras Tûk "matou o rei-gobelim": trata-se de uma referência a "Uma Festa Inesperada" em *O Hobbit*, onde se conta que Berratouro "lançou uma investida contra as fileiras dos gobelins do Monte Gram na Batalha dos Campos Verdes e arrancou a cabeça do rei deles, Golfimbul, com um taco de madeira". Sobre os Elfos velejando, Sam agora diz não que "não estão mais zarpando", mas que "não estão zarpando com frequência agora", e prossegue: "Aqueles que ficaram para trás quando Elrond partiu vão ficar de vez, em sua maioria, ou por muito tempo. Mas está cada vez mais e mais difícil encontrá-los ou falar com eles." Sobre os Ents ele observa que são "muito fechados, muito cheios de segredos, e não gostam muito de pessoas"; e, sobre os Anãos que vieram de Erebor para Minas Tirith com Gimli, Sam diz "Ouvi dizer que eles se estabeleceram nas Montanhas Brancas, não muito longe da Cidade", enquanto "Gimli vai visitar as Cavernas Cintilantes uma vez por ano" (no Apêndice A, III, no final, afirma-se que Gimli "tornou-se Senhor das Cavernas Cintilantes").

A carta do Rei agora começa com *Aragorn Arathornes Elessar o Pedra-Élfica*; e a data de sua chegada à Ponte do Brandevin agora é "o oitavo dia da Primavera, ou na contagem do Condado o segundo dia de abril", uma vez que meu pai tinha decidido, já quando estava escrevendo o texto A (ver a nota 5), que 25 de março não seria o dia em que o Rei viria até a Ponte, mas o dia em que *O Senhor dos Anéis* chegaria ao fim.[7]

O nome de Margarida Gamgi agora é *Erien* (*Arien* no texto A); e, na carta, o Rei chama Sam de *Mestre Perhail, que deveria antes ser chamado de Panthail*, frase que o hobbit interpreta como "Mestre Semissábio, que deveria ser chamado de Todossábio".

Outras mudanças foram feitas ao texto B mais tarde, e essas foram incorporadas ao terceiro e último texto dessa versão do "Epílogo", o "**C**", que foi datilografado. A ele meu pai deu o título revisado do texto B, "O Fim do Livro", com a numeração de capítulo "58",[8] mas depois riscou tanto o título quanto o número e voltou a usar "Epílogo". Nessa versão, o texto começa assim:

Em certa noite de março de 1436, Mestre Samwise Gamgi estava repousando ao lado do fogo em seu estúdio, e seus filhos estavam reunidos em volta dele, como não era de forma alguma incomum. Embora sempre se imaginasse que aquilo era uma ocasião especial, uma Ordem Real, era do tipo ordenado com mais frequência pelos súditos do que pelo Rei.

Esse dia, entretanto, realmente era uma ocasião especial. Para começo de conversa, era o aniversário de Elanor;[9] além disso, Sam andava lendo em voz alta um grande Livro Vermelho, e tinha acabado de chegar ao finalzinho, depois de atravessar lentamente seus muitos capítulos ao longo de muitos meses. Num banquinho ao lado dele sentava-se Elanor ...

Nesse texto, Sam diz o seguinte sobre as Entesposas: "Acho que talvez as Entesposas não queiram ser encontradas"; e, depois de suas palavras "Mas chega de perguntas por esta noite", a seguinte passagem foi inserida:

"Só mais uma, por favor!", implorou Merry. "Eu queria perguntar antes, mas Ellie e Fro enfiam tantas perguntas que nunca sobra espaço para as minhas."

"Está bem então, só mais uma", disse Sam.

"Sobre os cavalos", disse Merry. "Quantos cavalos os Cavaleiros perderam na batalha, e será que eles já criaram muitos mais? E o que aconteceu com o cavalo de Legolas? E o que Gandalf fez com Scadufax? E posso ganhar um pônei logo?", terminou ele, sem fôlego.

"Isso dá muito mais do que uma pergunta: você é pior do que Gollum", disse Sam. "Você vai ganhar um pônei no seu próximo aniversário, como eu já disse. Legolas deixou que o cavalo dele corresse livre de volta para Rohan a partir de Isengard; e os Cavaleiros têm mais cavalos do que nunca, porque ninguém mais rouba os bichos; e Scadufax entrou no Navio Branco com Gandalf; é claro que Gandalf não podia deixá-lo para trás. Agora isso vai ter de ser o suficiente. Chega de perguntas. Pelo menos até depois da ceia."

A carta do Rei agora começa dizendo *Aragorn Tarantar* (ponto no qual Sam explica "isso quer dizer Troteiro") *Arathornes* etc. *Tarantar* foi alterado no texto datilografado para *Telcontar* ("isso quer dizer Passolargo"): ver VIII. 459 e a nota 14. O nome de Rosa em élfico passa a ser *Meril* (alteração de *Beril*) e o de Hamfast, *Baravorn* (antes era *Marthanc*); a forma élfica de Margarida volta a ser *Arien* (alteração de *Erien*), a mesma forma do texto A.

Embora nunca tenha sido publicada, é claro, essa versão do epílogo é, creio eu, bastante conhecida, com base em cópias feitas do texto na Universidade Marquette. Meu pai, na verdade, nunca teria publicado essa variante, mesmo se tivesse decidido, por fim, concluir *O Senhor dos Anéis* com um epílogo, porque o texto foi substituído por uma segunda versão, na qual, embora boa parte das notícias de Sam sobre o que acontecera além do Condado fosse mantida, a moldura narrativa e a apresentação foram radicalmente alteradas.[10] Existem dois textos dessa versão. O primeiro é um manuscrito bastante claro, com poucas correções; não tem título nem numeração de capítulo. O segundo é datilografado e, embora tenha sido feito por meu pai, seguiu o manuscrito muito de perto; essa variante é intitulada "Epílogo", com a numeração de capítulo "10" (isto é, o décimo do Livro Seis). Apresento aqui o texto datilografado por inteiro.

A segunda versão do Epílogo

EPÍLOGO

Em certa noite de março de 1436, Mestre Samwise Gamgi se encontrava em seu estúdio em Bolsão. Estava sentado na antiga escrivaninha, bastante usada, e, com muitas pausas para refletir, ia escrevendo com sua caligrafia lenta e arredondada em folhas soltas de papel. De pé num suporte ao lado dele havia um grande livro vermelho em forma de manuscrito.

Não muito tempo antes, estivera lendo o livro em voz alta para sua família. Pois o dia era especial: o aniversário de sua filha Elanor. Naquela noite, antes da ceia, chegara ao finalzinho do Livro. A longa travessia dos muitos capítulos, mesmo com omissões que ele achara aconselháveis, levara alguns meses, pois ele só lia em voz alta nos dias importantes. Na leitura de aniversário, além de Elanor, o menino Frodo estivera presente, e também a menina Rosinha, e os jovens Merry e Pippin; mas as outras crianças não ficaram por lá. O Livro Vermelho ainda não era para elas, e estavam seguras na cama. Cachinhos D'ouro tinha só cinco anos, pois nisso a previsão de Frodo errou levemente, e ela vinha depois de Pippin. Mas não era a última da fila, pois Samwise e Rosa, pelo que parecia provável, rivalizariam com o velho Gerontius Tûk no número de filhos tanto quanto Bilbo o fizera no número de anos. Havia o pequeno Ham, [e havia Margarida, ainda em seu berço >] e Margarida, e havia Prímula, ainda em seu berço.[11]

Agora Sam estava "ficando um pouco quietinho". A ceia tinha terminado. Só Elanor estava com ele, ainda acordada porque era seu aniversário. Estava sentada sem fazer barulho, fitando o fogo, e de vez em quando olhando para seu pai. Era uma menina linda, de pele mais clara que a maioria das donzelas-hobbits, e mais esguia, e a luz do fogo chamejava em seu cabelo vermelho-dourado. A ela, por dádiva, se não por herança, uma memória da graça-élfica viera.[12]

"O que está fazendo, papai-Sam,[13] querido?", disse a menina por fim. "Você disse que ia descansar, e eu estava esperando que conversasse comigo."

"Só um momento, Elanorellë", respondeu Sam,[14] quando ela veio e colocou seus braços em volta dele e olhou por cima do ombro do pai.

"Parece um Perguntas e Respostas", comentou ela.

"E é isso mesmo", disse Sam. "O Sr. Frodo, ele deixou as últimas páginas do Livro para mim, mas nunca ousei colocar minhas mãos nelas. Ainda estou fazendo anotações, como o velho Sr. Bilbo diria. Aqui estão todas as muitas perguntas que a Mamãe Rosa e você e as crianças fizeram, e estou escrevendo as respostas, quando sei quais são. A maioria das perguntas são suas, porque só você ouviu o Livro inteiro mais de uma vez."

"Três vezes", disse Elanor, olhando para a página cuidadosamente escrita debaixo da mão de Sam.

P. *Anãos etc.* O menino Frodo diz que gosta mais deles. O que aconteceu com Gimli? As Minas de Moria foram reabertas? Sobrou algum Orque?

R. *Gimli*: ele voltou para trabalhar para o Rei, como disse, e trouxe muitos de seu povo do Norte, e eles trabalharam em Gondor por tanto tempo que ficaram acostumados com a região, e se mudaram para lá, no alto das Montanhas Brancas, não muito longe da Cidade. Gimli vai uma vez por ano às Cavernas Cintilantes. Como eu sei? Informação do Sr. Peregrin, que volta com frequência para Minas Tirith, onde ele é tido em alta conta.

Moria: não ouvi notícia nenhuma. Talvez a previsão sobre Durin não seja para a nossa época.[15] Os lugares sombrios ainda precisam de muita limpeza. Acho que ainda serão necessários muito trabalho e feitos ousados para arrancar as criaturas malignas dos salões de Moria. Pois certamente ainda sobrou uma porção de Orques em tais lugares. Não é provável que algum dia fiquemos totalmente livres deles.

P. *Legolas*. Ele voltou para o Rei? Vai ficar por lá?

R. Sim, voltou. Veio para o sul com Gimli, e trouxe muitos de seu povo de Verdemata, a Grande (assim é que a chamam agora). Dizem que era uma coisa maravilhosa de se ver as companhias de Anãos e Elfos na jornada juntos. Os Elfos tornaram a Cidade, e a terra onde o Príncipe Faramir vive, mais belas do que nunca. Sim, Legolas vai ficar por lá, ao menos enquanto Gimli ficar; mas acho que ele irá para o Mar algum dia. O Sr. Meriadoc me contou tudo isso, pois visitou a Senhora Éowyn em sua casa branca.

P. *Cavalos*. Merry se interessa por eles; muito ansioso para ter um pônei só seu. Quantos cavalos os Cavaleiros perderam nas batalhas, e será que agora eles têm mais? O que aconteceu com o cavalo de Legolas? O que Gandalf fez com Scadufax?

R. *Scadufax* entrou no Navio Branco com Gandalf, é claro. Eu mesmo vi isso. Também vi Legolas deixar que seu cavalo corresse livre de volta para Rohan em Isengard. O Sr. Meriadoc diz que não sabe quantos cavalos foram perdidos; mas há mais deles do que nunca em Rohan agora, porque ninguém mais os rouba. Os Cavaleiros também têm muitos pôneis, especialmente no Vale Harg: brancos, castanhos e cinzentos. No ano que vem, quando voltar de uma visita ao Rei Éomer, ele pretende trazer um para o menino que tem o nome dele.

P. *Ents*. Elanor gostaria de ouvir mais sobre eles. O que Legolas viu em Fangorn, e ele ainda vê Barbárvore hoje em dia? A menina Rosinha está muito preocupada com as Entesposas. Procura por elas sempre que entra num bosque. Vão ser achadas algum dia? Ela gostaria que fossem encontradas.

R. Legolas e Gimli não contaram o que viram, até onde fiquei sabendo. Não ouvi falar de ninguém que tivesse visto um Ent desde aqueles dias. Os Ents são cheios de segredos, e não gostam muito de pessoas, grandes ou pequenas. Eu também gostaria que as Entesposas fossem achadas; mas desconfio que esse problema é antigo e profundo demais para a gente do Condado resolver. Acho que talvez as Entesposas não queiram ser achadas; e talvez os Ents agora estejam cansados de procurar.

"Bem, querida", disse Sam, "essa página de cima, isso é só a batelada de hoje." Suspirou. "Não está adequado para entrar no Livro desse jeito. Não lembra nem um pouco a história da maneira como o Sr. Frodo a escreveu. Mas terei de fazer um capítulo ou dois no estilo apropriado, de algum jeito. O Sr. Meriadoc poderia me ajudar. Ele é inteligente para escrever, e está fazendo um livro esplêndido com tudo sobre plantas."

"Não escreva mais esta noite. Converse comigo, papai Sam!", disse Elanor, e levou-o para uma poltrona ao lado do fogo.

"Conte", pediu ela, quando se sentaram bem juntos com a suave luz dourada em seus rostos, "conte sobre Lórien. A *minha* flor ainda cresce lá, papai Sam?"

"Bem, querida, Celeborn ainda vive em meio às suas árvores e aos seus Elfos, e lá, não duvido, a sua flor ainda cresce. Ainda que, agora que eu tenho você para ver, não sinta tanta falta dela."

"Mas não quero me ver, papai Sam. Quero ver outras coisas. Quero ver a colina de Amroth, onde o Rei encontrou Arwen, e as árvores prateadas, e a pequena niphredil branca, e a elanor dourada na grama sempre verde. E quero ouvir Elfos cantando."

"Então talvez você ouça algum dia, Elanor. Eu disse o mesmo quando tinha a sua idade, e muito depois disso, e não parecia haver esperança nenhuma. E mesmo assim eu vi e ouvi os Elfos."

"Eu tinha medo de que todos eles estivessem velejando para longe, papai. Então logo não haveria nenhum aqui; e então em toda parte haveria apenas lugares, e"

"E o quê, Elanorellë?"

"E a luz teria desvanecido."

"Eu sei", disse Sam. "A luz está desvanecendo, Elanorellë. Mas não vai se apagar ainda. Nunca vai se apagar de todo, é o que eu acho agora, desde que tive você para conversar comigo. Pois me parece agora que as pessoas conseguem se lembrar dela mesmo sem nunca ter visto essa luz. E ainda assim", suspirou ele, "até isso não é a mesma coisa que vê-la realmente, como eu vi."

"Como estar realmente dentro de uma história?", perguntou Elanor. "Uma história é bem diferente, mesmo quando fala de algo que aconteceu. Queria poder voltar para os dias antigos!"

"Gente do seu tipo muitas vezes deseja isso", ponderou Sam. "Você chegou no fim de uma grande Era, Elanorellë; mas, embora ela tenha terminado, como a gente diz, as coisas na verdade não terminam de uma vez desse jeito. É mais como um pôr-do-sol no inverno. Quase todos os Altos-Elfos agora se foram com Elrond. Mas não exatamente todos; e aqueles que não se foram agora vão esperar por algum tempo. E os outros, aqueles cujo lugar é aqui, vão durar ainda mais. Ainda há coisas para você ver, e pode ser que as veja mais cedo do que espera."

Elanor ficou em silêncio por algum tempo antes de falar de novo. "Eu não entendi de início o que Celeborn quis dizer em seu adeus ao Rei", comentou ela. "Mas acho que entendo agora. Ele sabia que a Senhora Arwen ficaria, mas que Galadriel iria embora.[16] Acho que isso foi muito triste para ele. E para você, querido papai Sam." A mão dela buscou a dele, e a mão morena de Sam apertou seus dedos esguios. "Pois o seu tesouro também foi embora. Fico contente que Frodo do Anel tenha me visto, mas queria poder me lembrar de vê-lo."

"Foi triste, Elanorellë", disse Sam, beijando-lhe o cabelo. "Foi, mas agora não é. Por quê? Bem, para começar, o Sr. Frodo foi para onde a luz-élfica não está desvanecendo; e ele mereceu sua recompensa. Mas eu também tive a minha. Ganhei montes de tesouros. Sou um hobbit muito rico. E há outra razão, que eu vou sussurrar para você, um segredo que nunca contei antes para ninguém, nem pus no Livro ainda. Antes de ir, o Sr. Frodo disse que minha hora talvez fosse chegar. Eu posso esperar. Acho que talvez não tenhamos dito adeus para sempre. Mas eu posso esperar. Aprendi pelo menos isso com os Elfos, de qualquer jeito. Eles não ficam tão preocupados com o tempo. E, portanto, acho que Celeborn ainda é feliz em meio às suas árvores, de um jeito élfico. O tempo dele ainda não chegou, e ele não se cansou de sua terra ainda. Quando estiver cansado, poderá ir."

"E, quando estiver cansado, você irá, papai Sam. Irá para os Portos com os Elfos. Então irei com você. Não vou me separar de você como Arwen se separou de Elrond."

"Talvez, talvez", disse Sam, beijando-a de leve. "E talvez não. A escolha de Lúthien e Arwen chega para muitas, Elanorellë, ou algo parecido com ela; e não é sábio escolher antes do tempo.

"E agora, minha mais querida, acho que é hora, até para uma moça de quinze primaveras, de ir para a cama. E tenho algo a dizer para Mãe Rosa."

Elanor ficou de pé e passou a mão de leve pelo cabelo castanho e encaracolado de Sam, já manchado de cinza. "Boa noite, papai Sam. Mas"

"Não quero isso de *boa noite, mas*", disse Sam.

"Mas você não vai me mostrar antes? É o que eu ia dizer."

"Mostrar o quê, querida?"

"A carta do Rei, é claro. Faz mais de uma semana que você recebeu."

Sam se esticou. "Minha nossa!", exclamou. "Como as histórias gostam de se repetir! E você acaba sendo pago na sua própria moeda e tudo o mais. Como a gente espionou o pobre Sr. Frodo! E agora há outra espiã entre nós, sem nenhuma intenção pior que a nossa, espero. Mas como você sabe da carta?"

"Não tinha necessidade nenhuma de espionar", disse Elanor. "Se você queria mantê-la em segredo, não chegou nem perto de ser cuidadoso o suficiente. Chegou pelo correio da Quarta Sul na quarta-feira da semana passada. Vi você recebendo a carta. Toda enrolada em seda branca e selada com grandes selos negros: qualquer um que tivesse ouvido o Livro adivinharia na hora que ela foi mandada pelo Rei. São notícias boas? Não vai mostrá-la para mim, papai Sam?"

"Bem, já que descobriu tanta coisa, é melhor ficar sabendo de uma vez", disse Sam. "Mas nada de conspirações agora. Se eu te mostrar, você fica do lado dos adultos e precisa jogar limpo. Vou contar aos outros no meu tempo. O Rei está vindo."

"Está vindo pra cá?", gritou Elanor. "Pro Bolsão?"

"Não, querida", disse Sam. "Mas está vindo para o norte de novo, coisa que não fazia desde que você era um piolhinho.[17] Mas agora a casa dele está pronta. O Rei não vai entrar no Condado, porque deu ordens para que ninguém do Povo Grande entre nesta terra de novo depois daqueles Rufiões, e não vai quebrar suas próprias regras. Mas vai cavalgar até a Ponte. E mandou um convite muito especial para cada um de nós, citando cada um pelo nome."

Sam foi até uma gaveta, destrancou-a e tirou dela um pergaminho, removendo o estojo do texto. Estava escrito em duas colunas, com belas letras prateadas sobre um fundo preto. Desenrolou-o e colocou uma vela ao lado dele na escrivaninha, para que Elanor pudesse vê-lo.

"Que esplêndido!", gritou ela. "Consigo ler a língua simples, mas o que diz o outro lado? Acho que é élfico, mas você só me ensinou poucas palavras élficas até agora."

"Sim, está escrito numa forma de élfico que o grande povo de Gondor usa", disse Sam. "Decifrei o texto, pelo menos o suficiente para ter certeza de que diz quase a mesma coisa, só que passa todos os nossos nomes para o élfico. O seu é o mesmo dos dois lados, Elanor, porque seu nome *é* élfico. Mas Frodo é *Iorhael*, e Rosa é *Meril*, e Merry é *Gelir*, e Pippin é *Cordof*, e Cachinhos D'Ouro é *Glorfinniel*, e Hamfast é *Baravorn*, e Margarida é *Eirien*. Então agora você sabe."

"Que maravilha!", disse ela. "Agora todos nós temos nomes élficos! Que final esplêndido para o meu aniversário! Mas qual é o seu nome, papai Sam? Você não o mencionou."

"Bem, isso é um tanto peculiar", disse Sam. "Pois na parte élfica, se você quer saber, o Rei diz: 'Mestre *Perhael*, que deveria ser chamado de *Panthael*'. E isso significa: Semissábio, que deveria ser chamado de Todossábio. Então agora você sabe o que o Rei pensa de seu velho pai."

"Não é nem um pouquinho menos do que eu penso, *Perhael-adar*[18] tão querido", disse Elanor. "Mas a carta diz 2 de abril, daqui a só uma semana![19] Quando vamos começar a viagem? Deveríamos estar nos aprontando. O que vamos usar?"

"Você precisa perguntar à Mamãe Rosa sobre tudo isso", disse Sam. "Mas *já* estamos nos aprontando. Tivemos aviso disso muito tempo atrás; e não dissemos nada a respeito só porque não queríamos que vocês todos perdessem o sono de noite, pelo menos não ainda. Vocês todos precisam ter a melhor e a mais bonitona das aparências. Todos vão usar roupas bonitas, e nós vamos viajar num coche."

"Vou precisar fazer três mesuras ou uma só?", disse Elanor.

"Uma basta, uma cada para o Rei e a Rainha", disse Sam. "Pois, embora a carta não diga isso, Elanorellë, acho que a Rainha vai estar lá. E, quando você a vir, minha querida, saberá que aparência tem uma senhora dos Elfos, salvo que nenhuma delas é tão bonita. E há até mais do que isso. Pois hei de ficar muito surpreso se o Rei não nos convidar para sua grande casa à beira do Lago Vesperturvo. E lá estarão Elladan e Elrohir, que ainda vivem em Valfenda — e com eles estarão Elfos, Elanorellë, e eles cantarão à beira d'água no crepúsculo. É por isso que eu disse que você vai vê-los antes do que imagina."

Elanor não disse nada, mas ficou observando o fogo, e seus olhos brilhavam feito estrelas. Por fim, suspirou e se mexeu. "Quanto tempo vamos ficar?", perguntou ela. "Vamos ter que voltar, suponho?"

"Sim, e vamos querer voltar, de certo modo", respondeu Sam. "Mas pode ser que fiquemos até a colheita do feno, quando preciso estar de volta aqui. Boa noite, Elanorellë. Agora durma até o sol nascer. Não vai precisar de sonhos."

"Boa noite, papai Sam. E não trabalhe mais. Pois eu sei como deve ser o seu capítulo. Coloque a nossa conversa no papel — mas não nesta noite." Ela o beijou e saiu do cômodo; e pareceu aos olhos de Sam que o fogo passou a arder mais fraco com a partida da filha.

As estrelas estavam brilhando num céu límpido e escuro. Era o segundo dia daquela fase de tempo claro e sem nuvens que acontecia todo ano no Condado perto do fim de março, e que todo ano era bem recebida e louvada como algo surpreendente para aquela estação. Todas as crianças agora estavam na cama. Era tarde, mas aqui e ali luzes ainda bruxuleavam na Vila-dos-Hobbits e em casas que salpicavam o campo coberto pela noite.

Mestre Samwise ficou de pé na porta e olhou para longe, no leste. Trouxe Mestra Rosa para junto de si e colocou um braço em volta dela.

"25 de março!" disse ele. "Neste dia, dezessete anos atrás, esposa Rosa, eu não achava que iria te ver de novo. Mas continuei tendo esperança."

"Eu nunca tive esperança nenhuma, Sam", respondeu ela, "não até exatamente aquele dia; e então, de repente, tive. Lá pelo meio-dia, era, e me senti tão contente que comecei a cantar. E a minha mãe disse: 'Quieta, menina! Tem rufiões por aí.' E eu retruquei: 'Eles que venham. O tempo deles logo vai acabar. Sam está voltando.' E você veio."

"Vim", concordou Sam. "Para o lugar mais amadíssimo em todo o mundo. Pra minha Rosa e pro meu jardim."

Entraram, e Sam trancou a porta. Mas, na hora em que fez isso, ele ouviu de repente, profundo e inquieto, o sussurro e o murmúrio do Mar sobre as costas da Terra-média.

∽

Nesse segundo Epílogo, Sam não lê em voz alta a carta do Rei (já que Elanor podia lê-la), mas existem três "fac-símiles" da carta associados a ele (como se pode ver pelas formas dos nomes *Eirien*, *Perhael*, *Panthael*), escritos em *tengwar* em duas colunas.

O primeiro deles (texto "**I**") está reproduzido na p. 168. Ele é acompanhado de uma transliteração em "letras simples", tanto do texto inglês como da forma em sindarin. A transliteração do inglês não corresponde de forma precisa ao texto em *tengwar*, pois o primeiro omite *Arathornes* e acrescenta *dia* onde o texto em *tengwar* diz "o trigésimo-primeiro da Agitação". As palavras *e Arnor*, *ar Arnor*, foram acrescentadas em ambos os textos em *tengwar* e não aparecem nas transliterações. Do modo como meu pai as escreveu, as versões dizem o seguinte:

Aragorn Passolargo o Pedra-élfica, Rei de Gondor e Senhor das Terras do Oeste, achegar-se-á à Ponte do Baranduin no oitavo dia da Primavera, ou, na contagem do Condado, o segundo dia de abril. E ele deseja saudar lá a todos os seus amigos. *Em especial* ele deseja ver Mestre *Samwise*, Prefeito do Condado, e *Rosa* sua esposa; e *Elanor*, *Rosa*, *Cachinhos D'ouro* e *Margarida* suas filhas; e *Frodo*, *Merry*, *Pippin* e *Hamfast* seus filhos.

Para Samwise e Rosa os cumprimentos do Rei desde Minas Tirith, no trigésimo-primeiro dia da Agitação, sendo o vigésimo-terceiro de fevereiro na contagem deles.

A · E ·

Elessar Telcontar: Aragorn Arathornion Edhelharn, aran Gondor ar Hîr i Mbair Annui, anglennatha i Varanduiniant erin dolothen Ethuil, egor ben genediad Drannail erin Gwirith edwen. Ar e aníra ennas suilannad mhellyn în phain: *edregol* e aníra tírad i Cherdir *Perhael* (i sennui *Panthael* estathar aen) Condir i Drann, ar *Meril* bess dîn, ar *Elanor, Meril, Glorfinniel*, ar *Eirien* sellath dîn; ar *Iorhael, Gelir, Cordof*, ar *Baravorn*, ionnath dîn.

A *Perhael* ar am *Meril* suilad uin aran o Minas Tirith nelchaenen uin Echuir.

A · E ·

A mudança de caneta depois de *ar Elanor* foi feita, sem dúvida, para que o texto em sindarin coubesse na página.

O segundo "fac-símile" ("**II**"), que não está acompanhado de uma transliteração e não reproduzimos aqui, é muito parecido com o texto I, mas *e Arnor*, *ar Arnor* fazem parte do texto em sua forma original, não há variação no negrito das letras e os textos terminam com as palavras *seus filhos*, *ionnath dîn*, seguidas pelas iniciais A · E ·, de modo que aqui não há menção à data e ao lugar em que a carta foi escrita.

A terceira dessas páginas ("**III**"), preservada com o texto datilografado do segundo Epílogo e acompanhada de uma transliteração, está reproduzida na p. 169. Nesse caso, o uso das *tehtar* de vogais acima das consoantes no texto em sindarin reduziu muito sua extensão. O texto em inglês é o mesmo da versão I, mas a nota sobre a data é diferente: "De Minas Tirith, o vigésimo-terceiro de fevereiro, 6341" [= 1436]. O texto em sindarin difere daquele nas versões I e II na ordem de palavras:

> Aragorn Arathornion Edhelharn anglennatha iVaranduiniant erin dolothen Ethuil (egor ben genediad Drannail erin Gwirith edwen) ar ennas aníra i Aran Gondor ar Arnor ar Hîr iMbair Annui [*grafado* Anui][20] suilannad mhellyn in phain ...

A nota sobre a data no fim do texto em sindarin diz:

> a Pherhael ar am Meril suilad uin aran o Minas Tirith nelchaenen ned Echuir: 61.[21]

É possível perceber, com base no relato sobre suas obras que meu pai escreveu para Milton Waldman em 1951, que a segunda versão do Epílogo foi escrita num estágio muito tardio. Nesse relato, ele incluiu o que designou como "um resumo longo e, ainda assim, genérico" da história de *O Senhor dos Anéis*; esse trecho foi omitido em *Cartas* (n. 131), e apresento aqui passagens de sua conclusão.

> O "Expurgo do Condado", que termina na última batalha a ser travada lá, ocupa um capítulo. Ele é seguido por uma segunda primavera, uma maravilha restauração e aumento da abundância, causada principalmente por Sam (com o auxílio das dádivas que recebera em Lórien). Mas Frodo não pode ser curado. Para a preservação do Condado ele se sacrificou, mesmo na saúde, e não tem ânimo para desfrutar dele. Sam tem de escolher entre o amor pelo patrão e pela esposa. No fim, ele vai com Frodo na última jornada. À noite na mata, onde Sam encontrou Elfos pela primeira vez na jornada de ida, eles se encontram com a cavalgada do crepúsculo vinda de Valfenda. Os Elfos e os Três Anéis, e Gandalf (Guardião da Terceira Era), estão indo para os Portos Cinzentos, para zarparem rumo ao Oeste, para nunca mais retornarem. Bilbo está com eles. A Bilbo e Frodo é concedida a graça especial de ir com os Elfos que amavam — um final arthuriano, no qual, é claro, não fica explícito se isso é uma "alegoria" da morte, ou uma espécie de cura e restauração que conduz a um retorno. Cavalgam até os Portos Cinzentos e embarcam: Gandalf com o Anel Vermelho, Elrond (com o Azul) e a maior parte de sua casa, e Galadriel de Lórien com o Anel Branco, e com eles partem Bilbo e Frodo. É sugerido que eles chegam a Eressëa. Mas Sam, de pé, atônito, no cais de pedra, vê somente o navio branco deslizar pelo estuário cinzento e desaparecer no obscurecido Oeste. Ele permanece imóvel por muito tempo, escutando o som do Mar nas costas do mundo.
>
> Então cavalga para casa; sua esposa o recebe à luz da lareira e junto da sua primogênita, e ele diz simplesmente, "Bem,

> voltei".[22] Há um breve epílogo no qual vemos Sam entre seus filhos, um vislumbre de seu amor por Elanor (o nome élfico de uma flor em Lórien), a mais velha de seus filhos, que por uma estranha dádiva possui a aparência e a beleza de uma donzela-élfica: nela, todo o seu amor e anseio pelos Elfos resolve-se e é satisfeito. Ele está ocupado, contente, muitas vezes prefeito do Condado e esforçando-se para terminar o Livro Vermelho, começado por Bilbo e quase completado por Frodo, no qual todos os eventos (contados em O Hobbit e O Senhor [dos Anéis]) estão registrados. A história como um todo termina com Sam e sua esposa, de pé do lado de fora de Bolsão, enquanto seus filhos dormem, olhando para as estrelas no céu fresco de primavera. Sam fala de sua bem-aventurança e contentamento à esposa, e entra, mas, ao fechar a porta, ele escuta o sussurro do Mar nas costas do mundo.

Fica claro, com base nas palavras "vemos Sam entre seus filhos", que meu pai estava se referindo à primeira versão do Epílogo.

Outras pessoas o persuadiram a omitir o Epílogo na publicação de *O Senhor dos Anéis*. Numa carta para Naomi Mitchison datada de 25 de abril de 1954 (*Cartas*, n. 144), ele escreveu:

> As crianças Hobbits eram encantadoras, mas receio que os únicos vislumbres delas neste livro se encontrem no início do vol. I. Um epílogo com um vislumbre adicional (embora de uma família particularmente excepcional) tem sido tão universalmente condenado que não vou inseri-lo. É preciso parar em algum lugar.

Ele parece tanto ter aceitado essa decisão quanto se arrependido dela. Em 24 de outubro de 1955, alguns dias depois da publicação de *O Retorno do Rei*, escreveu o seguinte a Katherine Farrer (*Cartas*, n. 173):

> Ainda sinto o quadro incompleto sem alguma coisa sobre Samwise e Elanor, mas não pude desenvolver algo que não teria destruído o final mais do que as pistas (possivelmente suficientes) nos apêndices.

Primeira cópia da carta do Rei

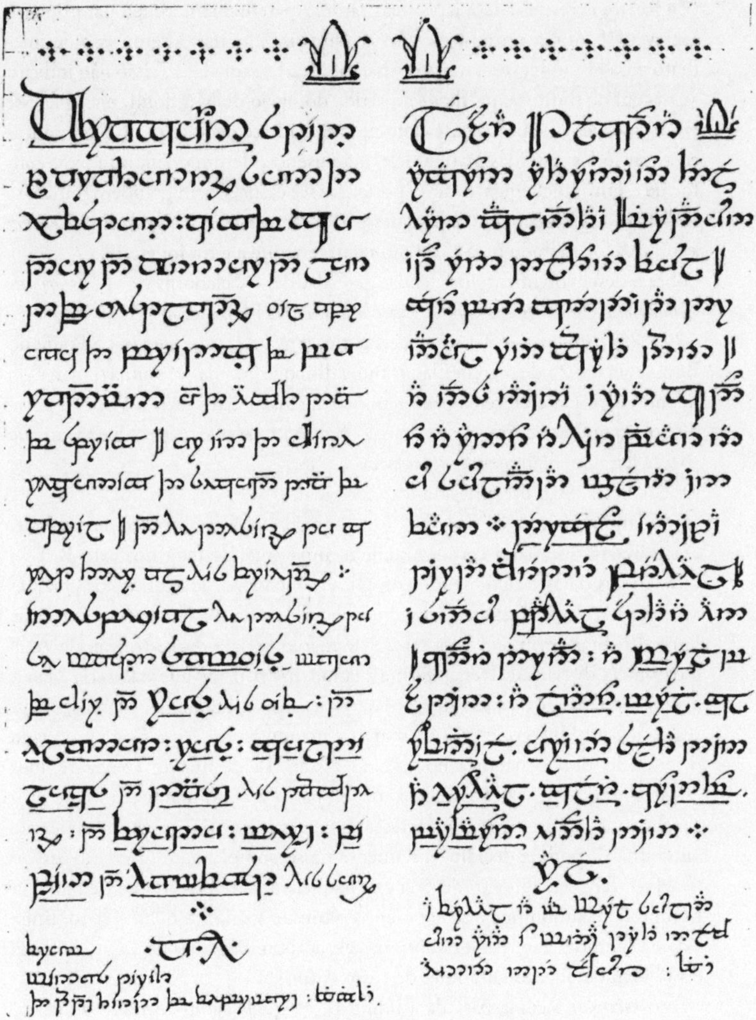

Terceira cópia da carta do Rei

NOTAS

[1] O texto do "Epílogo" começa no alto de uma página, mas isso é só porque as palavras "'Bem, estou de volta', disse ele" estão no pé da página precedente.

[2] "1436" foi acrescentado a lápis mais tarde. Aparentemente, meu pai primeiro escreveu "E numa certa noite, Mestre Samwise ...", mas alterou isso de imediato para "E numa certa noite de março, Mestre Samwise ..." Isso não indica a passagem de muitos anos desde a partida do navio de Mithlond, mas que esse era o caso fica imediatamente claro na mesma frase de abertura ("e as crianças estavam todas reunidas à volta dele"); a ausência de uma data no texto, conforme escrito inicialmente, deve, portanto, ser casual e sem grande significado.

[3] *Keleborn*: imediatamente acima desse trecho o nome foi grafado *Celeborn*; aqui, o *K* foi alterado para *C* no momento em que a letra foi escrita.

[4] Sobre o desenvolvimento das lendas de Galadriel e Celeborn, ver *A História de Galadriel e Celeborn* em *Contos Inacabados*, Parte Dois, seção IV.

[5] *18 [> 25] de março*: o Rei tinha declarado, em sua carta, que viria à Ponte do Brandevin em 25 de março; Elanor tinha dito que era "daqui a uma semana"; e, quando meu pai escreveu a passagem de conclusão, Sam dizia a Rosa na porta de Bolsão que a data era "18 de março". Sobre a mudança para o dia 25, ao que parece feita imediatamente, ver a nota 7.

[6] Os colchetes estão presentes no texto original.

[7] A mudança, na carta do Rei, de 25 de março para 2 de abril, foi, na verdade, e à primeira vista com certa estranheza, uma emenda feita no texto B. Essa questão das datas é algo menor, complicado e passível de explicação. Quando meu pai escreveu o texto A, o grande dia da vinda do Rei para o norte, na Ponte do Brandevin, era para ser 25 de março, a data da destruição do Anel e da queda de Sauron (ver p. 84); e Elanor diz (p. 153) que isso seria "daqui a uma semana", de modo que a data da conversa de Sam com seus filhos, registrada no Epílogo, era 18 de março. Quando Sam e Rosa ficaram do lado de fora do Bolsão naquela noite, Sam disse: "18 de março. Dezessete anos atrás . . ." (p. 152). Meu pai alterou "18" para "25" no manuscrito A (e provavelmente, ao mesmo tempo, acrescentou as palavras "Nessa época (dezessete anos atrás)", porque decidiu, justamente nesse ponto, que o fim de *O Senhor dos Anéis* (em seu epílogo) deveria cair naquela data (e possivelmente também porque se recordou que esse era o aniversário de Elanor, o qual, é claro, tinha sido escolhido pela mesma razão); mas ele acabou não adiando a data na carta do Rei em parágrafos anteriores do texto A (p. 152).

Ao escrever a cópia passada a limpo B, na qual seguiu A muito de perto, ele esqueceu momentaneamente essa decisão e repetiu a data da vinda do Rei à ponte do texto anterior, 25 de março. Mais tarde, conforme ia escrevendo o texto B, ele se deu conta de que essa data agora era errônea e a alterou para 2 de abril; assim, no fim de B, Sam diz (tal como o fez em A): "25 de março! Neste dia, dezessete anos atrás ..."

A resposta de Elanor à pergunta de Pippin "Quando é 2 de abril?" foi alterada mais tarde, no texto B, de "daqui a uma semana" para "dá uma semana a partir de amanhã", frase que aparece no texto datilografado C. Isso, entretanto, é um erro, já que faz com que março tenha 31 dias; a expressão "daqui a uma semana" foi reinserida na segunda versão do Epílogo, p. 162.

[8] Número "58" para o capítulo: a base da numeração revisada de capítulos para o Livro Seis não está clara para mim. A sequência prosseguia de 52, "A Torre de Kirith Ungol" (p. 43), até 60, "Os Portos Cinzentos" (p. 144), mas em alguns dos capítulos esses números foram reduzidos em duas unidades; aqui, a redução é em três unidades.

[9] O nascimento de Elanor em 25 de março (1421) é mencionado no esboço original de "Os Portos Cinzentos", p. 142.

[10] Nessa segunda versão Sam está fazendo anotações, as quais são citadas e que são uma parte essencial do Epílogo, para preencher as páginas vazias no fim do Livro Vermelho; e parece estranho que o título "O Fim do Livro", tão adequado para a segunda versão, tenha sido usado — e rejeitado — no caso dos textos B e C da primeira versão (p. 154).

[11] Essa emenda foi feita apenas no texto datilografado. Segundo "A Árvore dos Antepassados de Mestre Samwise" no Apêndice C, Margarida Gamgi nasceu em 1433, e Prímula, em 1435; Bilbo Gamgi nasceu no ano do Epílogo, 1436, e foi seguido por mais três filhos, chegando ao total de treze.

[12] Uma nota de rodapé quando o nascimento de Elanor é registrado em *O Conto dos Anos* afirma: "Ela se tornou conhecida como 'a Bela' por causa de sua formosura; muitos diziam que ela parecia mais uma donzela-élfica que uma hobbit. Tinha cabelos dourados, o que era muito raro no Condado; mas duas outras filhas de Samwise também os tinham, e da mesma forma muitas dentre as crianças nascidas naquela época". Cf. a referência em "Os Portos Cinzentos" às crianças de cabelos dourados nascidas no Condado no ano de 1420 (RR, p. 1455; ver p. 146, nota 1).

[13] *Papai Sam*: a expressão, usada pelos filhos de Sam, foi inserida na primeira versão do texto B.

[14] No manuscrito, "respondeu Sam" é seguido pela frase "mordendo o suporte da pena"; esse detalhe provavelmente foi omitido sem querer, tal como outras frases que depois foram retomadas e reinseridas no texto datilografado.

[15] Sam, sem dúvida, estava pensando no fim da canção de Gimli em Moria, que lhe causou forte impressão: (SA, p. 447):

> Nas águas profundas jaz a coroa
> Até que de Durin o sono se escoa.[A]

Ou então ele pensou nas palavras de Gimli quando Frodo e Sam observaram, junto com ele, o Espelhágua: "Ó Kheled-zâram, belo e maravilhoso! Ali jaz a coroa de Durin até que ele desperte." "'O que você viu?', indagou Pippin e Sam, mas este estava demasiado imerso em pensamentos para responder" (SA, p. 475).

[16] As palavras de Elanor se referem a RR, p. 1401 ("Muitas Despedidas"): "Mas Celeborn disse: 'Parente, adeus! Que tua sina seja diversa da minha e que teu tesouro permaneça contigo até o fim!'" Para a forma original do adeus de Celeborn a Aragorn, ver p. 88.

[17] Não conheço nenhuma outra referência a essa viagem de Aragorn para o norte nos primeiros anos de seu reinado.

[18] No manuscrito (que traz formas em *ai*, emendadas mais tarde, nos nomes *Iorhail*, *Perhail*, *Panthail*), Elanor chama seu pai de *Panthail-adar*.

[19] *daqui a só uma semana*: ver a nota 7, no final.

[20] A transliteração feita por meu pai é *ar ennas i aran Gondor ar Arnor ar Hîr iMbair Annui aníra* ...

[21] 61 = 16, isto é, ano 16 da Quarta Era, o que significa que a Quarta Era começou em 1421 (ver o Apêndice D de *O Senhor dos Anéis*, no final).

[22] Em todos os textos de "Os Portos Cinzentos", desde o mais inicial dos esboços, Sam dizia a Rosa, quando retornava ao Bolsão, a frase "Bem, estou de volta". "Bem, voltei" não significa a mesma coisa.

Apêndice

Desenhos de Orthanc e Fano-da-Colina

Quando escrevi o Volume VIII, *A Guerra do Anel*, fugiu-me inteiramente (e infelizmente) da memória o fato de que havia vários desenhos não publicados de Orthanc e do Fano-da-Colina na Biblioteca Bodleiana. Como eles são de grande interesse, reproduzo-os finalmente aqui, como um último apêndice da história de *O Senhor dos Anéis*.

O desenho superior da página chamada aqui de "Orthanc I" mostra uma concepção essencialmente similar àquela do pequeno esboço "Orthanc 3", reproduzido em VIII. 49 e descrito no primeiro manuscrito do capítulo "A Voz de Saruman", VIII. 79–80. Nele, a torre tinha como fundação um enorme arco que se estendia pela grande fenda na rocha; lances de escadas levavam, dos dois lados, a uma plataforma estreita sob o arco, de onde mais escadas levavam "a portas escuras de cada lado, abrindo-se à sombra dos pés do arco". Mas, no presente desenho, a rocha de Orthanc é enormemente maior em relação à torre do que em "Orthanc 3"; a torre tem apenas três níveis (sete em "Orthanc 3" e na descrição associada a ele, VIII. 48–9); e os chifres no topo são muito menores.

No desenho inferior dessa página, mostrando o Círculo de Isengard em Nan Gurunír entre os braços das montanhas, vê-se a característica descrita no esboço original do capítulo "A Estrada para Isengard", mas rejeitada no primeiro manuscrito completado (VIII. 23–4, nota 23): o lado oeste do Círculo era formado pelo próprio paredão da montanha. A letra C mais escura corresponde a uma mudança feita no nome do Vale do Mago, com *Nan Gurunír* passando a ser *Nan Curunír*.

A página "Orthanc II" traz dois designs do "teto de Orthanc"; e em "Orthanc III" pode-se ver o surgimento da concepção final, na qual a "rocha" do lugar passa a ser ela própria a "torre". O desenho da direita, de fato, já foi publicado antes: foi usado em *The Lord of the Rings Calendar 1977* e aparece também em *Pictures by J.R.R. Tolkien*, n. 27 (ver VIII. 61, nota 26).

As duas páginas de desenhos do Fano-da-Colina não são fáceis de interpretar, especialmente no caso de "Fano-da-Colina I" (para as concepções iniciais sobre esse lugar e os primeiros esboços que o retratam, ver VIII. 282 e seguintes). Acerca de "Fano-da-Colina I", pode-se dizer, pelo menos, que essa ideia sobre os arredores do Forte nunca foi descrita verbalmente. Ao que parece, o caminho que serpenteava, subindo do vale, passava perto do topo da encosta através da grande porta em primeiro plano e entrava num túnel com subida íngreme, ascendendo por degraus dentro da encosta, cuja ponta pode ser vista emergindo de uma grande abertura ou buraco na área plana acima dele. O menir isolado, mencionado pela primeira vez no texto F da versão original do capítulo "A Convocação de Rohan" (VIII. 295) e posicionado no chão cercado de pedras do Forte, pode ser visto; mas, como não há sinal das fileiras de postes de pedra atravessando o planalto (nem dos Homens-Púkel nas viradas do caminho ascendente), eu ficaria inclinado a datar esse desenho como posterior aos primeiros esboços do capítulo e aos pequenos rascunhos da área reproduzidos em VIII. 287, mas anterior à escrita do texto F.

Um traço muito misterioso desse desenho é a linha ondulada embaixo, à esquerda, escondendo uma das curvas do caminho.

O desenho superior da página "Fano-da-Colina II" tem uma semelhança geral, na disposição do lado da montanha, com o desenho colorido que aparece na guarda, mas a similitude termina aí. Naquela outra imagem, uma linha dupla de enormes postes de pedra cruza o planalto desde a beira da encosta até uma fenda escura na montanha, onde a estrada marcada ali desaparece; e eu sugeri (VIII. 300) que a fenda é "'o portão do Forte', o 'Forte' propriamente dito, o 'recesso' ou 'anfiteatro' com portas e janelas na encosta da parte de trás, que não é invisível nessa imagem." No presente desenho, os Homens-Púkel são vistos nas viradas do caminho que sobe do vale; no alto da encosta, a estrada continua a serpentear, mas as viradas agora são marcadas por pedras pontudas. Depois disso se vê uma extensão reta atravessando o campo do planalto, que não está marcada com pedras; e a estrada, passando (aparentemente) entre duas pedras ou pilares, leva até o Forte, no qual a porta que adentra a encosta atrás dele pode ser vista. No desenho da parte esquerda inferior, os Homens-Púkel reaparecem, e no desenho da direita uma linha dupla de pedras com formato cônico passa pelo planalto e chega ao Forte, com uma única pedra levantada no meio do "anfiteatro".

Minha inferência é que o desenho superior nessa página mostra um estágio no desenvolvimento do Fano-da-Colina no qual os Homens-Púkel já tinham surgido, mas não a fileira dupla de pedras: elas são vistas, no momento em que são imaginadas pela primeira vez, em um dos esboços inferiores. No que diz respeito às evidências dos manuscritos, "Fano-da-Colina I", portanto, estaria ligado a, mas não chegaria a preceder, o texto F de "A Convocação de Rohan", no qual tanto os Homens-Púkel (então designados como Homens-Hoker) quanto as fileiras de pedras estão presentes.

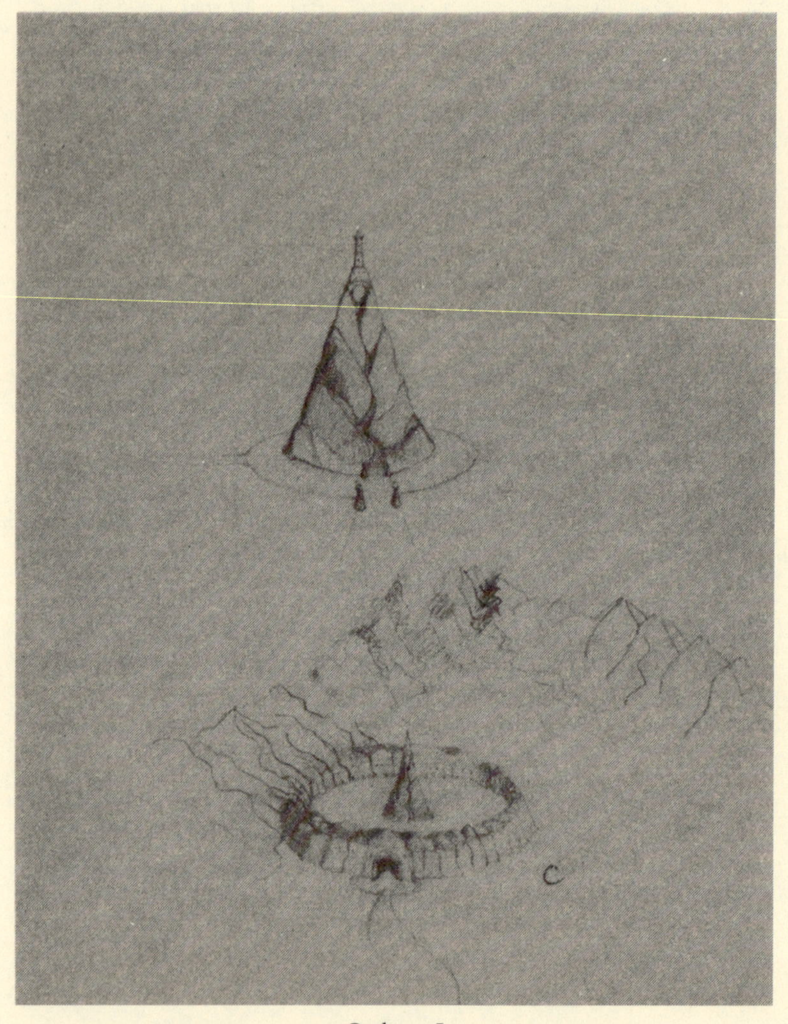

Orthanc I

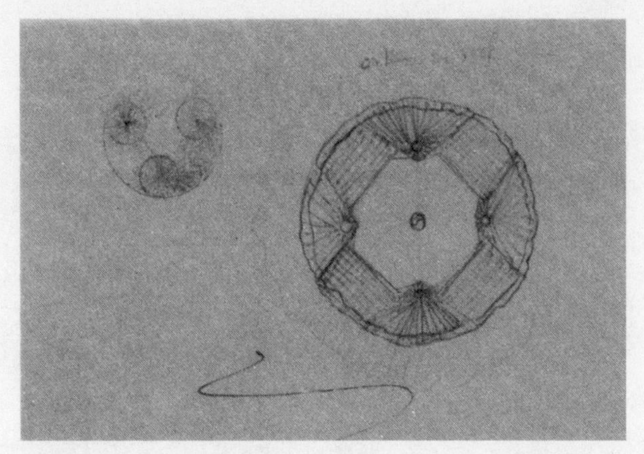

Orthanc II

Orthanc III

Fano-da-Colina I

Fano-da-Colina II

PARTE DOIS

OS DOCUMENTOS DO CLUBE NOTION

Os Documentos do Clube Notion

Introdução

Em 18 de dezembro de 1944, quando *O Senhor dos Anéis* tinha alcançado o final daquilo que iria se tornar *As Duas Torres* (e algumas páginas dos capítulos "Minas Tirith" e "A Convocação de Rohan", no começo do Livro V, tinham sido escritas), meu pai me escreveu (*Cartas*, n. 92) dizendo que tinha visto C.S. Lewis naquele dia: " Seu quarto (ou quinto?) romance está tomando forma, e parece provavelmente ir de encontro ao meu (meu terceiro vagamente planejado). Tenho tido muitas ideias novas sobre a Pré-História ultimamente (via Beowulf e outras fontes sobre as quais eu posso ter escrito) e quero trabalhá-las na história há muito adiada de viagem no tempo que comecei. C.S.L. está planejando uma história sobre os descendentes de Set e Caim." As palavras dele são tremendamente difíceis de interpretar; mas com "ir de encontro ao meu" ele certamente quis dizer que os temas dos livros dos dois eram bastante próximos.[1]

O que quer que esteja por trás da afirmação, pode-se ver que ele, nessa época, estava voltando seus pensamentos para uma tentativa renovada de escrever "a história de viagem no tempo" que desembocaria, um ano mais tarde, n'*Os Documentos do Clube Notion*. Em sua carta a Stanley Unwin de 21 de julho de 1946 (*Cartas*, n. 105), ele disse ter a esperança de, muito em breve, "realmente poder... escrever", de voltar a *O Senhor dos Anéis* onde o tinha abandonado, mais de um ano e meio antes: "Agora terei de estudar minha própria obra para conseguir retomá-la", escreveu ele. Mas, na mesma carta, disse:

> [...] em uma quinzena de relativo tempo livre por volta do Natal passado, escrevi três partes de outro livro, fazendo uso de um escopo completamente diferente e ajustando o pouco que havia de valor na incipiente *Estrada Perdida* (que certa vez tive

o atrevimento de mostrar ao senhor: espero que a tenha esquecido), além de outras coisas. Eu esperava terminá-lo rapidamente, mas minha saúde ficou debilitada após o Natal. Um tanto tolo mencioná-lo até que esteja terminado. Porém, estou colocando *O Senhor dos Anéis*, a continuação do *Hobbit*, antes de tudo mais, exceto das obrigações das quais não posso esquivar-me.

Até onde fui capaz de descobrir, não há nenhuma outra referência a *Os Documentos do Clube Notion* em qualquer lugar dos escritos de meu pai.

Mas a quantidade da escrita que constitui *Os Documentos do Clube Notion*, bem como a quantidade de textos associados a eles, não podem, de maneira alguma, ter sido o resultado de uma quinzena de trabalho. Para substanciar essa afirmação, e uma vez que este é um lugar conveniente para oferecer ao leitor essa informação tão necessária, apresento aqui os fatos essenciais sobre as relações textuais de todo esse material, junto com algumas indicações breves sobre seu conteúdo.

Conforme o desenvolvimento de *Os Documentos do Clube Notion* prosseguia, meu pai dividiu a obra em duas partes, a segunda das quais nunca foi completada; e, embora no final ele tenha rejeitado essa divisão,[2] achei que seria desejável, em todos os aspectos, preservá-la neste livro. A Parte Um era intitulada "Os Resmungos de Michael Ramer: *Além do Planeta Tagarela*" e consistia num relato, em discurso direto, das discussões de dois encontros sucessivos[3] do "Clube Notion" em Oxford, no futuro distante em relação à época em que o texto foi escrito. Na primeira dessas ocasiões, a conversa girou em torno do problema do veículo, da máquina ou do aparelho, pelo qual "viajantes espaciais" são transportados até seu destino, especialmente quanto à credibilidade literária propriamente dita desse aparato e a seu efeito sobre a história contida nessas jornadas; na segunda, a respeito da qual o relato é muito mais longo, um dos membros, Michael Ramer, expôs suas ideias acerca de "sonhos verdadeiros" e suas experiência de "viagem espacial" em sonhos.

O manuscrito mais antigo, aqui chamado de "**A**", é um texto completo da Parte Um. Foi escrito com relativo descuido e estilo apressado, sem título nem "composição do cenário" em tom explicativo, e não contém datas; mas, embora o texto fosse passar por muitas expansões e melhoramentos, a estrutura e o movimento essencial dos diálogos já estava presente em larga medida.

O segundo manuscrito, "**B**", também é um texto completo da Parte Um, mas é muito mais completo do que o A, e (com muitas mudanças e acréscimos) faz grandes avanços em direção à forma final. Aqui também os dois encontros, quando o texto foi escrito originalmente, não têm datas, e os números atribuídos aos encontros implicam uma história muito mais longa para o Clube do que a sugerida mais tarde. Quanto ao título ou prolegômeno complexo dessa versão, ver p. 188.

O terceiro manuscrito, "**C**", foi feito com uma caligrafia delicada, mas não está propriamente completo: vai até a frase de Ramer "Então parece mesmo existir pelo menos uma outra estrela com planetas que a acompanham" (p. 257), e está claro que nada mais foi escrito nesse texto (o qual, aliás, precisaria de dias para ser colocado no papel).

Um texto datilografado "**D**", feito por meu pai, é a forma final da Parte Um. Numa seção do texto, entretanto, D parece ter precedido C, já que contém alguns elementos de B que foram alterados para aqueles presentes em C; mas quase não há dúvidas sobre a forma final do texto e, onde elas existem, as diferenças são totalmente triviais. Onde o texto C termina, o texto datilografado segue a versão B, com o lugar da transição marcado no manuscrito B. (Um segundo texto datilografado — o qual, creio, não foi feito por meu pai — chegou a ser iniciado, mas foi abandonado depois umas poucas páginas; essa versão não tem valor independente.)

A Parte Dois, intitulada "O Estranho Caso de Arundel Lowdham", registra mais alguns encontros do Clube Notion, continuando os da Parte Um. Essa segunda Parte é dedicada principalmente à intrusão da Matéria de Númenor nas discussões do Clube Notion, mas nesse caso só existem dois textos, um manuscrito ("**E**") e uma versão datilografada ("**F**"). Ambos terminam no mesmo ponto, com o encontro seguinte do Clube marcado e datado, mas não escrito.

O texto datilografado F é um documento complexo, pois meu pai rejeitou uma parte substancial dele ("**F 1**") logo depois de escrevê-la, substituiu esse trecho ("**F 2**") e depois continuou até o fim, de modo que a estrutura do texto passou a ser F 1, F 1 > F 2, F 2 (ver p. 290 e nota 37).

No caso de ambas as Partes, mas especialmente na Parte Dois, há certa quantidade de rascunhos descuidados e sem continuidade, muitas vezes quase ilegíveis.

Enquanto a Parte Dois estava recebendo novas elaborações (isto é, depois que o manuscrito E, até onde chegou, foi completado), o idioma adunaico* emergiu (ao que parece), com um relato abandonado, mas complexo, de sua fonologia, e *pari passu* com *Os Documentos do Clube Notion* meu pai não apenas escreveu um primeiro esboço de uma versão inteiramente nova da história de Númenor como também a desenvolveu em outros textos: trata-se de *A Submersão de Anadûnê*, na qual todos os nomes estão em adunaico.

Como tudo isso pode ser equiparado à afirmação dele na carta a Stanley Unwin, de julho de 1946, de que "três partes" da obra tinham sido escritas em quinze dias no começo de 1945? Obviamente é impossível, nem mesmo supondo que, quando ele disse "uma quinzena", tenha subestimado muito o tempo de trabalho. Ainda que não seja demonstrável, parece-me que uma explicação extremamente provável é que, ao fim daquela quinzena, ele parou de trabalhar no meio da composição do manuscrito E, no ponto em que *Os Documentos do Clube Notion* terminam, quando o adunaico ainda não tinha surgido. Muito provavelmente a Parte Um chegara ao estágio do manuscrito B.[4] Segundo essa visão, o desenvolvimento posterior do que tinha sido então escrito na Parte Um, e de modo especial na Parte Dois (que tinha associação próxima com o idioma adunaico e a escrita de *A Submersão de Anadûnê*), corresponde ao ano seguinte, o começo de 1946. Contrário a essa visão, claro, é o fato de que a carta a Stanley Unwin na qual meu pai se refere aos *Documentos* foi escrita em julho de 1946, mas essa carta não dá a impressão de ele ter trabalhado mais nos textos depois que "minha saúde ficou debilitada após o Natal". Mas é preciso lembrar que *O Senhor dos Anéis* tinha ficado parado por mais de um ano e meio, e é bem possível que ele estivesse profundamente dividido entre o desenvolvimento do adunaico e de Anadûnê e a pressão de terminar o manuscrito abandonado de *O*

**Adunaico* é a ortografia constante nessa época (não *adûnaico*), e é assim que grafo o termo em todo o livro.

Senhor dos Anéis. Ele não precisava detalhar para Stanley Unwin o que de fato andara fazendo! Mas disse que estava "colocando *O Senhor dos Anéis* antes de tudo mais", o que, sem dúvida, significava "*Agora vou colocar* o livro antes de tudo mais", e isso incluía o adunaico. Aos *Documentos do Clube Notion*, então interrompidos, ele nunca voltou.

Os elementos variados e cambiantes em todo esse trabalho, em especial o material linguístico, complexo, porém essencial, fizeram com que a construção de uma edição diretamente compreensível fosse extremamente difícil, exigindo muitos experimentos entre as possíveis formas de apresentação dos textos. Já que *Os Documentos do Clube Notion* estão sendo publicados agora pela primeira vez, os textos datilografados finais D, da Parte Um, e F, da Parte Dois, obviamente têm de ser os impressos aqui, e isso cria dificuldades de apresentação (é claro que é muito mais fácil começar com um rascunho original e compará-lo, por meio de passos consecutivos, a uma forma final que já é conhecida). As duas Partes estão separadas, com notas que seguem cada uma delas. Depois do texto dos *Documentos*, apresento seções importantes que foram rejeitadas ou alteradas significativamente no texto final, formas iniciais dos fragmentos "númenóreanos" que foram "transmitidos" a Arundel Lowdham e do texto em inglês antigo escrito por seu pai, bem como reproduções dos "fac-símiles" desse texto com análises sobre a versão em *tengwar*.

Embora o texto final da Parte Dois dos *Documentos* e *A Submersão de Anadûnê* tenham conexões íntimas entre si,[5] especialmente no que diz respeito ao adunaico, qualquer tentativa de combiná-los numa única apresentação cria uma confusão inextricável; o segundo desses textos, portanto, será discutido de forma inteiramente separada na terceira parte deste livro, e no meu comentário sobre a Parte Dois dos *Documentos* não achei útil fazer referências contínuas ao que vem depois em *A Submersão de Anadûnê*: as inter-relações entre as duas obras emergem de forma mais clara quando se chega à segunda narrativa.

Há alguns aspectos da moldura narrativa dos *Documentos*, presente no Prefácio do Editor, o Sr. Howard Green, bem como a lista de membros do Clube Notion, que é melhor discutir aqui, e não no comentário.

O Prefácio

O manuscrito original A, da Parte Um, como já foi apontado, não tem título nem declaração introdutória de nenhum tipo, mas começa com as palavras "Quando Ramer tinha terminado de ler seu conto mais recente..." A primeira página do manuscrito B começa assim:

Mais longe que Lewis
Ou
Além do Planeta Tagarela

Fragmento de uma Saga dos Inklings apócrifa, produzida por um imitador em algum momento dos anos 1980.

Prefácio dirigido aos Inklings

Enquanto escutam esta fantasia (se o fizerem), imploro que o presente grupo não procure seus próprios rostos no espelho. Pois o espelho está rachado e, na melhor das hipóteses, vocês verão apenas seus semblantes distorcidos e adornados, talvez, com narizes (e outros detalhes) que não são os seus, mas pertencem a outros membros do grupo — se é que pertencem a alguém.

Noite 251
Quando Michael Ramer tinha terminado de ler seu conto mais recente...

Esse trecho recebeu muitas emendas, foi riscado e depois substituído por uma nova página de rosto separada (feita quando o texto B tinha sido completado):

Mais Longe que a Probabilidade[6]
Ou
Além do Planeta Tagarela

Os Resmungos de Ramer
As Noites 251 e 252 de *Os Documentos do Clube Notion*

[Pouco se sabe sobre este livro raro, exceto que parece ter sido escrito depois de 1989, como uma imitação apócrifa do *Livro de Sagas dos Inklings*. O autor se identifica com o personagem designado, na narrativa, como Nicholas Guildford; mas Titmouse mostrou que se trata de um pseudônimo e que foi tirado de um diálogo medieval, antigamente estudado nas Escolas de Oxford. Sua identidade real continua desconhecida.]

Um aparte à audiência. Enquanto escutam esta mixórdia (se o fizerem), imploro que o presente grupo não procure seus próprios rostos no espelho. Pois o espelho está rachado...

Depois disso vem uma lista das pessoas que aparecem na narrativa (ver p. 191). Parece claro que, no estágio em que o texto B foi escrito, a intenção de meu pai era muito menos complexa do que acabou se tornando; talvez pretendesse criar, no que diz respeito à forma, nada mais do que um *jeu d'esprit** para entretenimento dos Inklings — enquanto os títulos parecem enfatizar que o texto tinha intenção de ser, em parte, um veículo para crítica e discussão de aspectos dos romances "planetários" de Lewis. Talvez se recordasse do método espirituoso e criativo que Lewis arquitetou para fazer sua crítica de *A Balada de Leithian* em 1930 (ver *As Baladas de Beleriand*, pp. 184–5). Até onde consigo verificar, não há indicação de que, nesse estágio, ele previa a forma que a Parte Dois dos *Documentos* assumiria, e há evidências claras do contrário (ver pp. 341–3).

Há vários esboços de um relato mais circunstanciado sobre os *Documentos* e sobre como foram descobertos, os quais precedem a forma complexa do texto final que vem a seguir. Diz-se que foram descobertos na Imprensa Universitária, prestes a serem reciclados, mas ninguém sabia como tinham ido parar lá; ou que foram achados "na editora dos Srs. Whitburn e Thoms".[7]

O diálogo medieval do qual foi tirado o nome Nicholas Guildford é *A Coruja e o Rouxinol*, um debate em verso escrito

*Uma brincadeira espirituosa e complexa, em geral de natureza linguística ou literária. [N.T.]

entre 1189 e 1216. Diante da pergunta da Coruja sobre quem deve escolher entre eles, o Rouxinol responde que *Maister Nichole of Guldeforde* é a escolha óbvia, já que ele é prudente, virtuoso e sábio, e um ótimo juiz de qualidade musical.

A Lista de Membros

No alto de uma página escrita antes do manuscrito A, que quase certamente é o primeiro registro da passagem de abertura da Noite 60 dos *Documentos* (ver p. 262, nota 7), meu pai escreveu estes nomes:

Ramer Latimer Franks Loudham Dolbear

Debaixo de *Ramer* ele escreveu "Eu", mas riscou a palavra, depois "CSL" e "To", mas também os riscou. Debaixo de *Latimer* escreveu "T", debaixo de *Franks* "CSL", debaixo de *Loudham* "HVD" (Hugo Dyson) e debaixo de *Dolbear* "Havard".

Essa é a única identificação propriamente dita de membros do Clube Notion com membros dos Inklings a ser achada. O nome *Latimer* (correspondente a *Guildford*) continuou sendo o do "relator" do Clube no manuscrito A; vem do francês antigo *latinier* ("Latinador", falante de latim), com o significado de intérprete. *Loudham* (o sobrenome está escrito assim nos textos A e B, bem como, de início, no manuscrito E da Parte Dois) obviamente seria Dyson mesmo sem "HVD" escrito embaixo (ver Humphrey Carpenter, *Os Inklings*, p. 262); e já que *Franks* (que só se torna *Frankley* no terceiro texto, o C) aqui é Lewis, suponho que meu pai sentisse que o nome era apropriado para o personagem. Os dois outros nomes presumivelmente eram "significativos", mas não sei qual era a sua significância. *Dolbear* é um sobrenome incomum, mas havia uma farmácia em Oxford chamada Dolbear & Goodall, e recordo que meu pai achava o nome particularmente interessante; pode ser que ele achasse que Dolbear, o farmacêutico, fosse comicamente apropriado para retratar Havard, ou Havard como ele ia apresentá-lo. *Ramer* é muito intrigante; e aqui não há uma identificação precisa do personagem com um dos Inklings na lista. Os vários dicionários de sobrenomes ingleses que consultei não contêm o nome. A única hipótese que consigo formular é que meu pai derivou o sobrenome do verbo dialetal *rame*, que tem estes significados no *Oxford English Dictionary*: "berrar, gritar em alta voz, urrar; ficar emitindo o mesmo grito, continuar a repetir a mesma coisa; conseguir algo ao pedir insistentemente; repetir, retomar"; cf. também o *English Dialect Dictionary*, ed. de Joseph Wright (livro que conhecia muito bem; considerava-o "indispensável", *Cartas* n. 6), *ream* verbo 3, também *raim*, *rame* etc., que traz acepções semelhantes e também a de "dizer tolices, delirar". Mas a ideia parece um tanto forçada.

De qualquer modo, essa lista é interessante por sugerir que meu pai começou com a ideia de uma série de "equivalências" definidas — distorcidas, sem dúvida, mas reconhecíveis. Mas acho que esse plano se desfez muito rapidamente, porque ele descobriu que não serviria a seu propósito; e nem mesmo no mais antigo dos textos parece haver qualquer associação com Inklings individuais que fosse mais clara do que a existente na forma final dos *Documentos*, com a possível exceção de Lowdham. Em A, suas intervenções se limitam à pilhéria brincalhona, e o interesse que ele mostra pelo "solar antigo" e pelos nomes que Ramer dava a outros mundos na forma mais tardia da Parte Um (pp. 247–50) é atribuído a Dolbear no texto A (e, no texto B, a Guildford).

Essas equivalências não serviriam ao propósito de meu pai porque, em "Os Resmungos de Ramer", ele desejava dar a suas próprias ideias um escopo, na forma de discussão e argumentação, que elas nunca teriam de fato num encontro real dos Inklings. O conhecimento profissional e os interesses intelectuais dos membros do Clube Notion são tais que fazem com que esse simpósio seja possível. Na p. 188, apresentei a segunda versão de uma página de rosto, na qual, depois do "aparte à audiência", advertindo-os para "não procurar seus próprios rostos no espelho", segue-se uma lista dos membros do Clube. Nesse estágio, apenas seis são listados (mais Cameron); e, desses seis, Ramer é professor de fino-úgrico, Guildford é um filólogo comparativo e Loudham tem "interesse especial em islandês e anglo-saxão", enquanto o farmacêutico Dolbear "reflete sobre a psicanálise e aspectos relacionados da linguagem". Nesse estágio, Frankley é professor-assistente de francês, cargo modificado para Professor-associado Clarendon de Literatura Inglesa, "com gosto pelas literaturas românicas e desgosto quanto a coisas germânicas", enquanto o que se diz sobre o cargo e os interesses de Jeremy lembra muito o que está na lista final. Ramer, Jeremy, Guildford e Frankley têm "gosto pelos romances de viagem no Espaço e no Tempo".

A lista ampliada de membros na versão final (pp. 200–2), a maioria dos quais nem chega a aparecer como figurante, serve, suponho, ao propósito de criar a impressão de que há um grupo mais amorfo em torno dos personagens principais. O monge polímata Dom Jonathan Markison tem conhecimentos bastante recônditos sobre as origens germânicas, enquanto Ranulph Stainer aparece na Parte Dois como um observador cético e de ar superior que acompanha os estranhos acontecimentos. O sobrenome do aluno de graduação aparentemente sem falas, John Jethro Rashbold,* é uma tradução de *Tolkien* (*Toll-kühn*: ver *Cartas*, n. 165 e nota 1). Na Parte Dois, aparece o "velho Professor Rashbold em Pembroke", o estudioso de anglo-saxão descrito por Lowdham como "um velho urso rabugento" (p. 312 e nota 72). Sem dúvida existem outros trocadilhos e outras piadas ocultas na lista de membros.

Meu ponto de vista é que seria até inútil buscar alguma "equivalência intelectual" com personagens históricos, para não falar de um retrato propriamente dito (para uma lista daqueles que iam com frequência — mas não todos no mesmo período — aos encontros dos Inklings, com biografias breves, ver Humphrey Carpenter, *The Inklings*, Apêndice A). O fato de que Lowdham é "barulhento" e com frequência faz piadas em momentos impróprios foi derivado de Dyson (mas ele era mais espirituoso que Lowdham), embora Lowdham seja a própria antítese de Dyson em seus conhecimentos e interesses; não há dúvida de que o *horror borealis*† de Frankley também seja uma reminiscência de Dyson, ainda que seja profundamente antidysoniano ler obras medievais sobre São Brandão (p. 323). Em rascunhos anteriores da lista de membros, Dolbear não tem cargo na Universidade e, com seu cabelo e barba ruivos e seu apelido no Clube (ver *Cartas*, n. 56), pode ser visto como um tipo de paródia de Havard. Mas essas coisas são marginais em relação às ideias expostas e debatidas nos *Documentos*; essencialmente, os membros do Clube Notion são fictícios, e isso fica mais óbvio na Parte Dois.

Quase nenhuma frase ficou inteiramente inalterada entre o texto A e o texto D da Parte Um, mas, nas minhas notas, todo esse desenvolvimento é, em grande parte, ignorado quando (como na

---

* *Rashbold* é literalmente algo como "temerário-ousado", mais ou menos o mesmo significado de *Toll-kühn* em alemão. [N.T]

† Em latim, "horror ao norte", ou seja, à cultura do norte da Europa. [N.T.]

maior parte dos casos) trata-se de uma questão de melhoramento da expressão ou de amplificação dos argumentos. Do mesmo modo, a atribuição de falas aos personagens passou por muitas mudanças a partir dos textos iniciais, mas, em geral, não as registro.

Neste livro, não entro em nenhuma discussão crítica sobre os tópicos e as questões levantados em "Os Resmungos de Michael Ramer". Em parte é porque não tenho qualificações para discuti-los, mas também porque eles ficam um tanto fora do escopo e do objetivo de *A História da Terra-média*, os quais são, acima de tudo, apresentar textos corretos, corretamente organizados (até onde sou capaz de fazê-lo), e elucidá-los de modo comparativo, dentro do contexto da "Terra-média" e das regiões do Oeste. Com tempo muito limitado à minha disposição, neste livro achei que seria melhor dedicar meus esforços, de qualquer modo, ao esclarecimento das complexidades do material "númenóreano". As notas, portanto, têm escopo muito restrito e frequentemente são triviais em relação ao conteúdo da discussão, preocupando-se, em geral, com a elucidação de referências que podem ser obscuras e difíceis de acompanhar, com a comparação com as formas iniciais de certas passagens e com a citação de outros escritos de meu pai. Não imagino que muitos leitores deste livro não conheçam os romances de C.S. Lewis *Além do Planeta Silencioso* (1938), *Perelandra* (1943) e *Aquela fortaleza medonha* (1945), mas providenciei algumas explicações e referências.

Não sei por que meu pai abandonou *Os Documentos do Clube Notion*. Pode ser que ele tenha achado que a obra havia perdido totalmente a sua unidade, que a "Atlântida" tinha quebrado a moldura na qual havia sido posta (ver pp. 341–2). Mas também creio que, tendo se forçado a voltar a *O Senhor dos Anéis* e conduzido o livro até o fim, depois disso ele foi levado a realizar o trabalho extremamente complexo de revisar as lendas dos Dias Antigos, o qual precedeu a publicação propriamente dita da Saga do Anel. Seja como for, o Clube Notion foi abandonado e, com ele, sua tentativa final de incorporar o enigma de Ælfwine e Eadwine num "conto sobre o tempo". Contudo, a partir desses *Documentos* esquecidos, e da estranha figura de Arundel Lowdham, emergiu uma nova concepção da Queda de Númenor, incorporada numa tradição diferente, que viria a constituir um elemento importante do *Akallabêth* muitos anos depois.

NOTAS

[1] Numa nota a essa passagem da carta de meu pai, Humphrey Carpenter comenta: "O próximo romance de Lewis a ser publicado após *Aquela fortaleza medonha* e *O grande divórcio* foi *O leão, a feiticeira e o guarda-roupa*. No entanto, Tolkien está se referindo quase que certamente a algum outro livro de Lewis que nunca foi terminado". *O grande divórcio* foi publicado em 1946; Lewis leu o livro em voz alta para os Inklings em abril e maio de 1944 (*Cartas* n. 60, 69, 72).

Pode-se mencionar aqui que meu pai evidentemente tinha discutido com Lewis o tema dos "sonhos verdadeiros": um elemento importante da trama de *Aquela fortaleza medonha* é a "tendência a sonhar coisas reais" de Jane Studdock, nas palavras da senhorita Ironwood (Capítulo 3), e é muito difícil que isso seja mera coincidência. Presume-se que também não seja coincidência a presença de tantas menções a "Numinor" em *Aquela fortaleza medonha* (publicada em 1945); ver p. 366 e nota 15.

[2] No texto final D da Parte Um, o cabeçalho da primeira página (depois de "Folhas dos Documentos do Clube Notion), "Parte I / Os Resmungos de Michael Ramer / *Além do Planeta Tagarela*" foi riscado. O texto final F da Parte Dois não tem cabeçalho no início. Uma folha de rosto feita a lápis, que aparentemente acompanhava o manuscrito E, traz os dizeres "Folhas dos Documentos do Clube Notion / II / O Estranho Caso de Arundel Lowdham".

[3] O relato brevíssimo de um encontro anterior foi acrescentado no início do texto durante o desenvolvimento da Parte Um.

[4] Um indicador disso é o fato de que em B o nome é grafado como *Loudham* em todo o texto; em E, começa sendo escrito como *Loudham*, mas passa a ser *Lowdham* durante a composição do manuscrito; em C, a forma é *Lowdham* desde o começo. Ver também p. 342.

[5] Cf. a relação próxima entre o manuscrito de *A Estrada Perdida* e o texto original de *A Queda de Númenor*, V. 16.

[6] *Mais Longe que a Probabilidade* [*Beyond Probability*] é um trocadilho com *Beyond Personality*, título do livro de Lewis que foi publicado em 1944.

[7] É possível perceber que *Whitburn* (*e Thoms*) é uma brincadeira com o nome *Blackwell*, do livreiro e editor de Oxford, porque o nome original da empresa dele era *Basil Blackwell e Mott*.*

* *Blackwell* quer dizer algo como "nascente negra" em inglês, enquanto o nome *Whitburn* usado por Tolkien quer dizer "riacho branco", parodiando assim o nome original. Já *Thoms* equivale a *Mott* lido ao contrário. [N.T.]

Folhas
dos

DOCUMENTOS DO CLUBE NOTION

editadas por
Howard Green

Segunda edição

MMXIV

Folhas dos Documentos do Clube Notion

PREFÁCIO

Estes Documentos têm uma história um tanto intrigante. Foram achados depois dos Exames de Verão de 2012 em cima de alguns sacos de papel descartado no porão das Examination Schools* de Oxford pelo presente editor, o Sr. Howard Green, Administrador das Schools. Estavam num pacote desorganizado, frouxamente amarrado com uma linha vermelha. A folha de cima, com o seguinte texto em grandes maiúsculas lombardas:

DOCUMENTOS DO CLUBE NOTION

atraiu a atenção do Sr. Green, que os tirou de lá e os analisou. Descobrindo que continham muitas coisas que, para ele, eram curiosas e interesses, fez todas as pesquisas possíveis, sem resultado.

Os Documentos, a julgar pelas evidências internas, claramente não tinham nenhuma conexão com quaisquer exames feitos ou palestras dadas nas Schools durante os muitos anos do Sr. Green em seu cargo. Tampouco pertenciam a qualquer uma das bibliotecas que o prédio abriga. A publicação de anúncios não foi suficiente para se achar alguém que declarasse ser o dono dos documentos. Ainda não se sabe como eles foram parar no saco de papel descartado. Parece provável que, em algum momento, eles tenham sido preparados para publicação, porque em muitos pontos eles apresentam notas; contudo, em sua forma, não são nada mais do que um complexo livro de minutas de um clube, dedicado a conversas, debates e à discussão de "documentos", em prosa ou verso, escritos e lidos por seus membros, e muitos dos registros não têm nenhum interesse especial para quem não é membro.

As minutas, ou relatórios, provavelmente cobriam cerca de 100 encontros ou "noites" durante os anos do século passado,

* Prédio da Universidade de Oxford construído no fim do século XIX para abrigar salas dedicadas aos exames finais da instituição, hoje usado também para conferências e eventos. [N.T.]

aproximadamente entre 1980 e 1990. Entretanto, um dos fatos mais curiosos acerca desses Documentos é que nenhum clube com esse nome parece ter existido. Embora certas semelhanças entre um grupo de acadêmicos imaginários e seus contemporâneos verdadeiros sejam inevitáveis, nenhuma pessoa como aquelas aqui retratadas, seja com os mesmos nomes, os mesmos cargos, ou os mesmos gostos e hábitos, pode ser encontrada na Oxford da geração passada ou do momento presente.

O autor parece se identificar, em uma ou duas passagens, ou nas notas ocasionais, com o personagem designado nos diálogos como Nicholas Guildford. Mas o Sr. J. R. Titmass, conhecido historiador da Oxford do século XX, que ofereceu toda a assistência possível ao presente editor, mostrou que esse nome é certamente fictício e foi derivado de um diálogo medieval que, em certa época, era estudado nas Escolas de Oxford.

A análise demonstrou que o pacote continha 205 páginas de almaço, todas escritas pela mesma mão, com uma caligrafia cuidadosa e normalmente legível. As folhas estavam desarrumadas, mas a maioria tinha sido numerada. O pacote contém os registros das Noites 51 a 75, mas eles estão danificados, e várias páginas parecem ter se perdido; alguns dos registros mais longos estão incompletos. É provável que três outros pacotes, contendo as Noites 1–25, 26–50 e 76–100, tenham existido. Das seções faltantes, entretanto, somente algumas páginas esparsas foram achadas no saco, e essas, até onde se pode discernir, pertenciam originalmente aos registros 1–25. Entre elas estava uma página amassada e com muitas correções, feita de um papel diferente, contendo uma lista de membros.

O total, nessa escala, teria correspondido a um volume de peso considerável, mas seu tamanho será superestimado se o cálculo se basear na extensão dos extratos aqui impressos. Muitas Noites estão representadas apenas por algumas linhas ou por registros curtos, dos quais as Noites 54 e 64 foram incluídas como exemplos. Via de regra, esses itens curtos foram omitidos, a não ser que tenham relação próxima com os relatos mais longos aqui selecionados e apresentados àqueles que se interessam por curiosidades literárias.

Nota sobre a Segunda Edição

O Sr. W. W. Wormald, da Escola de Bibliopolismo, e o Sr. D.N. Borrow, do Instituto de Línguas Ocidentais, tiveram sua curiosidade despertada pelos extratos publicados, e pediram permissão ao Sr. Green para examinar o manuscrito dos Documentos. Enviaram então um relatório conjunto, que levanta algumas questões interessantes.

"O papel desse tipo", escrevem eles, "é, claro, muito difícil de rastrear ou datar. As folhas que nos foram submetidas são de má qualidade, muito inferior ao atual papel de uso geral para tais propósitos. Sem nos aventurarmos a emitir uma opinião definitiva, registramos a suspeita de que essas folhas são muito mais antigas do que as datas dos supostos encontros do Clube, talvez entre 40 e 50 anos mais antigas, pertencendo, isto é, ao período durante a Guerra dos Seis Anos, ou imediatamente posterior a ela. Essa suspeita é apoiada por várias evidências internas, notadamente as expressões dos diálogos, que são antiquadas e não representam com nenhuma fidelidade a linguagem dos anos 1980 ou do tempo presente. Concluímos, portanto, que *Os Documentos do Clube Notion* foram escritos sessenta anos atrás ou mais.

Não obstante, adotando-se essa hipótese, resta explicar o intrigante fato de que a Grande Explosão de 1975 é citada no texto e, de modo ainda mais preciso, a Grande Tempestade, que de fato ocorreu na noite de 12 de junho de 1987,[1] uma quinta-feira, embora certas imprecisões apareçam no relato apresentado sobre o desenrolar e os efeitos do segundo evento. O Sr. Green propôs uma explicação curiosa para esse empecilho, evidentemente sugerida a ele pelo conteúdo dos Documentos: os eventos futuros, crê ele, foram "previstos". Na nossa opinião, uma solução menos romântica, mas mais provável, é esta: o papel é parte de um estoque adquirido por um residente de Oxford por volta de 1940. Ele usou o papel para suas minutas (sejam elas fictícias ou com base em fatos), mas não usou todo o seu estoque. Muito mais tarde (depois de 1987), copiou seu texto de novo, usando até o fim o papel antigo; e, embora não fizesse nenhuma revisão geral, alterou as datas para frente e inseriu as referências genuínas à Explosão e à Tempestade."

O Sr. Green retruca: "Essa é uma das 'soluções prováveis' mais fantasiosas que já encontrei até hoje, ainda que não se leve em conta a improbabilidade de que papéis de qualidade inferior sejam armazenados por cerca de cinquenta anos e depois usados para o mesmo propósito de novo. O autor, creio eu, não era um homem muito jovem; mas a caligrafia certamente não é a de um homem idoso. Contudo, se o autor não era muito jovem em 1940, ele devia ser idoso, muito idoso, no ano 2000. Pois é essa data, e não 1987, que devemos examinar. Há um detalhe que escapou à atenção dos Srs. Wormald e Borrow: a casa antiga do n. 100 da Banbury Road, a última construção residencial naquele quarteirão, de fato foi o cenário de 'assombrações',* uma demonstração impressionante de atividade poltergeist, entre os anos 2000 e 2003, a qual só terminou quando a casa foi demolida e um novo edifício, ligado ao Instituto de Nutrição Nacional, foi erigido no local. No ano de 2003, uma pessoa de posse do papel, dos hábitos de escrita† e do linguajar do período da Guerra dos Seis Anos seria uma esquisitice que nenhum pseudônimo conseguiria ocultar de nós.

"De qualquer forma, a Tempestade é parte integral de todos os registros entre a Noite 63 e a Noite , [*sic*] e não foi simplesmente 'inserida'. Os Srs. Wormald e Borrow precisam ou negligenciar as próprias evidências que levantaram e datar toda a composição dos textos depois de 1987, ou então se ater às suas próprias suspeitas bem fundamentadas sobre o papel, a caligrafia e o linguajar, e admitir que alguma pessoa ou pessoas dos anos 1940 tinham um poder de 'previsão'.

"O Sr. Titmass me informou não ter conseguido achar registro algum, nos anos 1940, dos nomes apresentados na lista. Se, portanto, algum clube desse tipo existiu naquele período, os nomes são pseudônimos. A datação futura pode ter sido adotada como um disfarce adicional. Mas agora estou convencido de que os Documentos são uma obra de ficção; e pode muito bem ser que as predições (em especial a Tempestade), ainda que genuínas e não mera coincidência, tenham sido inconscientes, o que nos traz mais

---

* Ver Noite 61, p. 224.

† O próprio Sr. Wormald, que é uma espécie de especialista nessa matéria, antes de propor sua "solução provável", arriscou-se a opinar que a caligrafia dos Documentos, em seu caráter geral, combinava com o linguajar antiquado e pertencia ao mesmo período. O uso de uma caneta, em vez de uma máquina de escrever, por si só já seria muitíssimo incomum para um homem de 1990, qualquer que fosse sua idade.

um vislumbre dos estranhos processos da chamada 'invenção' literária, da qual os Documentos tratam, em larga medida."

MEMBROS DO CLUBE NOTION

O Clube Notion, do modo como é retratado, era informal e tinha fronteiras vagas. Certo número de personagens aparece nos diálogos, alguns de forma mais rara ou distante. Para comodidade dos leitores, a Lista de Membros achada entre os Documentos é apresentada aqui, embora várias das pessoas citadas não apareçam nesta edição. A ordem não é alfabética e parece ter a intenção de representar algum tipo de senioridade: os primeiros seis nomes foram escritos antes, em tamanho maior; o resto foi acrescentado em diferentes momentos e em tintas diferentes, mas pela mesma mão. Também há registros posteriores inseridos depois de alguns dos nomes, detalhando seus gostos ou sua história. Mais alguns detalhes, obtidos a partir dos próprios Documentos, foram acrescentados entre colchetes.

MICHAEL GEORGE RAMER. Jesus College.* Nascido em 1929 (na Hungria). Professor de filologia fino-úgrica, mas mais conhecido como autor de romances. Seus pais voltaram para a Inglaterra quando ele tinha quatro anos, mas Ramer passou bastante tempo na Finlândia e na Hungria entre 1956 e 1968. [Entre seus interesses estão línguas célticas e antiguidades.]

RUPERT DOLBEAR. Wadham. Nascido em 1929. Químico pesquisador. Tem muitos outros interesses, notadamente filosofia, psicanálise e jardinagem. [Amigo próximo de Ramer. Tem cabelos e barba ruivos e é conhecido no Clube como Rufus Raivoso.]

NICHOLAS GUILDFORD. Lincoln. Nascido em 1937. Arqueólogo. Relator do Clube, porque gosta do trabalho e conhece taquigrafia. [Há raros registros de alguma leitura feita por ele para

* "Jesus College" e outros termos que vêm logo depois dos nomes dos personagens (Queen's, Corpus Christi etc.) em geral são designações dos "colleges" da Universidade de Oxford, que costumam reunir alunos de graduação e pós-graduação e professores em pequenas unidades que incluem salas de aula, capelas anglicanas, salas de recreação etc. [N.T.]

o Clube, e nesses casos não há relatos sobre o texto; mas ele parece ter escrito vários romances.]

ALWIN ARUNDEL LOWDHAM. B.N.C. Nascido em 1938. Professor-associado de língua inglesa. Interessado principalmente em anglo-saxão, islandês e filologia comparativa. Ocasionalmente escreve poemas cômicos ou satíricos. [Conhecido como Arry.]

PHILIP FRANKLEY. Queen's. Nascido em 1932. Poeta, chegou a ser bem conhecido como líder do movimento da Métrica Esquisita, mas agora é só um poeta, ainda publicando coletâneas de versos; sofre de *horror borealis* (como o chama) e é intolerante em relação a todas as coisas setentrionais ou germânicas. [Mesmo assim, é amigo próximo de Lowdham.]

WILFRID TREWIN JEREMY. Corpus Christi. Nascido em 1942. Professor-associado de literatura inglesa. Sua especialidade é o Escapismo e já escreveu livros sobre a história e a crítica de *Estórias sobre fantasmas*, *Viagem no tempo* e *Terras imaginárias*.

James Jones. Nascido em 1927. Já foi mestre-escola, jornalista e dramaturgo. Está aposentado, morando em Oxford, e divide seu tempo entre produzir peças e seu hobby, a impressão particular de livros. Um homem muito silencioso, mas auxilia o Relator com sua memória confiável.

Dr. Abel Pitt. Trinity. Nascido em 1928. Ex-Capelão do Trinity College; hoje Bispo de Buckingham. Erudito, ocasionalmente poeta.

Colombo Arditi. St. John's. Nascido em 1940. Professor de italiano da cátedra Tempestosa. Gosta de (e tem certo talento para) cantar (basso), natação e boliche. Coleciona livros e gatos.

Dom Jonathan Markison, O.S.B.[2] New College, Mestre de St. Cuthbert's Hall. [Polímata.]

Sir Gerard Manface. All Souls. Advogado. Alpinista; muito viajado. Tem muitos filhos, para os quais escreveu muitos livros e contos (não publicados). [Raramente aparece. Grande amigo de Frankley, mas não reside em Oxford.]

Ranulph Stainer. University College. Nascido em 1936. Em termos profissionais, especialista em sistema bancário e economia; na vida privada, devota-se à história e à prática da música e compôs várias obras, maiores e menores, incluindo uma ópera (de sucesso moderado): *Midas*.

Alexander Cameron. Exeter. Nascido em 1935. Historiador da modernidade, com interesse especial pela história espanhola e sul-americana. Coleciona moedas e selos. Toca pianola. [Ninguém se lembra de tê-lo convidado para o Clube ou sabe por que ele vem às reuniões, mas ele aparece de tempos em tempos.]

John Jethro Rashbold. Magdalen. Nascido em 1965. Aluno de graduação. Interessado em estudos clássicos; aprendiz de poeta. [Apresentado por Frankley, a quem é muito apegado.]

Nota. Apresenta-se como hábito do Clube o fato de que todos os membros colocam suas iniciais no registro de todos os encontros nos quais estiveram presentes, havendo ou não relatos de que tenham falado. Presume-se que a colocação das iniciais, a qual, nos Documentos preservados, foi feita com a mesma caligrafia do texto, tinha lugar depois que o relatório de N.G. tinha sido visto e passado de mão e mão, e antes que o texto fosse passado a limpo. As iniciais do Sr. Cameron nunca aparecem.

Folhas dos
DOCUMENTOS DO CLUBE NOTION [PARTE UM][3]

Noite 54. Quinta-feira, 16 de novembro de 1986.[4]

Uma noite úmida. Só Frankley e Dolbear chegaram (casa de Dolbear). Dolbear relata que Philip não disse uma palavra que valesse registrar, mas leu para ele um poema ininteligível sobre um Rouxinol Mecânico (ou ele achou que fosse esse o assunto). Frankley relata que Rufus estava sonolento e não parava de rir consigo mesmo. A única coisa claramente audível que ele pronunciou foi *viajando bem fundo, eu acho*. Isso foi em resposta a uma pergunta sobre Michael Ramer, e sobre se D. o tinha visto ultimamente. Depois que F. leu um poema (lido novamente mais tarde) chamado *O Cântico de Artegall*, eles se despediram. R.D. P.F.[5]

[Um ou dois registros mais curtos, preservados de modo incompleto, são omitidos aqui]

Noite 60. Quinta-feira, 20 de fevereiro de 1987.[6] [Incompleto no começo. O conto de Ramer se perdeu.]

[Quando Michael Ramer terminou] de ler seu conto, ficamos sentados em silêncio por algum tempo. Ele não lia nada para nós havia muito; de fato, raramente aparecera nos encontros durante um ano ou mais. Suas desculpas pela ausência, quando dava alguma, tinham sido vagas e evasivas. Nessa ocasião, o Clube tinha mais gente do que de costume, e não estava mais fácil de agradar. Isso não chegava a explicar o nervosismo de Ramer. Ele é um dos nossos membros mais antigos e foi, em certa época, um de nossos apresentadores mais frequentes; mas, naquela noite, leu apressado, enrolando-se e tropeçando. Tanto foi assim que Frankley fez com que ele lesse várias frases de novo, embora essas interrupções, que só pioraram as coisas, tenham sido omitidas acima. Agora, ele estava inquieto.

"E então?", disse por fim. "O que acharam? Será que presta?"

Alguns de nós se mexeram, mas ninguém falou.

"Ah, vamos lá! Prefiro encarar o pior primeiro. O que *você* tem a dizer?", pediu ele, virando-se para Guildford, na cadeira do lado.

"Não sei", respondeu Guildford, com relutância. "Você sabe como eu não gosto de criticar..."

"Nunca notei isso antes", disse Frankley.

"Ora, Nicholas!", riu Lowdham. "Você não gosta disso tanto quanto Philip não gosta de interromper."

"De qualquer modo, não critico frases incompletas", disse Guildford. "Se não tivesse sido interrompido, ia dizer que *não gosto de criticar levianamente e ainda no calor da leitura.*"

"O frio é a sua temperatura mais comum", disse Lowdham.[7]

"Totalmente injusto! Sou um leitor voraz, e gosto de contos."

Seguiu-se um coro de gritos incrédulos, enquanto Guildford mal podia ser ouvido corrigindo suas palavras, primeiro para *Leio uma boa quantidade de histórias e gosto da maioria delas* e finalmente para *Gosto de alguns contos, incluindo um ou dois de Ramer.* "Mas é muito mais difícil", continuou ele, por fim, "dizer algo sobre o *gostar*, especialmente tão cedo. Gostar com frequência é algo muito mais complexo do que desgostar. E é menos necessário dizer algo a respeito com pressa. A sensação de gostar tem um sabor muito duradouro; é algo que pode esperar, com frequência fica melhor depois de ser armazenado um pouco. Mas os defeitos podem se destacar, duros e dolorosos, quando ainda se está muito perto de uma obra."

"Para aqueles que têm tino para vê-los em *todas* as paisagens literárias", atalhou Ramer.

"Existem defeitos menores", Guildford continuou, imperturbável, "que podem, é claro, ser esquecidos ou ignorados por causa da familiaridade; mas é melhor retirá-los enquanto ainda estão frescos."

"Do tipo que Philip corrige de cara enquanto você está lendo?", disse Ramer.

"Sim", respondeu Guildford. "Mas existem falhas mais sérias do que os anacolutos e infinitivos separados dele que também podem acabar passando, quando se deixa o texto endurecer. Pode ser doloroso para o autor que se remova a cegueira do amor paternal, mas parece ser a coisa mais útil a se fazer de imediato. De que vale ficar sentado aqui, ouvindo as coisas antes que elas sejam impressas, se tudo o que devemos fazer é dar tapinhas nas costas do pai e murmurar: *Qualquer filho seu é bem-vindo, Sr. Ramer. É o seu quinquagésimo, certo? Ora, ora! Como todos eles se parecem com o seu querido pai, não é?*"

Lowdham riu. "E o que você está ansioso para dizer, suponho, é: *Por que você não limpa o nariz do fedelho e manda cortar o cabelo dele?*"

"*Ou estrangulá-lo!*", disse Ramer, impaciente.

"Não, sério", protestou Guildford, "só tenho objeções a partes, e não a todo o seu novo bebê, Michael. Só ao primeiro capítulo e ao fim do último, na verdade. Mas é isso! Suponho que ninguém jamais tenha resolvido a dificuldade de chegar, de alcançar outro planeta, não mais na literatura do que na vida. Porque a dificuldade, de fato, é insolúvel, acho. A barreira não pode e jamais será ultrapassada pela carne mortal. De qualquer modo, os capítulos de abertura, a jornada das histórias de viagem espacial, sempre me pareceram os mais fracos. Ciencificção, via de regra: e essa é uma liga sem valor. Sim, é, Mestre Frankley, então não me interrompa! Do mesmo modo que o termo é uma palavra-valise malfeita: uma porcaria para carregar bagagens. E isso vale para a sua máquina também, Ramer. Embora seja um de seus melhores fracassos, talvez."

"Brigado por essa!", rosnou Ramer. "Mas é bem a sua cara, Nicholas, pegar no pé da moldura, que é uma necessidade incômoda das pinturas, e fácil de trocar, de qualquer modo, e não dizer nada sobre o que está dentro dela. Suponho que tenha achado algo a se elogiar dentro: sabemos como você acha isso doloroso. Não é essa a verdadeira razão pela qual você fica adiando o elogio?"

"Bobagem!", disse Guildford. "Achei o que estava dentro muito bom, se quer mesmo saber. Embora tenha sentido que havia algo muito estranho ali."

"Claro que sentiu!"

"Quero dizer *estranho* vindo de você. E na ambientação. Pois você não vai se livrar com essa desculpa da moldura. A moldura de um quadro não é um bom paralelo. A maneira como um autor chega a Marte (digamos) é parte da *sua* história do *seu* planeta Marte; e parte de *seu* universo, até onde ele aparece naquele conto em especial. É parte da pintura, mesmo se estiver apenas numa posição marginal; e pode afetar seriamente tudo o que está dentro dela."

"Por que afetaria?", disse Frankley.

"Bem, se há espaçonaves de qualquer tipo no seu universo imaginado, você fracassou na hora de vendê-lo para mim, para começar", respondeu Guildford.

"Isso aí é levar longe demais a sua mania antimáquinas", disse Lowdham. "Será que os pobres escritores podem incluir coisas das quais *você* não gosta em suas histórias?"

"Não estou falando de desgostar no momento", Guildford retrucou. "Estou falando de *credibilidade*. Não gosto de guerreiros heroicos, mas consigo aguentar histórias sobre eles. Acredito que existam, ou que poderiam existir. Não acho que espaçonaves existam, ou que poderiam existir. E, de qualquer modo, se você fingir que elas existem, vão colocar você em tipos de aventuras com espaçonaves. Se você tem cabeça espaçonávica e ciencifictícia, ou mesmo se deixar que seus personagens sejam assim, é bastante provável que encontre coisas dessa ordem no seu novo mundo, ou veja apenas as paisagens que interessam a tal gente."

"Mas isso não é verdade", objetou Frankley. "Não é verdade nesse conto de Ramer."

"Geralmente é verdade, desgraçadamente verdade", disse Guildford. "Mas é claro que há uma via de escape: rumo à inconsistência, ao desacordo. Ramer segue essa via, como Lindsay,[8] ou Lewis, ou os melhores escritores pós-Lewis desse tipo de coisa. Você *pode* desembarcar de uma espaçonave em outro mundo e depois jogar fora essa bobagem, se tem algo melhor para fazer lá do que a maioria dos escritores mais antigos tinha. Mas, pessoalmente, desgosto dessa ideia fortemente. Ela faz com que o trololó ciencifictício fique ainda pior em comparação. Torpedos de cristal, e 'retrorraios', e alavancas para ir a toda velocidade (mais rápido do que a luz, veja bem), são ruins o suficiente dentro de uma daquelas revistas horrendas — frutos do Mar Morto com cascas chamativas; mas dentro de, digamos, *A Voyage to Arcturus*[*] eles são simplesmente chocantes. Mais ainda por serem desnecessários. David Lindsay pelo menos tinha dois outros métodos melhores

[*] Esse livro foi resgatado recentemente do esquecimento pela obra de Jeremy sobre *Terras Imaginárias*. Ver o relato de sua leitura de partes do livro para o Clube acima, Noites 30, 33, 40 [não preservadas]. A maioria dos membros conhece bastante bem os livros do século XX sobre viagem no Espaço e no Tempo. NG.

na manga: a conexão por sessões espíritas ou a sugestão da torre sombria no final. Graças aos céus, de qualquer modo, não houve retorno via torpedo de cristal naquela história!"[9]

"Mas o truque em *Além do Planeta Silencioso*, o de fazer com que o herói fosse sequestrado por vilões de espaçonave para explicar como um homem interessante foi parar dentro de uma, não é ruim", disse Frankley. "E a vilania estúpida da gente da espaçonave foi essencial. Eles se comportaram como se espera desse tipo de pessoa, e a trama depende disso."

"Não é ruim, concordo", disse Guildford. "Ainda assim foi, como você diz, um truque. E não foi de primeira, não se você quer a credibilidade literária direta, o produto puro, em vez de uma liga que mistura alegoria e sátira. Ramer não está buscando uma liga lewisiana desse tipo; e creio que seu artifício de fazer com que um artista inteligente entre numa parafernália por acidente, sem saber o que ela é, não passa de mero truque. Mas a minha real objeção, em qualquer história do tipo, independente dos detalhes, é ao fingimento de que essas parafernálias poderiam existir ou funcionar de algum modo. Elas são indefinidamente menos prováveis — para carregar corpos e mentes humanas vivas e intactas — do que as coisas mais delirantes das estórias de fadas; mas fingem ser prováveis num nível mais material e mecânico. É como ter de levar a sério os desenhos Heath-Robinson."*

"Mas você precisa ter algum tipo de caminhão de mudanças", argumentou Frankley, "ou então passar sem esse tipo de história. Elas podem não ser a sua guloseima preferida, Nicholas, mas tenho certo apetite por elas; e não vou deixar que você me faça passar sem elas."

"Você pode chafurdar em revistas de ciencificção, pouco me importa", disse Guildford; "mas eu preciso ter alguma crença literária no meu caminhão de mudanças, ou não vou colocar minha mobília dentro dele. Até hoje nunca encontrei um desses veículos que suspendesse minha descrença um centímetro acima do chão."

"Bem, a sua descrença evidentemente precisa de um guindaste", disse Frankley. "Deveria dar uma olhada em alguns dos

*William Heath Robinson (1872–1944), cartunista britânico cujos desenhos retratam máquinas complicadas com funcionamento improvável. [N.T.]

Velhos Mestres esquecidos, como Wells, se é que já ouviu falar dele. Admito que aquilo que seus primeiros homens encontraram na Lua foi uma decepção depois da jornada. Mas a máquina e a jornada foram esplêndidas. É claro que não acredito num isolante de gravitação fora da história, mas dentro dela funcionou, e Wells usou um bocado bem a ideia. E viagens podem levar a cidadezinhas portuárias sujas e vulgares e, mesmo assim, valer muito a pena."

"Não seria fácil deixar passar o nome de Wells com Jeremy sempre por aqui", disse Guildford. "E *sim*, eu li *Os Primeiros Homens na Lua* e *A Máquina do Tempo*. Confesso que em *A Máquina do Tempo* o desembarque foi tão maravilhoso que eu seria capaz de perdoar um meio de transporte ainda mais ridículo — embora seja difícil pensar em um! De todo modo, a máquina foi um defeito; e não estou nem um pouco convencido de que foi um defeito necessário. E se tivesse sido removido — o efeito sobre a coisa toda! Melhora enorme, mesmo no caso daquela história fora de série.

"Sem dúvida os autores têm tanta pressa para chegar lá quanto nós; mas a avidez não é desculpa para o descuido. E, de qualquer jeito, somos mais velhos. Podemos tolerar nos primitivos a sua engenhosidade: não podemos imitá-la. Não é sempre assim? O que poderia funcionar antes não vai mais funcionar. Eu costumava ler com gosto romances nos quais o herói se enfurnava no Ermo, cruzando montanhas e desertos, sem suprimento de água. Mas hoje sinto que esse procedimento é fajutagem."

"Essa palavra não existe", disse Frankley.

"Calado!", disse Lowdham.

"Quero que meu herói enfrente suas aventuras no Ermo, tanto quanto sempre quis, mas também quero sentir que o autor encarou as dificuldades e não as ignorou ou trapaceou. Normalmente isso é bem melhor para a história a longo prazo.

"Certamente admito que, se permitir que Wells invente sua 'cavorita',[10] ele fará bom uso dela. Se eu fosse um menino quando o conto era novo, deveria ter permitido isso e apreciado a história. Mas não posso fazer isso agora. Sou um leitor pós-Wells. E não estamos fazendo uma crítica do trabalho dele, mas de Ramer, por usar, nesta data muito mais tardia, um artifício bastante similar. Qualquer um que abordar viagens no espaço agora precisa ser muito mais convincente — isso se de fato uma máquina convincente for possível neste momento. O domínio sobre a energia aumentou de modo prodigioso, mas os problemas se tornaram mais complexos, e não mais simples. Os cientistas não podem destruir a fé e a esperança simples e ainda assim tomá-las para si mesmos. Um isolante de gravitação não vai resolver o problema. A gravidade não pode ser tratada desse jeito. Ela é fundamental. É uma afirmação feita pelo Universo sobre onde você está no Universo, e o Universo não pode ser enganado por um sobrenome com *ita* grudado no fim, nem por nenhum outro tipo de abracadabra.

"E quanto ao efeito de ser disparado de um campo gravitacional para outro, passando pela gravidade zero? Mesmo que numa jornada tão elementar quanto a ida para a Lua?"

"Ah! Dificuldades desse tipo vão ser resolvidas, lógico", disse Frankley. "Pelo menos é o que diz a maioria dos cientistas que se ocupam com projetos espaciais."

"Cientistas são tão dados a pensar (e falar) com base nos próprios desejos quanto outros homens, especialmente quando estão pensando a respeito de suas próprias esperanças românticas, e não das suas", disse Guildford. "E gostam de revelar vistas vagas e vastas diante dos basbaques quando estão atuando como profetas públicos."

"Não estou falando desse tipo de cientista", explicou Frankley. "Existem pessoas quietas, que não gostam de publicidade, médicos bastante científicos, por exemplo, que vão lhe dizer que o seu coração e os seus arranjos digestivos, e tudo o mais, funcionariam direito mesmo que, digamos, em gravidade zero."

"Imagino que digam", disse Guildford. "Embora eu ainda ache difícil de acreditar que uma máquina como o nosso corpo, feita para funcionar em condições terrestres definidas, de fato continuaria rodando alegremente quando essas condições fossem muito alteradas — e isso por muito tempo, ou permanentemente. Veja quão rapidamente nós murchamos, mesmo neste globo, se somos transferidos para alturas ou temperaturas incomuns. E o efeito da gravidade muito *aumentada* é meio que abafado, não é?* Contudo, afinal de contas, é isso o que você teria mais probabilidade de encontrar no fim da sua jornada."

---

*Não, é claro, na Ciencificção. Nela, o problema normalmente é exorcizado com um mero abracadabra em forma "científica" falsa. N.G.

"É verdade", disse Lowdham. "Mas as pessoas deste século abençoado pensam principalmente na viagem e na velocidade, não na chegada, ou na colonização. É melhor viajar 'cientificamente', na verdade, do que chegar a algum lugar; ou o veículo justifica a jornada."

"Sim, e é a *velocidade* que realmente me incomoda", disse Guildford, "mais do que essas outras dificuldades. Não duvido da *possibilidade* de mandar um foguete para a Lua. Os preparativos foram muito atrasados pela Grande Explosão,[11] mas dizem que estão nos trilhos de novo. Eu até admito a eventual possibilidade do pouso de seres humanos não danificados na paisagem lunar — embora o que eles farão lá seja algo dúbio. Mas a Lua é muito paroquial. Foguetes são tão lentos. Dá para ter esperança de viajar tão rápido quanto a luz, de ao menos chegar perto disso?"

"Não sei", respondeu Frankley. "Não parece provável no momento, mas não acho que todos os cientistas ou matemáticos responderiam essa pergunta com um *não* definitivo."

"Não, eles são muito românticos quanto a esse assunto", disse Guildford. "Mas até a velocidade da luz vai ser apenas moderadamente útil. A menos que você adote uma postura shaviana* e considere que todos esses anos-luz e séculos-luz são mentiras cuja magnitude é pouco artística. Do contrário, vai precisar de um plano para alcançar uma velocidade maior que a da luz; muito maior, se quiser ter um alcance prático fora do Sistema Solar. Do contrário, terá pouquíssimas opções de destinos. Quem vai reservar uma passagem para um lugar distante se certamente vai morrer de velho no caminho?"

"As pessoas ainda compram bilhetes das Ferrovias Estatais", disse Lowdham.

"Mas ainda há pelo menos uma chance de chegar de ônibus ou trem antes da morte", observou Guildford. "Não estou pedindo nenhum grau de probabilidade maior do meu autor: só uma possibilidade que não seja completamente contrária àquilo que sabemos."

"Ou achamos que sabemos", murmurou Frankley.

"De fato", concordou Guildford. "E a velocidade da luz, ou certamente qualquer coisa que a exceda, torna-se algo incrível nessa

*Referente a George Bernard Shaw (1856–1950), dramaturgo irlandês. [N.T.]

base, caso você decida ser científico ou, falando mais propriamente, 'mecânico'. De qualquer modo, vai ser assim para qualquer um escrevendo agora. Admito que os critérios de credibilidade podem mudar; embora, até onde consigo ver, a Ciência genuína, enquanto distinta do romantismo mecânico, encurte as possibilidades, ao invés de ampliá-las. Mas ainda me prendo ao meu argumento original: a 'máquina' usada estabelece o tom da história. Eu achava as espaçonaves suficientemente críveis para um gosto mais tosco, até que cresci e passei a querer achar algo mais útil em Marte do que armas de raios e veículos mais rápidos. Espaçonaves podem nos levar a esse tipo de território, sem dúvida. Mas não quero ir para lá. Hoje não há necessidade de viajar para achá-lo."

"Não, mas há certa atração no fato de ser algo que está *muito distante*, ainda que seja horroroso e imbecil", disse Frankley. "Ainda que seja a mesma coisa! Daria para escrever uma boa história — inevitavelmente satírica em seu efeito, talvez, mas sem que isso seja realmente seu caráter principal — a partir de uma jornada na qual se descobre uma réplica da Terra e de seus habitantes."

"Pode ser! Mas será que não estamos misturando um pouco as coisas?", disse Lowdham. "O verdadeiro argumento de Nick, o qual ele parece ter esquecido tanto quanto o resto de nós, é a incoerência — o desacordo. Isso é algo realmente bem distinto do desgosto ou da descrença em veículos mecânicos; embora de fato Nick desgoste deles, sendo críveis ou não. Mas depois ele começou a confundir *probabilidade científica* com *credibilidade literária*."

"Não, não confundi e não confundo", retrucou Guildford. "A probabilidade científica não *precisa* ser importante. Mas *tem* de ser, se você imagina um veículo mecânico. Não é possível criar um mecanismo que seja ao menos suficientemente crível numa história se ele parece absurdamente incrível *como máquina* aos olhos dos seus contemporâneos — aqueles cujas faculdades críticas não ficam atordoadas pela mera menção de uma máquina."

"Está certo, está certo", disse Lowdham. "Mas vamos voltar à incoerência. É o desacordo entre os objetos e as descobertas das melhores histórias e de suas máquinas que incomoda você. E acho que aí você apontou algo importante. Lewis, por exemplo, usou uma espaçonave, mas a reservou para seus vilões, e empacotou seu herói, da segunda vez, num caixão de cristal sem maquinário."

"Nem cá nem lá", comentou Guildford. "Pessoalmente, achei esse meio-termo pouquíssimo convincente. E também foi deliberadamente ineficiente: o pobre Ransom[12] ficou meio torrado sem que houvesse nenhuma boa razão para isso, até onde percebi. O poder capaz de lançar o caixão até Vênus poderia ter projetado um material que deixasse passar a luz sem calor excessivo (é o que se imagina). Achei o caixão muito menos crível que os Eldils,[13] e, considerando a existência deles, desnecessário. Havia uma ou duas páginas de cortina de fumaça sobre a jornada espacial rumo a Perelandra, mas a cortina não foi espessa o suficiente para ocultar o fato de que esse caixão semitransparente era, no fim das contas, apenas um empacotamento material, uma espaçonave especial de um homem só com potência motora desconhecida. Era algo necessário para a história, é claro, para que houvesse a entrega segura do corpo terrestre vivo de Ransom em Vênus: mas esse tipo de entrega de pacote impossível não teve apelo para mim como solução do problema. Como eu disse, duvido que haja uma solução. Mas eu preferiria um velho balançar da varinha de um mago. Ou uma palavra de poder em solar antigo[14] pronunciada por um Eldil. Nada menos do que isso seria suficiente: um milagre."

"Por que usar qualquer coisa, afinal?", o franzino Jeremy perguntou de repente. Até então, tinha ficado sentado no chão, o mais perto do fogo que conseguia, e não dissera nada, embora seus olhos negros de passarinho ficassem saltando de lá para cá entre os que falavam. "As melhores histórias que conheço sobre épocas e terras imaginárias são simplesmente histórias sobre elas. Por que um mago? Ou, pelo menos, por que um mago fora da história verdadeira, só para lançar você dentro dela? Por que não aplicar o método *Era-uma-vez* ao Espaço? É preciso mais do que a magia do próprio autor? Até o velho Nick não é capaz de negar aos autores o poder de ver mais do que os olhos deles conseguem enxergar. Em seus romances, ele se permite observar o que está dentro da cabeça de outras pessoas. Por que não fazer isso com partes distantes do Espaço? É o que o autor realmente precisa fazer, então para que esconder isso?"

"Não, é claro que não nego aos autores o direito de invenção, o de *ver*, se você prefere chamá-lo assim", disse Guildford.

Nesse ponto, Dolbear se mexeu e parecia a ponto de acordar; mas apenas se arrumou mais confortavelmente em sua cadeira, e sua respiração barulhenta continuou, como acontecia desde a parte inicial do conto de Ramer.

"Mas esse é um tipo diferente de história, Jeremy", objetou Frankley. "Muito bom, a seu modo. Mas eu mesmo quero viajar no Espaço e no Tempo; e, portanto, se isso é impossível, quero que as pessoas nas histórias o façam. Quero o contato entre mundos, o confronto com o alienígena. O que você diz, Nick, é que as pessoas não conseguirão deixar este mundo e sobreviver, pelo menos não além da órbita da Lua?"

"Sim, acredito que não conseguiriam, não conseguem e nunca conseguirão."

"Pois muito bem, eis mais uma razão para que haja histórias sobre *conseguiriam* ou *conseguirão*. Alguém poderia achar que você regrediu para toda aquela conversa antiquada sobre escapismo. Tem alguma objeção a contos de fadas?"

"Não, não tenho. Mas eles criam seus próprios mundos, com suas próprias leis."

"Então por que não posso criar os meus e fazer com que suas leis permitam espaçonaves?"

"Porque não seria o seu mundo particular, é claro", disse Guildford. "Decerto essa é a principal questão desse tipo de história, num nível inteligente? O planeta Marte em tal história é Marte: o planeta que de fato existe. E a história é (como você acabou de admitir) um substituto para a satisfação de sua curiosidade insaciável sobre o Universo do modo como ele é. Portanto, uma história de viagem espacial deveria se encaixar, até onde conseguimos ver, no Universo do modo como ele é. Se não se encaixa ou não tenta se encaixar, então se torna mesmo uma estória de fadas — de um tipo inferior. Mas não há necessidade de viajar de foguete para encontrar Feéria. Ela pode estar em qualquer lugar, ou em lugar nenhum."

"Mas suponha que você de fato viajasse, e de fato encontrasse a Terra das Fadas?", perguntou Ramer, de repente. Ele passara algum tempo encarando o fogo, e parecia ter muito pouco interesse pela batalha que se desenrolava à sua volta. Jeremy olhou para ele de boca aberta e se pôs de pé de um salto.

"Mas não usando uma espaçonave, decerto!", gritou. "Isso seria tão deprimente e vulgar quanto o inverso: feito um conto horroroso com o qual topei uma vez, sobre alguns sujeitos que usaram um tapete mágico como fonte barata de energia para puxar um ônibus."

"Fico feliz de ter *você* como aliado!", riu-se Guildford. "Pois você é um pecador endurecido: costuma ler aquele negócio bastardo, a ciencificção, não como vício casual, mas com verdadeiro interesse profissional."

"O negócio é extremamente interessante", disse Jeremy. "Raramente como arte. Seu nível artístico é, via de regra, muito baixo. Mas a literatura pode ter um lado patológico — de qualquer jeito, você já me ouviu falar bastante sobre tudo isso. Nesse ponto, estou com você. Estórias de fadas de verdade não fingem produzir efeitos mecânicos impossíveis por meio de máquinas falsas."

"Não. E se Frankley quer contos de fadas com dragões mecanizados, e fórmulas de charlatão para produzir espadas de poder, ou gás antidragão, ou explicações ciencifictícias da invisibilidade, bom, ele que faça bom proveito. Não! Para chegar a um novo planeta, sua escolha é clara: milagre; magia; ou se ater à probabilidade normal, a única maneira conhecida ou provável pela qual alguém já chegou a um mundo."

"Oh! Então você tinha uma receita própria o tempo todo, não é?", disse Ramer, áspero.

"Não, não é própria, embora a tenha usado uma vez."

"E então? Vamos! O que é?"

"A encarnação. Nascer", disse Guildford.[15]

Nesse ponto, Dolbear acordou. Deu um bocejo alto, ergueu suas pálpebras pesadas, e seus olhos azuis-brilhantes se abriram muito debaixo de suas sobrancelhas ruivas. Tinha dormido audivelmente por muito tempo,* mas nós estávamos acostumados com o barulho, e não nos atrapalhava mais do que o som de uma chaleira chiando no fogo.

"O que tem a dizer sobre isso, Ramer?", perguntou ele. Lançou-lhe um olhar penetrante, mas Ramer não respondeu. Dolbear bocejou de novo. "Estou mais do lado de Nick", disse. "Certamente quanto ao primeiro capítulo, nesse caso."

"Bem, esse trecho foi lido no começo, antes que você se ajeitasse para a sua soneca", disse Lowdham.

---

*Muitas vezes ele ficava dormindo de modo barulhento durante uma longa leitura ou discussão. Mas costumava despertar no meio de um debate e mostrar que tinha a estranha faculdade de dormir e escutar ao mesmo tempo. Dizia que esse era um hábito que o ajudava a economizar tempo, que a participação de longa data no Clube o tinha ajudado a adquirir. N.G.

Dolbear sorriu. "Mas não foi esse capítulo em si que me interessou", disse ele. "Acho que a maior parte da discussão não ia direto ao ponto, ou não ia direto ao ponto imediatamente interessante. A pista mais quente que Nicholas começou a seguir era o *desacordo*, como você mesmo disse, Arry.[16] Isso é o que você deveria retomar agora. É algo que eu sentiria de maneira clara mesmo se as espaçonaves fossem tão tristemente comuns quanto o Serviço de Tráfego Transatlântico. Michael! A sua verdadeira história está *totalmente* fora de compasso com o que você chama de moldura. E isso é estranho vindo de você. Nunca senti um tranco como esse, não em qualquer uma de suas obras. Acho difícil de acreditar que a máquina e o conto tenham sido criados pelo mesmo homem. De fato, não acho que foram. Você escreveu o primeiro capítulo, a viagem espacial, e também a volta para casa (essa parte é bem fajuta, e minha atenção se perdeu): você *bolou* aquilo, como se diz. E, como não tinha experimentado fazer esse tipo de coisa antes, não ficou muito acima da média. Mas não acho que você escreveu a história entre essas duas coisas. O que será que andou aprontando?"

"O que está insinuando?", disse Jeremy. "Foi um texto típico de Ramer o tempo todo, quase todas as frases tinham marcas registradas. E, mesmo se ele quisesse nos enganar com artigos emprestados, onde poderia tê-los conseguido?"

"Você conhece a comichão que ele tem para reescrever histórias bagunçadas de outras pessoas", observou Lowdham. "Embora ele certamente nunca tenta testado uma delas conosco antes, não sem nos contar."

"Sei de tudo isso", disse Jeremy, remexendo-se, irritado. "Quero dizer: de onde ele poderia ter tirado esse conto? Se achou alguma história de viagem espacial publicada que eu não conheço, ele andou fazendo pesquisas bem avançadas. Eu nunca encontrei nada parecido com isso."

"Você não está entendendo", disse Dolbear. "Eu não deveria ter dito *escreveu*. Devia ter dito *bolou, inventou*. Repito: o que será que você andou aprontando, Ramer?"

"Contei uma história", respondeu Ramer, tristonho, fitando o fogo.

"Sim", disse Dolbear. "Mas não tente fazer isso no sentido do jardim da infância, ou a coisa vai ficar feia para o seu lado."

Levantou-se e olhou para todos nós, em volta. Seus olhos estavam muito brilhantes debaixo das sobrancelhas espetadas. Virou-se rapidamente para Ramer. "Vamos!", exclamou. "Abra o jogo! Onde é esse lugar? E como você chegou lá?"

"Não sei onde fica", disse Ramer, baixinho, ainda fitando o fogo. "Mas você tem razão. Fui até lá. Pelo menos... bem, não acho que nossa língua seja adequada para esse caso. Mas existe um mundo como esse, e eu o vi — uma vez." Suspirou.

Ficamos olhando para ele durante um bom tempo. Todos nós — exceto Dolbear, acho — estávamos um pouco alarmados, e com pena. E, na superfície de nossas mentes, havia uma vaga incredulidade, é claro. Contudo, não era bem isso: não sentíamos a emoção subjacente da incredulidade. Pois aparentemente todos nós, em algum grau, tínhamos percebido algo estranho naquela história, e agora reconhecíamos que ela diferia do normal tal como ver difere de imaginar. Senti que era como a diferença entre o vislumbre luminoso de uma paisagem distante — águas feito véus realmente sendo vertidas; o vento remexendo pequenas folhas verdes e soprando as penas de pássaros nos galhos, tal como se pode ver essas coisas através de uma luneta: limitadas, mas claras e coloridas; chapadas e remotas, mas reais e em movimento — entre tudo isso e qualquer pintura. Não era, ao que me parecia, um efeito a ser explicado simplesmente pela arte. E, no entanto, a explicação oferecida era uma bobagem saída das páginas de um romance; ou descobri que era assim que a maioria de nós se sentia naquele momento.

Tentamos fazer mais algumas perguntas, mas Ramer não quis dizer mais nada naquela noite. Parecia desacorçoado, ou cansado: embora não tivéssemos zombado dele. Para aliviar a tensão, Frankley nos leu um poema curto que tinha escrito recentemente. Foi generoso da parte dele, pois era um bom trabalho; mas inevitavelmente não fez muito efeito. Entretanto, é um poema bem conhecido hoje, já que veio a público como abertura do volume que ele publicou em 1989: *Experimentos com Pterodactílicos.*

Fomos embora logo depois da leitura do poema.

"Ramer", eu disse à porta, "*precisamos* ouvir mais sobre isso, se não for incômodo. Não consegue vir na semana que vem?"

"Bem, não sei", começou ele.

"Ah, não fuja para Nova Erewhon ainda!", gritou Lowdham, exagerando um pouco na brincadeira. [Não acho. A.A.L.] "Queremos mais Notícias de Lugar Nenhum."[17]

"Eu não disse que era Lugar Nenhum", disse Ramer, muito sério. "Só que era Algum Lugar. Bem, sim, virei."

Andei com ele parte do caminho para casa. Não conversamos. Era uma noite estrelada. Ele parou várias vezes e olhou para o céu. Seu rosto, pálido naquela hora da noite, tinha uma expressão curiosa, pensei: como um homem num país estranho tentando achar os pontos cardeais e imaginando para que lado fica o seu lar.

Na Turl,[18] despedimo-nos. "Acho que mais histórias não é o que o Clube realmente precisa — ainda", disse eu. "O que eles necessitam, e eu, em especial, quero, é alguma descrição do método, se você conseguir fazê-la." Ramer não respondeu nada. "Bem, boa noite!", eu disse. "Esse foi, de fato, um dos grandes encontros do Clube! Quem imaginaria que, ao perseguir aquela lebre literária da maneira mais crível de começar uma história espacial, eu toparia com a toca de um verdadeiro dragão alado, uma maneira genuína de viajar!"

"Então você acredita mesmo em mim?", perguntou Ramer. "Pensei que todos vocês, menos Dolbear, tivessem achado que eu estava pregando uma peça, ou então tinha ficado doido. Você em especial, Nick."

"Certamente não achei que estivesse pregando uma peça, Michael. Quanto à doideira: bem, em certo sentido, sua afirmação é doida, mesmo se for genuína, não é? Pelo menos isso, se consegui captar algo dela. Embora eu não tenha nada para me guiar além de impressões, e das pistas que consegui extrair de Rufus sobre o que você andou fazendo recentemente. Ele é o único de nós que teve mais contato com você por um bom tempo; mas tendo a imaginar que até ele não sabe muita coisa, certo?"

Ramer riu baixinho. "Você é um sabujo, digo, um sabujo-detetive por natureza, Nicholas. Mas não vou deixar mais nenhuma pegada hoje. Espere até a semana que vem! Então você vai poder examinar a minha cachola e estimar o nível da doideira. Estou cansado."

"Durma bem", disse eu.

"Durmo", disse Ramer. "Muito bem mesmo. Boa noite!"

MGR. NG. AAL. PF. WTJ. RD. JJ.

Noite 61. Quinta-feira, 27 de fevereiro de 1987.[19]

Uma semana depois, estávamos todos juntos de novo, desta vez nos aposentos de Frankley; e até Cameron tinha vindo. Como se verá, até disse alguma coisa nessa ocasião, mais do que o seu "Obrigado por uma noite muito divertida" de sempre. A expectativa geral era de que Ramer ia ler um artigo sobre *Viagem espacial verdadeira*.

Ele foi o último a chegar, e a surpresa agradável é que parecia bastante bem, bastante normal, e não estava nem mesmo com a aparência desgrenhada que costumava ter depois de escrever um artigo. Ele passa uma quantidade assustadora de horas da madrugada escrevendo essas coisas, e queima mais papel do que o que acaba sobrando.

Arry Lowdham[20] ficou dando tapinhas nele e fingiu estar desapontado com o resultado. "Nenhuma maquete!", gritou. "Nenhum croqui de cilindros, esferas nem nada! Nem mesmo um Skidbladnir que sirva de lenço!"[21]

"Ora, nada dessa coisa nórdica, por favor!", gemeu Frankley, que considera que o conhecimento de sua própria língua em qualquer período anterior à Batalha de Bosworth é uma contravenção, e que saber nórdico é um crime.[22]

"Não, nem mesmo um artigo", disse Ramer.

"Por que não?", gritamos todos.

"Porque não escrevi nenhum."

"Ah, não pode ser", protestamos. "Então você estava pregando uma peça o tempo todo?", disse Lowdham.

"Não", disse Ramer. "Mas não vou ler um artigo. Não escrevi nenhum, porque seria um suadouro; e não tinha certeza de que vocês queriam mesmo ouvir algo a respeito. Mas, se quiserem, estou pronto para falar."

"Vamos lá!", dissemos. Frankley o empurrou para uma cadeira e deu-lhe uma caneca de cerveja e uma caixa de fósforos — para que ele riscasse os fósforos, segurasse o palito em cima de um cachimbo apagado e o jogasse fora, como de costume.

"Bem", disse ele depois de um curto silêncio. "A coisa começou faz algum tempo. E os fios da meada podem parecer um pouco desconexos, à primeira vista. As origens foram literárias, é claro, como a discussão da semana passada. Sempre quis tentar escrever uma história de viagem espacial e nunca tinha tido coragem. Era uma das minhas ambições mais antigas, desde que *Além do Planeta Silencioso* foi publicado, quando eu era pequeno. Ou seja, faz um tempo."

"Sim, 1938", disse Cameron,[23] cuja memória é assim mesmo. Duvido que ele tenha lido o livro. As autobiografias de diplomatas modernos não muito importantes são mais o estilo dele. O comentário foi sua única contribuição à conversa.

"Nunca escrevi uma", disse Ramer, "porque sempre ficava incomodado com a maquinaria, num sentido literário: a maneira de chegar até lá. Não necessariamente tinha objeções a máquinas; mas nunca encontrei e não conseguia imaginar um veículo crível para esse propósito. Realmente concordo bastante com Nicholas nesse ponto."

"Bem, você testou uma máquina bem ordinária conosco naquele conto", disse Frankley.

"E parecia bastante chateado comigo por ter objeções a ela", disse Guildford.

"Não fiquei chateado de verdade", disse Ramer. "Um pouco irritado, talvez, como alguém cujo disfarce é percebido rápido demais. Na verdade, estava interessado na maneira pela qual todos vocês sentiram o desacordo: não mais do que eu mesmo senti. Mas achei que precisava contar aquela história a alguém, que era preciso comunicá-la. Queria colocá-la para fora. E, no entanto — no entanto, agora estou bastante arrependido. De qualquer modo, coloquei aquela moldura barata e feita às pressas porque não queria discutir a maneira pela qual topei com a história — pelo menos não ainda. Mas Rufus Raivoso, com o seu 'terceiro grau', acabou me arrastando até aqui."

"Sim, arrastou!", disse Dolbear. "Então continue a sua confissão!"

Ramer fez uma pausa e ponderou. "Bem, pensando sobre métodos de atravessar o Espaço, mais tarde fiquei bastante atraído pelo que poderíamos chamar de conceito telepático — meramente como artifício literário, no começo. Imagino que tenha pegado a ideia naquele livro velho que você me emprestou, Jeremy: *Last Men in London*, ou outro título do tipo.[24] Achei que funcionou bastante bem, embora o *como* da coisa fosse vago demais. Se me lembro bem, os netunianos conseguiam jazer num transe e deixar suas mentes viajarem. Muito bom, mas *como* a mente viaja pelo Espaço ou o Tempo, enquanto o corpo fica estático? E havia outro ponto fraco, do meu ponto de visa: o método parecia necessitar de criaturas racionais com mentes na outra ponta. Mas eu, particularmente, não queria ver — ou, deveria dizer nesse estágio, escrever sobre — o que Lewis chamava de *hnau*.[25] Queria ver coisas e lugares numa escala grandiosa. Esse era um dos fios da trama.

"Outro fio eram os sonhos. E isso também teve uma origem literária, em parte. Porque Rufus e eu há muito tempo nos interessamos por sonhos, especialmente pela criação de histórias e cenas neles, e por sua relação com a ficção desperta. Mas, até onde eu conseguia determinar, havia um bom argumento em favor da visão de que, nos sonhos, uma mente pode se movimentar, e às vezes se movimenta, no Tempo: quero dizer, ela pode observar um tempo diferente daquele ocupado pelo corpo adormecido durante o sonho."

"Mas claro que ela pode, e sem dormir", disse Frankley. "Se ficássemos confinados ao presente, não conseguiríamos pensar de jeito nenhum, mesmo se conseguíssemos perceber ou sentir as coisas."

"Mas eu quero dizer se *movimentar* não pela memória, ou pelo cálculo, ou pela invenção, tal como se pode dizer que a mente desperta se *movimenta*; mas como alguém que percebe aquilo que é externo, algo novo que ainda não está na mente. Pois, se você conseguir ver, em tempos diferentes do tempo do sonhar, o que nunca observou na vida desperta, de modo que aquilo não está na sua memória — ver o futuro, por exemplo, seria um caso claro, e não se pode duvidar razoavelmente que isso ocorre —, então obviamente há uma possibilidade de ver realmente, em primeira mão, o que 'não está lá', o que não está onde seu corpo está."

"Nem mesmo os seus olhos?", perguntou Frankley.

"Ah", disse Ramer, "esse, claro, é um ponto importante. Chegarei a ele mais tarde. Provavelmente é um caso de 'tradução'; mas deixe estar por enquanto. Eu estava pensando principalmente no ato de sonhar, embora não suponha que a possiblidade realmente esteja limitada a esse estado. É só que, se você vive em meio a uma balbúrdia interminável de impressões sensoriais, outros ruídos mais distantes precisam ser muito altos para que sejam ouvidos. E esse *movimento*, ou transferência de observação: ele claramente não fica limitado a Outro Tempo; pode ocorrer em Outro Espaço, ou em ambos. O sonhador não fica confinado aos eventos de Outro Tempo que ocorrem em seu quarto."

"Mas você não esperaria ficar limitado aos lugares onde você mesmo *esteve*, ou *estará*, em Outro Tempo?", perguntou Guildford.

"Essa não é a tradição humana mais comum sobre visões", respondeu Ramer. "Nem é algo apoiado pelos exemplos modernos que foram verificados. E não é essa a minha experiência, como vocês verão. Mas, naturalmente, já pensei sobre esse ponto. Acho, na verdade, que está claro que a mente pode estar em dois lugares ao mesmo tempo: dois ou mais; depois que você chegou a mais de um, o número, talvez, deixa de ser muito importante. Pois suponho que, no que diz respeito à mente, não é possível chegar mais perto de dizer onde ela está do que afirmar onde está a atenção dela. E isso, é claro, pode ser determinado por várias causas, internas e externas.

"É possível usar um tipo de paralelo literário. Acho que é um paralelo pertinente, na verdade; pois não creio que a invenção literária, ou o devaneio literário, está misturado com tudo isso por acidente. Quando você está escrevendo uma história, por exemplo, você consegue *ver* (se for um visualizador vívido, como eu sou, e está visualizando claramente uma cena) dois lugares ao mesmo tempo. Consegue ver (digamos) um campo com uma árvore, e ovelhas se abrigando do sol debaixo dela, e continuar olhando em volta do seu quarto. Você de fato está vendo ambas as cenas, porque consegue recordar detalhes delas mais tarde. Detalhes da cena desperta aos quais não deu atenção, porque você estava *abstraído*: não há dúvida disso. Eu acrescentaria quase certamente: detalhes da cena interna, esmaecidos, porque você, em alguma medida, estava *distraído*.

"Até onde vai a minha própria visualização, sempre fiquei impressionado com a frequência na qual ela parece independente da minha vontade ou mente planejadora (no momento). Com frequência, não há sinal de que eu esteja compondo uma cena ou construindo essa imagem. Ela aparece diante dos olhos da mente, como se diz, de uma maneira que é muito parecida com a abertura dos olhos fechados diante uma visão desperta completa.*[26] Acho difícil, normalmente quase impossível, alterar essas imagens para

*Ramer, mais tarde, disse: "É ainda mais semelhante a rever na memória um lugar onde de fato se esteve; é semelhante à *memória*, qualitativamente, quando comparado a *observar uma vista*, mas na primeira ocasião em que surge na mente, não parece ser uma 'rememoração'." N.G.

adequá-las a mim mesmo, isto é, ao meu propósito desperto. Via de regra, acho melhor e, no fim das contas, mais correto, alterar a história que estou tentando contar para adequá-la às imagens. Isso se as duas coisas se encaixam — nem sempre o fazem, é claro. Mas, de qualquer modo, em tais ocasiões, na verdade você está enxergando dobrado, ou simultaneamente. Você tende a associar as duas visões, a interna e a externa, embora a justaposição delas possa ser, e normalmente é, a única conexão entre elas. Ainda associo uma visão de um estúdio que não é mais meu e de uma pilha de folhas de prova com capas azuis e amarelas (incinerada há muito tempo, espero) com a cena de abertura de um livro que escrevi anos atrás: uma grande moraina no alto das montanhas estéreis."

"Eu sei", disse Jeremy, "o pé da Geleira em *Os Devoradores de Pedra*."[27]

"Acho que se pode entrever uma conexão entre essas duas cenas", disse Frankley.

"É muito difícil achar quaisquer duas coisas que a faculdade de criar histórias seja incapaz de conectar", disse Ramer. "Mas, nesse caso, a cena da história entrou na minha cabeça, como se diz, muito antes da realidade das provas. As duas estão conectadas apenas porque eu estava re-visualizando, revisitando o pé da Geleira de modo muito forte naquele dia."

"Isso não chega a eliminar alguma conexão além da coincidência no tempo", disse Frankley.

"Bem, não importa. O fato é que elas coincidiram", disse Ramer. "E esse é o ponto central no momento. A mente consegue estar em mais de um lugar num dado tempo; mas pode-se dizer mais propriamente que está onde a sua atenção está. E esse, suponho, é um lugar só: no caso da maioria das mentes humanas ou, pelo menos, no da minha mente.

"Mas temo que isso tudo seja uma digressão. Voltando aos sonhos. É claro que a memória de tais sonhos verdadeiros, ou sonhos livres, é notoriamente rara e aleatória, e também fragmentada, via de regra. Mas não é legítimo, claramente é algo errado, assumir que aquilo que as pessoas comuns normalmente recordam sobre o seu sonhar é a maior parte do total, ou a parte mais importante dele. E a vontade de recordar pode ser fortalecida, e a memória pode ser ampliada. Rufus teve uma boa quantidade de experiências nessa direção, e me ajudou de tempos em tempos."

Dolbear se mexeu e abriu os olhos. "Então a suspeita dele não se devia puramente à crítica literária dos desacordos?", disse Frankley.

"Bem, não tenho a mais vaga ideia de onde Michael está querendo chegar, ainda — se é isso o que você quer dizer", explicou Dolbear. "Ou melhor, entendo o que ele está dizendo e concordo mais ou menos, mas o que isso tem a ver com aquela visão de, do que mesmo?"

"Emberü", disse Ramer. "Ainda não percebi", concluiu Dolbear.[28]

"Bem, eis um terceiro fio da trama", continuou Ramer. "Eu tinha a ideia, assim como outros também têm, de que, para se movimentar ou viajar, a mente (quando abstraída da torrente dos sentidos) poderia usar a memória do passado e o prenúncio do futuro que residem em todas as coisas, incluindo as que chamamos de 'matéria inanimada'. Essas não são as palavras exatas, mas vão ter de servir: quero dizer, talvez, a ascendência causal do passado, e a probabilidade casual no presente, que estão implícitas em tudo. De qualquer modo, pensei que isso poderia ser um dos veículos da mente.[29] Mas uma mente encarnada me parecia ser um problema considerável."

"Não é um problema muito novo!", exclamou Guildford.

Ramer riu. "Não seja duro demais comigo", disse. "Não sou nem um pouco original. E, de qualquer modo, meu problema era mais prático do que filosófico. Estava confuso quanto ao *saltar*. Não conseguia perceber como isso poderia ser feito. Não sou um filósofo, mas um experimentador, um homem impulsionado por desejos — ainda que não muito carnais, ainda assim muito encarnados. Sendo uma mente *encarnada*, estou condicionado pelo Tempo e pelo Espaço, mesmo nas minhas curiosidades; embora, sendo uma *mente*, quero ir além do alcance dos sentidos e da história do meu próprio corpo.

"É claro que você poderia imaginar a mente, por algum esforço especial próprio, fazendo algo análogo aos saltos do corpo de lugar para lugar, especialmente num estado menos amarrado, como o sono, ou o transe. Mas achei que a analogia provavelmente era falsa — para um homem vivente, ancorado, mesmo que em transe, ao corpo, por mais longa e fina que seja a corda. A mente pode não existir nem no Tempo nem no Espaço, exceto até o ponto em que está especialmente associada a um corpo; mas, enquanto você está vivo, o elo se mantém, pensei. Mente-corpo: eles saltam juntos, ou então nenhum deles salta.

"Mal preciso explicar de novo que com *salto* não quero dizer o percurso do pensamento rumo a objetos que já estão a seu alcance, ou na memória: alternando instantaneamente entre, digamos, considerar a configuração peculiar do rosto de Rufus e pensar na Montanha da Mesa (que eu vi certa vez). Queria observar coisas novas ao longe no Tempo e no Espaço, além do âmbito de um animal terrestre."

"E assim", disse Lowdham, "feito o Porco na Bomba Quebrada, dia e noite era só chorar, sem poder dar sua pulada?"[30]

"Exatamente", disse Ramer; "pois é claro que, nessa época, eu realmente estava pensando mais em viajar eu mesmo do que em escrever uma história de viagem. Mas não queria morrer. E achei que tudo o que eu podia fazer era refinar minha observação de outras coisas que se movimentaram e vão se movimentar: inspecionar a história de coisas cujos caminhos, em algum ponto do tempo e do espaço, cruzaram o caminho do meu corpo.

"A mente usa a memória de seu corpo. Será que conseguiria usar outras memórias, ou melhor, registros? Que tipo de registro de eventos e formas passadas poderia existir? Na sequência temporal, a desintegração de uma forma destrói a memória — ou o registro especial — da história daquela forma, a menos que ela tenha entrado numa mente antes. Os fragmentos, descendo até as menores unidades, sem dúvida preservam o registro de sua própria história particular, e isso pode incluir parte da história das combinações das quais fizeram parte. Mas pensem numa casa mal-assombrada, por exemplo."

"Pensem numa casa!", interrompeu Jeremy. "Todas as casas são mal-assombradas."

"Concordo", disse Ramer. "Mas estou usando as palavras em seu sentido comum, com o significado de uma casa onde algum detalhe particular da assombração se tornou especialmente perceptível; como ou por que isso ocorre é outra questão."

"Mas a *assombração* e a *atmosfera* (que eu suponho que sejam o que Jeremy quer dizer) são algo acrescentado por acidentes históricos", objetou Frankley. "Não são parte da própria casa, *qua** casa."

*Em latim, "como", "no sentido de". Nesse contexto, o significado é "casa em si mesma, enquanto casa". [N.T.]

"Não tenho certeza se entendi", disse Ramer. "Mas tenho bastante certeza de que eu, pessoalmente, não estou interessado na 'casidade' em si mesma, mas nesta ou naquela coisa que se pode classificar como casa, parte da qual (a parte mais interessante para mim) é a sua história. Se eu falo do no. 100 da Banbury Road,[31] quero dizer a forma que você chama de casa *e* tudo o que você chama de acidentes de sua história: o que ela é no presente. E você também. E assim, ao destruir uma casa real *qua* casa, você também destrói, ou dissipa, a assombração específica. Se uma casa mal-assombrada fosse feita em pedaços, ela deixaria de ser assombrada, mesmo se fosse reconstruída com tanta precisão quanto possível. Ou é o que eu acho, e a chamada pesquisa 'paranormal' parece confirmar isso. De modo análogo ao da vida num corpo. Se os soldados do rei e seus cavalinhos de Humpty-Dumpty* juntassem os pedacinhos, o que eles teriam no fim seria, bem, uma casca de ovo."

"Mas dá para fazer muita coisa que não seja a destruição total sem com isso expulsar totalmente a atmosfera ou eliminar os fantasmas", disse Jeremy. "Tapar janelas com tijolos, mudar escadas de lugar e coisas desse tipo."

"É bem verdade", disse Lowdham. "Um pobre fantasma do qual ouvi falar, quando ergueram o assoalho de seu corredor favorito, continuou a caminhar no nível antigo do chão. Portanto, as pessoas na passagem debaixo conseguiam ver os pés do velho camarada andando sem parar debaixo do teto. Foi assim que descobriram que ele tinha buracos na sola dos sapatos. Não riam!", exclamou ele, indignado. "É um caso muitíssimo melancólico, e bem documentado."

"Posso imaginar!", disse Ramer. "Mas, deixando de lado tais fantasmas abandonados, e as autoridades de Arry (quem quer que sejam), penso que existem, de fato, muitas oportunidades negligenciadas de pesquisa histórica, se houver treinamento apropriado: especialmente com casas antigas e coisas mais ou menos moldadas pelo homem. Mas esse não era o meu principal interesse. Eu queria viajar bem mais longe.

---

*Personagem de cantigas de roda inglesas, remontando pelo menos ao século XVIII, que tinha formato de ovo e, na cantiga, cai de um muro e se despedaça. É por isso que, tanto no texto original quanto na tradução, o trecho é rimado. [N.T.]

"Portanto, fiz vários experimentos comigo mesmo: várias formas de treinamento. É difícil se concentrar, principalmente porque é difícil ficar suficientemente quieto. O corpo, em si mesmo, faz muito barulho, mesmo descontando o estrondo das sensações que vêm de fora. Eu queria descobrir se minha mente tinha algum poder, algum poder latente treinável, de *inspecionar* e se *tornar consciente* da memória ou dos registros em outras coisas, que estariam presentes nelas de qualquer modo, mesmo que não fossem inspecionáveis por mim. Pois, suponho, o que chamamos de memória, a memória humana, é tanto o poder de inspecionar e ficar consciente do registro dentro de nós *quanto* do registro que estaria ali de qualquer modo. O poder de inspeção e consciência sempre está lá; e o mesmo vale para o material e o registro, suponho, a não ser que eles sejam despedaçados. Embora o responsável pela inspeção nem sempre consiga acessar os registros. Não temos controle total nem mesmo de nós mesmos, de modo que obviamente não seria fácil lidar com outras coisas."

"Mas a mente também parece ter seus próprios armazéns, bem como as chaves de inspeção, não parece?", disse Guildford. "Quero dizer, ela consegue recordar inspeções passadas e retém o que notou."

"Sim, acho que sim", disse Ramer; "mas isso é difícil, claro, quando você está lidando com uma mente-corpo, uma associação na qual nenhum dos dois consegue fazer algo sem ter algum efeito sobre o outro. Não acho que uma mente encarnada chegue a ficar realmente livre de seu corpo, aonde quer que ela vá, até que a pessoa morra, e olhe lá. Entretanto, continuei tentando me treinar para esse tipo de, bem, inspeção e consciência histórica. Não acho que tenha algum talento especial para isso. Não *sei*, uma vez que tão poucas pessoas parecem ter tentado. Mas desconfio que Jeremy, por exemplo, tenha uma inclinação maior nessa direção do que eu.

"É difícil, e também assustadoramente lento. Menos lento, é claro, com as coisas que têm vida orgânica, ou qualquer tipo de associações humanas: mas tais coisas não levam você muito longe. É lento, e é *fraco*. Nas coisas inorgânicas, fraco demais para sobrepujar a barulheira dos sentidos despertos, mesmo com olhos fechados e ouvidos tapados.

"Mas aqui os fios começam a se juntar. Lembrem-se de que eu também estava treinando minha memória com os sonhos ao mesmo tempo. E foi assim que descobri que os outros experimentos os afetavam. Embora ficassem borradas, borradas pelos sentidos despertos além do reconhecimento, descobri que essas outras percepções não deixavam de ser notadas de todo; eram semelhantes às coisas que ficam de lado quando se está abstraído ou distraído, mas que, na realidade, são 'absorvidas'. E, ao dormir, a mente, ruminando, como costuma fazer, os restolhos do dia (ou da semana), acabava inspecionando essas coisas de novo com muito menos distração, e toda a força de seu desejo original. Devo dizer que gostei daquilo.

"Mas a mente não conseguia extrair muita coisa desse processo. Com isso, suponho que eu queira dizer que não conseguia recordar muita coisa dessas inspeções, embora eu estivesse ficando bastante bom em recordar passagens grandes dos sonhos mais vívidos e pictóricos. E isso significa, também suponho, que minha mente não era capaz (pelo menos não sem mais prática) de traduzir o que notava em termos dos sentidos com os quais consigo lidar quando desperto. De todo modo, eu costumava captar, naquela época, padrões geométricos realmente extraordinários que me eram apresentados, modificando-se de modo caleidoscópico, mas não borrado; e teias e tecidos esquisitos também. E ainda outras impressões não visuais, muito difíceis de descrever: algumas semelhantes a ritmos, quase semelhantes a música; e balanços e pressões.

"Mas o tempo todo, claro, eu queria sair da Terra. Foi assim que me veio a ideia de estudar um meteorito, em vez de ficar zanzando atrás de casas, ruínas, árvores, pedregulhos e todo tipo de outras coisas. Há um meteorito muito grande num parque, o Parque Gunthorpe, em Matfield,[32] onde vivi quando era menino, depois que voltamos do exterior; já naquela época ele tinha, para mim, um estranho fascínio. Ficava pensando se ele tinha vindo de Malacandra.* Passei a visitá-lo de novo, nas férias. De fato, banquei o ridículo e virei objeto de suspeita. Queria visitar a pedra sozinho, à noite — para diminuir as distrações; mas não permitiram: hora de fechar era hora de fechar. Então desisti disso. Parecia que eu ia ficar sem resultado nenhum."

"Então a velha pedrinha ficou toda sozinha?", disse Lowdham.

---

*Nome dado a Marte na Trilogia Espacial de C.S. Lewis. [N.T.]

"Sim", disse Ramer. "Ficou. Ela, na verdade, está a uma distância enorme de casa, e *é* muito solitária. Isto é, há uma grande solidão nela, perceptível para quem consegue percebê-la. E recebi uma dose muito forte dela. De fato, não suporto olhar para coisas desse tipo agora. Pois descobri, lá pelo fim das longas férias de dois anos atrás, depois da minha ultima visita, que tinha *obtido* resultados. Evidentemente, algum tempo tinha sido necessário para digeri-los e até para traduzi-los parcialmente. Mas foi assim que parti pela primeira vez, além da esfera da Lua, e muito mais longe do que isso."

"Viajando num meteoro-de-sonhos!", disse Frankley. "Hum! Então esse é o seu método, é?"

"Não", disse Ramer. "Não se você quer dizer que foi assim que recebi as notícias de Emberü que coloquei na minha história.[33] Mas voltei a trabalhar na história do meteorito, creio; embora esse tipo de veículo não ofereça nenhuma referência fácil de lugar ou tempo que possa ser relacionada ao nosso local desperto. Passei a receber, durante todo o resto daquele semestre, e ainda recebo ocasionalmente, alguns sonhos ou experiências de sono muito peculiares: frequentemente dolorosos, e assustadores. Alguns eram bastante não pictóricos, e esses eram os piores. Peso, por exemplo. Simplesmente Peso com P maiúsculo: que horrível. Mas não era um peso que estivesse fazendo pressão sobre *mim*, entende; era uma percepção de, ou empatia com, uma experiência de peso quase ilimitado.[34] E Velocidade também. Céus! Acordar dessa foi como trombar com um muro, ainda que apenas um muro de luz e ar no meu quarto, a cem milhas por segundo — ou melhor, saber como é isso.

"E Fogo! Não consigo descrever aquilo. Fogo Elemental: fogo que é, e não consome, mas é uma modalidade ou condição do ser físico. Mas cheguei a ver fogo ardendo, também: algumas imagens reais. Uma delas, acho, deve ter sido um vislumbre do meteorito atingindo nosso ar. Uma montanha corroída até virar um pedregulho em poucos segundos de chama agonizante. Mas acima, ou entre, ou quem sabe através de todo o resto, conheci o infindável. Dizer isso talvez seja emotivo e impreciso. O que quero dizer é a Extensão com E maiúsculo, aplicada ao Tempo; extensão insuportável para a carne mortal. Nesse tipo de sonho, você é capaz de saber o que é a sensação de éons de espera opressiva.

"Ser parte das fundações de um continente, e suportar toneladas imensuráveis de rocha por eras incontáveis, esperando uma explosão ou um choque capaz de despedaçar um mundo, é uma situação comum em partes deste universo. Em muitas regiões, há pouco ou nenhum 'livre-arbítrio' conforme o concebemos. Além disso, embora sejam enormes e terríveis, tais eventos podem ser relativamente simples em seu desenvolvimento, de modo que as catástrofes (como poderíamos chamá-las), mudanças repentinas no fim de longas séries repetidas de pequenos movimentos, são 'inevitáveis': o presente abriga o futuro de forma mais completa. Uma mente perceptiva, mas passiva, conseguiria ver um colapso chegando de uma distância imensa no tempo.

"Achei tudo aquilo muito perturbador. Não era o que eu queria, ou pelo menos não era o que eu tinha esperado. Percebi, de qualquer modo, que ficar acostumado com esse tipo de veículo a ponto de conseguir usá-lo de modo apropriado, ou seletivo, à vontade, tomaria tempo demais de uma vida humana mortal. Sem dúvida, quando algum grau de controle fosse alcançado, minha mente não ficaria mais limitada àquele veículo ou pedaço de matéria em particular. A mente desperta não está confinada às memórias, à hereditariedade ou aos sentidos de seu veículo normal, seu corpo: pode usá-lo como uma plataforma para observar suas cercanias. Assim, provavelmente conseguiria fazer o mesmo se chegasse a dominar o uso de outro veículo: poderia observar, de algum modo, outras coisas das quais o meteorito (digamos) veio, ou coisas pelas quais passou em sua jornada histórica. Mas essa segunda transferência de observação certamente seria muito mais difícil que a primeira, e muito mais incerta e ineficiente.

"Assim, eu me voltei cada vez mais para a inspeção de sonhos, tentando chegar 'mais fundo'. Passei a dar atenção aos sonhos em geral, mas mais e mais àqueles menos conectados com as irritações imediatas dos sentidos do corpo. É claro que tinha experimentado às vezes, como outras pessoas, partes de sonhos mais ou menos conectados racionalmente, e até um ou dois sonhos em série ou repetidos. E já tive também a experiência não muito incomum de recordar fragmentos de sonhos que pareciam possuir uma 'significância' ou emoção que a mente desperta não conseguia discernir na cena recordada.[35] Não estava nem um pouco convencido de que essa 'significância' se devia a símbolos obscurecidos, ou valores míticos, nas cenas sonhadas; ou, pelo menos, não achava e não acho que isso seja verdade quanto à maioria de tais passagens de sonhos. Muitos desses 'trechos significativos' me pareciam muito mais páginas aleatórias arrancadas de um livro."

"Mas você não conseguiu escapar das garras de Rufus desse jeito, conseguiu?", perguntou Guildford. "Ele é do tipo que analisa um livro inteiro tão alegremente quanto uma página."

"Depende do conteúdo", disse Ramer. "Mas voltarei a isso. Pois, por volta daquela época, algo decisivo aconteceu. Pareceu ter varrido para longe todos os outros testes e experimentos; mas não acho que eles chegaram a ser perda de tempo. Acho que tiveram muito a ver com a precipitação da, bem, catástrofe."

"Vamos, vamos! O que foi?", disse Dolbear. Ele parou de roncar e se aprumou.

"Foi muito parecido com um despertar violento", disse Ramer. Ficou em silêncio por quase um minuto, fitando o teto enquanto se recostava na cadeira.

Por fim, continuou. "Imaginem um sonho enormemente longo, vívido e absorvedor sendo despedaçado — digamos, simultaneamente por uma explosão na casa, uma pancada no seu corpo e a abertura súbita de cortinas escuras, deixando entrar uma luz cintilante: com o resultado de que você volta feito um tiro para a sua vida desperta, e precisa recapturar essa vida e as suas conexões, sentindo por algum tempo certo choque e o colorido das emoções de sonho; feito cair de um mundo para dentro de outro onde você tinha estado antes, mas do qual tinha se esquecido. Bem, foi assim que foi, *ao contrário*; mas recapturar as conexões foi algo mais lento.

"Eu estava acordado na cama e *caí totalmente no sono*: tão súbita e violentamente quanto a pessoa que desperta na minha comparação. Mergulhei, atravessando direto vários níveis e um redemoinho de formas e cenas até chegar a uma sequência conectada e recordada. Conseguia recordar todos os sonhos que já tinha tido entre os daquela sequência. Pelo menos, recordo que era capaz de recordá-los enquanto ainda estava 'lá', melhor do que consigo, 'aqui', recordar uma sequência longa de eventos da vida desperta. E a memória não desapareceu quando acordei, e ainda não desapareceu. Ficou esmaecida do jeito normal, num grau próximo ao da memória da vida desperta: está editada; brancos indicando falta de interesse, algumas transições cortadas, e assim por diante. Mas minhas memórias de sonho não são mais fragmentos, não são mais imagens com tamanho próximo do meu círculo de visão com os olhos fixos, cercadas pelo escuro, como costumavam ser, quase sempre. Elas são amplas e longas e profundas. Já visitei muitas outras sequências desde então, e agora consigo recordar um número muito grande de sonhos sérios, livres, meus sonhos profundos, desde que os sonhei pela primeira vez."

"Que quarto de despejo!", exclamou Lowdham.

"Eu disse *meus sonhos sérios*", ressaltou Ramer. "É claro que não consigo, não quero e não tentei recordar todo o amontoado de coisas marginais — o lixo que os analistas normalmente fuçam, porque é praticamente tudo o que conseguem —, não mais do que você tenta relembrar todos os rabiscos em mata-borrão, a conversa mole ou os devaneios inúteis do seu dia."

"Até quando você conseguiu voltar?", perguntou Lowdham.

"Ao começo", disse Ramer.

"Quando foi isso?"

"Ah, isso depende do que você quer dizer com *quando*", respondeu Ramer. "Raramente existem dados para fazer uma estimativa temporal, como os que existem entre o despertar e o sonhar. Muitos sonhos acontecem dentro de, ou se preocupam com, tempos remotos do ponto de vista do corpo. Um desses sonhos pode ser visto como ocorrendo antes de começar; ou depois. Não tenho ideia de quanto eu *voltei* nesse sentido, rumando para trás na história do universo, pode-se dizer. Mas, atendo-me ao tempo desperto, suponho que não poderia começar a sonhar antes que eu começasse a ser: isto é, até a criação da minha mente, ou alma. Mas duvido que alguma referência temporal comum tenha qualquer sentido real em relação a esse evento considerado em si mesmo; e a palavra *sonhar* deveria ficar limitada às... hmmm... atividades de tempo livre, fora de serviço, de uma mente encarnada. Assim, eu deveria dizer que meu sonhar começou com a entrada da minha mente num corpo e no tempo: em algum ponto do ano de 1929. Mas esses cinquenta e poucos anos do nosso tempo *poderiam* conter várias extensões indefinidas de experiência, ou operação, ou de jornadas. Meus experimentos anteriores não foram necessários, exceto talvez como auxílio na precipitação da memória, como eu disse. Minha mente 'adormecida' tinha feito esse tipo de coisa por bastante tempo, e muito melhor."

Fez uma pausa, e olhamos para ele, alguns de nós de um jeito esquisito. Ramer riu. "Não me imaginem andando por aí 'sonhando', como as pessoas dizem. As duas modalidades não se confundem mais agora do que antes. Se você tivesse duas casas em lugares bem diferentes, digamos que na África e na Noruega, normalmente não ficaria em dúvida sobre em qual está em qualquer dado momento, mesmo se não se recordar da transição. Não, na pior das hipóteses, minha situação é só como a de um homem que está lendo um livro profundamente interessante e está 'com ele na cabeça' conforme realiza seus afazeres. Mas a impressão pode passar, ou ser colocada de lado, como no caso do livro. Não preciso pensar nos meus sonhos se não quiser, não mais do que preciso pensar em qualquer livro ou relê-lo."

"Você falou em *reler*. Consegue se fazer voltar a algum sonho específico, agora que está acordado, para repeti-lo ou continuá-lo?", perguntou Frankley. "E consegue recordar sua vida desperta enquanto está num sonho?"

"Quanto à ultima pergunta", disse Ramer, "a resposta é: em certo sentido, *sim*. Tão claramente quanto é possível recordá-la quando você está escrevendo uma história, ou prestando muita atenção num livro. A única coisa é que não é possível dar atenção direta a ela. Se o fizer, você acorda, é claro.

"A outra pergunta é mais difícil. Os sonhos não são menos variados do que as experiências da vida desperta; na verdade, é o contrário. Eles contêm sensações tão diferentes quanto sentir o gosto da manteiga e entender um argumento lógico; histórias tão diferentes em duração e qualidade quanto uma das anedotas mais baixas de Arry e a Ilíada; e imagens tão dessemelhantes quanto um estudo de uma pétala de flor e as fotografias da explosão na Reserva Atômica nos anos setenta,[36] a que abriu o Buraco Negro nos Estados Unidos. Os sonhos acontecem, ou são fabricados, de todos os jeitos. Aqueles que as pessoas mais recordam, e de cujo conteúdo se recordam mais, são, é claro, os marginais, ou os dos níveis superiores..."

"Margens? Níveis superiores? Você quer dizer o quê?", atalhou Jones,[37] entrando na conversa, para nossa surpresa. "Agora há pouco você falou de mergulhar. Quando chegamos ao fundo?"

"Nunca", riu-se Ramer. "Não entenda as minhas palavras literalmente demais, pelo menos não mais literalmente do que suponho que você entenda o *sub* de *subconsciente*. Temo que não tenha formulado minha terminologia com muito cuidado, James; mas, até aí, não pretendia falar sobre essas coisas com vocês, pelo menos não ainda. Vocês me puseram de castigo. Acho que queria dizer *profundo* como na expressão *profundamente interessado*; e palavras como abaixo, inferior, superior e todo o resto foram se enfiando depois, e podem confundir. É claro que não existe nenhuma *distância* entre os sonhos e o despertar, ou entre um tipo de sonho e outro; apenas um acréscimo ou decréscimo de abstração e concentração. Em alguns sonhos não há distração alguma, alguns ficam confusos por causa das distrações, outros simplesmente *são* distrações. Você pode jazer 'profundamente' encharcado em sonhos derivados do corpo e receber visões claras durante o sono 'leve' (o qual parece estar bem na margem do despertar). Mas, se eu usar 'profundo' de novo, vocês saberão que quero dizer sonhos tão afastados de perturbações quanto possível, sonhos nos quais a mente se engaja de maneira séria.

"Quanto aos marginais, quero dizer aqueles que são produzidos quando a mente está brincando, vadeando ou fazendo graça, como acontece com frequência, vagando sem rumo entre as memórias dos sentidos — porque está cansada, ou entediada, ou mentalmente bagunçada, ou preocupada com mensagens dos sentidos quando seus desejos ou sua atenção estão em outro lugar: o equivalente onírico de tamborilar os dedos na mesa, por oposição a alguém tocando piano. Algumas mentes, talvez, quase nunca sejam capazes de qualquer outra coisa, adormecidas ou despertas.

"E a maquinaria pode continuar funcionando, mesmo quando a mente não está prestando atenção. Vocês sabem como basta fazer algo sem parar durante horas — como colher amoras, digamos — e mesmo antes de pegar no sono a criação de treliças de arbustos e amoras continua no escuro, mesmo se você estiver pensando em outra coisa. Quando você principia a sonhar, pode começar usando alguns desses padrões. É o que eu chamaria de 'marginal'. E qualquer outra coisa que se deva, em grande medida, ao que está de fato acontecendo dentro e ao redor do corpo: complexos de distração nos quais coisas como barulhos indistintos, indigestão ou uma bolsa de água quente vazando desempenham um papel.

"Perguntar se consigo revisitar esse tipo de coisa é como perguntar se consigo me forçar a *ver* (não criar) chuva amanhã, ou ser acordado *de novo* por dois gatos pretos brigando no gramado. Mas, se estão falando sobre sonhos sérios, ou visões, é como me perguntar se vou andar na rua de novo na última terça-feira. Os sonhos são, para a sua mente, eventos. Você pode, ou poderia — o desejo desperto tem algum efeito, mas não muito — voltar para os mesmos 'lugares' e 'tempos', como um espectador; mas o espectador vai ser o você de agora, um você posterior, ainda ancorado tal como você está, ainda que remotamente, ao relógio temporal do seu corpo aqui. Mas há várias complicações: você pode re-inspecionar as suas memórias de inspeções prévias, para começar; e isso é tão próximo de sonhar o mesmo sonho de novo quanto se pode chegar (o paralelo mais próximo é ler um livro pela segunda vez). Além disso, o pensamento e a 'invenção' continuam nos sonhos, e bastante; e, é claro, você pode retornar ao seu próprio trabalho e retomá-lo — continuar com a criação de histórias, se era isso o que você estava fazendo."

"Que trabalheira parece que todos nós andamos tendo sem saber", disse Lowdham. "Até o velho Rufus pode não ser tão bicho-preguiça quanto aparenta. De qualquer jeito, você deu a ele uma bela de uma desculpa para continuar assim. 'Adeus a todos! Estou indo para o meu laboratório de sonhos, para ver se os alambiques estão borbulhando', dirá ele, e vai estar ressonando em dois tempos."

"Deixo os alambiques borbulhantes para você", disse Dolbear, abrindo os olhos. "Temo que ainda não tenha chegado a níveis tão altos quanto Michael, e ainda fico remexendo nas coisas marginais, como ele as chama. Esta noite, de qualquer modo, estava sonhando um pouco: no estágio de quem está fuçando a terra, suponho, devido à distração desta discussão acontecendo em torno do meu corpo. Captei uma imagem de Ramer, equipado com o nariz comprido de Frankley, tentando extrair uísque de uma garrafa; ele não conseguia entorná-la, já que não tinha braços, só um par de asas negras, feito um diabo usando uma beca de professor estufada."

"A garrafa de uísque não foi derivada dos dados sensoriais desta sala", disse Lowdham.

"Agora consigo ter alguma empatia com os psicanalistas", disse Frankley, levantando-se e pegando uma garrafa da prateleira. "Que dificuldade eles devem ter para separar os sonhos das invenções maliciosas da mente desperta do paciente!"

"Nenhuma dificuldade no caso de Rufus", disse Lowdham. "O desejo de beber explica a maior parte dele. E não acho que possua um Censor, dormindo ou acordado."

"Hum! Fico feliz de ser tão transparente", disse Dolbear. "Nem todo mundo é tão simples, Arry. Você usa disfarces, mesmo quando acordado. Mas eles vão cair, meu rapaz, algum dia. Não ficaria espantado se isso acontecesse em breve."[38]

"Nossa!", disse Lowdham. "Será que eu saí por aí com uma barba falsa e esqueci, ou algo do tipo?" Mas naquele momento, percebeu um brilho nos olhos de Dolbear, e parou de repente.

"Continue, Michael, e não dê atenção a eles!", disse Jeremy.

"Continuo?", perguntou, bebendo distraidamente o uísque que Frankley colocara perto do cotovelo de Dolbear.

"É claro!", dissemos. "Já nos fortificamos."

"Bem, falando sério", prosseguiu, "não acho que as coisas marginais sejam muito interessantes nas pessoas normais: estão tão emaranhadas, e dão mais trabalho para desemaranhar do que valem. São muito semelhantes ao ócio e à tolice da mente desperta. A principal distinção, eu acho, é que quando um homem está acordado, dá mais atenção à tolice; e, quando está dormindo, sua atenção provavelmente já está muito longe: de modo que a tolice é de um tipo inferior. Mas, quanto à ideia de a mente estar *ocupada*, Arry: eu só disse, caso você se recorde, que a sua vida *poderia* conter muito trabalho ou eventos oníricos. Não acho que normalmente contenha. As mentes podem ser preguiçosas por si sós. Mesmo no caso das mais enérgicas, o sono é, em larga medida, um descanso. Mas é claro que, para uma mente, descanso não é apagamento, o que seria impossível para ela. O mais perto que consegue chegar disso é a passividade: a mente consegue ser quase totalmente passiva, contemplando algo digno dela, ou o que parece digno. Ou pode tirar o tipo de férias que chamamos de 'uma variada', fazendo algo diferente do trabalho imposto a ela por necessidades ou deveres quando está desperta. Se ela tem por natureza, ou adquiriu, algum interesse dominante — como história, ou línguas, ou matemática — pode, às vezes, continuar trabalhando nessas coisas, enquanto o velho corpo está se recuperando. Pode então construir sonhos, de modo algum sempre pictóricos. Pode planejar e calcular.

"Minha mente, como muitas outras, imagino, inventa histórias, compõe versos ou desenha imagens a partir do que já recebeu, quando, por alguma razão, não tem, no momento, desejo de adquirir mais. Imagino que toda arte desperta extraia bastante coisa desse tipo de atividade.[39] Aquelas cenas que aparecem na cabeça completas e fixas, das quais falei antes, por exemplo; embora algumas delas, creio eu, sejam visões de lugares reais.

"E aquela forte sensação de significância oculta em fragmentos recordados: minha experiência de agora, embora ainda seja muito imperfeita, certamente apoia a minha hipótese, até onde vão os meus próprios sonhos. *Meus* fragmentos significativos eram, na verdade, páginas retiradas de histórias, inventadas em níveis de sonho mais calmos, e recordadas por algum golpe de sorte. Ocasionalmente, eram pedaços de longas visões de coisas não inventadas.

"Se, muito tempo atrás, vocês tivessem lido ou escrito uma história e a esquecido, e depois, numa velha gaveta, encontrassem algumas páginas rasgadas dela, contendo uma passagem que tinha alguma função especial no todo, mesmo que não tivesse nenhuma lógica óbvia quando isolada, acho que teriam uma sensação muito similar: a de significância oculta, de conexões perdidas que lhes escapam e, muitas vezes, de arrependimento."

"Poderia nos dar alguns exemplos?", perguntou Jeremy.

Ramer pensou por um momento. "Bem", disse ele, "poderia fazer isso. Agora já coloquei vários dos meus fragmentos em seu contexto apropriado. Mas a dificuldade é que, uma vez que você montou a história inteira, a tendência é esquecer muito rápido qual parte dela era o pedaço fragmentado que você costumava recordar. Mas há um ou outro que eu ainda recordo, porque só os coloquei no lugar recentemente; e ainda recordo meu desapontamento. As histórias completas muitas vezes não são particularmente boas ou interessantes, sabe; e o charme dos fragmentos muitas vezes vem, em grande parte, de serem inacabados, como às vezes acontece com a arte fora dos sonhos. A mente adormecida não é mais esperta do que ela própria; é só que ela pode ser menos distraída e mais concentrada, mais determinada a usar o que tem.

"Eis um caso: só é interessante como ilustração.

Uma fileira de casas escuras à direita, subindo uma ladeira suave. Nos fundos, elas tinham pequenos jardins ou quintais com cercas-vivas, e havia um caminho estreito atrás deles. O lugar estava terrivelmente escuro e tristonho. Nem uma só luz nas casas, nenhuma estrela, sem lua. Ele estava subindo o caminho sem nenhum motivo especial, com ânimo pesado e desacorçoado. Perto do alto da ladeira, ouviu um barulho: uma porta se abrira nos fundos de uma das casas, ou se fechara. Ficou assustado e apreensivo. Parou. Fim do fragmento.

Que emoção vocês esperariam que esse trecho provocasse?"

"Algo como ir até a porta dos fundos depois da hora de fechar e ouvir essa porta se fechando também?", sugeriu Lowdham.

"Soa bastante razoável", concordou Ramer com uma risada. "Na verdade, foi uma felicidade que provoca lágrimas, como o frêmito trazido pela virada repentina para o bem numa história cheia de perigos; e uma espécie de orvalho de felicidade foi destilado e se derramou sobre o despertar, durando horas, e por anos foi possível renová-lo (ainda que em menor grau) quando era relembrado.

"Tudo o que minha mente desperta conseguia entender era que a imagem era sombria. Até que me lembrava bastante de — ou melhor, eu a identificava com uma fileira de cabanas perto de onde eu morava quando era pequeno. Mas isso não explicava o júbilo. E, a propósito, se fosse mesmo uma imagem daquelas casas, deveria haver uma bomba d'água bem no alto da ladeira. Eu a coloquei lá. Agora consigo vê-la como uma silhueta escura. Mas não estava lá na minha recordação mais antiga, não na versão original. Além disso, eu só era o *ele* da cena no sentido de alguém que se identifica (ou como eu me identifico) de modo variável com este ou aquele personagem de uma história, especialmente no que diz respeito à perspectiva. A cena era observada mais ou menos do ponto de vista *dele*, embora eu (o produtor) estivesse bem atrás (e um pouco acima) *dele* — até que o personagem parou. No ponto da emoção, tomei o lugar dele.

"A história da qual essa cena saiu agora me é conhecida; e não é muito interessante. Aparentemente, é algo que inventei anos atrás,[40] em algum ponto dos anos cinquenta, numa época em que, quando desperto, eu escrevia muitas coisas do tipo. Não vou incomodar vocês com a história inteira: tinha uma trama longa e complicada,[41] abordando principalmente a Guerra dos Seis Anos; mas não era muito original, nem muito boa em seu gênero. Tudo que importa no momento é que essa cena veio logo antes do reencontro de dois amantes, além da esperança tanto do homem quanto da mulher. Ao ouvir o barulho, ele parou, com uma premonição de que algo estava para acontecer. A mulher saiu pela porta, mas ele não a reconheceu até que ela lhe falou no portão. Se ele não tivesse parado, os dois teriam passado um pelo outro, provavelmente sem nunca mais se ver. A trama, é claro, explicava como ambos tinham chegado até lá, onde nenhum dos dois tinha estado antes; mas isso não importa agora. A coisa interessante é que o fragmento recordado, por alguma razão, terminava com o som da porta e o momento em que ele parou; mas a *emoção* que ficou se devia à parte da história que vinha imediatamente depois, a qual não tinha sido lembrada de modo pictórico. Mas não havia traço nenhum das emoções das partes posteriores da narrativa, a qual acabou não tendo um final feliz.

"Bem, aí está. Não muito emocionante, mas sugestivo, talvez. Querem ouvir o outro caso?"

Dolbear soltou um ronco alto. "Ouçam só ele!", disse Lowdham. "Imagino que já analisou você o suficiente e não quer que mais nada dos seus devaneios juvenis interrompa o sono dele."

"Ah, continue, Ramer!", disse Jeremy. "Vamos ouvir!"

"É a sua noite, e nós é que pedimos", disse Guildford. "Vá em frente!"

"Bem, aqui está outra imagem", disse Ramer.

Um cômodo pequeno e agradável: fogo, muitos livros, uma escrivaninha grande; a luz dourada de uma lâmpada. Ele está sentado na escrivaninha. A atenção do sonhador, ligeiramente acima da cabeça dele, fica concentrada no círculo de luz, mas está vagamente ciente da presença de figuras obscurecidas na frente dele, mexendo-se, pegando livros em prateleiras, lendo nos cantos. Ele está olhando para um livro aberto na sua mão esquerda e tomando notas num papel. Ar geral de bom humor e quietude. Ele faz uma pausa e olha para cima como se estivesse pensando, batendo a piteira do cachimbo entre os dentes. Vira uma página do livro — e vê uma nova luz, faz uma descoberta; mas o fragmento termina.

"O que acham disso?"

"Ele resolveu o caça-palavras com a ajuda de um dicionário?", disse Frankley.

"Emoção: jack-hornerismo,* gulodice bibliófila silenciosa?", brincou Lowdham.

"Não!", disse Ramer. "Mas até que está esquentando, Arry. No entanto, a emoção associada à passagem é a preocupação, com uma ressaca pesada, atingindo as horas despertas, de uma sensação embotada de perda, tão pesada quanto aquilo que se sente na infância quando algo precioso se quebra ou se perde."

"Bom, os Novos Leitores agora voltam para o Capítulo Um", disse Lowdham. "O que é?"

"Esse exemplo é bem mais incomum do que o primeiro caso, então vou contar a história de modo mais completo", prosseguiu Ramer. "Ele era o bibliotecário de uma universidade pequena. O aposento era seu escritório-estúdio: bastante confortável, mas tinha uma parede de vidro, através da qual ele conseguia observar o salão principal da biblioteca. Estava se sentindo animado, pois alguns anos antes um magnata local havia deixado para a universidade uma coleção esplêndida de livros, bem como a maior parte de seu dinheiro para aumentar a biblioteca e fazer a manutenção dela. O lugar tinha se tornado importante; ele também, e seu salário como curador da coleção cedida em testamento era generoso. E, depois de muito atraso, uma nova ala fora construída, e os livros, transferidos para ela. Por algum tempo, ele reexaminara cuidadosamente os itens mais interessantes da coleção. O livro à esquerda dele era um volume composto de vários fragmentos de manuscritos encadernados juntos, provavelmente no século dezesseis, por algum colecionador ou saqueador.

"Na parte relembrada do sonho, eu sabia que tinha conseguido ler a página antes que ele a virasse, e que o texto não estava em inglês; mas não conseguia lembrar mais do que isso — exceto que eu tinha ficado encantado, ou ele tinha. Na verdade, era uma folha, um fragmento único de um ms. em galês muito antigo, anterior a Geoffrey,[42] sobre a morte de Arthur.

---

*Referência a uma cantiga de roda sobre um menino chamado Jack Horner, que se escondia no canto para comer sua torta sozinho. Ou seja, a ideia é a de alguém que não quer dividir coisas cobiçadas com os demais. [N.T.]

"Ele virou a página para olhar a parte de trás da folha — e descobriu, preso entre ela e a seguinte, um documento. Viu que se tratava de um testamento feito pelo Doador. Esse livro de fragmentos fora uma das últimas coisas que o magnata adquirira, pouco antes de sua morte. O testamento era posterior ao que tinha sido juramentado e colocado em prática em quase dois anos. Estava tudo correto, com testemunhas, e não havia menção à universidade, mas a orientação de que os livros deveriam ser separados e vendidos, e que os lucros deveriam financiar uma Cátedra de Inglês Básico em Londres; enquanto o resto dos bens deveriam ficar com um sobrinho, ignorado no testamento anterior.

"O bibliotecário conhecera o magnata e estivera na casa dele com frequência: tinha ajudado a catalogar sua coleção. Viu que as testemunhas eram dois velhos criados que tinham morrido logo depois de seu patrão. As emoções são fáceis de entender: o bibliotecário tinha orgulho de sua biblioteca, era um acadêmico, um amante da verdadeira língua inglesa, e pai de família; mas também era um homem honesto. Sabia que o Doador não gostava nem um pouco do novo Vice-Chanceler; e também que o sobrinho era o parente mais próximo do Doador, e pobre."

"Bem, o que ele fez com o testamento?"

"Pensando bem, achou que era melhor enfiá-lo no velho baú de carvalho?", disse Lowdham.

"Não sei", disse Ramer. "É claro que seria fácil e provavelmente bastante seguro ocultar o testamento. Mas descobri que nunca tinha conseguido terminar a história direito, embora muitas continuações pudessem ser inventadas. Achei uma ou duas ideias, não desenvolvidas, flutuando no fim. Em uma delas, o bibliotecário ia ter com o Vice-Chanceler, que lhe implorava para manter segredo sobre sua descoberta; ele cedeu e, mais tarde, foi chantageado pelo próprio Vice-Chanceler. Mas evidentemente isso não me pareceu satisfatório, ou eu perdi o interesse na coisa toda depois da situação registrada no sonho. Eu costumava abandonar uma boa quantidade de tramas assim naquela época.

"Há pouco valor nessas histórias, como vocês veem. Mas elas ilustram bem algumas coisas importantes a respeito da memória fragmentada e da escrita de histórias em sonho. Porque ela não é escrita, é claro, mas um tipo de drama encenado na realidade."

"Drama élfico",[43] interrompeu Jeremy; "há algo disso..." Mas já o tínhamos ouvido sobre aquele tema antes. "É a vez de Ramer!", gritamos.

"Bem, de qualquer jeito", Ramer continuou, "a história inteira, conforme é contada, torna-se visível e audível, e quem a compõe está dentro dela — embora consiga assumir certas posições estranhas (muitas vezes, no alto), a menos que se coloque dentro da ação, o que pode fazer a qualquer momento. As cenas *parecem* reais, mas são posadas; e a composição não é completa feito uma 'fatia da vida': pode ser apresentada em cenas selecionadas, e resumida (como um drama). Além disso, quando você está trabalhando nela de novo ou meramente re-inspeciona a história, é possível revê-la em qualquer ordem e em velocidades variáveis (tal como reler ou repensar um livro). Acho que essa é uma das razões (ainda que seja só uma delas) pelas quais a lembrança de tais sonhos, quando chega a sobreviver, parece se dissolver ou ficar confusa com tanta frequência. O sonhador está ciente, é claro, de que ele é o autor e o produtor, ao menos quando está dormindo e trabalhando no sonho; mas pode ficar muito mais absorvido pelo trabalho do que um homem desperto é absorvido por qualquer livro ou peça que esteja escrevendo ou lendo; e consegue sentir as emoções de modo muito forte — de modo excessivo, às vezes, porque elas são aumentadas pela excitação de combinar a autoria com o papel de personagem; e, na lembrança, elas podem ficar ainda mais exageradas ao ser deslocadas, abstraídas dos sons e das cenas que poderiam explicá-las.

"Os casos que citei estão desprovidos de qualquer simbolismo. Puras e simples situações emocionais. Não tenho muito a dizer acerca de significâncias simbólicas ou míticas. É claro que existem. E, na verdade, eu só consigo fazer com que elas recuem um estágio. Pois o sonhador é capaz de trabalhar com mitos, e com contos de fadas, tanto quanto é capaz de trabalhar com noveletas. É o que fiz. E faço. E, com um texto mais completo, por assim dizer, as cenas descontextualizadas frequentemente são mais fáceis de entender, e as funções dos símbolos ficam mais claras — mas sua resolução final se afasta.

"Há bons sonhos, aparentemente do tipo ao qual me refiro, citados em livros. Os meus não eram tão bons: os que eu costumava recordar quando desperto, quero dizer; eram apenas fragmentos significativos, mais estaticamente pictóricos, raramente dramáticos e normalmente sem figuras de forma humana.[44] Embora por vezes eu retenha a lembrança de palavras ou frases significativas, sem qualquer cenário: tais como *Estou farto de santos remédios*. Essa me pareceu uma enunciação sábia e satisfatória. Nunca descobri por quê.

"Eis aqui alguns dos meus fragmentos desse tipo. Há o trono vazio no topo de uma montanha. Há uma Onda Verde, de crista branca, cheia de dobras e em forma de concha, mas vasta, elevando-se sobre campos verdes, e muitas vezes também sobre um bosque cheio de árvores; esse aparece constantemente.[45] Já vi várias vezes uma cena na qual uma larga planície jaz aos pés de uma encosta íngreme na qual estou postado; o céu do outro lado era imenso, elevando-se feito um muro vertical, sem se curvar como uma abóbada, aceso de estrelas espalhadas de modo quase regular por toda a sua expansão. Trata-se de um augúrio ou presságio de catástrofe. Uma forma escura às vezes passa pelo céu, vista apenas pelo apagar das estrelas conforma avança. Há ainda a torre alta, cinzenta e circular na beira íngreme da terra. O mar não pode ser visto, pois está muito embaixo, imensuravelmente distante; mas pode-se sentir seu cheiro. E, várias e várias vezes, em muitos estágios de crescimento e muitas luzes e sombras diferentes, três árvores altas, esguias, lado a lado num teso verde, e coroadas com um halo abrangente azul e dourado."

"E o que você acha que todos eles querem dizer?", perguntou Frankley.

"Demorei um bom tempo, até demais, para explicar a história minúscula do bibliotecário", disse Ramer. "Nesta noite, eu não conseguiria embarcar nem em uma só das lendas e cosmogonias imensas e ramificadas às quais esses fragmentos pertencem."

"Nem mesmo no da Onda Verde?", disse Lowdham;[46] mas Ramer não respondeu.

"As Árvores Bem-Aventuradas são simbolismo religioso?", perguntou Jeremy.

"Não, não mais do que são todas as coisas míticas; não diretamente. Mas às vezes é possível ver e usar símbolos diretamente religiosos, e mais do que símbolos. Pode-se rezar em sonhos, ou adorar. Acho que faço isso às vezes, mas não há lembrança de tais estados ou atos, não se revisita esse tipo de coisa. Não são sonhos de verdade. São uma terceira coisa. Estão ligados a outro lugar, à outra ancoragem, que não é a do Corpo, e diferem dos sonhos mais do que o Sonho difere do Despertar.

"O sonhar não é a Morte. A mente ainda está, como costumo dizer, ancorada ao corpo. Está habitando o corpo o tempo todo, até onde está *em* algum lugar. E, portanto, está no Tempo e no Espaço: dando atenção a eles. É o que deve fazer. Mas a maioria de vocês há de concordar que provavelmente houve uma mudança de planos; e parece que a cura é nos dar uma dose de algo mais elevado e mais difícil. Vejam bem, estou falando apenas do lado que envolve ver e aprender, não, por exemplo, da moralidade. Mas eu ia me sentir terrivelmente *solto* sem a âncora. Talvez, com o apoio dos mais fortes e mais sábios, poderia ser algo celestial; mas, sem eles, poderia ser uma experiência amarga, e solitária. Um meteorito espiritual no escuro procurando um mundo no qual pousar. Tendo a achar que muitos de nós vão acabar enfrentando algum Frio solitário antes de retornar.

"Mas, vinda de algum lugar além da região dos sonhos, de vez em quando eis que vem uma bem-aventurança, e ela encharca todos os níveis, e ilumina todas as cenas através das quais a mente passa quando retorna ao despertar, e assim flui para esta vida. Ali ela dura por muito tempo, mas não para sempre neste mundo, e a lembrança não consegue alcançar sua fonte. Muitas vezes a atribuímos às imagens vistas na margem radiante de sua luz, conforme passamos por elas e saímos. Mas uma montanha no Norte distante, capturada durante um lento pôr-do-sol, não é o Sol.

"Mas, como eu disse, é principalmente um tempo de descanso, o Sono. Com muita frequência a mente fica inativa, sem inventar coisas (por exemplo). Ela, então, apenas inspeciona o que lhe é apresentado, vindo de várias fontes — com graus muito variáveis de interesse. Não está muitíssimo interessada, na verdade, nos itens relacionados com digestão e sexo enviados pelo corpo."

"O que lhe é *apresentado*, você diz?", perguntou Frankley. "Quer dizer que alguns dos pressentimentos vêm de fora, sendo *mostrados* a ela?"

"Sim. Por exemplo: de modo um tanto claudicante, dei um jeito de embarcar em outros veículos; e, em sonho, consegui fazer isso melhor e com mais frequência. Do mesmo modo, outras mentes têm ocasionalmente esse efeito sobre mim. O repousar delas sobre mim não necessariamente é notado, acho, ou mal chega a ser notado; quero dizer, não é algo que obrigatoriamente me afeta ou chega a interferir comigo; mas, quando elas fazem isso, e estão em contato, então a minha mente consegue usá-*las*. As duas mentes não contam histórias uma para a outra, mesmo se estão cientes do contato. Elas apenas estão em contato e conseguem aprender.*,[47] Afinal de contas, uma mente vagante (se for de algum modo como a minha) estará muito mais interessada em dar uma olhada no que a outra sabe do que em tentar explicar ao estranho as coisas que são familiares para si mesma."

"Evidentemente, se o Clube Notion pudesse se reunir durante o sono, todo mundo acharia que as coisas estão de ponta-cabeça", disse Lowdham.

"Que tipos de mentes visitam você?", perguntou Jeremy. "Fantasmas?"

"Bem, sim, é claro, fantasmas", disse Ramer. "Não espíritos humanos que faleceram, porém; não no meu caso, até onde consigo dizer. Além disso, o que hei de contar? Exceto que alguns deles parecem saber de coisas que realmente estão a uma grande

*Ver a discussão posterior sobre esse ponto na Noite 62, a seguir. N.G. [Só um fragmento desse encontro ficou preservado, e a única parte que poderia corresponder a essa nota é a seguinte. " 'Como o sonhador consegue distingui-los?', disse Ramer. 'Bem, parece-me que as principais divisões são as que existem entre *Percepção* (sonhos livres), *Composição e Elaboração* e *Leitura*. Cada uma delas tem uma qualidade distinta, e a confusão, via de regra, provavelmente não ocorre conforme elas estão acontecendo; embora a mente desperta possa cometer erros em relação a memórias desconjuntadas. As divisões podem ser subdivididas, é claro. A *Percepção*, por exemplo, pode ser tanto inspeções e visitas a cenas reais quanto aparições, nas quais alguém pode ser visitado deliberadamente por outra mente ou espírito. A *Leitura* pode corresponder apenas à observação de registros de quaisquer experiências, vasculhando a biblioteca da mente; ou pode ser a percepção de segunda mão, usando mentes, inspecionando os registros *delas*. Há um perigo aqui, é claro. Você pode inspecionar uma mente e achar que está observando um registro (verdadeiro em seus próprios termos, por ser uma coisa externa a vocês dois), enquanto, na verdade, ele era uma composição da outra mente, uma *ficção*. Há *mentira* no universo, certas mentiras muito engenhosas. Quero dizer, certas formas muito potentes de ficção são compostas especialmente para serem inspecionadas por outros e para enganar, passando-se por registros; mas elas foram feitas para malefício dos Homens. Se certos homens já são inclinados à mentira, ou puseram de lados os guardiões, podem acabar lendo certo material muito maléfico. Parece que é o que fazem.' "]

distância daqui. Não é uma experiência comum no meu caso; pelo menos, a minha consciência de qualquer contato não é comum."

"Alguns dos visitantes não são maldosos?", disse Jeremy. "Mentes malignas nunca o atacaram no sono?"

"Imagino que sim", disse Ramer. "Estão sempre à espreita, no sono ou no despertar. Mas operam mais por engodo do que por ataque. Não acho que sejam especialmente ativas durante o sono. Menos, provavelmente. Desconfio que elas achem mais fácil nos atingir quando despertos, distraídos e não tão cientes do que ocorre. O corpo é uma maravilhosa alavanca para exercer uma influência indireta na mente, e os sonhos profundos podem estar muito distantes de suas perturbações. De qualquer modo, tenho muito pouca experiência desse tipo — graças a Deus! Mas às vezes de fato vem algo assustador... uma espécie de batida na porta: isso não chega a descrever a sensação, mas vai ter de servir. Acho que essa é uma das maneiras pelas quais aquela sensação horrível de *medo* surge: um medo que não parece residir na situação onírica recordada, ou que a ultrapassa insanamente.

"Não me viro muito melhor do que qualquer outra pessoa nesse ponto, pois, quando esse medo vem, normalmente produz um tipo de concussão de sonho, e uma passagem em volta do verdadeiro ponto desencadeador do medo é apagada. Mas há alguns sonhos que não podem ser totalmente traduzidos para visões e sons. Só consigo descrevê-los como semelhantes a uma situação deste tipo: trabalhando sozinho, tarde da noite, totalmente recolhido dentro de si mesmo; um barulho, ou mesmo algo mal perceptível, assusta você; você fica todo arrepiado, torna-se agudamente autoconsciente, inquicto, percebendo o isolamento: como são finas as paredes entre você e a Noite.

"A situação pode ter várias explicações nesse contexto. Mas lá fora (ou lá embaixo), às vezes a mente se torna subitamente ciente de que *existe* uma Noite do lado de fora, e que inimigos caminham nela: um deles está tentando entrar. Mas não há paredes", disse Ramer, sombrio. "A alma está terrivelmente nua quando nota isso, quando esse fato é ressaltado por alguma coisa alienígena. A alma não tem armadura, tem apenas seu próprio ser. Mas há um guardião.

"Ele parece ordenar um recuo rápido. Você poderia desobedecer se fosse um tolo, suponho. Poderia empurrá-lo para longe de si. Poderia entrar num estado no qual sentiria atração pelo Medo. Mas não consigo imaginar isso. Prefiro falar sobre alguma outra coisa."

"Oh!", disse Jeremy. "Não pare ainda. Ficamos quase só nas digressões desde o meteorito. Em grande parte por culpa minha. Não quer continuar?"

"Gostaria, se o Clube não se importar. Um pouco mais. Quis apenas dizer que prefiro voltar para as visões e as jornadas. Bem, fora aqueles perigos — que eu não experimentei com frequência e nos quais nunca pensei muito —, acho que aquilo que chamamos de 'interesses' às vezes podem acabar sendo estimulados ou mesmo implantados pelos contatos. Assim como você pode desenvolver um interesse especial pela China ao ser visitado por um chinês, especialmente se tem a chance de conhecê-lo e de saber algo do que pensa."

"Você foi para alguma China Celestial?", perguntou Frankley. "Ou para algum lugar mais interessante do que as suas histórias inventadas: algo mais semelhante a Emberü?"

"Nunca *fui* para lugar nenhum", disse Ramer, "como estou tentando explicar. Mas suponho que eu poderia dizer que *estive* em alguns lugares, e que ainda estou ocupado tentando organizar minhas observações. Se você quer dizer lugares fora da Terra, outros corpos celestes: sim, já vi vários além de Emberü, seja por meio de outras mentes, ou por meio de veículos e registros; possivelmente usando a luz.* Sim, estive em vários lugares estranhos.

"O lugar sobre o qual lhe falei, a Verde Emberü,[48] onde existia um tipo de vida orgânica, luxuriante, mas pura e longeva: foi onde desembarquei da primeira vez que caí num sono amplo. Parece que foi há tanto tempo. Tudo ainda está muito vívido para mim, ou estava até semana passada." Deu um suspiro.

"Não consigo recordar de novo o original agora, de algum modo; não quando desperto. Tenho a impressão de que escrever essas lembranças, recontá-las nos termos da vida desperta, acaba por borrá-las ou apagá-las na memória desperta; recobre-as como se fossem palimpsestos. Não se pode ter as duas coisas. Ou é

*Jones diz que Ramer explicou isso da seguinte maneira: "Acho que, como a *visão* nos sonhos livres não ocorre por meio dos olhos, ela não está sujeita às leis ópticas. Mas a luz pode ser usada, como qualquer outra modalidade do ser. A mente pode, por assim dizer, viajar corrente acima, tal como consegue recuar no registro histórico de outras coisas. Mas parece ser algo cansativo: requer uma grande energia e um grande desejo. Não é algo que se faça com frequência: e tampouco se pode viajar por uma distância indefinida de Tempo e Espaço". N.G.

preciso suportar as dores de não comunicar o que se deseja compartilhar grandemente, ou é preciso se contentar com a tradução. Escrevi aquele relato para vocês e agora tudo o que me resta é aquilo, junto com frêmitos e traços esmaecidos do que jaz sob a superfície: a visão de Emberü!

"É a mesma coisa no caso de Ellor. Ellor!", murmurou ele. "Ellor Eshúrizel! Desenhei-a uma vez com palavras, da melhor maneira que pude, e agora ela *é* palavras. Aquela imensa planície com seu fundo de prata todo cheio de padrões delicados; as encostas formosas e montes convolutos. O mundo inteiro foi projetado com tanta doçura, não por um só pensamento, mas por muitos em harmonia; embora, em todas as suas formas, não houvesse em lugar algum nada do que lembra o que chamamos de vida orgânica. Lá a 'matéria inanimada' era ordenada, simétrica, sem confusão, porém intrincada, além da perspicácia da minha mente, em suas modulações e recapitulações fluidas: um jardim, um paraíso de água, metal, pedra, como as variações entrelaçadas de vastas ordens naturais de flores. Eshúrizel! Azul, branco, prateado, cinza, enrubescendo até chegar a arroxeados luxuriantes, esses eram seus temas, nos quais um cintilar de vermelho era como uma visão apocalíptica da Vermelhidão essencial, e um brilho de ouro era como a glória do Sol. E havia música também. Pois havia muitos ribeiros, abundante água — ou alguma contraparte mais bela da água, menos arredia, mais habilidosa no encantamento da luz e na criação de sons inumeráveis. Lá a grande queda d'água de Öshul-küllösh descia seus trezentos degraus numa sequência de notas e acordes dos quais só consigo ouvir ecos tênues agora. Acho quc os En-keladim habitam esse lugar."[49]

"Os En-keladim?", perguntou Jeremy gentilmente. "Quem são eles?"

Ramer não respondeu. Estava fitando o fogo. Depois de uma pausa, continuou. "E havia outro mundo, mais distante, ao qual cheguei mais tarde. Não direi muito sobre ele. Espero contemplá-lo de novo, e por mais tempo: Minal-zidar, o dourado, absolutamente silencioso e quiescente, todo um pequeno mundo feito de uma única forma perfeita, completo, imperecível no Tempo, terminado, em paz, uma joia, uma palavra visível, uma incorporação, em forma material, da contemplação e da adoração, criada por não sei qual mente adoradora."

"Onde fica Minal-zidar?", perguntou Jeremy suavemente.

Ramer olhou para cima. "Não sei onde ou quando", respondeu. "A mente viajante não parece muito interessada nesses detalhes, ou esquece de tentar descobri-los quando está absorta em contemplar. Portanto, tenho muito poucas pistas. Não olhei para o céu de Minal-zidar. Sabe, se você está olhando para o rosto de alguém que está radiante com a contemplação de uma grande beleza ou santidade, ficaria preso àquele rosto por muito tempo, mesmo se fosse grande o suficiente (ou presunçoso o suficiente) para achar que seria capaz de ver aquilo por si mesmo. A beleza refletida, tal como a luz refletida, é adorável a seu próprio modo — do contrário, suponho, não teríamos sido criados.

"Mas em Ellor pareciam existir luzes no céu, o que chamaríamos de estrelas, não sóis ou luas; e, contudo, muitas delas eram bem maiores e mais brilhantes do que qualquer estrela aqui. Não sou astrônomo, então não sei o que isso pode implicar. Mas suponho que era algum lugar muito distante, além dos Campos de Arbol."[50]

"Campos de Arbol?", disse Lowdham. "Parece que ouvi isso antes. De onde você tira esses nomes? Em que línguas estão? Ora, isso me interessaria de verdade, mais do que geometria ou paisagens. Eu usaria as *minhas* oportunidades, se alguma vez entrasse nesse estado, para estudar a história da linguagem."[51]

"Arbol é a palavra em 'solar antigo' que designa o Sol", disse Jeremy.[52] "Quer dizer, Ramer, que você consegue retornar até o solar antigo, e que Lewis* não inventou aquelas palavras, afinal?"

"Solar antigo?", disse Ramer. "Bem, não. Mas é claro que eu estava citando Lewis ao dizer Campos de Arbol. Quanto aos outros nomes, aí é outra história. Têm associação tão firme com os

---

*Em referência a *Além do Planeta Silencioso* e *Perelandra*, que todos tínhamos lido algum tempo antes, sob pressão de Jeremy (enquanto ele estava escrevendo seu livro sobre *Terras Imaginárias*). Ver nota sobre a Noite 60, p. 206. Jeremy era um admirador da *Escola dos Pubs* (como ele mesmo os havia apelidado) e, logo depois que se tornou professor-associado, deu uma série de palestras com aquele título. O velho Professor Jonathan Gow tinha bufado e enrolado por causa do título; e J. se ofereceu para trocá-lo por *Lewis e Carolus, ou Através do Espelho de Oxford*, ou *Jack e o Pé-de-feijão*; o que não resolveu o problema. Fora do Clube, J. não teve muito sucesso ao tentar reviver o interesse por esse pessoal; embora o livrinho de memórias anônimo *Nos Sedentos Anos Quarenta, ou Por Dentro e Por Fora Dos Canecos de Oxford* tenha atraído alguma atenção quando foi publicado em 1980. N.G.

lugares e as visões da minha mente quanto *pão* está ligado a Pão na mente de vocês, e na minha. Mas acho que são *meus* nomes num sentido no qual *pão* não é.*

"Desconfio que isso depende dos gostos e talentos pessoais, mas, embora eu seja filólogo, creio que acharia difícil aprender línguas estranhas num sonho livre ou numa visão. Você *consegue* aprender em sonhos, é claro; mas, no caso de visões reais de coisas novas, você não fala, ou não precisa falar: capta o sentido das mentes (se encontrar alguma) mais diretamente. Se eu tivesse uma visão de algum povo alienígena, mesmo se os ouvisse falar, o *sentido* do que dizem afogaria ou borraria minha recepção dos *sons* que produzem; e, quando acordasse, se eu recordasse o que foi dito e tentasse relatá-lo, sairia tudo em inglês."

"Mas isso não valeria para nomes puros, substantivos próprios, certo?", disse Lowdham.

"Sim, valeria", disse Ramer. "A voz poderia dizer *Ellor*, mas eu captaria um vislumbre da visão do lugar por parte da outra mente. Mesmo se a voz dissesse *pão* ou *água*, usando 'substantivos comuns', eu provavelmente captaria, como o centro de uma nuvem vaga (incluindo gostos e cheiros), algum vislumbre particular de um pão moldado, ou uma nascente que corre, ou um vidro cheio de líquido transparente.

"Desconfio que você, Arry, é mais fonético e mais sensível a sons do que eu, mas creio que até você acharia difícil evitar que sua memória de ouvido das palavras alienígenas ficasse borrada pelo impacto do sentido direto de tais sonhos. Se conseguisse, então muito provavelmente seriam apenas os sonos, e não o sentido, que você recordaria.

"E, no entanto... especialmente quando muito longe, fora deste mundo de Fala, onde nenhuma voz se ouve, e outras formas de nomear não chegaram... pareço ouvir fragmentos de linguagem e nomes que não são deste país."

*Lowdham diz que Ramer lhe contou, depois do encontro, que ele achava que *Minal-Zidar* queria dizer *Equilíbrio no Firmamento*; mas *Emberü* e *Ellor* são só nomes. *Eshúrizel* era um título, significando, de modo intraduzível, alguma mistura ou esquema de cores; mas Öshul-küllösh queria dizer simplesmente Água que Cai. NG.

"Sim, sim", disse Lowdham. "É exatamente sobre isso que quero ouvir. Que linguagem é essa? Você diz que não é solar antigo?"

"Não", disse Ramer, "porque não existe nenhuma língua com esse nome. Sinto muito ter de discordar das suas autoridades, Jeremy; mas essa é minha opinião. E, a propósito, falando como filólogo, devo dizer que o tratamento da linguagem, da intercomunicação, em histórias sobre viagem no Espaço ou no Tempo, é uma falha pior, via de regra, do que os veículos baratos que estávamos discutindo na semana passada. Pouquíssima consideração ou atenção chega a ser dedicada a isso.[53] Acho que Arry vai concordar comigo nesse ponto."

"Concordo", disse Lowdham, "e é por isso que ainda estou esperando ouvir onde e como você obteve seus nomes."

"Bem, se você realmente quer saber o que são esses nomes", disse Ramer, "acho que eles estão na minha língua *nativa*."

"Mas a sua língua nativa é o inglês, certo?", disse Lowdham. "Embora você tenha nascido em Madagáscar ou outro lugar estranho desses."

"Não, seu asno! Eu nasci em Magyarország, ou seja, na Hungria", disse Ramer. "Mas, de qualquer jeito, o inglês *não é* a minha língua nativa. Nem a sua. Cada um de nós tem uma língua nativa só sua — ao menos potencialmente. Em sonhos de trabalho, as pessoas que têm uma inclinação nesse sentido podem trabalhar nela, desenvolvê-la. Algumas, muitas mais do que você pensa, tentam fazer o mesmo nas horas despertas — com graus variáveis de consciência. Pode não ser mais do que dar um jeito pessoal à forma de palavras antigas; pode ser a invenção de novas palavras (a partir de modelos recebidos, via de regra); ou pode chegar à elaboração de belas línguas próprias em particular: em particular só porque outras pessoas, naturalmente, não estão muito interessadas.

"Mas a língua herdada, aprendida primeiro — o que normalmente chamamos erroneamente de 'nativa' — deixa uma marca antiga e profunda. Dificilmente é possível escapar de sua influência. E idiomas aprendidos depois também afetam o estilo natural, colorindo o paladar linguístico de um homem; quanto mais cedo forem aprendidas, maior o efeito. Como o magiar afeta fortemente o meu gosto — mas ainda mais fortemente, creio eu, porque, de muitas maneiras, é mais próximo das minhas predileções nativas do que o inglês. Na invenção de línguas, embora você pareça construir só com materiais tirados de outras línguas adquiridas, são aqueles elementos mais próximos do seu estilo nativo que você seleciona.

"Naqueles sonhos raros nos quais estava pensando, muito ao longe, sozinho em países sem voz, é então que a sua própria língua nativa borbulha e cria novos nomes para coisas estranhas e novas."

"Países sem voz?", disse Jeremy. "Quer dizer regiões onde não há nada semelhante à nossa linguagem humana?"

"Sim", disse Ramer. "A linguagem propriamente dita, como a conhecemos na Terra — sinal (percebido pelos sentidos) mais significado (pela mente) — é algo típico de uma mente dentro de um corpo; uma característica essencial, a característica primordial da fusão da encarnação. Apenas os *hnau*, para usar a palavra lewisiana de Jeremy de novo, teriam linguagem. Os irracionais não conseguiriam ter algo assim, e os sem corpo não conseguiriam ou não desejariam."

"Mas é comum o registro de espíritos *falando*", disse Frankley.

"Eu sei", respondeu Ramer. "Mas fico pensando se eles realmente o fazem, ou se eles fazem com que as pessoas os ouçam, tal como conseguem fazer com que elas os vejam em alguma forma apropriada, produzindo uma impressão direta sobre a mente. Vestir essa impressão nua em termos inteligíveis para a sua mente encarnada frequentemente fica, imagino, a cargo do receptor. Embora sem dúvida eles possam fazer você ouvir palavras e ver formas que eles próprios escolheram, se quiserem. Mas, em todo caso, o processo seria o reverso do normal, de certa maneira, uma tradução do sentido para o símbolo. Os resultados audíveis e visíveis poderiam ser dificilmente distinguíveis do normal, mesmo assim, exceto por alguma emoção interna; embora às vezes exista, de fato, uma diferença perceptível de sequência."

"Não sei o que espíritos conseguem fazer", disse Lowdham; "mas não vejo por que não podem produzir sons de verdade (como o Eldil em *Perelandra*): fazer o ar vibrar de modo apropriado, se desejarem. Parecem ser capazes de afetar a 'matéria' diretamente."

"Tendo a achar que conseguem", disse Ramer. "Mas duvido que desejariam fazê-lo, para tal propósito. A comunicação com outra mente fica mais simples do outro jeito. E o ataque direto me parece equivaler melhor às sensações que os seres humanos muitas vezes têm em tais ocasiões. Muitas vezes há um choque, uma impressão de ter sido balançado lá no fundo. Há um movimento de dentro para fora, mesmo se a pessoa sente que a causa é externa, algo que é outro, não você. É algo diferente, em qualidade, da recepção do som de fora para dentro, ainda que possa muito bem acontecer que a coisa comunicada diretamente não seja estranha ou alarmante, enquanto muitas coisas ditas da maneira encarnada comum sejam tremendas."

"Você fala como se *soubesse*", observou Jeremy. "Como sabe de tudo isso?"

"Não, não afirmo *saber* nada sobre tais coisas, e não estou estabelecendo as regras. Mas são coisas que sinto. *Fui* visitado, ou falaram comigo", disse Ramer, com seriedade. "Nessa ocasião, creio, o sentido foi direto, imediato, e a tradução imperfeita veio perceptivelmente depois: mas foi audível. Em muitos relatos sobre outros eventos assim, pareço reconhecer experiências similares, ainda que muito mais grandiosas."

"Você faz a coisa toda soar como alucinação", comentou Frankley.

"Mas é claro", disse Ramer. "Funcionam de um jeito parecido. Se você está pensando em doenças mentais, então pode acreditar que a causa não é algo externo; e, do mesmo modo, algo (mesmo que seja só alguma parte do corpo) deve estar afetando a mente e fazendo com que ela se manifeste pelo lado de fora. Se você acredita em possessão ou ataque de espíritos malignos, então não há diferença no processo, apenas a diferença entre maldade e boa vontade, mentira e verdade. Existe Doença e Mentira no mundo, e não apenas entre os homens."

Fez-se uma pausa. "Ficamos bem distantes do solar antigo, não?", disse Guildford, por fim.

"Não, acho que o que foi dito tem muito a ver com o tema", respondeu Ramer. "De qualquer jeito, se existe, ou mesmo existiu, algum solar antigo, então ou Lewis, ou eu, ou nós dois estamos errados quanto a ele. Pois não capto nenhum nome semelhante a *Arbol* ou *Perelandra*, ou *Glund*.[54] Capto nomes muito mais adequados às formas que crio, se invento palavras ou nomes para uma história composta quando estou desperto.

"Acho que pode existir um humano antigo, ou adâmico primitivo — certamente existiu algo assim, embora não seja tão certo que todas as nossas línguas derivem dele em continuidade inquebrantável; a única herança comum indubitável é a aptidão para criar palavras, a necessidade premente de criá-las. Mas o humano antigo não poderia ser de modo algum a mesma coisa que a linguagem primal de outros animais racionais de constituição diferente, como os Hrossa de Lewis.[55] Porque esses dois seres com corpos, os Homens e os Hrossa, são bem diferentes, e a base física, que condiciona as formas dos símbolos, seria diferente *ab origine*. As mesclas mente-corpo teriam sabores expressivos bastante diferentes. A expressão poderia não assumir nenhuma forma vocal, ou mesmo audível. Sem símbolos, não se tem linguagem; e a linguagem começa com a encarnação, e não antes dela. Mas, é claro, se você for confundir linguagem com formas de *pensamento*, então talvez se possa falar em solar antigo. Mas por que não universal antigo, nesse caso?[56]

"Entretanto, não acho que a questão seja relevante. Não acho que existam quaisquer outros *hnau* exceto nós mesmos em todo o sistema solar."

"Como diabos você poderia saber isso?", perguntou Frankley.

"Acho que sei por ter olhado", respondeu Ramer. "Uma única vez vi em algum lugar o que pensei serem traços de tais criaturas, mas conto isso em breve.

"Admito que há uma chance de erro. Nunca me interessei muito por pessoas. É por isso que, quando comecei a escrever, e tentei escrever sobre pessoas (porque me parecia ser a coisa que todos faziam, e a única coisa que chegava a ser lida), meus esforços foram tão desastrados, como vocês veem, mesmo em sonho. Hoje, tenho um interesse anormalmente pequeno por pessoas no geral, embora possa me interessar profundamente por este ou aquele indivíduo; e, quanto menos as vir, mais me agrada. Não vasculhei os Campos de Arbol procurando por elas! Suponho que, ao sonhar, possa tê-las ignorado ou deixado passar. Mas não acho que isso seja mesmo provável. Porque gosto de solidão numa floresta e de árvores intocadas, não significa que eu deixaria de ver a evidência da ação dos homens num bosque, ou nunca notaria se encontrasse homens por lá. Muito pelo contrário!

"É verdade que não vi os planetas solares com frequência, nem os explorei diligentemente; isso não chega a ser necessário em muitos casos, se você estiver procurando alguma forma concebível de vida orgânica que lembre o que conhecemos. Mas o que *cheguei* a ver me convence de que o sistema inteiro, salvo a Terra, é de todo estéril (no nosso sentido). Marte é uma rede horrenda de desertos e abismos; Vênus, um redemoinho fervente de vento e vapor acima de um núcleo crepuscular destroçado por tempestades. Mas, se quiser saber com o que ele se parece e como soa: um Mar negro fumegante, erguendo-se como o Everest, enfurecido no ocaso sobre montanhas tênues e afogadas, sugando tudo com o rugido de cataratas semelhantes ao fim de Atlântida — então vá para lá! É magnífico, mas não é Paz. Para mim, na verdade, é muito revigorante — embora essa palavra seja pequena demais. Não consigo descrever o aumento do vigor, a aceleração do interesse intelectual, ao ir para longe de toda esta bagunça histórica de formigueiro! *Não* sou um misantropo. Para mim, é uma aventura muito mais inspiradora e exigente, muito mais responsável, perigosa e solitária: o fato de que os Homens estão *sozinhos* em EN.[57] Em EN. Pois esse é o nome, para mim, deste arquipélago ensolarado em meio aos Grandes Mares.

"Podemos lançar nossas sombras rumo às outras ilhas, se quisermos. É uma forma boa e legítima de invenção; mas uma invenção é o que é, e procede da Terra, o Planeta Tagarela. Os únicos *hnau* que algum dia habitarão o rubro *Gormok* ou *Zingil* das nuvens brilhantes[58] serão colocados lá por nós."

"Que razão você tem para achar que os viu mesmo, e não outros lugares no Espaço mais remoto?", perguntou Frankley.[59]

"Bem, fui até eles com um ânimo mais questionador", disse Ramer, "e procurei alguns sinais que pudesse entender. Eram planetas. Giravam ao redor do Sol, ou de um sol, mais ou menos das maneiras e nos ritmos ensinados pelos livros, até onde pude observar. E os céus mais distantes seguem bastante o mesmo padrão, exatamente o mesmo, de acordo com o meu pouco conhecimento, que temos aqui. E o velho *Eneköl*, Saturno,[60] é inconfundível; embora eu suponha que não seja impossível a existência de uma contraparte dele em outro lugar."

"Você não pode descrever o que viu lá?", disse Frankley. "Eu mesmo tentei uma vez descrever uma paisagem saturnina,[*61] e gostaria de saber se você me corrobora."

---

[*] Em *A Estrela Krônica*. Esse poema apareceu no volume *Pés de Chumbo* (1980). Um dos críticos disse que esse título, junto com o nome do autor, dizia tudo o que se precisava saber sobre o livro. N.G.

"Corroboro, mais ou menos", disse Ramer. "Achei isso logo de cara quando pousei lá, e fiquei pensado se você também tinha estado ali, ou tinha ouvido alguma notícia confiável — embora não a recordasse quando desperto. Mas está ficando tarde. Estou cansado, e tenho certeza de todos vocês estão."

"Bem, alguma coisa para fechar a conversa!", implorou Jeremy. "Você mesmo ainda não chegou realmente a nos contar muitas notícias."

"Vou tentar", disse Ramer. "Dê-me outro drinque, e farei o melhor possível. Como não tive tempo, quando desperto, de dar nome a boa parte das formas e sensações, ou de traduzi-las, é impossível para mim fazer mais do que sugerir como é a coisa. Mas vou tentar lhes contar sobre uma aventura em meio aos meus sonhos profundos; ou elevados, pois essa ocorreu em uma das viagens mais longas que já tive a oportunidade ou a coragem de fazer. É algo que ilustra várias coisas curiosas sobre esse tipo de aventura.

"Lembrem-se de que as sequências de sonho lidando com exploração astronômica ou viagem espacial não são muito frequentes na minha coleção. Nem na de qualquer um, imagino. As chances de fazer tais viagens não são tão frequentes; e elas são... bem, elas exigem um pouco de ousadia. Eu apostaria que a maioria das pessoas nunca tem a chance de fazê-las e nunca o ousam. É algo relacionado, de alguma maneira, ao *desejo*, sem dúvida; embora seja difícil dizer o que vem primeiro, a chance ou o desejo, se é que existe mesmo algum tipo de prioridade nessas questões. Quero dizer: minha antiga atração por histórias despertas sobre viagens espaciais era um sinal de que na verdade eu já estava participando dessa exploração, ou uma causa disso?

"De qualquer modo, só fiz umas poucas jornadas, até onde sei, por enquanto; isto é, poucas se comparadas a outras atividades. Minha mente 'sonhante' talvez não seja ousada o suficiente para se adequar ao desejo desperto; ou talvez os interesses dos quais estou mais consciente acordado na verdade não sejam tão fundamentalmente dominantes. Minha mente, na verdade, parece gostar mais de romances míticos, os seus próprios e os de outros. Poderia contar a vocês um bocado sobre a Atlântida, por exemplo; embora esse não seja o nome dela para mim.

"Qual *é* o nome dela?", perguntou Lowdham bruscamente, inclinando-se para a frente com uma avidez curiosa; mas Ramer não respondeu.

"É algo ligado àquela Onda Cheia de Dobras",[62] disse ele; "e a outro símbolo: a Grande Porta, com a forma de um π grego com laterais inclinadas.[63] E vi os En-keladim, os meus En-keladim, interpretando uma de suas peças keladianas, o Drama da Árvore Prateada,[64] sentados em círculo e cantando aquela música estranha, comprida, comprida, mas nunca cansativa, irreprimível, desdobrando interminavelmente a si mesma, enquanto a canção adquire vida visível entre eles. O Mar Verde desabrocha em espuma, e a Ilha se ergue e se abre feito uma rosa em meio a ele. Ali a Árvore abre a grama estrelada como uma lança de prata, e cresce, e há uma Luz Nova; e as folhas se abrem e há Luz Cheia; e as folhas caem e há uma Chuva de Luz. Então a Porta se abre — mas não! Não tenho palavras para tal Medo."

Ele parou de repente. "Essa é a única coisa que jamais vi", disse ele, "que não tenho certeza se é inventada ou não.[65] Desconfio que seja uma composição — vinda do desejo, do devaneio, da experiência desperta e da 'leitura' (dormindo e acordado). Mas há um outro ingrediente. Em algum local, em certo lugar ou lugares, algo semelhante a isso realmente acontece, e eu o vi, talvez ao longe ou tenuemente.

"Meus En-keladim eu vejo em formas humanizadas de beleza suprema e maravilhosamente variada. Mas acho que suas aparências verdadeiras, se tais existem, são invisíveis, a não ser que adquiram corpos por sua própria vontade, entrando em suas próprias obras por causa de seu amor a elas. Ou seja, eles são *élficos*. Mas muito diferentes das histórias distorcidas dos Homens sobre eles; pois não são excelsos, na verdade, mas também não são seres caídos."

"Mas você não diria que eles são *hnau*?", perguntou Jeremy. "Eles não têm linguagem?"

"Sim, suponho que sim. Muitas línguas", disse Ramer. "Tinha me esquecido delas. Mas eles não são *hnau*; não estão presos a um corpo específico, mas criam o seu próprio corpo, ou o assumem, ou caminham silenciosos e despidos sem ter senso dessa nudez. E suas línguas se alteram e mudam como luz refletida n'água ou vento nas árvores. Mas sim, talvez *Ellor Eshúrizel* — seu significado eu não consigo agarrar, tão célere e passageiro é —, talvez esse seja um eco das vozes deles. Sim, acho que Ellor é um dos mundos deles: onde a governança, a criação e o ordenamento, estão totalmente a cargo de mentes, relativamente pequenas, que não possuem corpos nele, mas são devotadas ao que chamamos de matéria, e especialmente à beleza dela. Até aqui na Terra eles podem ter tido, ainda podem ter, alguma habitação e algum trabalho a fazer.

"Mas ainda estou me desviando do assunto. Preciso voltar à aventura que prometi contar. Entre minhas poucas sequências de viagem, recordo uma que parecia ser uma longa inspeção (em várias ocasiões) de um sistema solar diferente. Então parece que existe mesmo pelo menos uma outra estrela com planetas que a acompanham.[66] Pensei que, conforme vagava por lá, cheguei a um pequeno mundo, do tamanho da nossa Terra ou menor — embora, como vocês verão, tamanho seja algo muito difícil de estimar; e ele era iluminado por um sol, um tanto maior que o nosso, mas de luz mais fraca. As estrelas também eram fracas, mas pareciam estar arranjadas de um jeito bem diferente; e havia uma nuvem ou espiral branca no céu, com pequenas estrelas em suas dobras: uma nebulosa, talvez, mas muito maior do que a que conseguimos ver em Andrômeda. Tekel-Mirim[67] era seu nome, uma terra de cristais.

"Se os cristais realmente eram de tal enorme tamanho — os maiores eram semelhantes às pirâmides egípcias —, é difícil dizer. Uma vez que se está longe da Terra, não é fácil estimar tais coisas sem pelo menos usar seu corpo como referência. Pois não há escala; e o que você faz, suponho, é focar sua atenção, para cima ou para baixo, de acordo com que aspecto deseja notar. E o mesmo vale para a velocidade. De qualquer modo, ali em Tekel-Mirim era a matéria inanimada, como diríamos, que estava se movendo e crescendo: em incontáveis formações cristalinas. Se o que me pareceu ser o ar do planeta era realmente ar, ou água, ou algum outro líquido, não sou capaz de dizer; embora talvez o enfraquecimento do sol e das estrelas sugira que não era ar. Pode ser que eu estivesse no leito de um mar largo e raso, fresco e parado. E lá pude observar o que estava acontecendo: para mim, algo profundamente interessante.

"Pirâmides e poliedros de formas multíplices e simétricas estavam crescendo como... como cogumelos geométricos, e crescendo da simplicidade até a complexidade; da beleza singular, passando a amálgamas de harmonias arquitetadas com incontáveis facetas e luzes refletidas. E a velocidade do crescimento parecia muito elevada. No cimo de certa torre de sólidos conjugados, um grande esporão, como uma lança de gelo esverdeado, brotava; não estava lá e de repente estava; e mal tinha sido disposta antes de ficar incrustada com pequenas lanças em filas eriçadas de muitas cores pálidas. Em certos lugares, chegava-se a formas feito flocos de neve sob um microscópio, mas enormemente maiores: altas como árvores eram algumas delas. Em outros lugares havia formas severas, majestosas, vastas e simples.

"Por algum tempo que não consegui contar, observei a 'matéria' em Tekel-Mirim montando suas harmonias de desígnio inerente com velocidade e precisão, espalhando-se, conectando-se, formando torres, em facetas e ângulos que construíam desgastes e arabescos e laços congelados, joias nas quais flechas de fogo pálido eram rebatidas e estilhaçadas. Mas havia um limite para o crescimento, para a edificação e a anexação. De repente, a desintegração era desencadeada — não, não era bem isso, mas uma reversão: não era algo feio ou a ser lamentado. Todo um épico de construção recuava, retornando em sua formosura, por estágios tão belos quanto os que atravessara ao crescer, mas totalmente diferentes, até que cessava. De fato, era difícil escolher fixar a atenção em alguma evolução maravilhosa ou em alguma involução graciosa que levava a — nada que fosse visível.

"Só parte da matéria em Tekel-Mirim estava fazendo essas coisas (pois 'fazer' parece ser a nossa única palavra para designá-lo): a matéria especialmente dotada para isso; um cientista diria (suponho) que ela era de uma certa natureza e condição químicas. Havia leitos, e paredões, e magnos círculos de encostas lisas, vales e vastos abismos, que não mudavam de forma nem se moviam. O tempo ficava parado no caso deles, enquanto os cristais cresciam e minguavam.

"Não sei porque visitei essa cena estranha, pois desperto eu nunca estudei cristalografia, nem mesmo considerando que a visão de Tekel-Mirim muitas vezes me sugeriu que eu deveria. Se as coisas em Tekel-Mirim funcionam exatamente como aqui, não sei dizer. De todo modo, ainda fico pensando o que será que pode significar, na Terra ou no universo, quando se diz, como foi dito cem anos atrás (por Huxley, creio eu), que um cristal é uma 'forma sólida simétrica assumida espontaneamente pela matéria sem vida'.[68] A espontaneidade daquilo que não tem vida é uma afirmação obscura. Mas pode ter algum significado: como saber? Pois temos muito pouca compreensão de ambos os termos. Não digo mais. Apenas registro, ou tento registrar, os eventos que vi, e eles eram maravilhosos demais, enquanto os via na distante Tekel--Mirim, para permitir especulações. Temo não ter oferecido a vocês nenhum vislumbre deles.

"Foi numa dessas ocasiões, retornando — ou deveria dizer 'sonhando para trás?' — de Tekel-Mirim, que tive a aventura com a qual vou encerrar. A velocidade, assim como o tamanho, como eu disse, é muito difícil de estimar sem nenhuma medida além das memórias vagas dos eventos terrestres ao longe. Talvez eu estivesse acelerando, ou seja, movendo-me rapidamente adiante no Tempo em Tekel-Mirim, de modo a obter a história ou sequência mais longa que conseguisse. Em Tekel-Mirim eu devo ter estado não apenas longe no Espaço, mas também num tempo um pouco antes do meu tempo terrestre, ou teria ultrapassado o momento da minha retirada. Pois tive de me retirar, naquela visita, mais cedo do que meu corpo normalmente me convoca. Uma determinação da minha própria vontade, imposta antes que eu fosse dormir, tinha fixado um momento para despertar, para um compromisso. E a hora estava se aproximando.

"Não adianta ficar se agarrando quando você não quer repetições, mas continuar a observar; e, portanto, eu me retirei, com a mente ainda tão cheio da maravilha de Tekel-Mirim que eu não conseguia nem mesmo sonhando, e ainda menos desperto, recordar as transições ou os modos da viagem, até que minha atenção se soltou das minhas lembranças e descobri que estava observando uma esfera brilhante. Sabia que a tinha visto, ou algo semelhante a ela, em uma de minhas outras jornadas; e estava tentado a examiná-la de novo. Mas o tempo estava correndo e, de modo tênue, como um pedaço remoto de um sonho (para quem está desperto), fiquei ciente do meu corpo começando a se mexer involuntariamente, sentindo o retorno da vontade. Então, bem ali, eu 'me agarrei' de repente, com o máximo de esforço que consegui; e, ao mesmo tempo, eu me aproximei para observar por algum tempo essa bola estranha.

"Deparei-me com uma cena cambiante horrivelmente desordenada: um contraste chocante com Tekel-Mirim e, depois de

Emberü e Ellor, intolerável. Escuridão e luz piscavam aqui e ali por cima dela. Ventos espiralavam e se turbavam, e vapores se elevavam, juntando-se, faiscando e desaparecendo rápido demais para que qualquer coisa além de um grande redemoinho em frangalhos pudesse ser discernida. A terra, se isso é o que era, estava em mutação também, feito as areias na maré, esfarelando-se e se expandindo, conforme o mar galopava para dentro e para fora em meio às bordas inquietas da costa. Havia brotamentos selvagens, que mal poderia chamar de bosques; árvores crescendo feito cogumelos, e desabando e morrendo antes que pudesse determinar suas formas. Tudo estava em um fluxo abominável.

"Cheguei ainda mais perto. O esforço de prestar atenção com cuidado parecia sossegar as coisas. O chamejar de luz e escuridão se tornou muito mais lento; e vi algo que definitivamente era um pequeno rio, embora se remexesse um pouco, e ficasse mais largo e mais estreito conforme eu olhava para ele. As árvores e os bosques em seu vale agora mantinham suas formas por algum tempo. Então '*Hnau*, finalmente!', disse a mim mesmo; pois no vale, à beira do rio, entre as árvores, vi formas, formas inconfundíveis de casas. No começo, tinha pensado que eram algum tipo de fungo de crescimento rápido, até que observei com mais vagar. Mas agora vi que eram construções, mas ainda ao estilo de fungos, aparecendo e depois caindo aos pedaços; e, contudo, sua aglomeração estava se espalhando.

"Eu ainda estava muito alto acima da cena, mais alto do que um homem numa torre muito elevada; mas podia ver que o lugar estava coalhado ou mesmo fervilhando com *hnau* de algum tipo — isso se não eram criaturas-formigas muito grandes, dotadas de velocidade impressionante: zunindo ao redor, sozinhas ou em bandos, de modo desorientador; sempre mais e mais delas. Com frequências disparavam para dentro e para fora, feito balas, ao longo das trilhas que levavam até a chaga horrível, esfarelada e em crescimento das formas de casas.

"'Isso é realmente assustador!', pensei. 'Será que este é um mundo adoentado, ou é um planeta realmente habitado por homens-efeméridas em uma espécie de mixórdia tumultuosa? O que aconteceu com a terra? Está perdendo a maior parte de seus cabelos, ficando calva, e a micose das casas continua a se espalhar e a infectar novos lugares. Não há desígnio, nem razão, nem padrão nisso.' E, contudo, assim que disse isso, comecei a perceber, conforme observava com mais cuidado, que havia de fato algumas formas que sugeriam um desígnio tosco, e algumas agora se mantinham por um bom tempo.

"Logo notei, na beira do rio, perto do centro da aglomeração, onde eu tinha observado seus inícios, várias construções mais duradouras. Duas ou três tinham certa forma real, não sem um eco de beleza, mesmo para alguém que tinha acabado de vir de Tekel-Mirim. Continuavam de pé, enquanto a micose ia abrindo caminho mais e mais em volta delas.

"'Preciso dar uma olhada bem de perto', pensei; 'pois, se existem *hnau* aqui, isso é importante, por mais que eles possam ser desagradáveis; e tenho de fazer algumas anotações. Só uma olhada, e depois preciso partir. Ora, o que é aquela coisa feito um grande cogumelo cheio de dobras com um topo esquisito? Não está lá há tanto tempo quanto algumas das outras coisas maiores.' Depois disso, desci de uma vez.

"É claro que, se alguém realmente se concentra nas coisas — especialmente para observar suas formas estáticas, não suas mudanças, como eu andara fazendo em Tekel-Mirim —, então elas tendem a ficar paradas, de certa forma. A velocidade está em você, quando não está preso ao relógio temporal de um corpo. Assim, conforme intensifiquei minha atenção, perdi toda a aceleração que o entusiasmo por Tekel-Mirim tinha produzido. As coisas ficaram paradas por um momento, sólidas feito rocha.

"Eu estava observando a Câmera.[69] Estava a cerca de 10 metros acima do chão na Praça Radcliffe. Suponho que, no começo, eu estava vendo o Vale do Tâmisa, a uma velocidade imensa; e depois, mais e mais devagar, Oxford desde não sei quando, desde o começo da Universidade, provavelmente.

"O relógio de Saint Mary deu as sete horas da manhã — e eu acordei para meu compromisso. Para ir à missa. Era a manhã da festa de São Pedro e São Paulo, 29 de junho de 1986, pela nossa contagem. É só isso por hoje! Preciso ir para a cama."

"Bem, preciso ir embora também", disse Cameron. "Obrigado por uma noite muito divertida!"

MGR. NG. PF. AAL. RD. WTJ. RS. JJ. JJR.

NOTAS

1 A Grande Tempestade de 12 de junho de 1987: a "previsão" de meu pai estava errada por apenas quatro meses. A maior tempestade a ser recordada pelos que estão vivos hoje atingiu o sul da Inglaterra, causando vastos danos, em 16 de outubro de 1987. É curioso, à luz disso, ler os comentários do Sr. Green (p. 199): "pode muito bem ser que as predições (em especial a Tempestade), ainda que genuínas e não mera coincidência, tenham sido inconscientes, o que nos traz mais um vislumbre dos estranhos processos da chamada 'invenção' literária, da qual os Documentos tratam, em larga medida."

2 *O.S.B.*: "Ordem de São Bento".

3 Para o título conforme foi datilografado no texto final D, mas rejeitado mais tarde, ver p. 194, nota 2.

4 Nos textos A e B, o relato da Noite 54 está ausente (cf. o Prefácio do Sr. Green, p. 196: "Muitas Noites estão representadas apenas por algumas linhas ou por registros curtos, dos quais as Noites 54 e 64 foram incluídas como exemplos").

5 Não consigo explicar *O Cântico de Artegall*. Em irlandês, *arteagal* = "artigo"; e uma nota isolada escrita por meu pai diz: "Meu/O Cântico do Roxo em Nó",* "Artegall", "artigo Artegall". Mas isso não é de muita ajuda.

6 Em B, a Noite 60 é a Noite 251, sem data (ver p. 188).

7 Mencionei (p. 190) uma página que precede o texto A e traz as identificações de membros do Clube Notion com membros dos Inklings. Nessa página encontram-se duas aberturas breves, abandonadas, para *Os Documentos do Clube Notion*. Na primeira, Ramer pergunta a Latimer (predecessor de Guildford) qual a opinião dele sobre seu conto. Com " 'Sim, suponho que vai servir', respondi", essa abertura é interrompida e seguida pelo seguinte:

> Quando terminei de ler meu conto, ficamos sentados em silêncio por algum tempo. "Bem?", eu disse. "O que acham? Vai servir?" Ninguém respondeu, e senti o ar carregado de desaprovação, como é comum no nosso círculo, embora nessa ocasião as interrupções críticas tivessem sido menos frequentes que de costume. "Ah, vamos lá. O que *você* tem a dizer? Prefiro até ouvir o pior antes", provoquei, virando-me para Lattimer. Ele não é do tipo lisonjeador.
>
> "Ah, sim, vai servir, suponho que sim", respondeu com relutância. "Mas por que pegar no meu pé? Você sabe como odeio fazer uma crítica no impulso e ainda no calor da escuta — ou no frio."

Aqui essa segunda abertura foi abandonada. Presumivelmente isso está ligado à expressão "Eu mesmo" escrita debaixo de *Ramer* no alto da página (p. 190).

---

* Em inglês, *Night in Ale* ("Noite na Cerveja"), trocadilho com *nightingale*, "rouxinol", o que explica a opção por "Roxo em Nó". [N.T.]

[8] David Lindsay, autor de *A Voyage to Arcturus*, publicado em 1920, livro ao qual Guildford se refere mais tarde (ver nota 9).

[9] Cf. a carta de meu pai para Stanley Unwin, datada de 4 de março de 1938, acerca de *Além do Planeta Silencioso* (*Cartas*, n. 26):

> Li "Voyage to Arcturus" com avidez — a obra mais comparável à do Sr. Lewis, embora seja tanto mais poderosa como mais mítica (e menos racional, e também menos uma história — ninguém pode lê-la meramente como um thriller e sem interesse em filosofia, religião e moral).

[10] *Cavorita* era a substância "opaca à gravitação" criada pelo cientista Cavor em *Os Primeiros Homens na Lua*, de H. G. Wells (1901).

[11] Sobre "a Grande Explosão", ver o Prefácio do Sr. Green, p. 198, e a p. 232.

[12] *Ransom*: o Dr. Elwin Ransom era o filólogo de Cambridge que, em *Além do Planeta Silencioso*, foi levado à força para Marte (Malacandra) e, em *Perelandra*, foi para Vênus por intermédio do Oyarsa de Malacandra (ver próxima nota).

[13] No começo de *Perelandra*, os *Eldis* são descritos assim:

> Porque, na verdade, Ransom tinha encontrado outras coisas em Marte além dos marcianos. Ele tinha encontrado as criaturas chamadas eldila, e especialmente o grande eldil, que é o regente de Marte, ou, na língua deles, o Oyarsa de Malacandra. Os eldila são muito diferentes de qualquer criatura planetária. O organismo físico deles, se é que aquilo pode ser chamado de organismo, é totalmente diferente do organismo humano e também do marciano. Eles não se alimentam, não se reproduzem, não respiram, não sofrem morte natural, e, nesse sentido, se parecem mais com minerais pensantes do que com qualquer outra coisa que reconheceríamos como sendo do reino animal. Ainda que eles apareçam em planetas e possam até parecer, aos nossos sentidos, residir neles algumas vezes, a localização espacial precisa de um eldil sempre apresenta grandes dificuldades. Eles mesmos consideram o espaço (ou "Céu Profundo") como seu verdadeiro habitat, e os planetas para eles não são mundos fechados, mas apenas pontos que se movem — talvez até mesmo interrupções — no que conhecemos como Sistema Solar e eles, como Campo de Arbol.

[14] *Solar antigo*: cf. *Perelandra*, Capítulo 2, no qual Ransom fala com Lewis antes de começar sua jornada para Vênus:

> "Eu acho que estou sendo enviado porque aqueles dois patifes que me sequestraram e me levaram para Malacandra fizeram o que nunca pretenderam, isto é, dar ao ser humano uma chance de aprender aquela língua."
>
> "Que língua?"

"*Hressa-Hlab*, claro. A língua que aprendi em Malacandra."

"Mas com certeza você não imagina que eles falam a mesma língua em Vênus?"

"Não cheguei a falar sobre isso com você?" disse Ransom... "Estou surpreso de não ter falado, porque descobri há dois ou três meses, e cientificamente isso é uma das coisas mais interessantes em toda essa história. Parece que estávamos completamente equivocados ao pensar que *Hressa-Hlab* fosse uma língua apenas de Marte. Isso é o que pode ser chamado de Solar Antigo, *Hlab-Eribol-ef-Cordi*."

"O que cargas d'água isso quer dizer?"

"Quero dizer que originalmente havia uma língua comum para todas as criaturas racionais que habitavam os planetas do nosso sistema, isto é, os que eram habitados, que os eldila chamam de Mundos Inferiores... Aquela língua original foi perdida em Thulcandra, o nosso mundo, quando nossa tragédia aconteceu. Nenhuma língua humana conhecida no mundo descende daquela língua original."

Para as observações de Ramer sobre esse assunto, ver a p. 252 e a nota 55.

15 No texto original A (ainda seguido em B), Dolbear, ao acordar, diz com referência a essas palavras de Guildford ("A encarnação. Nascer"): "Então tente a reencarnação, ou talvez a transencarnação sem perda de memória. O que me diz, Ramer?"

16 *Arry*, diminutivo de *Arundel*, tornou-se o nome pelo qual Lowdham era conhecido no texto C; nas listas mais antigas de membros do Clube Notion, ele era simplesmente *Harry Loudham*. Sobre o significado disso, ver pp. 286–9, 341–3.

17 *Nova Erewhon*: *Erewhon* (= *Nowhere*, "lugar nenhum") é o título de uma sátira de Samuel Butler (1872). *News from Nowhere* [Notícias de Lugar Nenhum]: uma fantasia sobre o futuro escrita por William Morris (1890).

18 *Rua Turl* ou *a Turl* é uma rua estreita que fica entre a Rua High e a Rua Broad em Oxford, onde ficam os portões do "college" de Ramer, o Jesus College, o de Guildford, o Lincoln, e o Exeter College.

19 No texto B, a Noite 61 é a Noite 252, sem data (p. 188).

20 O texto B usa *Harry Loudham*: ver nota 16.

21 Na *Edda em Prosa*,* o escritor islandês Snorri Sturluson diz o seguinte sobre Skidbladnir:

> "O Skíðbladnir é o melhor dos navios e foi construído com muito engenho... Certos anãos, os filhos de Ívaldi, construíram Skíðbladnir e deram o navio a Freyr; ele é tão grande que todos os Æsir [deuses] podem tripulá-lo levando suas armas e equipamento de guerra, e

*Principal compêndio medieval da mitologia nórdica. [N.T.]

ele tem consigo um vento favorável assim que a vela é içada, aonde quer que esteja indo; mas, quando não está no mar, por ser feito de tantos pedaços e de modo tão matreiro, pode ser dobrado como um guardanapo e colocado no bolso" (*Snorra Edda, Gylfaginning*, parágrafo 42).

[22] A Batalha do Campo de Bosworth (1485), na qual o Rei Ricardo III foi derrotado e morto por Henrique Tudor (Henrique VII). Aqui, o texto A diz "em qualquer período antes de ascensão de Ricardo II ao trono" (1377). Sobre o *horror borealis* de Frankley, ver pp. 192, 201.

[23] "*Sim, 1938", disse Cameron*: no texto A, essa observação é atribuída a Loudham e, surpreendentemente, o comentário de Latimer lembra muito o de Guildford no texto final: "cuja memória é assim mesmo. Duvido que ele tenha lido o livro. Memórias sobre as cortes de monarcas menores do século XVIII são o que ele gosta de folhear naturalmente". Contudo, nesse estágio mais inicial, o interesse de Loudham por temas nórdicos talvez já estivesse presente, já que ele é quem faz a piada sobre Skidbladnir imediatamente antes. Quando o texto B foi escrito, o comentário ainda tinha sido atribuído a Loudham, e o de Guildford continua idêntico ao de A; mais tarde, Loudham foi trocado por Franks (nome anterior de Frankley) e, depois, por Cameron. Ver p. 342.

[24] *Last Men in London*, de Olaf Stapledon (1932).

[25] *hnau*: seres racionais com corpos.

[26] Acrescentei a nota de rodapé do terceiro manuscrito, C; não faz parte do texto datilografado final D, mas talvez tenha sido omitida inadvertidamente.

[27] Em A, não há referência à Geleira nem menção alguma sobre o que era a cena no livro; mas um acréscimo mais tardio na margem diz:

> E a principal diferença (já que ambos agora eram internos) é que um está infundido de tristeza, porque é do passado, mas o outro, a Geleira, não tem essa infusão, tem apenas o seu próprio sabor, porque não vem do passado ou do presente com referência ao mundo.

[28] No texto A, Dolbear não chega a falar nesse ponto; Ramer diz: "E a vontade de recordar pode ser fortalecida, e a lembrança, aumentada. (Dolbear me ajudou com isso: suponho que foi o que o fez ficar tão cheio de suspeitas.) Agora, aqui vem mais um fio da trama." Assim, nem *Emberü* nem qualquer outro nome aparecem aqui no texto A; em B, o nome é *Gyönyörü*, alterado depois para *Emberü*.

[29] Depois disso, o texto dos comentários de Ramer em A e B é diferente da forma final. Apresento aqui a versão B:

> Um corpo vivo é capaz de se movimentar no espaço, mas não sem algum esforço (como num salto), ou sem um veículo. Uma mente é capaz de se movimentar com mais liberdade e muito mais rapidamente do que um corpo vivo, mas não sem esforço, a seu próprio

modo, ou sem um veículo. [*Acrescentado*: Isso é diferente do movimento instantâneo do pensamento rumo a objetos que já estão ao seu alcance na forma de memória.] E o Espaço e o Tempo de fato existem como condições para ela, especialmente quando ela é encarnada, e certamente se (principalmente por essa razão) está interessada neles e os estuda. Como e quão longe em qualquer dimensão ela é capaz de saltar, sem um veículo? É o que me perguntei. Provavelmente não consegue viajar no Espaço vazio, ou no Tempo sem eventos (que é a duração do Espaço vazio): não estaria cônscia dele, se o fizesse, de qualquer modo. Quão longe consegue saltar sobre ele? Como consegue saltar, para começo de conversa?

A mente usa a memória de seu corpo...

[30] Para a fonte da alusão de Lowdham ao Porco na Bomba Quebrada, ver o Prefácio.

[31] A Banbury Road segue no rumo norte a partir do centro de Oxford. Não acho que existisse alguma razão especial para a escolha dessa casa vitoriana tardia em especial (a referência a ela só aparece no texto C, no qual meu pai primeiro escreveu "N. *x* da Banbury Road", trocado depois por "N. 100"). O Sr. Green, suposto editor dos *Documentos*, refere-se, em seu Prefácio (p. 198) à atividade poltergeist nessa casa nos primeiros anos do século XXI.

[32] *Parque Gunthorpe, em Matfield*: até onde consegui descobrir, a única Matfield na Inglaterra fica em Kent, mas não existe nenhum Parque Gunthorpe nas vizinhanças.

[33] *Emberü*: Aqui, o texto A traz o seguinte: "Não se você quer dizer a obtenção de notícias como as que coloquei naquela história que vocês ouviram", e nenhum nome aparece; o texto B, tal como na ocorrência anterior (nota 28), traz *Gyönyörü* > *Emberü*.

[34] Meu pai certa vez me descreveu seu sonho de "Peso puro", mas não me lembro de quando foi isso: provavelmente antes dessa época.

[35] Sobre essa experiência meu pai também conversou comigo, sugerindo, tal como Ramer faz aqui, que o significado não está na passagem recordada em si. Ver os comentários seguintes de Ramer sobre esse assunto, p. 236 e seguintes.

[36] Ver p. 199, 210. O texto A neste ponto diz: "imagens tão diferentes quanto a visão de uma flor pequena crescendo e um mundo inteiro despedaçado"; B data a grande explosão "nos anos sessenta".

[37] A intervenção de James Jones (ver p. 201) aparece pela primeira vez no texto C. Em B, a explicação de Ramer sobre o que ele queria dizer com *sonhos profundos* aparece numa nota de rodapé de Guildford ("Ramer disse mais tarde...").

[38] Em B, Dolbear responde a Lowdham de modo diferente ("Se eu fosse revelar algumas das situações nas quais eu vi você se enfiar, Harry, meu rapaz"). Seu comentário significativo, "Você usa disfarces, mesmo quando acordado. Mas eles vão cair, meu rapaz, algum dia. Não ficaria espantado se isso acontecesse em breve", foi inserido no texto C.

[39] Nesse ponto, o texto A prossegue:

> ... nesse tipo de atividade — os melhores pedaços e passagens, especialmente aqueles que parecem vir de repente, quando você está no calor da criação. Eles às vezes se encaixam com uma perfeição estranha; e às vezes, mesmo que sejam bons isolados, acabam não se encaixando.

O texto B diz nesse ponto:

> ... nesse tipo de atividade. Aquelas cenas que aparecem completas e fixas, das quais falei antes, por exemplo. Acho que aquelas passagens realmente boas que surgem, por assim dizer, de repente, quando você está abstraído, no calor da criação, muitas vezes são improvisos preparados há muito tempo.

[40] *é algo que inventei anos atrás*: isto é, inventou num sonho.

[41] No texto A, e (a princípio) na versão B, Ramer interpretou o primeiro de seus "fragmentos" de modo muito mais elaborado, apresentando a trama inteira da história. A narrativa, conforme Ramer admitiu, "não é muito interessante"; e em B, em sua primeira versão, Loudham diz (em resposta à frase "Querem ouvir o outro caso?", dita por Ramer): "Não muito, a não ser que seja melhor que o último, o que não espero".

[42] Geoffrey de Monmouth (que morreu em 1155) é o autor de *A História dos Reis da Bretanha*, uma contribuição crucial para a popularidade, fora das terras célticas, do Rei Arthur e da "Matéria da Bretanha". Uma folha de manuscrito como a descrita na narrativa onírica de Ramer seria de importância superlativa para o estudo da lenda arthuriana.

[43] *Drama élfico*. No texto A, é o próprio Ramer que fala de "elfodrama" ("não é escrita, mas elfodrama"), e também em B, da seguinte forma:

> ".... Pois claro que não é escrita, mas uma espécie de drama realizado. O Drama Élfico de que Lewis fala em algum lugar."
>
> "Não é Lewis", disse Jeremy. "Isso aparece em algum daqueles ensaios do círculo, mas foi escrito por um dos membros menos conhecidos."

A passagem em questão vem do ensaio *Sobre Estórias de Fadas*, que meu pai tinha apresentado na Universidade de St. Andrews em 1939, mas o qual só foi publicado dois anos depois da escrita de *Os Documentos do Clube Notion*, no volume *in memorian* intitulado *Essays Presented to Charles Williams* (Oxford, 1947). A passagem é interessante por sua relação com o raciocínio de Ramer, e cito aqui parte dela:

> Ora, o "Drama Feérico" — aquelas peças que, de acordo com registros abundantes, os elfos frequentemente apresentam aos homens — pode produzir Fantasia com um realismo e uma imediatez além do alcance de qualquer mecanismo humano. Como resultado,

o seu efeito usual (sobre um homem) é ir além da Crença Secundária. Se está presente durante um drama feérico, você mesmo está, ou acha que está, corporalmente dentro de seu Mundo Secundário. A experiência pode ser muito similar ao Sonho e tem sido (ao que parece), às vezes (por parte dos homens), confundida com ele. Mas, no drama feérico, você está num sonho que alguma outra mente está tecendo, e o conhecimento desse fato alarmante pode escapar das suas mãos. Experimentar *diretamente* um Mundo Secundário: a poção é forte demais, e você dá a ela sua Crença Primária, por mais maravilhosos que sejam os eventos. Você acaba iludido — se essa é a intenção dos elfos (sempre ou em qualquer momento) é outra questão. De qualquer maneira, eles mesmos não são iludidos. Essa é, para eles, uma forma de Arte, uma coisa distinta da Feitiçaria ou Magia, propriamente assim chamadas.

J.R.R. Tolkien, *The Monsters and the Critics and Other Essays*, 1983, p. 142; cf. também p. 116 naquela edição do ensaio ("Nos sonhos, estranhos poderes da mente podem ser destrancados...").

[44] *em formas humanizadas*: os textos B, C e D usam todos o termo *humanizadas*; cf. p. 256 ("formas humanizadas") e a nota 55, abaixo.

[45] Cf. a carta de meu pai para W. H. Auden, datada de 7 de junho de 1955 (*Cartas*, n. 163):

> ... terrível sonho recorrente (que começa com a lembrança) da Grande Onda, elevando-se e avançando inelutavelmente sobre as árvores e os campos verdes. (Transmiti-o a Faramir.) Não acho que eu o tenha tido desde que escrevi a "Queda de Númenor" como a última das lendas da Primeira e Segunda Eras.

Com "que começa com a lembrança", creio que meu pai quis dizer que a recorrência do sonho remontava ao ponto mais remoto que a sua memória em vida alcançava. Faramir contou a Éowyn sobre seu sonho recorrente da Grande Onda vindo sobre Númenor enquanto eles estavam nas muralhas de Minas Tirith quando o Anel foi destruído ("O Regente e o Rei", em *O Retorno do Rei*, p. 1376).

[46] Esse comentário de Lowdham não aparece em B e foi inserido inicialmente no texto C; cf. a nota 38.

[47] No texto B, a nota de rodapé nesse ponto não deriva, como no texto final, principalmente do Sr. Green, mas inteiramente de Nicholas Guildford, citando Ramer: "Mais tarde, Ramer deu mais detalhes sobre esse ponto, durante uma discussão dos vários tipos de 'sonhos profundos', e sobre como o sonhador podia distingui-los. Ele os dividiu..." O que se segue é muito similar à versão posterior da nota, mas termina assim: " 'Feitas para o Malefício dos Homens', disse ele. 'A julgar pelas ideias que os homens propagam agora, a curiosa unanimidade delas, e sua obsessão, eu diria que uma quantidade terrível de homens

puseram de lado os Guardiões e estão lendo material muito maléfico.' N.G." Assim, nesse estágio, não havia referência à "Noite 62" (ver p. 273 e a nota 2).

A palavra *maléfico* [*maleficial*, no original] é registrada ocasionalmente, mas *malefício* [*malefit*, em inglês], que ocorre nas duas versões dessa nota, é um neologismo que ecoa *benefício* [*benefit*, no original], como se fosse derivado, em última instância, do latim *malefactum* "ato maligno, dano causado".

48 O mundo de *Emberü* não chegou a ser citado por nome no texto A (ver notas 28, 33), mas, nesse ponto, Ramer diz o seguinte em A: "Aquele sobre o qual lhes contei, Menelkemen" (em quenya, "céu-terra"). Nesse texto original, a descrição de Menelkemen é (ainda que mais breve) a mesma de Ellor Eshúrizel no texto final, "aquela imensa planície com seu fundo de prata", terminando com o relato sobre a grande queda d'água, aqui chamada de *Dalud dimran* (ou talvez *dimron*), com as palavras *Eshil dimzor* escritas em cima e *Eshil-külü* (> *külö*) na margem. Aqui não há menção aos *En-keladim*. No fim da descrição de Menelkemen, Jeremy pergunta "Onde fica isso, você acha?", questão que, no texto final, vem dele depois da descrição de Ramer do terceiro mundo, Minal-zidar (p. 248).

Em B (como escrito originalmente), Ramer diz "O lugar sobre o qual lhe falei, Emberü, a dourada", e aqui a descrição de Emberü é a de Minal-zidar na versão final:

> "... escrevi aquele relato (não a moldura) há algum tempo, e tudo o tenho agora é isso, e estímulos e leves traços do jaz por baixo: a primeira visão de Emberü: dourada, absolutamente silenciosa e imóvel, um pequeno mundo inteiro de forma perfeita, imperecível no Tempo..."

Essa descrição de Emberü termina, tal como a de Minal-zidar no texto final, com "criada por não sei qual mente adoradora"; depois disso, temos: "E havia Menel-kemen".

Nesse ponto, no texto B, meu pai parou, riscou o que tinha escrito sobre "a primeira visão de Emberü" e escreveu no lugar: "a primeira visão de Emberü: aquela imensa planície com seu fundo de prata todo cheio de padrões delicados..." — frase que, no texto final, é a descrição de Ellor Eshúrizel. Aqui, a grande queda d'água é chamada de *Öshül-külö*, e Ramer diz: "Acho que os Enkeladim habitam esse lugar." Meu pai então inseriu no texto B, depois da "primeira visão de Emberü", as palavras " 'É a mesma coisa no caso de Ellor. Ellor!', murmurou ele. 'Ellor Eshúrizel! Desenhei-a uma vez com palavras, da melhor maneira que pude, e agora ela *é* palavras. Aquela imensa planície com seu fundo de prata...' " e (todas mudanças feitas no momento da composição) introduziu no fim da descrição de Ellor o terceiro mundo, "Minal-zidar, o dourado".

Assim, as imagens foram se desenvolvendo e separando em distintas "entidades-mundo" em rápida sucessão. No texto A, *Menelkemen* é o único mundo que Ramer descreve, o mundo da história que ele tinha lido para o Clube Notion, o mundo inorgânico e harmonioso de metal, pedra e água, com a grande queda d'água. Em B, o mundo que Ramer descreveu em sua história é *Emberü* (tomando o lugar de *Gyönyörü*) nas partes anteriores do manuscrito), o mundo silencioso e "dourado"; mas isso foi alterado imediatamente (voltando ao texto A), transformando Emberü na "imensa planície com seu fundo de prata", e depois alterado de novo para transformar isso na descrição de um segundo mundo, *Ellor Eshúrizel*, enquanto o mundo "dourado" se torna uma terceira cena, *Minal-zidar*. O estágio final foi chamar o primeiro mundo de *Verde Emberü*, "onde existia um tipo de vida orgânica, luxuriante, mas pura e longeva".

[49] Sobre os *En-keladim*, ver p. 256 e notas 64, 65 e pp. 473, 477.

[50] *os Campos de Arbol*: o Sistema Solar nos romances de Lewis (ver nota 13).

[51] Em A é Dolbear, e não Loudham, quem pergunta: "De onde você tira esses nomes? Quem os ensinou para você? Isso me interessaria mais, na verdade, do que a geometria e a paisagem. Como você sabe, é claro que eu usaria a oportunidade, se um dia entrasse nesse estado, para a pesquisa linguística". Em B, essa frase ainda era de Dolbear, sendo depois atribuída a Guildford e por fim a Loudham. Ver p. 192.

[52] Nesse ponto, tanto A quanto B continuam com um relato sobre a tentativa de Jeremy de atiçar o interesse pelas obras de Lewis e Williams, a qual, no texto definitivo, foi colocada aqui numa nota de rodapé de Guildford. Mostro abaixo o texto de B, que segue o de A muito de perto, mas é mais claro.

> "*Arbol*" é a palavra em 'solar antigo' para o Sol", disse Jeremy. "Quer dizer que você consegue remontar ao solar antigo, [*riscado*: ou ao universal antigo,] e que Lewis estava certo?"
>
> Jeremy era o nosso especialista em Lewis e conhecia todas as obras dele, quase que de cor. Muitos em Oxford ainda devem se lembrar de quando ele tinha feito, um ou dois anos antes, algumas palestras notáveis sobre Lewis e Williams. As pessoas tinham rido do título, porque Lewis e todo aquele círculo tinham ficado totalmente fora de moda. O velho Bell-Tinker, que ainda era Presidente do Comitê de Língua Inglesa na época, tinha ficado irritado e bufando por causa disso. "Se precisa mesmo tocar em tal assunto", rosnou, "dê o título de 'Lewis' e não use shorts."
>
> Jeremy respondeu oferecendo mudar o título para "Lewis e Carolus ou Através do Espelho de Oxford". "Ou 'Jack e o Pé-de-feijão', se quiser", acrescentou ele, mas era uma piada recôndita demais para o Comitê de Língua Inglesa. Acredito que, antes das falas de Jeremy, poucos, mesmo entre os especialistas em Século Vinte, conseguiriam citar qualquer obra de Williams, exceto talvez *The Octopus*. Essa peça ainda era encenada ocasionalmente, por causa da grande revivescência do interesse missionário depois dos martírios do Extremo Oriente nos anos sessenta. *The Allegory of Love* era a única obra de

Lewis que os acadêmicos chegavam a mencionar (via de regra, sem lê-la e com desprezo). Os outros luminares menores só eram conhecidos dos poucos que tinham lido os livrinhos de memórias do velho C. R. Tolkien: *Nos Rangentes Anos Quarenta* e *Por Fora e Por Dentro dos Canecos de Oxford*. Mas Jeremy tinha feito a maioria do nosso clube ler algumas daquelas pessoas (a Escola dos Pubs, como era chamada); embora, além de Jeremy, apenas Ramer e Dolbear se davam ao trabalho de ler o Tolkien mais velho e toda aquela coisa élfica.

" 'Solar antigo'?", disse Ramer. "Bem, não...

O "velho Bell-Tinker" ganhou o nome de um livro de traduções da literatura anglo-saxã feito por Bell e Tinker. A péssima piada "dê o título de 'Lewis' e não use shorts" se refere ao *Latin Dictionary* feito por Lewis e Short. O título das palestras de Jeremy, que provocou risadas, foi omitido, mas presumivelmente era o mesmo que no texto final, *A Escola dos Pubs* (porque os Inklings se reuniam nesses locais). "Poucos se davam ao trabalho de ler o Tolkien mais velho e toda aquela coisa élfica" foi, sem dúvida, nada mais que uma piada autodepreciativa — mas implica que "a coisa élfica" pelo menos tinha sido publicada! (cf. pp. 365–6 e nota 14). *Nos Rangentes Anos Quarenta* é um trocadilho com o nome das regiões dos oceanos austrais, entre 40 e 50 graus de latitude sul, onde há fortes ventos.

[53] Uma vez que a crítica de Ramer, sobre o padrão das invenções linguísticas típicas de histórias sobre viagem espacial e viagem no tempo, vem imediatamente depois de sua negativa de que poderia haver alguma língua semelhante ao solar antigo, ele parece estar incluindo Lewis em sua crítica. Alguns anos antes, entretanto, em sua carta a Stanley Unwin de 4 de março de 1938 (*Cartas*, n. 26), meu pai tinha dito o seguinte sobre *Além do Planeta Silencioso*:

> O autor se detém em itens de invenção linguística que não me atraem... ; mas essa é uma questão de gosto. Afinal de contas, o seu leitor achou meus nomes inventados, criados com carinho, de embaralhar a vista. Mas, no geral, as invenções linguísticas e a filologia são mais do que suficientemente boas. Toda a parte sobre idiomas e poesia — os vislumbres de sua natureza e forma malacandrianas — é muito bem-feita e extremamente interessante, muito superior àquilo que geralmente se consegue de viajantes em regiões para onde nunca se viajou antes. A barreira linguística é geralmente evitada ou apresentada de maneira vaga. Aqui ela não apenas possui verossimilhança, mas também uma razão subjacente.

[54] *Glund*: o nome de Júpiter em solar antigo (também há a forma *Glundandra*).

[55] *Acho que pode existir um humanizado antigo, ou adâmico primitivo...* O texto A aqui diz o seguinte: "Mas hoje que pode ter existido, certamente existiu, um humano ou adâmico antigo. Mas não seria possível que ele fosse a mesma coisa que a linguagem primordial dos Hrossa, *Hressa-hlab*." Isso foi mantido no texto B (com humano no lugar de humanizado antigo: ver nota 44). Os *Hrossa* são um

dos três tipos totalmente distintos de *hnau* existentes em Malacandra; a língua dos Hrossa era *Hressa-hlab*, que corresponde ao "solar antigo": ver nota 14.

[56] *Universal antigo*: ver o começo da passagem apresentada na nota 52.

[57] *En*: esse nome já aparece no texto A, com vários predecessores, *An, Nor, El*, todos riscados imediatamente.

[58] *Gormok, Zingil*: no texto A, o nome de Ramer para Marte é a palavra élfica *Karan* ("vermelho"); Vênus é *Zingil* em A, substituindo imediatamente outro nome que não é possível ler.

[59] Em A, é Jeremy que fala nesse ponto, perguntando: "Como você sabe que esteve lá?". E Ramer responde: "Não sei: vi os lugares, mas não estive lá. Meu corpo nunca viajou. Vi os lugares, ou indiretamente através de outros registros, como você poderia dizer que viu Hongkong se assistiu a muitos filmes coloridos e precisos do lugar; ou diretamente, usando a luz. Mas como sei o que são os lugares é outra história."

[60] Saturno não é mencionado no texto A. Em B, temos: "E *Gyürüchill*, Saturno, é inconfundível". *Gyürüchill* foi alterado para *Shomorú* e, depois, para *o velho Eneköl*.

[61] *A Estrela Krônica* (na nota de rodapé de Guildford nesse ponto): Saturno (na astrologia, o planeta de chumbo). *Krônica* vem de *Kronos*, o deus grego (pai de Zeus) identificado pelos romanos com Saturno; a palavra é totalmente distinta, do ponto de vista etimológico, do termo *crônico*, derivado do grego *chronos*, "tempo".

[62] Sobre a "Onda Cheia de Dobras", ver p. 242.

[63] No texto A, Ramer diz aqui: "Eu poderia lhes contar sobre a Atlântida (embora esse não seja o nome dela para mim, nem Númenor): ela está ligada à Onda Cheia de Dobras. E a Porta π [que está ligada aos Meg(álitos) >] dos Megálitos também está". Em B, ele fala tal como no texto definitivo, mas diz de novo "embora esse não seja o nome dela para mim, nem Númenor" — as duas últimas palavras foram riscadas com força mais tarde, e a pergunta de Loudham (feita com "uma avidez curiosa"), "Qual *é* o nome dela", foi inserida (quando a associação peculiar de Lowdham com Númenor entrou na narrativa: ver notas 38, 46). No texto final dos *Documentos*, o aparecimento do nome Númenor foi adiado até a Parte Dois (p. 284).

[64] Aqui o texto A diz: "Mas vi os meus Mârim [*alterado provavelmente de imediato para* Albarim] encenando uma de suas peças-Albar: o drama da Árvore Prateada". Em A, o nome *En-keladim* não ocorre (ver nota 48). Sobre "o Drama da Árvore Prateada", cf. a citação de *Sobre Estórias de Fadas* apresentada na nota 43.

[65] Em A, Ramer diz: "Não acho que seja algo inventado: não por mim, de qualquer modo. Parece acontecer nesta terra em alguma época ou modo ou [?lugar]". Em A, ele vai direto da "Atlântida" para sua história final.

Em B, Ramer faz comentários sobre o Drama da Árvore Prateada, tal como no texto definitivo, até "algo semelhante a isso realmente acontece, e eu o vi, talvez ao longe ou tenuemente". Depois, temos:

"Acho que os verdadeiros traços dos meus Enkeladim são invisíveis, a menos que eles voltem sua atenção para você. Isto é, eles são eldílicos, nos termos de Lewis, em alguma categoria inferior [*acrescentado*: ou talvez semelhantes aos Elfos Não Caídos de Tolkien, embora esses tenham corpos].

Tudo isso foi riscado e substituído pelo texto final num pedaço de papel, até o ponto que diz "entrando em suas próprias obras por causa de seu amor a elas". Então vem o seguinte: "isto é, eles são de uma raça diferente dos Eldila de Lewis (mesmo os de categoria inferior); e, contudo, não são a mesma coisa que os Elfos Não Caídos de Tolkien, pois esses tinham corpos".

O texto original B continua com "Eu acho que [Emberü >] Ellor é um dos mundos deles...", tal como na forma final. Sobre *Ellor* há uma nota de rodapé:

> Ramer disse que era esquisito como essa sílaba ficava aparecendo: primeiro nos Eldar, Eldalie de Tolkien, depois nos Eldil de Lewis e agora nesse seu Ellor. Ele acha que *poderia* ser uma palavra "élfica" ou keládica. Os Enkeladim são criadores de línguas. NG.

66 Aqui o manuscrito passado a limpo C termina, e o texto datilografado D, a partir daqui, segue B (ver p. 184).

67 Em A, o nome era *Tekel-Ishtar*, tornando-se *Tekel-Mirim* antes que o manuscrito fosse completado.

68 Thomas Huxley, *Physiography*, 1877, citado no *Oxford English Dictionary*.

69 A Câmera Radcliffe, um grande edifício circular com domo que fica na Praça Radcliffe, Oxford, em cujo lado sul fica a igreja de St. Mary e, no lado norte, a Biblioteca Bodleiana. *Câmera* está sendo usada no sentido latino de "teto ou câmara arqueada ou abaulada" (em latim *camera* > francês *chambre*, inglês *chamber*).

Os Documentos do Clube Notion [parte dois][1]

Noite 62.[2] Quinta-feira, 6 de março de 1987. [Deste encontro só está preservada meia folha rasgada. A parte relevante dele pode ser encontrada na nota à Noite 61, p. 244. Parece que ocorreram mais discussões sobre as visões e aventuras de Ramer.]

Noite 63. Quinta-feira, 13 de março de 1987. [Só a última página do registro desse encontro está preservada. A discussão parece ter abordado viagens lendárias de descoberta de modo geral. Para a referência à *imrám*, ver a Noite (69).][3]

[Boa] noite, Frankley!"

Lowdham parecia se sentir um pouco culpado por sua zombaria; e, quando o encontro finalmente terminou, foi caminhando pela High com Ramer e comigo. Viramos na Praça Radcliffe.[4]

"Banquei o asno, como de costume, Ramer", disse Lowdham. "Desculpe! Estava me sentindo todo agitado: queria briga, ou bagunça, ou algo assim. Mas na verdade estava muito interessado, especialmente quanto à *imrám*.[5] Lá no fundo, nós, nórdicos,[6] temos certos sentimentos, desde que os fãs dessa coisarada latina sejam razoavelmente educados." Ele hesitou. "Tive algumas experiências bastante esquisitas — bem, talvez falemos sobre isso alguma outra hora. Está tarde. Mas nas férias, talvez?"

"Vou estar fora", disse Ramer, um tanto friamente, "até depois da Páscoa."

"Ah, certo. Mas veja se aparece nos encontros no próximo semestre! Você deve ter muito mais para nos contar. Vou tentar ser bonzinho."

Era uma noite fresca e clara, depois de um dia de vento forte. O oeste estava estrelado, mas a lua já vinha subindo. No portal do B.N.C.,[7] Lowdham se virou para nós. A Câmera parecia vasta e sombria contra o céu iluminado pela lua. Pedaços de nuvens compridas e brancas estavam passando, levadas por uma brisa vinda do leste. Por um momento, uma delas pareceu assumir a forma de uma pluma de fumaça brotando da claraboia do domo.

Lowdham olhou para cima, e seu rosto se alterou. Sua figura alta e possante parecia mais alta e de ombros mais largos com ele postado ali, de olhar fixo, com seu cenho escuro franzido. O rosto parecia pálido e enraivecido, e seus olhos luziam.

"Maldito seja ele! Que a Escuridão o leve!", disse com amargura. "Que a terra se abra..." A nuvem foi embora. Ele passou a mão pela testa. "Eu ia dizer...", começou. "Bem, não me lembro. Algo sobre a Câmera, acho. Não importa. Boa noite, rapazes!" Ele bateu, e entrou pela porta.

Viramos na alameda. "Muito esquisito!", eu disse. "Que sujeito bizarro ele é às vezes! Uma mistura estranha."

"É", disse Ramer. "A maior parte do que vemos é uma casca de tartaruga: armadura de placas. Ele não fala muito das coisas com as quais realmente se importa."

"Por alguma razão os últimos dois ou três encontros parecem ter mexido com ele, sacudido o sujeito", disse eu. "Não consigo imaginar o porquê."

"Estou pensando nisso", disse Ramer. "Bem, boa noite, Nick. Vejo você de novo no semestre que vem. Espero começar a frequentar os encontros regularmente de novo." Despedimo-nos no fim da alameda, perto da Turl.

PF. RD. AAL. MGR. WTJ. JJR. NG.

Noite 64. Quinta-feira, 27 de março de 1987.[8]

Houve apenas um único encontro nas férias. Aposentos de Guildford. Nem Ramer nem Lowdham estavam presentes (foi uma noite calma). Guildford leu um ensaio sobre a Jutlândia na Antiguidade; mas não houve muita discussão. [Nenhum registro do ensaio foi encontrado nas minutas.]

PF. WTJ. JM. RS. JJ. RD. NG.

Noite 65. Quinta-feira, 8 de maio de 1987.[9]

Esse foi o primeiro encontro do novo semestre. Encontramo-nos nos aposentos de Frankley no Queen's. Jeremy e Guildford chegaram primeiro (na hora); outros chegaram um por um de tempos em tempos (atrasados). Não havia nada de definitivo programado para a noite, embora estivéssemos esperando mais alguma fala de Ramer; mas ele não parecia inclinado a contar mais alguma coisa. A conversa ficou pulando de lá para cá durante a primeira hora, sem nada notável.

Lowdham estava inquieto e não queria se sentar; de vez em quando, soltava uma canção (com a qual, de fato, ele tinha entrado na sala por volta das nove e meia). Começava assim:

Tenho uma Ideia Salobral[*]
Vou beber até dormir[A]

[*]Trocadilho com *briny* (salobro, salgado) e *brainy* (cerebral), provavelmente pretendido por Tolkien com a expressão *Briny Notion* ("ideia salgada"). [N.T.]

Raramente ia além disso, e nunca passou desta parte:

Traga a vasilha, a poção elemental!
Vou mergulhar até sumir.
fundo! fundo! fundo!
No fundo aonde os peixes-sonhos vão.[B]

A canção não foi bem recebida, principalmente por Ramer. Mas Lowdham, no fim das contas, acabou caindo num silêncio sombrio — por um tempo.

Por volta das dez horas, a conversa passou a abordar neologismos; e Lowdham entrou nela de novo em defesa deles, principalmente porque Frankley estava do outro lado. (Não. Puro amor à verdade e à justiça. AAL)

Lowdham para Frankley: "Você diz que tem objeções a *babando*, que todo o pessoal mais jovem agora usa para *desejo* ou *vontade*?"

"Sim, tenho. E especialmente à expressão *estar babando por* alguma coisa; ou pior, *estar todo babão por* ela."

"Bem, não acho que você tenha qualquer base lógica para a sua objeção: nada melhor do que a novidade ou não familiaridade. Palavras novas sempre são alvo de objeção, assim como a arte inovadora."

"Bobagem! Dupla bobagem, Arry!", disse Ramer.[10] "Frankley está reclamando precisamente porque as pessoas *não* fazem objeção a palavras novas. E, de qualquer jeito, pessoalmente eu faço objeções a um monte de palavras velhas, mas tenho de continuar usando as tais, porque são formas correntes e as pessoas não querem aceitar as minhas substitutas. Não gosto de muitos produtos da arte antiga. Gosto de muitas coisas novas, mas não de todas. Existe uma coisa chamada mérito, sem levar em conta idade ou familiaridade. Eu aderi a *tóin* de imediato: uma onomatopeia muito boa para alguns propósitos."

"Sim, *tóin* tem aparecido bastante ultimamente", disse Lowdham. "Mas não é nova em folha, claro. Acho que foi registrada pela primeira vez, no Terceiro Suplemento do N.E.D.,[11] nos anos cinquenta, com a forma *tŏing*: parece que começou a ser usada na Força Aérea durante a Guerra dos Seis Anos."[12]

"E é uma onomatopeia, repare", disse Frankley. "É fácil avaliar os méritos desse tipo de palavra, se é que se pode chamá-la de uma palavra de verdade. De qualquer jeito, adotar algo assim não está de jeito nenhum no mesmo nível do que o uso errado de uma palavra bem estabelecida, roubando de Pedro para aliviar a pobreza de Paulo: socialismo lexicográfico, o qual terminaria reduzindo todo o vocabulário a um único Não Significado chapado e feioso, se não existissem reacionários."

"E será que ninguém vai limpar a baba do coitado do Pedro?", riu-se Lowdham. "Ele deve ter alguns babadores na gaveta, você vai ver. Vai ter de se acostumar a usar os *fiu-fiu* e os *vrum-vrum* de hoje em dia. E por que não? Você tem objeções à Linguagem, da raiz aos galhos, Pip? Estou surpreso, você sendo um poeta e tudo o mais."

"É claro que não! Mas tenho objeções quanto a estragá-la."

"Mas será que ela está sendo estragada? Será que ela fica pior com *babando* : *fazendo fiu-fiu* do que com *ansiando : babando*? Esse não é apenas o modo pelo qual a linguagem é alterada, é o modo pelo qual ela foi criada. Essencialmente, ele consiste na contemplação de uma relação do tipo 'som : sentido; símbolo : significado'. Não é só quando essa relação é nova (para você, de qualquer modo) que você consegue avaliá-la. Em momentos inspirados, é possível capturar isso, sentir a empolgação da coisa, em palavras familiares. Concordo que uma onomatopeia é um caso relativamente simples: *fiu-fiu*. Mas '*babar por* equivale a *ansiar por*' contém o mesmo elemento: nova forma fonética para um significado. Só que aqui entra outra coisa: o interesse, o prazer, a excitação — o que você quiser — da relação de um sentido antigo com um novo. Ambos são iluminados, por um tempo, pelo menos. A linguagem nunca poderia ter chegado à existência sem um desses processos, e nunca teria estendido seu alcance sem o outro. Ambos devem continuar! E, aliás, continuarão."

"Bem, eu não gosto desse exemplo da atividade", disse Frankley. "E detesto quando os filólogos falam da Língua (com L maiúsculo) com aquela untuosidade especialmente odiosa que em geral fica reservada à Vida com V maiúsculo. Essa, dizem-nos, 'deve continuar' — caso reclamemos de quaisquer manifestações degradadas dela, tais como Arry depois de encher a cara. Fala-se da Língua não apenas como se ela fosse uma Selva, mas uma Selva Sagrada, um bosque bestial dedicado à Vita Fera,[13] no qual nada pode ser tocado por mãos ímpias. Cancros, fungos, parasitas: deixe-os em paz!

"Línguas *não* são selvas. São jardins, nos quais sons selecionados a partir do ermo selvagem do Ruído Bruto são transformados em palavras, nutridos, treinados e agraciados com os odores da significância. Você fala como se eu não pudesse arrancar uma erva-daninha que fede!"

"Não é isso!", disse Lowdham. "Mas, antes de mais nada, você precisa recordar que a língua não é o *seu* jardim — se tem mesmo de usar essa alegoria grogue: ela pertence a um monte de outras pessoas também, e para elas a sua erva-daninha fedorenta pode ser objeto de deleite. Mais importante: a sua alegoria foi aplicada de modo errado. Você está fazendo objeções não a uma erva-daninha, mas ao solo, e também a quaisquer manifestações de crescimento e propagação. Todas as outras palavras no seu jardim refinado vieram a existir (e obtiveram seu odor) da mesma maneira. É como se você fosse um homem que gosta de flores e frutas, mas acha que a terra é suja e o esterco é nojento; e que o crescimento e o apodrecimento são tristes, tristes demais. Você quer um jardim esterilizado de sempre-vivas — aliás, de flores de papel. De fato, deixando a alegoria, você não quer aprender nada sobre a história de sua própria língua, e odeia ser lembrado de que ela tem uma história."[14]

"Pode me matar com relâmpagos pontifícios!", gritou Frankley. "Mas vou morrer dizendo *Não gosto de 'babar' como sinônimo de 'desejar'.*"

"É isso aí!", riu Lowdham. "E você está certo, é claro, Pip. Ambos estão certos: o Trovão e o Rebelde. Pois o Único Falante, de todo sozinho, é a corte final de julgamento das palavras, para as abençoar ou condenar. É só a concordância dos juízes separados que parece criar as leis. Se o seu desgosto for compartilhado por um número significativo de outras pessoas, então *babar* vai acabar se mostrando — uma erva-daninha, e será lançada no fogo.

"Embora, é claro, muitas pessoas — mais e mais, é o que sinto às vezes, conforme o Tempo passa e até a linguagem envelhece — não mais julgam, apenas ecoam. A língua nativa delas, como Ramer a chama, morre quase no momento em que nascem.

"Não é o seu caso, Philip, meu rapaz; você é ignorante, mas tem coração. Ouso dizer que *babar* não se encaixa no seu estilo nativo. Assim sempre foi com os homens completos: eles têm seus ódios em meio às palavras, e também seus amores."

"Você fala quase como se tivesse visto ou ouvido a Linguagem desde o seu princípio, Arry", disse Ramer, olhando para ele com alguma surpresa. Fazia muito tempo que Lowdham não desatava a falar tanto.

"Não! Não desde o princípio", disse Lowdham, enquanto uma expressão estranha lhe vinha ao rosto. "Só desde — mas... ah, bem!", interrompeu-se ele, indo para a janela. O céu estava escuro, mas claro feito vidro, e havia muitas estrelas brancas no céu.

A conversa ficou vagando de novo. Partindo dos princípios da Linguagem, começamos a falar de lendas de origem e mitos culturais. Guildford e Markison começaram uma discussão sobre Deuses-do-trigo e a chegada de reis divinos ou heróis vindos do mar, apesar de várias interjeições frívolas de Lowdham, que parecia curiosamente avesso ao rumo da conversa.

"O Feixe de Trigo personificado",* disse Guild[ford. Aqui, infelizmente, está faltando uma folha.]......

[Jeremy].... "como você disse. Mas não acho que se possa ter tanta certeza. Às vezes tenho uma sensação esquisita de que, se fosse possível voltar no tempo, encontraríamos não o mito se dissolvendo na história, mas antes o contrário: a história real se tornando mais mítica — mais formosa, simples, claramente significativa, mesmo se vista de perto. Mais poética e menos prosaica, se você preferir.

"De qualquer modo, esses antigos relatos, lendas, mitos sobre o Passado distante, sobre as origens de reis, leis e artes fundamentais, não são todos feitos dos mesmos ingredientes. Não são invenções de todo. E mesmo o que é inventado é diferente da mera ficção: possui mais raízes."

"Raízes em quê?", perguntou Frankley.

"No Ser, acho que eu diria", respondeu Jeremy; "e no Ser humano; e, descendo a escala, nas fontes da História e nos desígnios da Geografia — quero dizer, bem, no padrão do nosso mundo como ele existe de forma única; e dos eventos nele quando são vistos à distância. Uma espécie de paralelo com o fato de que, de muito longe, a Terra seria vista como um globo girando, iluminado pelo Sol; e essa é uma verdade remota de efeito enorme sobre nós e

* [Ver Noite 66, p. 290.]

sobre tudo o que fazemos, ainda que não imediatamente discernível no solo, onde os homens práticos têm bastante razão em considerar que a superfície é plana e imóvel para propósitos práticos.

"É claro que as imagens apresentadas pelas lendas podem ser parcialmente simbólicas, podem estar arranjadas segundo desígnios que comprimem, expandem, encurtam, combinam e que não são, de modo algum, realistas ou fotográficos, porém podem contar algo verdadeiro sobre o Passado.

"E veja bem, também há detalhes reais, o que chamamos de fatos, acidentes ligados à forma das terras e dos mares, a respeito de homens individuais e suas ações, que são absorvidos: os grãos em torno dos quais as histórias se cristalizam, feito flocos de neve. Havia um homem chamado Arthur no centro de um desses ciclos."

"Talvez!", disse Frankley. "Mas isso não faz com que coisas tais como os romances arthurianos sejam reais da mesma maneira que eventos passados verdadeiros são reais."

"Eu não disse *da mesma maneira*", explicou Jeremy. "Existem planos ou graus secundários."

"E o que você sabe sobre 'eventos passados verdadeiros', Philip?", perguntou Ramer. "Já viu algum, depois que ele tinha virado passado? Todos eles são histórias ou contos agora, não são, se você tentar trazê-los de volta para o presente? Até a sua ideia do que você fez ontem — se tentar compartilhá-la com qualquer outra pessoa? A menos, é claro, que você consiga voltar, ou pelo menos ver o passado."

"Bem, acho que há uma diferença entre o que realmente aconteceu nos nossos encontros e o registro feito por Nicholas", disse Frankley. "Não acho que seus relatórios apaguem a história verdadeira, sejam eles fiéis aos eventos, à sua maneira, ou não. E você não alegou ser capaz, às vezes, de rever o passado como uma coisa presente? Conseguiria voltar dentro das minutas de Guildford?"

"Hmm", Ramer resmungou, ponderando. "Sim e não", disse. "Nicholas conseguiria, especialmente dentro das cenas que ele retratou de forma mais sólida e às quais dedicou algum trabalho mental. Nós conseguiríamos, se fizéssemos a mesma coisa. Pessoas do futuro, se chegassem a conhecer os registros e os estudassem, e deixassem sua imaginação trabalhar em cima deles, até que o Clube Notion se tornasse uma espécie de mundo secundário ambientado no Passado: elas conseguiriam."

"Sim, Frankley", concordou Jeremy, "você precisa traçar uma distinção entre mentiras, ou ficção casual, ou o mero truque verbal de projetar as sentenças rumo ao passado colocando os verbos no tempo pretérito, entre tudo isso e a *construção*. Especialmente aquela do tipo superior, que adquiriu uma vida secundária própria e é passada de mente a mente."

"É bem isso!", disse Ramer. "Não acho que vocês percebam, não acho que nenhum de nós perceba a força, a força daimônica que os grandes mitos e lendas têm. Da profundidade das emoções e percepções que os geraram, e da multiplicação deles em muitas mentes — e cada mente, vejam bem, um motor de energia obscurecida, mas imensurável. Eles são como um explosivo: algo que pode emitir um calor constante para mentes vivas, mas, se detonado de repente, poderia explodir com estrondo; sim: poderia produzir uma perturbação no mundo primário real."

"Em que tipo de coisa você está pensando?", indagou Dolbear, levantando a barba do peito e abrindo os olhos com um brilho de interesse passageiro.

"Não estava pensando em nenhuma lenda em especial", disse Ramer. "Mas, bem, por exemplo, pense na força emocional gerada em toda a borda oeste da Europa pelos homens que chegaram afinal à beira, e contemplaram o Mar Sem-Costas, nunca explorado, nunca atravessado, nunca compreendido! E, contra esse pano de fundo, que estatura prodigiosa adquiriram outros eventos! Digamos, a vinda, aparentemente saindo daquele Mar, enfrentando uma tempestade, [de] homens estranhos com conhecimento superior, guiando navios nunca imaginados. E se eles trouxessem histórias de catástrofe ao longe: batalhas, cidades incendiadas ou a destruição de regiões em algum tumulto da terra — estremece-me pensar em tais coisas em tais termos, mesmo agora."

"Sim, eu me emociono com isso", assentiu Frankley. "Mas é algo grande e vago. Eu me sinto bem mais perto de casa com a referência casual de Jeremy ao Rei Arthur. Ali você tem um tipo de terra lendária, mas ela é bastante irreal."

"Mas você concorda, não concorda", perguntou Ramer, "que a Bretanha de Arthur, conforme é imaginada agora, mesmo numa forma degradada do tipo quando-cavaleiros-eram-valentes, tem alguma espécie de força e vida?"

"Certo tipo de atração literária", disse Frankley. "Mas você conseguiria voltar para a Camelot do Rei Arthur, mesmo que fosse pelo seu sistema? A respeito do qual, a propósito, ainda não estou convencido: quero dizer, o que você nos contou me parece, muito provavelmente, nada mais do que uma forma excepcionalmente complexa e excepcionalmente bem-recordada do que chamo simplesmente de 'sonhar': a criação de imagens-e-histórias durante o sono."

"E, de qualquer modo, se a lenda (significativa em seu próprio plano) foi atraída pela história (com sua própria importância), para qual delas você voltaria? Qual delas veria, se olhasse para trás?", perguntou Guildford.

"Depende de que tipo de pessoa você é, e do que você está procurando, imagino", respondeu Ramer. "Se você está buscando a história que tem mais poder e significância para mentes humanas, então provavelmente essa é a versão que encontraria.

"De qualquer jeito, acho que você poderia — acho que eu poderia voltar para Camelot, *se* as condições da minha mente e as chances de viagem fossem favoráveis. As chances, como lhes contei, não são afetadas mais do que muito ligeiramente pelo desejo desperto. Uma aventura desse tipo *não* seria a mesma coisa que re-visar o que chamaríamos de Bretanha do Século V. Também não seria como criar um drama onírico só meu. Seria algo mais parecido com a primeira opção, mas mais ativo. Seria muito menos livre que a segunda opção. E provavelmente seria mais difícil que qualquer uma das duas. Desconfio que seria o tipo de coisa que é melhor fazer com o apoio de uma ou duas pessoas."

"Não vejo em que isso ajudaria", disse Frankley.

"Porque pessoas diferentes têm visões diferentes, ou contribuições individuais a dar: é isso o que você quer dizer?", perguntou Guildford. "Mas isso seria igualmente verdade no caso da pesquisa histórica ou 'retrovisão'."

"Não, não seria", disse Jeremy. "Você está misturando História, no sentido de uma narrativa criada a partir das evidências inteligíveis sobreviventes (que não necessariamente é mais fiel aos fatos do que a lenda) com a 'verdadeira história', o Passado real. Se você realmente conseguisse olhar para trás e ver o Passado como ele era, então tudo estaria lá para ser visto, se você tivesse olhos para ver, ou tempo para observar as coisas. E a coisa mais difícil de ver seria, como sempre é 'no momento presente', o padrão, a significância, sim, a moral de tudo aquilo, se você preferir. Pelo menos seria esse o caso quanto mais perto você chega da nossa época. Como eu disse antes, não tenho tanta certeza sobre isso conforme você vai passando para trás até os começos. Mas em uma coisa tal como um grande ciclo de histórias, a situação seria diferente: muita coisa seria vividamente real e, ao mesmo tempo… hmmm... portentosa; mas poderiam existir, existiriam, passagens incompletas, conexões fracas, lacunas. Você teria de consolidar a cena. Poderia precisar de ajuda."

"Poderia mesmo!", concordou Frankley. "Ao cavalgar de Camelot (quando você descobrisse onde exatamente isso ficava) para a maioria dos outros lugares no mapa lendário, você perceberia que a estrada era bastante vaga. Na maior parte do tempo, ficaria perdido na névoa! E encontraria alguns personagens bem imprecisos na corte também."

"É claro! E acharia o mesmo sobre a corte atual", disse Markison, "ou em qualquer quadrilátero de Oxford. Por que isso seria preocupante? Personagens imprecisos são mais fiéis à vida real do que os totalmente desenvolvidos. Há pouquíssimas pessoas da vida real que você conhece tão bem quanto um bom escritor conhece seus heróis e vilões."

"Cavalgar até Camelot. Cavalgar para fora de Camelot", murmurou Lowdham. "E havia uma sombra escura sobre aquele lugar também. Curioso, curioso. Mas para mim continua sendo só uma história. Nem todas as lendas são assim. Não, infelizmente. Algumas parecem ter ganhado vida por conta própria, e não querem descansar. Eu odiaria ser jogado em algumas dessas terras. Seria pior que a visão do pobre Forte Normando."

"De que diabos ele está falando agora?", disse Guildford.

"A rolha vai sair em breve, acho", resmungou Dolbear sem abrir os olhos.

"Ah, Forte Normando é o nosso barbeiro",[15] disse Frankley. "Pelo menos é assim que Arry e eu o chamamos: não faço ideia do nome verdadeiro dele. Um homenzinho bastante gentil e moderadamente inteligente: mas para ele tudo o que existiu além de uma certa distância vaga no passado é uma terra e um tempo vasto e sombrio, estéril, mas completamente fixo e determinado chamado de Idade das Trevas. Há apenas quatro coisas nela: Fortes Normandos (com isso, ele quer dizer castelos baroniais, e talvez a casa de qualquer homem significativamente mais rico do que ele); Aqueles Jaimes (mais ou menos querendo dizer, suponho, os reis Primeiro e Segundo); Os Nobres (um tipo curioso de bicho-papão); e

O Povo. Nada jamais aconteceu naquela terra além de Aqueles Jaimes trancarem O Povo nos Fortes (com a ajuda d'Os Nobres) e ali torturarem e roubarem essas pessoas, embora elas nunca pareçam ter possuído alguma coisa que pudesse ser roubada. Lenda das mais soturnas. Mas está bem mais fixada num número muito maior de cabeças do que a Batalha de Camlan!"[16]

"Eu sei, eu sei", disse Lowdham, em voz alta e raivosa. "É uma vergonha! Forte Normando é um camarada muito decente, que gostaria de saber a verdade, em vez de mentiras. Mas Zigūr[17] presta uma atenção especial nesse tipo de gente. Maldito seja!"

A conversa parou, e fez-se silêncio. Ramer e Guildford se entreolharam. Dolbear abriu os olhos calmamente, sem mexer a cabeça.

"Zigūr?", disse Jeremy, olhando para Lowdham. "Zigūr? Quem é ele?"

"Não faço ideia, não faço ideia!", disse Lowdham. "É uma brincadeira nova, Jerry? Owlamoo,[18] quem é ele?" Andou até a janela e a escancarou.

A noite do começo de verão estava parada e brilhante, mais quente do que o normal para a época do ano. Lowdham se inclinou para fora, e nós nos voltamos e ficamos olhando para as costas dele. A grande janela dava para o oeste, e as duas torres de All Souls se projetavam como chifres imprecisos contra as estrelas.

De repente, Lowdham falou com voz alterada, clara e agourenta, pronunciando palavras numa língua desconhecida; e depois, virando-se com ferocidade na nossa direção, gritou em alta voz:

Eis as Águias dos Senhores do Oeste! Elas estão vindo sobre Nūmenōr![19]

Todos ficamos espantados. Vários de nós foram até a janela e se postaram atrás de Lowdham, olhando para fora. Uma grande nuvem, aproximando-se devagar vinda do Oeste, estava devorando as estrelas. Conforme se aproximava, ia abrindo duas vastas asas de azeviche, que se espalhavam para o norte e o sul.

De repente, Lowdham se afastou, fechou a janela com força e puxou as cortinas. Jogou-se numa cadeira e fechou os olhos.

Voltamos para nossas cadeiras e ali ficamos sentados, constrangidos, durante algum tempo, sem emitir qualquer som. Por fim, Ramer falou.

"*Nūmenōr? Nūmenōr?*", disse ele baixinho. "Onde achou esse nome, Arundel Lowdham?"

"Ah, não sei", respondeu Lowdham, abrindo os olhos e olhando em volta com uma expressão bastante confusa. "É algo que me vem de vez em quando. Bem na borda das coisas, sabe. Acaba me fugindo. Feito o que acontece quando se acorda de uma anestesia. Mas é algo que tem aparecido com mais frequência do que o normal nesta primavera. Sinto muito. Andei agindo esquisito ou coisa assim, diferente do meu jeito tranquilo e amistoso de sempre? Deem-me um drinque!"

"Perguntei", disse Ramer, "porque *Númenōr* é o meu nome para a Atlântida."[20]

"Ora, isso é esquisito!", começou Jeremy.

"Ah!", disse Lowdham. "Fiquei pensando se seria. Perguntei qual era o nome que você usava naquela noite do semestre passado; mas você não respondeu."

"Bem, temos um novo desdobramento!", disse Dolbear, que agora estava bem desperto. "Se Arry Lowdham vai começar a mergulhar onde os sonhos estão e encontrar o mesmo peixe que Ramer, vamos ter de analisar a lagoa."

"Vamos", disse Jeremy, "pois não são só Ramer e Arry. Eu entro nisso também. Sabia que tinha ouvido aquele nome assim que Arry o pronunciou.[21] Mas não consigo de jeito nenhum recordar onde ou quando no momento. Agora isso vai ficar me incomodando, feito um espinho no pé, até eu tirá-lo."

"Muito estranho", disse Dolbear.

"O que você propõe fazer?", disse Ramer.

"Seguir seu conselho", disse Jeremy. "Conseguir sua ajuda, se você quiser dá-la."

"Começar o treino de memória no sistema Rufus-Ramer e ver o que conseguimos pescar", disse Lowdham. "Sinto como se algo quisesse sair, e eu gostaria muito de arrancá-lo — ou esquecê-lo."

"Estou um pouco perdido no meio de tudo isso", disse Markison. "Não peguei algo, evidentemente. Philip me contou um pouco sobre as revelações de Ramer no semestre passado, mas ainda estou bastante confuso. Você não podia nos contar algo que deixe as coisas mais claras, Lowdham?"

"Não, sério, estou me sentindo terrivelmente cansado", disse Lowdham. "É melhor você dar uma lida nos registros, caso Nick já os tenha passado a limpo.[22] Imagino que sim. Ele é bastante regrado, e bastante preciso, ainda que um tanto duro comigo. E é melhor deixarmos algo marcado para daqui a duas semanas, acho. Podem usar minha sala, se acharem que todo mundo consegue entrar. Veremos o que vamos ter até lá. Ainda não tenho muito a contar."

A conversa então decaiu de modo incerto de volta ao normal, e nada mais digno de nota ocorreu.

Conforme saíamos, Lowdham disse a Ramer: "Acha que eu poderia aparecer e conversar com você, e com Rufus, em breve?"

"Sim", disse Ramer. "Quanto antes melhor. Venha também, Jeremy."

MGR. PF. RD. JM. JJ. RS. AAL. WTJ. NG.

Noite 66. Quinta-feira, 22 de maio de 1987.

Uma noite lotada. A sala de Lowdham, relativamente pequena, ficou bastante cheia. A ideia de que Arry estava "vendo coisas" era suficientemente espantosa para atrair todos os membros que estavam em Oxford. (Além disso, acredita-se que eu tenho mais garrafas no meu armário do que certas pessoas que eu poderia citar. AAL)

Lowdham parecia estar com um ânimo alegre e bastante barulhento de novo; relutante quanto a fazer qualquer coisa que não fosse cantar. Acabou se aquietando e se enfiou numa cadeira.

"Pois bem", disse Markison, "li os registros. Ainda não consigo dizer o que acho deles; mas estou muito interessado em ouvir como você foi se meter nesse negócio, Arry. Não parece do seu feitio."

"Bem, eu sou um filólogo", lembrou Lowdham, "o que significa que sou um homem incompreendido. Mas acabei me metendo nisso por causa do detalhe que você mencionou: por causa de *Arry*. O nome Arry, que alguns aqui gostam de aplicar a mim, *não* é só um tributo ao meu jeito vulgar de fazer barulho, como parecem supor os mais ignorantes entre vocês: não é uma forma encurtada de Henry ou Harold, mas de Arundel. O nome inteiro é *Alwin Arundel Lowdham*, vosso humilde bobo da corte, a vosso serviço."

"Ora, e o que isso tem a ver?", disseram várias vozes.

"Ainda não tenho certeza", respondeu Lowdham. "Mas o nome do meu pai era Edwin."[23]

"Esclarecedor, de fato!", ironizou Frankley.

"Não muito, eu acho", disse Lowdham. "Não esclarecedor, mas intrigante. Meu pai era um homem de feitio esquisito, até onde consigo recordar. Grande, alto, possante, moreno. Não fiquem me olhando! Sou uma cópia reduzida dele. Era rico e combinava uma paixão pelo mar com certo tipo de erudição, linguística e arqueológica. Deve ter estudado anglo-saxão e outras línguas norte-ocidentais; pois herdei sua biblioteca e alguns de seus gostos.

"Vivíamos em Pembrokeshire, perto de Penian:[24] mais ou menos, porque ficávamos fora durante grande parte do ano; e meu pai estava sempre saindo de uma hora para outra: passava boa parte de seu tempo velejando em volta da Noruega, Escócia, Irlanda, Islândia e às vezes rumo ao sul, até os Açores e assim por diante. Não o conheci bem, embora o amasse tanto quanto um menino pequeno é capaz de amar, e costumava sonhar com o dia em que poderia sair velejando com ele. Mas desapareceu quando eu tinha só nove anos."

"Desapareceu?", disse Frankley. "Acho que uma vez você tinha me dito que ele se perdera no mar."

"Ele desapareceu", disse Lowdham. "História estranha. Nenhuma tempestade. O navio dele simplesmente sumiu no Atlântico. Isso foi em 1947, vai fazer quarenta anos no mês que vem. Nenhum sinal (ele não queria usar rádio sem fio, de qualquer jeito). Nenhuma pista. Nenhuma notícia. O barco se chamava *O Éarendel.*[25] Negócio esquisito."

"Os mares ainda eram bastante perigosos naquele tempo, não eram?", disse Stainer. "Minas em todo lugar?"

"Nem uma só viga, de qualquer jeito, jamais foi encontrada", disse Lowdham. "Aquele foi o fim d'*O* Éarendel: um nome estranho, e um fim estranho. Mas meu pai tinha certas manias estranhas quanto a nomes. Sou chamado de Alwin Arundel, o que já enche bem a boca, por deferência à prudência e à minha mãe, creio eu. Os nomes que ele escolheu eram Ælfwine Éarendel.

"Uma das poucas conversas que recordo ter com ele foi logo antes de ele partir pela última vez. Eu tinha implorado para ir junto, e ele dissera NÃO, é claro. 'Quando vou poder ir?', perguntei.

"'Ainda não, Ælfwine', respondeu. 'Ainda não. Algum dia, quem sabe. Ou talvez você tenha de vir atrás de mim.'

"Foi então que ele explicou meus nomes. 'Eu os modernizei', disse, 'para evitar problemas. Mas meu navio porta o nome mais verdadeiro. Ele não está voltado para Sussex,[26] mas para costas um bocado mais distantes. Muito longínquas, de fato, neste momento. Um homem tem mais liberdade para batizar seu navio do que seu próprio filho nestes dias. E são poucos os homens que têm algum dos dois para batizar.'

"Ele partiu no dia seguinte. Estava louco para ir ao mar de novo, já que tinha sido forçado a ficar em terra firme durante toda a Guerra dos Seis Anos,[27] desde o verão de 1939, exceto, creio eu, durante a época de Dunkirk, em 1940. Velho demais — ele tinha cinquenta quando a guerra começou, e eu só tinha um ano; pois ele se casara tarde — velho demais, e imagino que um tanto livre e inegociável demais para pegar qualquer emprego em especial, e tinha se tornado ferozmente inquieto. Levou apenas três marinheiros consigo,[28] acho, mas é claro que não sei como os encontrou, ou como acabaram conseguindo zarpar, naqueles dias de tirania. Imagino que apenas foram saindo ilegalmente, de algum modo. Para onde, é o que me pergunto? Não acho que pretendessem retornar. De qualquer modo, nunca mais o vi."

"Não consigo ver qual a conexão deste fio da trama de jeito nenhum, por ora", comentou Guildford.

"Espere um pouco!", disse Ramer. "Existe uma conexão, ou é o que achamos. Chegamos a discuti-la. É melhor deixar que Arundel fale."

"Bem — assim que ele se foi... eu só tinha nove anos na época, como disse, e nunca tinha me preocupado muito com livros, para não falar de línguas, o que era natural naquela idade. Sabia ler, claro, mas raramente o fazia... assim que meu pai se foi, e percebemos que era para sempre, comecei a me envolver com línguas, especialmente ao inventá-las (conforme eu pensava). Depois de um tempo, passei a vagar pelo escritório dele, deixado como estava durante anos, exatamente como fora quando ele estava vivo.

"Ali aprendi um monte de coisas estranhas de maneira desordenada, e topei com uma espécie de diário ou caderno de anotações numa forma de escrita estranha. Não sei o que aconteceu com ele quando minha mãe morreu. Só achei uma folha solta do caderno no meio dos papéis que me foram legados. Guardei-a durante anos, e muitas vezes tentei lê-la, sem conseguir; mas no momento está extraviada. Eu tinha uns catorze ou quinze anos quando fiquei especialmente encantado com a língua anglo-saxã, por alguma razão. Gostei do estilo das palavras, acho. Não era tanto o que estava escrito nela, mas mais o sabor das palavras que me caía bem. Mas tive o primeiro contato com a língua ao tentar descobrir mais sobre os nomes. Não me veio muita luz sobre eles.

"Éadwine, amigo da fortuna? *Ælfwine*, amigo-dos-elfos? Isso, pelo menos, é o que acaba sendo o resultado de uma tradução mais ou menos literal deles. Embora, como a maioria de vocês sabe (exceto o coitado do Philip), esses nomes em duas partes são bem convencionais, e não é muito o que se pode depreender de seu sentido literal."

"Mas originalmente eles devem ter sido criados para que tivessem um sentido", disse Ramer. "O hábito de juntar, de um jeito aparentemente aleatório, uma dupla qualquer de inícios e fins de nomes, produzindo coisas como Paz-da-lança e Lobo-da-paz, deve ter sido um desenvolvimento posterior da língua, uma espécie de heráldica verbal ressequida. *Ælfwine*, de qualquer jeito, é uma das combinações antigas. Ocorre fora da Inglaterra, não é?"

"Sim", confirmou Lowdham. "E Éadwine também. Mas eu não me convencia de que qualquer um dos muitos Ælfwines registrados fossem muito adequados: Ælfwine, neto do Rei Alfred, por exemplo, que tombou na grande vitória de 937; ou o Ælfwine que tombou na famosa derrota de Maldon, e muitos outros; nem mesmo o Ælfwine da Itália, isto, é Albuin, filho de Auduin, o sombrio Langobardo do século sexto."[29]

"Não se esqueça da conexão entre os Langobardos e o Rei Feixe",[30] observou Markison, que estava começando a mostrar sinais de interesse na conversa.

"Não esquecerei", disse Lowdham. "Mas estava falando de minhas primeiras investigações quando menino."

"Nem da repetição da sequência: Albuin, filho de Auduin; Ælfwine, filho de Éadwine; Alwin, filho de Edwin", disse Ramer.[31]

"Provavelmente uma imitação proposital da história bem conhecida de Rosamund",[32] objetou Philip Frankley. "O pai de Arry devia conhecer a narrativa. E isso é mais do que suficiente para explicar os nomes Alwin e Ælfwine quando se está lidando com uma família de filólogos nórdicos."

"Talvez, ó Amigo-dos-cavalos da Macedônia!"[33], disse Lowdham. "Mas isso não vale para Éarendel. É difícil achar alguma coisa sobre isso em anglo-saxão, embora o nome esteja presente na língua, claro. Alguns acham que, na realidade, era um nome de estrela, designando Órion, ou Rigel.[34] Um raio, um rebrilho, a luz da aurora: assim dizem as glosas.[35]

> *Éalá Éarendel engla beorhtost*
> *ofer middangeard monnum sended",*

entoou ele. "'Salve, Earendel, mais brilhante dos anjos, acima da terra-média enviado aos homens!'. Quando topei com essa citação no dicionário, senti um arrepio curioso, como se algo tivesse se mexido dentro de mim, meio desperto de seu sono. Havia algo muito remoto, estranho e belo por trás daquelas palavras, se eu conseguisse agarrá-lo, muito além do inglês antigo.

"Agora sei mais a respeito, é claro. A citação vem do *Crist*; embora o que o autor queria dizer exatamente não esteja tão claro.[36] É um trecho bastante belo em seu contexto. Mas não acho que seja uma irreverência dizer que ele pode derivar seu impacto curiosamente comovente de algum mundo mais antigo."

"Por que *irreverente*?", perguntou Markison. "Mesmo se as palavras de fato se referem a Cristo, é claro que todas elas são derivadas de um mundo pré-cristão mais antigo, como todo o resto do idioma."

"É verdade", disse Lowdham; "mas Éarendel me parece ser uma palavra especial. Não é anglo-saxão;[37] ou melhor, não é *só* anglo-saxão, mas também algo muito mais antigo.

"Acho que é um caso notável de coincidência ou congruência linguística. Coisas assim acontecem, é claro. Quero dizer, em duas línguas diferentes, sem conexão entre si, e nas quais nenhum empréstimo entre uma e outra é possível, você pode acabar encontrando palavras muito parecidas tanto no som quanto no sentido. Normalmente isso é minimizado e visto como um acidente; e imagino que alguns dos casos não sejam significativos. Mas desconfio que às vezes eles podem ser o resultado de um processo de criação de símbolos que chega a fins similares por meio de rotas diferentes. Especialmente quando o resultado é belo e o significado, poético, como é no caso de Éarendel."

"Se estou conseguindo acompanhar tudo isso", observou Markison, "suponho que você esteja tentando dizer que descobriu a palavra Éarendel, ou algo semelhante a ela, em alguma outra língua não relacionada, e está deixando de lado todas as outras formas do nome que são encontradas nas línguas mais antigas aparentadas ao inglês. Embora uma delas, *Auriwandalo*, na verdade esteja registrada como um nome langobardo, acho. É esquisito como os Langobardos continuam aparecendo na história."

"É mesmo", disse Lowdham, "mas não estou interessado nesse ponto no momento. Pois é isso mesmo o que quero dizer: ouvi com frequência éarendel ou, para ser exato, ëarendil, *e-a-r-e-n-d-i-l*, em outra língua, na qual a palavra, na verdade, quer dizer Grande Marinheiro, ou literalmente Amigo do Mar; embora também tenha, acho, alguma conexão com as estrelas."

"Que língua é essa?", perguntou Markison, franzindo as sobrancelhas. "Nenhuma com a qual eu tenha topado algum dia, acho." (Ele já 'topou' ou mexeu com cerca de uma centena de idiomas até agora.)

"Não, não suponho que você já a tenha encontrado", disse Lowdham. "É uma língua desconhecida. Mas é melhor eu tentar explicar.

"Desde a época da partida do meu pai, comecei a ter experiências curiosas; continuei a tê-las ao longo dos anos, e devagar a clareza delas foi aumentando: visitações de fantasmas linguísticos, pode-se dizer. Sim, exatamente isso. Não sou um *vidente*. É claro que tenho sonhos pictóricos como as outras pessoas, mas são só o que Ramer chamaria de coisas marginais, e mesmo assim poucos e passageiros: o que, de qualquer modo, significa que, se vejo coisas, não consigo recordá-las. Mas, desde que eu tinha uns dez anos, comecei a captar palavras, e até frases ocasionais, ressoando nos meus ouvidos; tanto em sonho quanto na abstração desperta. Elas entram na minha mente sem aviso, ou acordo e me ouço a repeti-las. Às vezes, parecem estar bastante isoladas, apenas palavras ou nomes. Às vezes, algo parece 'romper meu sonho',[38] como minha mãe costumava dizer: os nomes parecem ter uma conexão estranha com coisas vistas na vida desperta, de repente, em certa postura transitória ou luz passageira que me transporta para alguma região totalmente diferente do pensamento ou da imaginação. Como a Câmera naquela noite de março, Ramer, se você está lembrado.

"Observando uma pintura de uma montanha em forma de cone que se erguia em um planalto coberto de bosques, ouvi a mim mesmo gritando: 'Desolado está Minul-Tārik, o Pilar do Céu está abandonado!', e soube que isso era algo terrível. Mas a coisa mais agourenta de todas são as Águias dos Senhores do Oeste. Elas me deixam muito abalado quando as vejo. Eu poderia, eu poderia — sinto que poderia contar um conto grandioso sobre Nūmenor.

"Mas estou avançando rápido demais. Demorou muito tempo antes que eu começasse a montar os fragmentos de algum modo. A maioria dessas 'palavras-fantasma' é, e sempre foi, aparentemente casual, tão casual quanto as palavras captadas pelo olho num dicionário quando você está procurando alguma outra coisa. Começaram a ser transmitidas, como disse, quando eu tinha uns dez anos; e quase de imediato comecei a anotá-las. De modo desajeitado, claro, no início. Até gente crescida se sai mal, via de regra, ao escrever mesmo as palavras mais simples, a menos que tenha algum tipo de conhecimento fonético. Mas ainda tenho alguns dos caderninhos amassados que usava quando era pequeno. Uma bagunça assistemática, é claro; pois era só de vez em quando que eu me dava ao trabalho de mexer em tais coisas. Mas mais tarde, quando fiquei mais velho e ganhei um pouco mais de experiência linguística, comecei a prestar atenção de modo sério nos meus 'fantasmas', e vi que eram algo bem diferente do jogo de tentar criar línguas particulares.

"Assim que comecei a ficar atento a eles, por assim dizer, os fantasmas começaram a aparecer com mais frequência e clareza; e, quando consegui anotar vários deles, vi que não eram todos de um só tipo: tinham estilos fonéticos diferentes, estilos tão distintos quanto, bem — latim e hebraico. Desculpem se isso parece um tanto complicado. Não consigo evitar: e, se essa coisa merece mesmo a atenção de vocês, é melhor explicá-la direito.

"Bem, em primeiro lugar, reconheci que um monte desses fantasmas estava em anglo-saxão, ou era algo aparentado. O que sobrou eu arrumei em duas listas, A e B, de acordo com o estilo das línguas, com uma terceira lista, o saco de gatos C, correspondendo às coisas estranhas que não pareciam se encaixar em lugar nenhum. Mas era a língua A que realmente me atraía; ela se encaixava comigo. Ainda é dela que mais gosto."

"Nesse caso, você já deve ter desenvolvido bem a coisa a esta altura", disse Stainer. "Não tem uma *Gramática e Léxico da Língua A de Lowdham* que poderia passar para nós? Não me importaria em dar uma olhada nela, se não estiver em algum alfabeto fonético horroroso."

Lowdham o fitou, mas reprimiu a explosão que parecia iminente. "Você está se fazendo de desentendido de propósito?", perguntou. "Estou tentando mostrar com todas as forças que *não* acredito que essa coisa toda é 'inventada', pelo menos não por mim.

"Considere primeiro o anglo-saxão. É a única língua conhecida que está sendo transmitida desse jeito, o que, em si mesmo, é esquisito. E começou a ser transmitida *antes* que eu a conhecesse. Reconheci-a como anglo-saxão só depois que comecei a aprender o idioma por meio de livros, quando tive a experiência curiosa de descobrir que já conhecia boa parte das palavras. Ora, há várias palavras-fantasma anotadas no primeiro de todos os meus cadernos de criança que são claramente os esforços de um principiante para registrar palavras faladas do inglês antigo usando letras modernas. Há, por exemplo, *wook*, *woak*, *woof* = entortado, ou seja, evidentemente uma primeira tentativa de registrar o termo anglo-saxão *wōh*.

"E quanto ao outro material: A, a língua de que mais gosto, é a mais rara da lista. Como gostaria de obter mais dela! Mas é algo que *não* está sob meu controle, Stainer. Não é um de meus jargões inventados. Já criei dois ou três, e estão tão completos quanto jamais ficarão; mas essa é uma outra história. Mas evidentemente é melhor eu cortar a autobiografia e pular para o presente.

"Agora está claro para mim que as duas línguas A e B não têm nada a ver com qualquer língua que eu já tenha ouvido ou encontrado em livros do jeito normal. Nada. Até onde é possível para qualquer idioma, construído a partir de duas dúzias de sons, como é o caso de A, evitar semelhanças ocasionais com outras línguas não aparentadas: nada. E elas não têm nada a ver com as minhas invenções também. A língua B é bem diferente do meu próprio estilo. A língua A é muito agradável conforme o meu gosto (pode ter ajudado a formá-lo), mas é algo independente de mim; não consigo 'desenvolvê-la', como você disse.

"Qualquer um que tenha investido (ou desperdiçado) algum tempo na composição de uma língua vai me entender. Outros talvez não entendam. Mas, ao criar uma língua, você é livre: livre demais. É difícil encaixar o significado em qualquer padrão sonoro dado, e ainda mais difícil encaixar um padrão sonoro em qualquer sentido dado. Estou falando de *encaixar*. Não quero dizer que não se possa atribuir formas ou significados arbitrariamente, à vontade. Digamos que você queira uma palavra para *céu*. Bem, use algo como *jibberjabber*, ou qualquer outra coisa que lhe vier à cabeça sem o exercício do gosto ou da arte linguística. Mas isso é criação de códigos, não construção de línguas. É algo bem diferente descobrir uma relação, som mais sentido, que satisfaça quando se torna durável. Quando você está só inventando, o prazer ou a diversão está no momento da invenção; mas, como você é mestre ali, seu capricho é lei, e você pode querer aquela diversão toda de novo, com o mesmo frescor. Corre o risco de ficar sempre ciscando, alterando, refinando, hesitando, de acordo com o seu ânimo linguístico e suas mudanças de gosto.

"Não é nem um pouco assim com as minhas palavras-fantasma. Elas foram transmitidas prontas: som e sentido já conjugados. Para mim é tão impossível ficar mexendo nelas quanto alterar o som ou o sentido da palavra *polis* em grego. Muitas das minhas palavras-fantasma têm se repetido, várias e várias vezes, ao longo dos anos. Nada muda exceto, ocasionalmente, a minha ortografia. Elas não mudam. Persistem, inalteradas, inalteráveis por mim. Em outras palavras, têm o efeito e o gosto das línguas reais. Mas é possível ter as próprias preferências entre as línguas reais e, como disse, é de A que gosto mais.

"Tanto A quanto B eu associo de algum modo com o nome *Nūmenor*. A lista do saco de gatos ficou bem longa conforme os anos foram passando, e agora consigo perceber que, em meio a algumas coisas não identificadas, ela contém um monte de ecos de formas posteriores de idiomas derivados de A e B. As línguas nūmenoreanas são muito, muito antigas, arcaicas; têm o sabor de um Mundo Avoengo para mim. As outras coisas estão desgastadas, alteradas, tocadas pela perda e amargura destas costas de exílio." Essas últimas palavras ele pronunciou num tom estranho, como se falando consigo mesmo. Então sua voz se espraiou no silêncio."

"Acho isso bastante difícil de acompanhar, ou de engolir", disse Stainer. "Não conseguiria nos mostrar algo mais claro, algo melhor de digerir do que essa álgebra de A e B?"

Lowdham olhou para cima de novo. "Sim, conseguiria", disse. "Não vou incomodar vocês com os ecos mais tardios. Acho que são comoventes, de certo modo, e instrutivos tecnicamente: estou começando a discernir as leis ou tendências de modificação deles conforme o mundo foi envelhecendo; mas isso não ficaria claro nem mesmo para um filólogo se não fosse por escrito e com longas listas paralelas.

"Mas tomemos o nome *Nūmenōre* ou *Nūmenor* (ambos ocorrem), para começar. Ele pertence à língua A. Significa Ociente, e é composto por *nūme*, 'oeste', e *nōre*, 'povo' ou 'país'. Mas o nome em B é *Anadūnē*, e o povo é chamado de *Adūnāim*, com base na palavra da língua B *adūn*, 'oeste'. A mesma terra, é o que acho, tem outro nome: em A *Andōre* e em B *Yōzāyan*,[39] e os dois termos significam 'Terra da Dádiva'.

"Não parece haver conexão entre as duas línguas nesses casos. Mas há algumas palavras que são as mesmas ou muito similares em ambas. A palavra para 'céu' ou 'firmamento' é *menel* na língua A e *minil* na B: uma forma dela ocorre em *Minul-tārik*, 'Pilar do Firmamento', que eu mencionei agora há pouco. E parece haver alguma conexão entre a palavra A *Valar*, que parece significar algo como 'Os Poderes', talvez pudéssemos dizer 'deuses', e o plural B *Avalōim*, bem como o topônimo *Avallōni*. Embora esse seja um nome B, é com ele, curiosamente, que eu associo a língua A; então, se quiserem ficar livres da álgebra, podem chamar A de avalloniano e B de adunaico. É o que eu faço.

"O nome *Ëarendil*, a propósito, vem do avalloniano e contém *ëare*, 'o mar aberto', e a raiz *ndil*, 'amor, devoção': isso pode parecer um tanto estranho, mas várias das raízes avallonianas começam com *nd*, *mb*, *ng*, as quais perdem o *d*, *b* ou *g* quando estão isoladas. O nome adunaico correspondente, que parece significar exatamente a mesma coisa, é *Azrubēl*. Uma grande parte dos nomes parece ter formas duplas como essa, quase como se um povo falasse duas línguas. Se for assim mesmo, suponho que a situação possa ser comparada ao uso, digamos, do chinês no Japão, ou mesmo do latim na Europa. Como se um homem pudesse ser chamado de Godwin e também de Theophilus ou Amadeus. Mas mesmo assim dois povos diferentes precisam fazer parte da história em algum ponto.

"Bem, aí está. Espero que não estejam todos entediados. Poderia apresentar longas listas de outras palavras. Palavras, palavras, em geral só isso. Na maior parte são substantivos importantes, como *Isil* e *Nīlū* para designar a Lua; uma quantidade menor de adjetivos, ainda menos verbos, e só ocasionalmente frases encadeadas. Amo essas línguas, embora sejam apenas fragmentos tirados de algum livro esquecido. Acho ambas curiosamente atraentes, embora o avalloniano esteja mais próximo do meu coração. O adunaico, com o seu, bem, sabor levemente semítico, está ligado de modo mais próximo ao nosso mundo, de alguma forma. Mas o avalloniano é, para mim, belo, em seu estilo simples e eufônico. E me parece mais elevado, mais antigo e, bem, sagrado e litúrgico. Costumava chamá-lo de latim-élfico. Os ecos dele nos levam para muito longe. Muito, muito longe. Para longe da Terra-média de vez, imagino." Fez uma pausa, como se estivesse escutando. "Mas não conseguiria explicar exatamente o que quero dizer com isso", concluiu.

Fez-se um breve silêncio, e então Markison falou. "Por que o chamou de latim-élfico?",[40] perguntou. "Por que élfico?"

"Não sei bem", respondeu Lowdham. "Parece a palavra mais próxima em inglês para esse propósito. Mas certamente não quero dizer *elfo* em qualquer tipo de sentido degradado pós-shakespeareano. Penso em algo muito mais potente e majestoso. Não sei claramente o quê. De fato, é uma das coisas que eu mais quero descobrir. Qual é o verdadeiro referente do termo *ælf* no meu nome?

"Vocês se recordam que eu disse que o anglo-saxão costumava ser transmitido numa mistura com essa outra coisa esquisita, como se tivesse alguma conexão especial com ela? Bem, consegui dominar o anglo-saxão por meio dos livros normais mais tarde: comecei a aprender a língua direito antes de fazer quinze anos, e isso confundiu a situação. Contudo, um fato estranho é que, embora eu descobrisse que a maioria dessas palavras já estava lá, esperando por mim, nos vocabulários e dicionários publicados, havia algumas — e elas ainda são transmitidas de vez em quando — que não estavam lá de jeito nenhum. *Tíwas*,[41] por exemplo, aparentemente usada como um equivalente do avalloniano *Valar*; e *Nówendaland*[42] para *Nūmenōre*. E outros nomes compostos também, como *Fréafiras*,[43] *Regeneard*[44] e *Midswípen*.[45] Alguns tinham formas muito arcaicas: como *hebaensuil*, 'pilar do céu', ou *frumaeldi*; ou extremamente antiquadas mesmo, como *Wihawinia*."[46]

"Isso é horroroso", suspirou Frankley. "Embora eu talvez tenha de agradecer que pelo menos Valhalla e as Valquírias ainda não apareceram. Mas é melhor ter cuidado, Arry! Somos todos amigos aqui, e não vou delatar você. Mas vai se meter em encrenca se abrir o seu jogo particular para os seus rivais filológicos briguentos. A menos, é claro, que você apoie as teorias deles."[47]

"Não precisa se preocupar", disse Lowdham. "Não tenho intenção nenhuma de publicar essas coisas. E ainda não topei com nada muito controverso, de qualquer jeito. Afinal de contas, o anglo-saxão está bem próximo de nós, no espaço e no tempo, e foi estudado de perto: não há muita margem para grandes erros, nem mesmo na pronúncia. O que eu ouço é mais ou menos o que a doutrina estabelecida me leva a esperar. Exceto num ponto: é tudo tão lento! Comparados conosco, gorjeadores urbanos, os lavradores e marinheiros do passado simplesmente degustavam, saboreavam palavras como carne e vinho e mel em suas línguas. Especialmente quando declamavam. Transformavam um pedacinho de poema em algo majestosamente sonoro: feito trovão se movendo num vento vagaroso, ou o pisotear de carpideiras no funeral de um rei. Nós só engolimos a coisa. Mas até isso não é novidade para os filólogos, em teoria; embora a percepção disso em som seja algo para o qual a mera teoria mal chega a preparar o sujeito. E, é claro, os filólogos ficariam muito interessados nos meus ecos do inglês muito arcaico, ou mesmo do germânico primitivo — se fosse possível fazê-los acreditar que são genuínos.

"Eis um trecho que poderia intrigá-los. Está numa forma muito primitiva, embora eu tenha usado uma notação menos horrorosa que o normal. Mas é melhor vocês darem uma olhada." Tirou do bolso vários pedaços de papel e os passou para o grupo;

westra lage wegas rehtas, wraikwas nu isti.

"Esse foi transmitido anos atrás,[48] muito antes que eu conseguisse interpretá-lo, e tem se repetido constantemente em várias formas:

westra lage wegas rehtas, wraikwas nu isti.
westweg wœs rihtweg, wóh is núþa

"e assim por diante e por aí vai, em muitos fragmentos e ecos de sonho, desde o que parece um germânico muito arcaico até o inglês antigo.

uma via reta jazia a oeste, agora está curvada.[C]

"Parece ser a chave de algo, mas não consigo encaixá-la ainda. Mas foi quando eu estava fuçando num Onomasticon[49], e analisando a lista de Ælfwines, que recebi, pareci *ouvir* e *ver*, o fragmento mais longo que já foi transmitido dessa maneira. Sim, eu disse que não era um *vidente*, mas o anglo-saxão às vezes é uma exceção. Não vejo imagens, mas vejo letras: algumas das palavras, e especialmente alguns dos trechos de poesia, parecem estar presentes diante do olho da mente assim como do ouvido, como se em algum tempo, em algum lugar, eu os tivesse visto por escrito e quase conseguisse me lembrar da página. Se virarem os pedaços de papel que lhes dei, verão a coisa escrita por extenso. Foi transmitida quando eu só tinha dezesseis anos, antes que eu tivesse lido algo das poesias antigas; mas os versos ficaram na cabeça, e os anotei tão bem quanto pude. As formas arcaicas agora me interessam como filólogo, mas foi assim que elas foram transmitidas e como ficaram no meu caderno na data de 1º de outubro de 1954. Uma noite de vento forte: recordo como ele uivava em volta da casa, e o som distante do mar.

Monath módaes lust mith meriflóda
forth ti foeran thaet ic feorr hionan
obaer gaarseggaes grimmae holmas
aelbuuina eard uut gisoecae.
Nis me ti hearpun hygi ni ti hringthegi
ni ti wíbae wyn ni ti weoruldi hyct
ni ymb oowict ellaes nebnae ymb ytha giwalc.

"É algo que me soa quase como o meu próprio pai falando através de mares cinzentos do mundo e do tempo:

Minh'alma sobre as ondas bravias
Pede que eu parta, pronto a buscar,
Do outro lado das águas antigas,
Dos Amigos-dos-elfos a magna ilha.
A harpa não ouço, ouro não cobiço,
Moça não desejo nem no mundo espero:
Um querer apenas, o ronco das vagas.[D]

"Agora sei, é claro, que essas linhas se assemelham muito a alguns dos versos na metade de *O Viajante do Mar*, como aquele estranho poema sobre saudade normalmente é chamado. Mas não são os mesmos. No texto preservado em manuscrito o poema diz *elþéodigra eard*, "a terra dos estrangeiros", não *aelbuuina* ou *ælfwina* (como ficaria a ortografia posterior), "dos Ælfwines, dos Amigos-dos-elfos". Acho que o meu texto provavelmente é o mais antigo e confiável — tem uma forma e uma ortografia muito mais antiga, de qualquer jeito —, mas imagino que seria uma encrenca, como o Pip sugere, se eu o enfiasse num 'periódico sério'.[50]

"Foi só bem recentemente que captei ecos de algumas outras linhas que não são encontradas de forma alguma em meio aos fragmentos preservados dos mais antigos versos ingleses.[51]

Þus cwæð Ælfwine Wídlást Éadwines sunu:
Fela bið on Westwegum werum uncúðra,
wundra and wihta, wlitescéne land,
eardgeard ælfa and ésa bliss.
Lýt ænig wát hwylc his langoð síe
Þám Þe eftsíðes eldo getwæfeð.

"Assim falou Ælfwine, o Viandante, filho de Éadwine:

Muita coisa há no oeste do mundo que os homens desconhecem; maravilhas e estranhos seres, [uma terra bela de contemplar], o lugar da habitação dos Elfos e a ventura dos Deuses. Mal sabem os homens quão grande é a saudade daquele cuja velhice o impede de retornar.

"Acho que meu pai se foi antes que Eld* o impedisse. Mas e quanto ao filho de Éadwine?

"Bem, agora já disse o que tinha de dizer, por enquanto. Pode haver mais coisas depois. Estou trabalhando nisso tudo — com tanto afinco quanto o tempo e os meus deveres me permitem, e algumas coisas podem acontecer. Certamente vou informá-los, se acontecerem. Pois, agora que tiveram de aguentar tanta coisa, imagino que vão querer mais notícias, se algo interessante aparecer. Se

* "Velhice" em inglês antigo. [N.T.]

lhe serve de conforto, Philip, acho que vou me afastar do anglo-saxão mais cedo ou mais tarde."

"Se lhe serve de conforto, Arry", disse Frankley, "pela primeira vez na sua longa vida de proselitismo, você me fez ficar ligeiramente interessado."

"Céus!", disse Lowdham. "Então deve haver algo *muito* bizarro acontecendo. Benza Deus! Alguém me dê uma bebida e eu vou cantar, como os menestréis costumavam fazer.

> Enchei-me copa de boa çerveija,*
> Poys já faz tempo que a estorya viceja!
> Ora hei de bever ãte de parar
> E todo francês ao Demoo mãdar!"[52,E]

"A canção foi interrompida por Frankley. No fim das contas, uma certa paz foi restaurada, e a única vítima foi uma cadeira. Nada esperado ou inesperado aconteceu durante o resto da noite."

AAL. MGR. WTJ. JM. RD. RS. PF. JJ. JJR. NG.

Noite 67. Quinta-feira, 12 de junho de 1987.[53]

O encontro aconteceu nos aposentos de Ramer no Jesus College. Havia oito de nós presentes, incluindo Stainer e Cameron, e todos os participantes regulares exceto Lowdham. Estava muito quente e abafado, e nos sentamos perto da janela olhando para o quadrilátero interno, falando disso e daquilo, e atentos ao barulho da aproximação de Lowdham; mas uma hora se passara e ainda não havia sinal dele.

"Você chegou a ver o Arry ultimamente?", perguntou Frankley a Jeremy. "Não o vi. Será que ele vai aparecer mesmo esta noite?"

"Eu não saberia dizer", respondeu Jeremy. "Ramer e eu o vimos bastante nos primeiros dias após o nosso último encontro, mas faz algum tempo que não ponho os olhos nele."

---

*O poema original está em inglês médio, com ortografia e vocabulário peculiares. Tentamos simular o efeito usando formas equivalentes registradas historicamente em português. [N.T.]

"O que será que ele está aprontando? Dizem que cancelou suas aulas na semana passada. Espero que não esteja doente."

"Não acho que você precise se preocupar com o seu amiguinho-dos-Elfos", disse Dolbear. "Ele tem um corpo e uma saúde que fariam um rolo compressor recuar um pouco se trombasse no sujeito. E não se preocupe com a mente dele! Está tentando tirar algo dela, e isso não vai lhe fazer mal algum, acho. Pelo menos, o que quer que aconteça, vai lhe fazer menos mal do que tentar manter tudo fechado a rolha por mais um tempo. Mas sobre o que diabos é aquilo tudo — bem, ainda estou tão perdido no mar quanto o velho Edwin Lowdham."

"Afundado, aliás", disse Stainer. "Eu diria que foi um ataque sério de invenção linguística reprimida e que, quanto antes ele apresentar uma Gramática Adunaica, melhor para todos."

"Talvez", disse Ramer. "Mas pode ser que ele apresente muito mais do que isso. Gostaria que ele chegasse!"

Naquele momento veio o som de pisadas barulhentas, pesadas e rápidas, nas escadas de madeira mais abaixo. Ouviu-se um estrondo na porta, e eis que entrou Lowdham.

"Consegui algo novo!", gritou. "Mais do que simples palavras. Verbos! Sintaxe, finalmente!" Sentou-se e enxugou o rosto.

"Verbos, sintaxe! Viva!", zombou Frankley. "Ora, que emocionante!"

"Não tente começar uma briga, ó Amante dos Cavalos[54] e da Cavalice!", disse Lowdham. "Está quente demais. Ouçam!

"O tempo andou muito abafado e com trovões ultimamente, e não tenho conseguido dormir, uma novidade incômoda no meu caso; e comecei a ter uma cefaleia de rachar a cabeça. Então fui dar uma volta por alguns dias na costa oeste, em Pembroke. Mas as Águias subiram do Atlântico, e eu fugi. Ainda não conseguia dormir quando voltei, e minha dor de cabeça piorou. E então, na noite passada, caí de repente num sono profundo e escuro — e recebi isto." Balançou um punhado de papéis na nossa frente. "Não acordei até quase o meio-dia hoje, e minha cabeça estava ressoando com as palavras. Começaram a desaparecer rápido assim que despertei; mas anotei de uma vez tudo que consegui.

"Estou trabalhando nesse negócio sem parar um minuto desde então, e fiz seis cópias. Pois creio que vão achar que vale a pena dar uma olhada; mas vocês, camaradas, nunca conseguiriam acompanhar sem algo no papel. Aqui está!"

Foi passando várias folhas. Nelas tinham sido escritas palavras estranhas por uma mão grande e forte, usando uma das grandes canetas de ponta grossa de que Lowdham gosta. Debaixo da maioria das palavras havia glosas em tinta vermelha.[55]

I

(**A**) *O sauron túle nukumna … lantaner turkildi*
e ? veio humilhado … caíram ?

nuhuinenna … tar-kalion ohtakáre valannar …
sob a sombra … ? guerra fez a Poderes ...

númeheruvi arda sakkante lenéme ilúvatáren ...
Senhores-de-Oeste Terra rasgaram com permissão de ? ...

ëari *ullier ikilyanna ... númenóre ataltane*
mares haveriam de fluir abismo adentro ... Numenor caiu

∽

(**B**) *Kadō zigūrun zabathān unakkha ... ēruhīnim*
E assim ? humilhado ele-veio ... ?

dubdam ugru-dalad ... ar-pharazonun azaggara
caíram ?sombra sob ... ? estava guerreando

avalōiyada ... bārim an-adūn yurahtam dāira
contra Poderes Senhores de-Oeste quebraram Terra

sāibēth-mā ēruvō ... azrīya du-phursā akhāsada
consentimento-com ?-de ... mares de-modo-a-vazar dentro de abismo

... *anadūnē zīrān hikallaba ... bawība dulgī*
… Numenor amada ela-caiu … ventos negros

... *balīk hazad an-nimruzīr azūlada*
… navios sete de ? para o leste

II

(**B**)	*Agannālō*	*burōda*	*nēnud*	... *zāira*	*nēnud*	
	Morte-sombra	pesada	sobre-nós	...	saudade (está) sobre-nós	
	... *adūn*	*izindi*	*batān*	*tāido*	*ayadda:*	*īdō*
	... oeste	reta	rota	antes	ia	agora
	kātha	*batīna*	*lōkhī*			
	todas	rotas	curvadas			
(**A**)	*Vahaiya*	*sín*	*Andóre*			
	Muito longe	agora (está)	Terra da Dádiva			
(**B**)	*Ēphalak*	*īdōn*	*Yōzāyan*			
	Muito longe	agora (está)	Terra da Dádiva			
(**B**)	*Ēphal*	*ēphalak*	*īdōn*	*hi-Akallabēth*		
	Longe	muito longe	agora (está)	Aquela-que-caiu		
(**A**)	*Haiya*	*vahaiya*	*sín*	*atalante.*		
	Longe	muito longe	agora (está)	a Decaída.[56]		

"Há duas línguas aqui", disse Lowdham, "o avalloniano e o adunaico: dei a elas a designação de A e B. É claro que as registrei com uma ortografia minha. O avalloniano tem uma estrutura fonética simples e, no meu ouvido, ressoa como uma sineta, mas pareci sentir, conforme fui colocando esse negócio no papel, que na verdade ele não era escrito desse jeito. Nunca tinha tido a mesma sensação antes, mas nesta manhã eu meio que vislumbrei uma forma de escrita bem diferente, embora não consegui visualizá-la com clareza. Imagino que o adunaico usasse uma escrita muito parecida também.

"'Acredito que essas são passagens tiradas de algum livro', disse a mim mesmo. E então, de repente, lembrei-me da escrita curiosa no manuscrito do meu pai. Mas isso pode esperar. Trouxe a folha junto comigo.

"Essas são apenas frases fragmentadas, é claro, e nem de longe correspondem a tudo o que eu ouvi; mas são tudo o que consegui captar e colocar por escrito. O texto I é bilíngue, embora as frases não sejam idênticas, e a versão B é um pouco mais longa. Isso é só porque eu consegui recordar um pouco mais dela. Elas têm uma correspondência tão próxima porque eu ouvi a versão A, uma frase por vez, com a versão B vindo imediatamente em seguida: na mesma voz, como se alguém estivesse lendo um livro antigo e traduzindo o texto pedaço por pedaço para sua audiência. Então veio uma lacuna grande e escura, ou uma cena de confusão e trevas na qual os ecos de palavras se perderam num ruído de ventos e ondas.

"E então ouvi uma espécie de lamentação ou canto, do qual registrei tudo o que consigo recordar agora. Vocês vão notar que a ordem está alterada no fim. Havia duas vozes ali, uma cantando A e a outra cantando B, e o cantochão sempre terminava da maneira que organizei o texto: A B B A. A última palavra era sempre *Atalante*. Não consigo transmitir de modo algum como isso era comovente, horrivelmente comovente. Eu mesmo ainda sinto o peso de uma grande perda, como se nunca mais chegasse a ser realmente feliz nestas costas de novo.

"Não acho que existam palavras realmente novas no texto. Há vários detalhes gramaticais muito interessantes: mas não vou incomodar vocês com eles, por mais que sejam interessantes para mim — e parecem ter mexido com algo na minha memória também, de modo que agora sei mais do que está de fato contido nos fragmentos. Vocês vão ver que há um monte de interrogações, mas acho que o contexto (e, com frequência, a gramática) indicam que são todos nomes ou títulos.

"*Tar-kalion*, por exemplo: acho que é um nome de rei, pois encontrei com frequência o prefixo *tar* nos nomes dos poderosos, e *ar* no nome adunaico correspondente (usando o sistema de que lhes falei) é a raiz da palavra para 'rei'. Por outro lado, *turkildi* e *ēruhīnim*, embora evidentemente sejam equivalentes, não querem dizer a mesma coisa. O primeiro termo significa, acho, 'homens nobres', e o outro é bem mais impressionante, pois parece ser o nome de Deus Onipotente com uma terminação patronímica: com efeito, a menos que eu esteja muito enganado, 'Filhos de Deus'. De fato, eu nem precisaria ter colocado as interrogações nas palavras *ēruvō* e *ilúvatáren*: não há nenhuma grande dúvida sobre o fato de que *ēruvō* é o nome sagrado *Ēru* com um elemento sufixado que significa "de", e que, portanto, *ilúvatáren* significa a mesma coisa.

"Há um ponto que pode lhes interessar, depois do que andávamos falando sobre coincidências linguísticas. Bem, parece-me um bom chute dizer que estamos lidando com um registro, ou uma lenda, sobre uma catástrofe como a de Atlântida."

"Por que *ou*?", disse Jeremy. "Quero dizer, pode ser um registro *e* uma lenda. Você nunca enfrentou realmente a questão que levantei no nosso primeiro encontro deste semestre. Se você voltasse no tempo, encontraria o mito se dissolvendo na história ou a história no mito? Alguém já disse, não me lembro de quem, que a distinção entre história e mito poderia não ter significado fora da Terra. Acho que poderia ficar, no mínimo, um bocado menos clara na Terra, quando se recua bastante. Talvez a catástrofe de Atlântida tenha sido a linha divisória?"

"Pode ser que consigamos abordar a sua questão de maneira bem melhor quando chegarmos ao fundo de tudo isso", disse Lowdham. "Nesse meio-tempo, o detalhe que eu ia destacar é digno de nota. Eu disse 'Atlântida' porque Ramer nos contou que associava a palavra Nūmenor com o nome grego. Bem, veja só! aqui descobrimos que Nūmenor foi destruída; e concluímos com um lamento: *longe, muito longe agora está Atalante*. *Atalante* é claramente outro nome para Nūmenor-Atlântida. Mas só depois de sua queda. Pois, em avalloniano, *atalante* é uma palavra formada normalmente a partir de uma base comum, *talat*, "desabar, deslizar para baixo": ela ocorre no Texto I numa forma verbal enfática, *ataltane*, "deslizar para baixo em ruínas", para ser preciso. *Atalante* que dizer "Aquela que caiu". Assim, os dois nomes se aproximaram um do outro, atingiram uma forma muito similar por meio de rotas totalmente não conectadas. Quero dizer, quaisquer que sejam as tradições subjacentes ao *Timeu*[57] de Platão, o nome que ele usa, Atlântida, deve ser só o bom e velho 'filha de Atlas' que era aplicado a Calipso. Mas até isso liga a região a uma montanha considerada como o pilar do firmamento. Minul-Tārik, Minul-Tārik! Muito interessante."

Ele se levantou e esticou os braços. "Pelo menos espero que todos vocês achem o mesmo. Mas, senhor, como está ficando quente e abafado! Não é uma noite boa para uma palestra! Mas, de qualquer jeito, não consigo tirar muito mais disso só com palavras, e sem mais palavras. E preciso de algumas imagens.

"Gostaria de conseguir *enxergar* um pouco, além de ouvir, como você, Ramer. Ou como Jerry. Ele obteve uns poucos vislumbres de coisas estranhas enquanto trabalhávamos juntos; mas não consegue ouvir. Minhas palavras parecem despertar a visão dele, mas ela ainda não está clara de modo algum. Navios com velas escuras. Torres em costas varridas pelo mar. Batalhas: espadas que brilham, mas são silenciosas. Um grande templo com domo.[58] Gostaria de conseguir ver tanta coisa. Mas fiz o que pude. *Sauron*. *Zigūrun*, *Zigūr*. Não consigo decifrar esses nomes. Mas a chave está aí, acho. *Zigūr*."

"*Zigūr*!", disse Jeremy numa voz estranha.[59] Olhamos para ele: estava sentado com os olhos fechados e parecia muito pálido: contas de suor cobriam seu rosto.

"Ora, qual o problema, Jerry?", gritou Frankley. "Abra a outra janela, Ramer, para termos um pouco mais de ar! Acho que uma tempestade está se formando."

"Zigūr!", gritou Jeremy de novo, numa voz distante e torturada. "Você mesmo falou dele não faz muito tempo, amaldiçoando esse nome. Foi capaz de esquecê-lo, Nimruzīr?"[60]

"Eu tinha esquecido", respondeu Lowdham. "Mas agora começo a recordar!" Ficou parado e cerrou os punhos. Franziu o cenho, e seus olhos chamejavam. Havia um rebrilho de relâmpago muito ao longe, visto através da janela que escurecia. Ao longe no oeste, sobre os telhados, o céu ia ficando negro como a morte. Ouviu-se um rumor distante de trovão.

Jeremy gemeu e jogou a cabeça para trás.

Frankley e Ramer foram até o amigo e se inclinaram sobre ele: mas Jeremy não pareceu notá-los. "É o trovão, talvez", disse Frankley em voz baixa. "Ele parecia bem até alguns minutos atrás; mas está com uma cara péssima agora."

"Deixem-no em paz", rosnou Dolbear. "Não vão ajudar nada ficando em cima dele."

"Gostaria de deitar na minha cama?", disse Ramer. "Ou é melhor eu pegar o carro e levá-lo para casa?"

"Está se sentindo mal, meu velho?", disse Frankley.

"Sim", gemeu Jeremy sem se mexer. "Mortalmente mal. Mas não me incomodem! Não me toquem! *Bā kitabdahē!*[61] Sentem-se. Falarei num instante."

Fez-se um silêncio que pareceu ser longo e pesado. Eram então quase dez horas, e o céu pálido do crepúsculo de verão estava furado por apenas umas poucas estrelas fracas; mas o negrume se arrastava adiante lentamente, vindo do Oeste. Grandes asas de sombra se esticavam de modo agourento por sobre a cidade. As cortinas se mexeram como que com um presságio de vento e depois ficaram paradas. Houve um longo resmungo de trovão, terminando num estalo.

Lowdham se postara, ereto, no meio da sala, observando a janela com olhos fixos. De repente:

"*Narīka 'nBāri 'nAdūn yanākhim*",[62] gritou ele, erguendo ambos os braços. "As Águias dos Senhores do Oeste estão próximas!"

Então, de imediato, Jeremy começou a falar. "Agora vejo!", disse. "Vejo tudo. Os navios içaram vela, por fim. Funesta é esta hora! Eis que a montanha lança fumos e a terra treme!"

Fez uma pausa, e ficamos sentados, de olhar fixo, oprimidos como que pela chegada da perdição. As vozes da tempestade se aproximavam. Então Jeremy começou a falar de novo.

"Funestos são esta hora e os conselhos feros de Zigūr! O Rei enviou seu poder contra os Senhores do Oeste. As frotas dos Nūmenoreanos são como uma região de muitas ilhas; seus mastros são como os troncos de uma floresta; suas velas são douradas e negras. A noite está chegando. Eles partiram contra Avallōni com espadas nuas. Todo o mundo aguarda. Por que os Senhores do Oeste não dão sinal?"[63]

Houve um cintilar de relâmpago e um estrondo ensurdecedor.

"Vede! Agora a ira negra é chegada sobre nós, vinda do Oeste. As Águias dos Poderes do Mundo se alevantaram em fúria. Os Senhores falaram a Ēru, e o fado do Mundo foi mudado!"[64]

"Não ouvis o vento chegando e o rugir do mar?", disse Lowdham.

"Não vedes as asas das Águias, e seus olhos feito coriscos, e suas garras feito tridentes de fogo?", disse Jeremy. "Vede! O abismo se abre. O mar cai. As montanhas se inclinam. *Urīd yakalubim!*" Ele se levantou de maneira incerta, e Lowdham tomou-lhe a mão, e o trouxe para junto de si, como se para protegê-lo. Juntos foram até a janela e ali ficaram olhando para fora, conversando entre si numa língua estranha. Lembrei-me de modo irresistível de duas pessoas postadas na amurada de um navio. Mas de repente, com um grito, viraram-se e se ajoelharam, cobrindo os olhos.

"A glória caiu nas águas profundas", disse Jeremy, chorando.

"Ainda assim as águias nos perseguem", disse Lowdham. "O vento é como o fim do mundo, e as ondas são como montanhas que se movem. Entramos na escuridão."[65]

Houve um rugido de trovão e um luzir de relâmpago: clarões no norte, sul e oeste. A sala de Ramer chamejou com uma luz cegante e mergulhou de novo na escuridão. A luz elétrica tinha caído. À distância havia um murmúrio como o de um grande vento que chegava.

"Tudo deixou de existir. A luz se apagou!", disse Jeremy.

Numa vasta lufada, a chuva desabou de repente como quedas d'água vindas do céu, e um vento varreu a cidade com asas selvagens de fúria; seu grito se ergueu até se tornar um tumulto ensurdecedor. Perto de mim ouvi, ou achei que ouvi, um grande peso, como uma torre, caindo lentamente, num estardalhaço de ruína. Antes que pudéssemos fechar as janelas com a força de todas as mãos presentes e erguer as persianas, as cortinas foram sopradas pela sala, e o assoalho ficou inundado.

No meio de toda essa confusão, enquanto Ramer estava tentando achar e acender uma vela, Lowdham foi até Jeremy, que estava encurralado contra a parede, e lhe tomou as mãos.

"Vem, Abrazān",[66] disse ele. "Há trabalho a fazer. Vamos cuidar de nosso povo e estabelecer nosso curso, antes que seja tarde demais!"

"É tarde demais, Nimruzīr", respondeu Jeremy. "Os Valar nos odeiam. Só as trevas nos aguardam."

"Alguma luz ainda pode haver além delas. Vem!", ordenou Lowdham, e fez Jeremy ficar de pé. À luz da vela bruxuleante que Ramer agora estava segurando numa mão trêmula, nós o vimos arrastar Jeremy até a porta e empurrá-lo para fora da sala. Ouvimos os pés deles tropeçando e martelando as escadas.

"Eles vão se afogar!", disse Frankley, dando alguns passos, como se fosse segui-los. "O que diabos os afetou?"

"O temor dos Senhores do Oeste", disse Ramer, e sua voz tremia. "Não adianta segui-los. Mas acho que foi o papel deles, nessa história, escapar da própria borda da Perdição. Vamos deixar que escapem!"

E nesse ponto o encontro teria terminado, se não fosse pelo fato de que o resto de nós não conseguia encarar a noite e não ousava partir.

Por três horas, ficamos sentados, amontoados à luz fraca da vela, enquanto a maior tempestade na memória de qualquer homem vivo rugia acima de nós: a terrível tempestade de 12 de junho de 1987,[67] que matou mais homens, derrubou mais árvores e arrasou mais torres, pontes e outras obras do Homem do que cem anos de tempo selvagem.*

Quando ela finalmente amainou de madrugada, e através dos farrapos de sua retirada selvagem o céu já estava ficando claro de novo no Leste, o grupo se separou e se foi rastejando, cansado e estremecido, para vadear as ruas inundadas e descobrir se suas casas e faculdades ainda estavam de pé. Cameron não fez nenhum comentário. Temo que ele não tenha achado a noite divertida.

Fui o último a ir embora. Quando parei na porta, vi Ramer pegar uma folha de papel, toda coberta de texto. Ele a colocou numa gaveta.[68]

"Boa noite — ou bom dia!", disse eu. "Deveríamos ser gratos, de qualquer jeito, por não termos sido atingidos por um raio ou apanhados na ruína da faculdade."

"Deveríamos mesmo!", disse Ramer. "Estou aqui pensando."

"Pensando no quê?", perguntei.

"Bem, tenho uma sensação esquisita, Nick, ou uma suspeita, de que todos nós podemos muito bem ter ajudado a colocar para fora alguma coisa. Se não algo histórico, no mínimo algo saído de um mundo muito poderoso da imaginação e da memória. Jeremy diria 'talvez as duas coisas'. Fico pensando se não vamos nos meter em outros perigos ainda piores."

"Não estou entendendo você", respondi. "Mas, de qualquer jeito, suponho que você queira dizer que é preciso considerar se eles deveriam ir em frente. Será que não devemos detê-los?"

"Deter Lowdham e Jeremy?", disse Ramer. "Não vamos conseguir fazer isso agora."

MGR. RD. PF. RS. JM. NG. Acrescentado mais tarde AAL. WTJ.

Noite 68. 26 de junho de 1987.

Aposentos de Frankley. Pouco comparecimento: Frankley Dolbear, Stainer, Guildford.

---

*O centro de sua maior fúria parece ter ficado no meio do Atlântico, mas todo o seu curso e sua progressão foram uma espécie de enigma para os meteorologistas — até onde se conseguiu descobrir a partir dos relatos, ela parece ter funcionado mais como estrondos de uma explosão, avançando para o leste e lentamente perdendo força conforme prosseguia. N.G.

Não há muito o que registrar. A maior parte do Clube, entre presentes ou ausentes, estava envolvida, de uma maneira ou de outra, nos exames, cansada e mais irritada que o normal nessa estação do ano.* As coisas tinham sido bastante chacoalhadas pela tempestade. Ela acontecera na sétima semana, bem no meio dos exames finais; e, entre um monte de outros danos, as Examination Schools tinham sido atingidas, e a East School ficara destroçada.

"Quanta diversão andamos tendo desde que o velho Ramer começou a participar de novo!", disse Frankley. "Clube Notion! Está mais para Clube Commotion!† Alguma notícia dos Comocionadores?"

"Quer dizer Lowdham e Jeremy?", disse Stainer. "Propagandeadores, é o que eu diria! Nunca vi nada tão bem ensaiado — e com Michael Ramer como um tipo de coro cúmplice. Foi maravilhosamente bem feito!"

"Maravilhosamente!", disse Dolbear. "Estou tomado pela admiração. Pense na informação meteorológica que eles tinham! Soberbo! Prever daquele jeito uma tempestade que não foi predita, aparentemente, por nenhuma estação do mundo. E sincronizar as coisas tão lindamente também, para encaixá-la com precisão às falas que tinham preparado. Faz a gente pensar, não é? — como dizem aqueles que nunca experimentaram o processo. E Ramer diz claramente que ele ficou embasbacado, totalmente pego de surpresa. O que quer que você ache das opiniões dele, seria muito temerário assumir que estava mentindo. Ele leva essa história bastante a sério. 'Esses dois provavelmente são perigosos', foi o que me disse; e não estava pensando meramente em uma encenação para enganar o Clube, Stainer."

---

*O hábito extraordinário de realizar os principais exames do ano no verão, o qual deve ter sido responsável por uma quantidade incalculável de sofrimento, ainda estava em voga. Durante o período de "reformas" nos anos quarenta, falou-se em alterar esse procedimento, mas é algo que nunca foi implementado, embora fosse uma das poucas pequenas reformas totalmente desejáveis propostas na época. Foram os eventos do verão de 1987 que finalmente levaram as coisas ao limite, já que a maioria dos exames naquele ano tiveram de ser transferidos para o inverno ou foram realizados de novo depois do período letivo de outono. N.G.

†Trocadilho envolvendo *notion*, "noção, ideia, pista" e *commotion*, "comoção". [N.T.]

"Hum. Falei de modo apressado demais, evidentemente", disse Stainer, coçando o queixo. "Hum. Mas e aí? Se não foi algo combinado, trata-se de uma coincidência muito marcante."

"Verdadeiramente marcante!", disse Dolbear. "Mas deixaremos essa questão em aberto por enquanto, acho: coincidência ou conexão. Ambas são bem difíceis de aceitar; mas são as únicas escolhas. Algo pré-combinado é impossível — ou melhor, é um bom tanto mais improvável, e até mais espantoso. Mas e quanto àqueles dois camaradas? Alguma notícia sobre eles?"

"Sim", respondeu Guildford. "Estão vivos, não se afogaram nem foram atingidos por raios. Escreveram-me uma carta conjunta para que eu a mostrasse ao Clube. Eis o que dizem:

> Caro Nick,
>
> Esperamos que todo mundo esteja são e salvo. Fomos lançados muito longe pela maré quando o vento desabou, mas estamos secos de novo, finalmente; portanto, agora partimos, mais ou menos segundo os versos da velha canção, "para dar uma voltinha naquela alegre terrinha onde a cerveja nunca falta". No devido tempo (se for o caso) vamos mandar o endereço para nossas faculdades. A.A.L.

Esse é o fim do que foi escrito pelo punho enorme de Arry. Jeremy acrescenta:

> Estamos pesquisando. Mais coisa pode se transmitida, acho. Que tal um encontro de férias? Pouco antes da barulheira do período letivo. Que tal 25 de setembro? Podem usar meus aposentos. Att. W.T.J.

"Que tal a barulheira do período letivo!", disse Frankley. "Eles têm uma sorte do caramba por não estarem nas escolas[69] neste ano, ou teriam de voltar, aonde quer que o vento os tivesse levado. Alguma ideia de onde seria isso, Nick?"

"Não", disse Guildford. "O carimbo do correio está ilegível,[70] e não há endereço dentro. E quanto ao encontro proposto? Suponho que a maioria de nós estará por aqui de novo nessa época."

Acordou-se a data de 25 de setembro. Nesse momento, Michael Ramer entrou. "Tivemos notícias deles!", gritou Frankley.

"Nicholas recebeu uma carta. Estão bem e foram tirar folga em algum lugar: nada de endereço."

"Que bom!", disse Ramer. "Ou assim espero. Espero que eles não destruam as Ilhas Britânicas antes de terminarem."

"Meu caro Ramer!", protestou Steiner. "O que quer dizer? O que poderia querer dizer? Dolbear andou pregando as virtudes de uma mente aberta à minha incredulidade. É melhor ele falar com você. O outro extremo é igualmente ruim."

"Mas não tenho quaisquer opiniões formadas", disse Ramer. "Estava meramente expressando uma dúvida, ou um palpite desvairado. Mas, na verdade, não estou realmente com medo de quaisquer novas explosões agora. Desconfio que aquela força foi dissipada por enquanto, talvez por um bom tempo.

"Mas *estou* um pouco ansioso quanto a Arry e Wilfrid. Podem muito bem se enfiar em algum perigo. Ainda assim, só podemos esperar para ver. Mesmo se conseguíssemos achá-los, não daria para fazer mais do que isso. Não dá para deter um cavalo forte com o bridão no meio dos dentes dele. Certamente não seria possível frear Arry agora, e Wilfrid evidentemente se enfiou quase tão fundo na história quanto Arry.

"Nesse meio-tempo, tenho algo para mostrar a vocês. Arry deixou cair uma folha de papel na minha sala naquela noite. Acho que é a folha do manuscrito do pai dele sobre a qual nos falou. Bem — eu a decifrei."

"Bom trabalho!", disse Guildford. "Não sabia que você era criptógrafo."

"Não sou", riu Ramer, "mas tenho meus métodos. Não, não — nada sonhador desta vez. Só dei um chute bem dado e acertei o alvo. Não sei se Arry tinha resolvido o problema antes de deixar a folha cair, mas acho que não; pois, se tivesse, teria incluído o texto nas coisas que nos mostrou. Está bem claro o que o atrapalhou: era fácil demais. Estava procurando algo remoto e difícil, enquanto o tempo todo a solução estava bem na cara dele. Ele achou que o texto era nūmenoreano, imagino; mas na verdade é inglês antigo, anglo-saxão, justamente a área dele!

"A escrita, suponho, é nūmenoreana, tal como Arry pensou. Mas foi aplicada por alguém ao inglês antigo. Os nomes próprios, quando não são traduções do anglo-saxão, estão no mesmo alfabeto, mas as letras, nesses casos, são usadas de um jeito bem diferente, e eu não conseguiria lê-los sem a ajuda dos textos de Arry.

"Quem será que teve a ideia de escrever anglo-saxão desse jeito esquisito? O velho Edwin Lowdham parece, de início, um bom chute; mas não tenho tanta certeza. A coisa evidentemente é composta a partir de excertos de um livro ou uma crônica relativamente comprida."

"Bem, vamos lá!", gritou Frankley! "Como vocês, filólogos, ficam ciscando! Vamos dar uma olhada, conte-nos o que o texto diz!"

"Aqui está!", disse Ramer, pegando três folhas do bolso e entregando-as a Frankley. "Passe-as adiante! Eu tenho uma cópia. O original é só uma página pequena em octavo, como vocês veem, escrita dos dois lados por uma mão grande com esse alfabeto bastante bonito.

"Bom, falei comigo mesmo: 'Se isso aqui está em uma das línguas do Arry, não vou conseguir fazer nada: ninguém além dele consegue resolver o enigma. Mas ele fracassou, então provavelmente não está. Nesse caso, em qual língua é mais provável que esteja, lembrando o que Arry nos contou? Anglo-saxão. Bem, não é uma das minhas línguas, embora eu conheça o básico.' Então, depois de fazer uma lista preliminar de todas as letras individuais que consegui distinguir, fui correndo até o velho Professor Rashbold em Pembroke,[72] embora não o conhecesse pessoalmente. Um urso velho e rabugento, é como Arry sempre o chama; mas evidentemente Arry nunca tinha oferecido a ele o tipo certo de guloseima.

"Da minha ele gostou. Não estava nem aí para o que o negócio dizia, mas achou divertido tentar resolver o enigma, especialmente quando soube que aquilo tinha derrotado Arry. 'Oh! O jovem Lowdham!', disse. 'Sujeito esperto, debaixo daqueles modos de boteco. Mas avoado demais; sempre borboleteando atrás de alguma teoria. Não quer se ater aos textos. Agora, se *eu* tivesse sido seu professor, teria enfiado algum estofo nele.' Bem, começando com o meu chute de que a coisa podia estar em anglo-saxão, o velho Rashbold não demorou muito. Não sei qual foi seu raciocínio. Tudo o que ele disse antes de eu sair foi: 'Nunca vi essa escrita antes; mas eu diria que é um alfabeto consonantal, e que todos esses diacríticos são sinais de vogais. Vou dar uma olhada'. Mandou o texto de volta para mim nesta manhã, com um longo comentário sobre as formas e a ortografia que não vou infligir a vocês, exceto pelos seus comentários de conclusão.

"'Resumindo: está em inglês antigo com uma coloração fortemente merciana (das Midlands Ocidentais), do século nono, eu diria.[73] Não há palavras novas, exceto talvez *to-sprengdon*. Há várias palavras, provavelmente nomes que não estão em inglês antigo, que não consegui arrancar; mas, se me permite, não gastarei mais tempo com elas. Meu tempo não é ilimitado. Quem quer que tenha feito essa coisa sabia inglês antigo razoavelmente bem, embora o estilo tenha o ar de uma tradução. Se ele queria forjar um pouco de inglês antigo, por que não escolheu um assunto interessante?'

"Bem, resolvi a questão dos nomes, como lhes contei; e com vocês estão o texto da maneira como o velho Rashbold o devolveu, com os nomes inclusos. O único detalhe é que, como minha máquina de escrever não tem letrinhas engraçadas, usei o *th* no lugar da velha letra *thorn*. A tradução também é de Rashbold.[74]

Hi alle sǽ on weorulde oferliodon, sohton hi nyston hwet; ah ǽfre walde heara heorte westward .... forthon hit swé gefyrn arǽdde se Ælmihtiga thæt hi sceoldan steorfan 7 thás weoruld ofgeofan .... hi ongunnon murcnian .... hit gelomp seoththan thæt se fúla deofles thegn se the Ælfwina folc (Zigūr) nemneth wéox swíthe on middangearde 7 he geáscode Westwearena meht 7 wuldor .... walde héalecran stól habban thonne Earendeles eafera seolf ahte ...... Thá cwóm he, (Tarcalion) se cyning up on middangeardes óran 7 he sende sóna his érendwracan to (Zigūre): heht hine on ofste cuman to thes cyninges manrǽdenne to buganne. 7 he (Zigūr) lytigende ge-éadmedde hine thæt he cwóm, wes thæh inwitful under, fácnes hogde Westfearena théode ..... swé adwalde he fornéan aile tha (Numenor)iscan mid wundrum 7 mid tácnum . . . . 7 hi gewarhton micelne alh on middan (Arminalēth)[75] there cestre on thæm héan munte the ǽr unawídlod wes 7 wearth nu to hǽthenum herge, 7 hi thér onsegdon unase[c]gendlic lác on unhálgum weofode ... Swé cwóm déathscua on Westfearena land 7 Godes bearn under sceadu féollon .... Thes ofer feola géra hit gelomp thæt (Tarcalione) wearth ældo onsǽge, thy wearth he hréow on móde 7 tha walde he be (Zigūres) onbryrdingum (Avalloni) mid ferde gefaran. Weron Westfearena scipferde swéswe unarímedlic égland on there sǽ .... ah tha Westfrégan gebédon hi to thæm Ælmihtigan 7 be his léafe tosprengdon hi tha eorthan thæt alle sǽ nither gutan on efgrynde, 7 alle tha sceopu forwurdan, forthon seo eorthe togán on middum gársecge . . . . swearte windas asteogon 7 Ælfwines seofon sceopu eastweard adrǽfdon.

Nu sitte we on elelonde 7 forsittath tha blisse 7 tha eadignesse the iú wes 7 nu sceal eft cuman nǽfre. Ús swíthe onsiteth déathscua. Ús swíthe longath ..... On ærran mélum west leg reht weg, nu earon alle weogas wó. Feor nu is léanes lond. Feor nu is Neowollond[76] thæt geneotherade. Feor nu is Dreames lond thæt gedrorene.

Todos os mares do mundo eles singraram, buscando não sabiam o quê; mas seus corações estavam sempre voltados para oeste .... porque assim tinha o Todo-Poderoso estabelecido desde antanho, que eles haviam de morrer e deixar este mundo .... começaram a murmurar .... Veio depois a acontecer que o imundo servo do demônio, a quem o povo dos ?Ælfwines dá o nome de (Zigūr), cresceu em poder na terra-média, e soube do poder e da glória dos *Westware* (Habitantes do Oeste) .... desejou um trono mais alto até do que aquele que o descendente de Earendel possuía .... Então ele, Rei (Tarcalion), desembarcou nas costas da terra-média, e de imediato mandou seus mensageiros para (Zigūr), ordenando que ele viesse célere para prestar vassalagem ao rei; e ele (Zigūr), dissimulando, humilhou-se e veio, mas estava cheio de maldade secreta, com o propósito de traição contra o povo dos Viajantes do Oeste .... Assim ele desencaminhou quase todos os (Numenore)anos com sinais e prodígios .... e construíram um grande templo em meio à cidade (de Arminalēth) no alto monte, o qual antes fora impoluto, mas então se tornou um fano pagão, e lá sacrificavam oferendas indizíveis sobre um altar profano ... Assim entrou a sombra da morte na terra dos Viajantes do Oeste, e os filhos de Deus caíram sob a sombra .... Muitos anos depois, veio a acontecer que a idade avançada assediou (Tarcalion); donde ele se tornou sinistro em seu coração e, por instigação de (Zigūr), desejou conquistar (Avallōni) com uma hoste. As hostes navais dos Viajantes do Oeste eram como ilhas incontáveis no mar .... Mas os Senhores do Oeste oraram ao Todo-Poderoso, e com permissão dele racharam ao meio a terra, de maneira que todos os mares se derramassem num abismo e os navios perecessem; pois a terra se escancarou em meio ao oceano .... ventos negros se levantaram e levaram para longe os sete navios de Ælfwine.

Agora nos sentamos na terra de exílio, e vivemos privados da ventura e da benção que antes havia e nunca mais há de voltar.

A sombra da morte jaz pesada sobre nós; a saudade está sobre nós ..... Em dias de outrora a oeste havia um caminho reto, agora todos os caminhos estão curvados. Longe agora está a terra da dádiva. Longe agora está a terra ?prostrada que foi derribada. Longe agora está a terra do Júbilo que caiu.

"Bem, o velho Rashbold pode não ter achado isso interessante. Mas depende do que você está procurando. Vocês pelo menos, pessoal, vão achar interessante, creio, depois dos eventos daquela noite. Vão notar que o texto original está escrito de forma contínua com uma caligrafia forte (não duvido que o responsável seja mesmo o velho Edwin), mas há pontos de divisão a certos intervalos. O que temos, na realidade, é uma série de extratos fragmentados, separados, imagino, por vários intervalos de omissões, algo extremamente semelhante aos trechos de avalloniano e adunaico de Arry. De fato, esse material corresponde de perto ao dele (o que, em si mesmo, é muito interessante): inclui tudo o que ele nos passou, mas traz um bocado de outras coisas, especialmente no começo. Vão notar que há uma grande lacuna no mesmo ponto em que há a quebra entre os Textos I e II dele.

"É claro que, quando o velho Rashbold diz 'o estilo tem ar de tradução', ele simplesmente quis dizer que o forjador não tinha sido totalmente bem-sucedido em fazer com que o negócio soasse como anglo-saxão natural. Não consigo avaliar isso. Mas ouso dizer que ele está certo, embora sua explicação implícita possa estar errada. Isso provavelmente é uma tradução de alguma língua para o anglo-saxão. Mas não foi feita, acho, pelo homem que escreveu essa página. Ele estava com pressa ou, como Arry, estava tentando capturar o evanescente e, se tivesse tido algum tempo para traduções, teria feito uma em inglês moderno. Não consigo ver nenhuma razão para o inglês antigo a menos que o que ele 'viu' já estivesse nessa língua.

"Eu disse 'viu'. Pois esse negócio me parece o trabalho de um homem copiando tudo o que teve tempo de ver, ou tudo que achou ainda intacto e legível em algum livro."

"Ou tudo o que ele conseguiu registrar de algum sonho fortemente visualizado", disse Dolbear. "E, mesmo assim, eu imaginaria que a mão responsável por esse negócio já estava familiarizada com a escrita estranha. Está escrito de modo fluido e não parece de jeito nenhum o trabalho de um homem tentando copiar algo totalmente desconhecido. Segundo sua teoria, Ramer, ele não teria tido tempo, de qualquer jeito."

"Sim, é um belo de um enigma", disse Frankley. "Mas não suponho que conseguiremos ir muito mais pradiante[77] sem a ajuda de Arry. Assim, temos de aguardar pacientemente até setembro, e esperar que haja uma luz além do mar dos Alfabetos. Tenho de ir. Os textos que me esperam são muito mais longos e dificilmente mais legíveis."

"E provavelmente mais enigmáticos", disse Stainer. "Certamente não há nenhum grande mistério aqui, apesar das tentativas de Ramer de criar um. Aqui temos um espécime do hobby esquisito do velho Edwin Lowdham: forjar textos míticos; e essa é a fonte direta do material de Arry. Ele parece ter puxado o pai em mais de um sentido, embora provavelmente seja mais inventivo linguisticamente."

"Realmente você é incorrigível, Stainer", disse Dolbear. "Por que sempre prefere uma teoria que não tem como ser verdade, a não ser que alguém esteja mentindo?"

"Quem estou acusando de mentir?"

"Bem, espere até setembro, e então diga o que acabou de dizer devagar e com cuidado ao Arry, e logo descobrirá", respondeu Dolbear. "Se esqueceu tudo o que ele disse, eu não esqueci. Boa noite!"

RD. PF. RS. MGR. NG.

Noite 69. Quinta-feira, 25 de setembro de 1987.

Houve um grande encontro nos aposentos de Jeremy. Ele e Lowdham tinham reaparecido em Oxford só no dia anterior, com a aparência de quem tinha passado todas as férias aplicando provas, em vez de tirando folga. Havia outras oito pessoas presentes, e Cameron chegou mais tarde.

Depois das experiências de 12 de junho, a maioria do Clube se sentia um tantinho apreensiva, e a conversa, no começo, foi jocosa, por conseguinte. Mas Lowdham não tomou parte nas brincadeiras; estava incomumente quieto.

"Bem, Jerry", disse Frankley por fim, "você é o anfitrião. Preparou alguma diversão para nós? Se não, depois de tantas semanas, ouso dizer que vários de nós têm coisas no bolso."

"Isso significa que você tem, de qualquer jeito", disse Jeremy. "Vamos ouvir! Queremos, ou pelo menos eu quero, algum tempo para lhes contar sobre o que andamos fazendo, mas não há pressa."

"Isso depende de quanto tempo o relato sobre vocês mesmos vai demorar", disse Stainer. "Fizeram alguma coisa além de beber e ficar enrolando no campo?"

"Fizemos", disse Lowdham. "Mas não há nenhuma razão especial para supor que você estará interessado em ouvir a respeito, Stainer."

"Bem, estou aqui, e isso indica pelo menos um interesse vago", disse Stainer.

"Tudo bem! Mas, se o Clube realmente quer nos ouvir, então tem de estar pronto para um ou dois encontros nos quais vamos tomar o tempo todo. O Pip vai explodir, posso até ver, se tiver de esperar tanto. Vamos deixá-lo liberar seu vapor primeiro. Sobre o que é, Cavalinho?"

"É autoexplicativo, se o Clube realmente quiser escutar", disse Frankley.

"Vá em frente! Vamos ouvir!", dissemos.

Frankley tirou um pedaço de papel do bolso e começou.[78]

A Morte de São Brandão

Então do mar deixou a amplidão,
    e a bruma chegou à costa;
não luzia a lua, ondas rugiam,
4   quando a barca se viu posta
na Irlanda, de volta àquelas bandas,
    à alta torre de sua grei,
onde o sino de Cluain-ferta, fino,[79]
8   soava na verde Galway.
Onde o Shannon até o Lough Derg vem
    debaixo de um céu chuvoso,
São Brandão à viagem deu conclusão
12   E esperou seu final repouso.

"Oh, dizei-me, padre, pois vos amei,
    se palavras me podeis dar,
que lembranças de estranhas cousas tendes

16 do vasto e vazio mar,
de ilhas que fortes feitiços pilharam
onde habita a Élfica Gente:
ao léu sete anos, vistes o Céu
20 ou a Terra dos Viventes?"

"As cousas que vi, as cousas mil,
Há muito não posso vê-las;
Só três agora contemplo outra vez:
24 a Nuvem, a Árvore, a Estrela.
No mar mais de ano sem jamais achar
nem costa, nem campo, nem rês;
nem ave, nem barco vimos da nave
28 por quarenta dias mais dez.
Sol não havia, alva ou arrebol,
mas nuvem escura à frente,
e o ar vibrando qual trovão chegando
32 E um brilhar rubro-fervente.

Do mar às nuvens então se armou
Grã montanha sem parelha;
No sopé era negra, desde a maré
36 Até sua fronte vermelha.
Manto algum de nuvem nem tanto fumo,
nem tormenta de trovão,
no mundo jamais vi tal redemunho
40 como o que vimos então.
A volta demos, e o mar nos levou
Pra longe da escuridão;
e os fumos enfim se abriram no cume
44 da Torre da Perdição:
na testa cinzenta, coroa sangrenta
com incêndios sem igual.
Alta qual pórtico que o Céu exalta,
48 pés no abismo infernal;
firmada em cavas por água inundadas
e enterradas sem lembrança,
posta-se, creio, na terra remota
52 onde os reis dos reis descansam.

Velejamos, pois, vento já não vinha,
forcejamos com os remos,
com sede e fome das que nunca somem,
56 e os salmos não mais dissemos.
Terra, que praia de prata encerrava,
afinal vimos à mão;
vagas cantavam em altivas cavas
60 com pérolas pelo chão;
e do sal do mar a costa saltava
pra encostas, verde e ouro,
e um regato que a bela terra aguava
64 do grão vale era o tesouro.

Portão de pedra varamos então,
deixamos a maresia;
caía o silêncio por toda a ilha,
68 sagrado nos parecia.
Qual verde taça, transbordando verde,
que com vinho o sol faz fontes,
assim era a terra, e vimos enfim,
72 em clareira entre os montes,
árvore mais bela, posso asseverar,
do que as que no Éden crescem:
de tal raiz que se erguia mais alta
76 do que os olhos de homem medem;
tão vastos ramos que levam de rastos
mil braças com a folhada,
subia qual morro com neve macia
80 a ampla e rija galhada;
da cor que o inverno o chão faz pôr
tais eram as folhas dela,
mais densas eram que de cisne as penas,
84 tão longas, gentis e belas.

Feito devaneio, então nos veio
sentir que o tempo passava
e a jornada era finda; co' retorno
88 ninguém entre nós sonhava.
No silêncio que ali era alento,

na quietude, então cantamos —
sutil era o som, mas alto subiu,
92 qual órgão forte soamos.
Tremeu a árvore da raiz ao céu;
as folhas dos ramos voaram
feito alvas aves deixando o leito,
96 e nus os galhos ficaram.
Do céu veio descendo ao léu
canto, sem ser de passarada,
sem voz humana, nem de anjo a voz;
100 mas quiçá seja encontrada
outra bela gente no mundo ingente
além da afogada atalaia.
Mas fundo é o mar, co'abismo a soar,
104 para além daquela Praia."

"Oh! Calma, padre! Algo faltou.
De duas coisas falastes:
Árvore, Nuvem; mas resta uma.
108 A Estrela não recordastes?"

"A Estrela? Na célia cidadela,
na mais alta encruzilhada,
Vi-a luzir, Noite Afora[80] a se abrir,
112 argêntea e inflamada,
lá o orbe do mundo desce fundo,
mas a velha rota persiste,
ponte invisível pra costa aprazível
116 que ninguém sabe que existe."

"Mas foi dito a mim que antes do fim
Achastes ignota pista.
Falai-me então, querido Brandão,
120 dessa terra afinal vista."

"A Estrela — na mente inda posso vê-la,
e dos mares a divisa,
e o pungente sopro, doce e dolente,
124 carregado pela brisa.

Em qual lugar há flores sem igual,
em que terra hão de crescer,
o que foi que ouvi tão longe daqui,
128 se queres mesmo saber,
Irmão, toma o barco e, na amplidão,
labuta no vasto mar,
acha sozinho o antigo caminho:
132 pois eu não vou mais falar."

Na Irlanda, por matas daquelas bandas,
na alta torre de sua grei,
eis que o sino de Cluain-ferta, fino,
136 soava na verde Galway.
São Brandão à vida deu conclusão
debaixo de um céu chuvoso,
a viajar enfim no último navio,
140 e na Irlanda tem seu pouso.[F]

Quando Frankley parou, fez-se um silêncio. Se ele estava esperando comentários críticos, negativos ou favoráveis, não ouviu nenhum.

"Muito esquisito mesmo! Muito esquisito", disse Lowdham, afinal. "Andou em contato com nossas mentes pelo Sistema Ramer, Philip? De qualquer modo, quando você escreveu isso, e por quê?"

"Tivemos muitas outras mentes além da sua trabalhando nesse tema, Arundel, conforme já se disse antes", observou Ramer. "Conte-nos mais, Philip!"

"Não há muito o que contar", disse Frankley. "Acordei uns quatro dias atrás com a coisa praticamente fixa, e o nome Brandão dando voltas na cabeça. Os primeiros doze versos já estavam compostos (ou ainda eram recordados), e algo do resto também. As imagens ficaram bem claras por um tempo. Eu li a *Navigatio Sancti Brendani*, é claro, certa vez, anos atrás, bem como aquele negócio em anglo-francês antigo, a *Vita* de Benedeit. Mas não cheguei a dar uma olhada nelas de novo — ainda que talvez, se o fizesse, acharia que elas são menos chatas e desapontadoras do que me recordo."

"Não creio que acharia", disse Lowdham; "são bem horríveis. Seja lá que méritos possam ter, qualquer vislumbre de percepção sobre o que estão falando não é um deles; carregam seu tema magnífico para o mercado como maços de flores cuidadosamente cortadas e secas. O negócio em francês antigo pode ser muito interessante linguisticamente, mas você não vai descobrir muita coisa sobre o Oeste com ele.

"Ainda assim, parece que foi de lá que você tirou seu Vulcão e sua Árvore. Mas você usa uns detalhes que não estão nas suas fontes. Colocou os dois numa ordem diferente, acho, deixando a Árvore mais a oeste; e o seu Vulcão não é uma forja infernal, mas aparentemente o último pico de alguma Atlântida.[81] E a Árvore de São Brandão estava coberta de aves brancas que eram anjos caídos. A única ideia realmente interessante dessa coisa toda, é o que achei: eles eram anjos que viviam numa espécie de limbo, porque eram apenas espíritos menores que tinham seguido Satanás só porque ele era seu suserano feudal, e não tinham tido nenhum papel real, por vontade ou desígnio, na Grande Rebelião. Mas você os transformou numa terceira raça de seres *belos*."

"E aquele pedaço sobre o 'curvo mundo' e a 'antiga via'", disse Jeremy, "de onde você tirou aquilo?"

"Não sei", respondeu Frankley. "Apareceu na escrita. Recebi uma imagem passageira, mas já esmaeceu."

"A Separação das Vias!", resmungou Lowdham. "O que você sabe sobre isso?"

"Ah, nada. Mas, bem — bem, mas não é realmente possível achar ou ver o Paraíso de barco, sabe."[82]

"Não", disse Lowdham. "Não nas Altas Lendas, não naquelas que têm poder. Não mais. E era algo raramente permitido, mesmo antes." Não disse mais nada, e todos ficamos sentados e quietos por um tempo.

O silêncio finalmente foi quebrado por Markison. "Bem", disse ele, "espero que você não imite a fala de São Brandão para o monge: 'nada mais vou te contar'. Vocês dois não têm mais nada a dizer?"

"Na verdade, sim!", respondeu Jeremy. "Mas não estivemos no Paraíso."

"Onde estiveram então?"

"Fomos parar em Porlock[83] no dia 13, ou seja, sábado da semana passada", disse Jeremy.

"Por que Porlock? Não é um lugar muito emocionante, é?"

"Não é agora, talvez", respondeu Lowdham. "Você vai ver que há uma certa razão para isso, porém. Mas caso esteja perguntando se escolhemos Porlock conscientemente, a resposta é não."

"Começamos lá na Cornualha, em Land's End", disse Jeremy. "Isso foi um pouco antes do fim de junho."

"Começaram?", perguntou Guildford. "Recebi a carta de vocês em 25 de junho, mas isso ainda deixa um certo hiato. Vimos vocês pela última vez na noite de 12 de junho: não é uma data que possamos esquecer assim de repente. O que aconteceu durante os dez dias seguintes?"

"Foi tudo isso?", perguntou Lowdham, meio perdido. "Não tenho certeza. Fomos parar numa enseada. Acho que me lembro do barco raspando nas rochas e depois sendo jogado em cima dos cascalhos. Tivemos uma sorte dos diabos. O barco estava esburacado e começando a afundar, e quase nos afogamos. Ou será que sonhei isso?" Franziu o cenho. "Nossa, não tenho certeza. Tá lembrado, Trewyn?"[84]

"Não", disse Jeremy, pensando. "Não, não me lembro. A primeira coisa de que me lembro é você dizendo 'Melhor mandar umas linhas para o Nick para que ele saiba que a gente não se afogou'. Sim, sim, claro: fomos apanhados no mar por uma tempestade de vento e relâmpago e, como todos vocês sabiam que tínhamos ido velejar, achamos que poderiam estar ansiosos."

"Vocês não se lembram da noite lá nos meus aposentos, a noite da grande tempestade?", perguntou Ramer.

"Sim, lembro-me de trazer alguns textos", disse Lowdham. "E me lembro das Águias. Mas certamente a tempestade veio mais tarde, depois que começamos nosso tour de pesquisa, certo?"

"Tudo bem", disse Dolbear. "Não se incomodem com tudo isso agora; haverá tempo de sobra para falar a respeito mais tarde. Continuem a história."

"Bem", disse Jeremy, "nós nos mantivemos na costa oeste o máximo que pudemos, ficando à beira-mar e caminhando o mais perto possível dele quando não estávamos de barco. Arry é um marujo hábil, e ainda é possível conseguir embarcações pequenas a vela no Oeste, e às vezes a ajuda de um velho marinheiro que ainda consegue manejar um barco sem gasolina. Mas, depois do nosso naufrágio, não voltamos a velejar até alcançarmos o norte de Devon. Chegamos até a atravessar, de barco, de Bideford para o sul de Gales, e depois continuamos até a Irlanda, subindo a costa oeste da ilha por etapas.

"Demos uma olhada na Escócia, mas não fomos mais para o norte do que Mull. Não parecia haver nada para nós lá, nenhuma sensação diferente no ar. Portanto, voltamos para a Hibérnia.[85] A grande tempestade tinha deixado mais traços lá do que em qualquer outro lugar, e não apenas em danos visíveis. Havia um bocado disso, mas muito menos do que se esperaria, e era algo que não nos interessava tanto quanto o efeito sobre as pessoas e as histórias que descobrimos circulando. As pessoas em Galway — bom, para falar a verdade, de Brandon Hill a Slieve League[86] — pareciam ter levado um belo chacoalhão, e ainda estavam assustadas semanas depois. Se o vento ficava forte, como, é claro, acontecia de tempos em tempos, elas se enfiavam dentro de casa; e algumas começavam a viajar para o interior.

"Nós dois ouvimos muitas histórias sobre as ondas enormes, 'altas feito colinas', chegando durante a Noite Negra. E, o que é bem curioso, muitos dos que contavam essas histórias concordavam que as maiores ondas eram como fantasmas, ou só meio reais: 'feito sombras de montanhas de água escura, negra e perversa'. Algumas tinham rolado bem para o interior e mesmo assim causaram pouco dano antes de, bem, desaparecerem, de se dissolverem. Contaram-nos sobre uma onda que tinha rolado por cima de todas as ilhas Aran[87] e subido a Baía de Galway, continuando feito uma nuvem, afogando a terra com uma enchente fantasmagórica semelhante a uma névoa ondeante, quase alcançando Clonfert.

"E topamos com um velho, um idoso esquisito cujo inglês mal era inteligível, na estrada, não muito longe de Loughrea.[88] Era indócil, de roupas esfarrapadas, mas alto e bastante impressionante. Ficava apontando para o oeste e dizendo, até onde conseguimos entender: 'Foi do Mar que eles vieram, tal como vieram nos dias antes dos dias'. Disse que tinha visto um navio alto e negro na crista da grande onda, com seus mastros abaixados e os farrapos de velas negras e amarelas balançando no tombadilho, e homens de grande estatura de pé na popa elevada, gritando, como os fantasmas que eram; e foram carregados bem longe para o interior, e chegaram, bem, não há alma que saiba aonde chegaram.

"Não conseguimos tirar mais nada dele, e o velho continuou no rumo oeste e desapareceu no crepúsculo, e quem era ou aonde estava indo nós também não descobrimos. Fora tais histórias e rumores, não enfrentamos nenhuma aventura verdadeira. O tempo não estava tão ruim, de modo geral; caminhamos bastante e até que dormimos bem. Muitos sonhos vieram, especialmente na Irlanda, mas eram muito escorregadios; não conseguimos pegá-los. Arry recebeu listas inteiras de palavras-fantasmas, e eu algumas imagens passageiras, mas raramente as duas coisas se encaixavam. E então, quando achamos que o tempo tinha acabado, chegamos a Porlock.

"Quando cruzamos o Mar do Severn[89] um pouco antes no verão, Arry tinha olhado para trás, ao longo da costa ao sul, no litoral de Somerset, e tinha dito algo que eu não consegui pegar. Era inglês antigo, acho, mas ele mesmo não sabia: esmaeceu assim que tinha falado. Mas tive uma sensação repentina de que havia algo importante esperando por nós lá, e decidi levá-lo de volta por aquele caminho antes do fim da nossa jornada, se houvesse tempo. Foi o que fiz.

"Chegamos a Porlock Weir num barco pequeno no sábado, 13 de setembro. Instalamo-nos no The Ship, em Porlock propriamente dita; mas sentimos que estávamos sendo puxados de volta para a costa e, assim que arrumamos nossos quartos, saímos e viramos para o oeste, subindo as encostas e continuando até a altura de Culbone e mais adiante. Vimos o sol se pôr, esmaecido, enevoado e bastante assustador, por volta das seis e meia, e depois voltamos para o jantar.

"O crepúsculo se intensificou rapidamente, e me recordo de que, de repente, parecia ter ficado muito frio; um vento gélido subiu da terra e soprou para o oeste, na direção do sol que morria; o mar tinha cor de chumbo. Nós dois nos sentíamos cansados e ansiosos, sem nenhuma razão clara: antes, andávamos bastante animados. Foi então que Arry deu as costas para o mar e tomou meu braço, dizendo de modo bem claro, de modo que o ouvi e compreendi: *Uton efstan nú, Tréowine! Me ofthyncth thisses windes. Mycel wén is Deniscra manna to niht.*[90] E isso pareceu tocar os meus sonhos. Comecei a me lembrar, e a montar as peças de um monte de coisas conforme caminhávamos de volta para a cidade; e naquela noite tive uma longa série de sonhos e me lembrei de boa parte deles."

"Sim", disse Lowdham, "e algo aconteceu comigo naquele momento também. Comecei a *ver*, além de ouvir. Tréowine, ou seja, Wilfrid Trewyn Jeremy, e eu parecíamos ter entrado no mesmo sonho juntos, antes mesmo de cairmos no sono. Os rostos no hotel pareciam pálidos e finos, e as paredes e a mobília apenas meio reais: outras coisas e outros rostos estavam se movimentando de modo vago atrás de tudo isso. Estávamos nos aproximando do clímax de alguma mudança que tinha começado em maio passado, quando começamos a fazer pesquisas juntos.

"De qualquer modo, fomos para a cama, e nós dois sonhamos; acordamos e imediatamente comparamos nossas observações; dormimos de novo, acordamos e fizemos o mesmo. E assim foi por vários dias, até ficarmos bem exaustos. Então, por fim, decidimos ir para casa; decidimos voltar para Oxford no dia seguinte, quinta-feira. Naquela noite, quarta-feira, 17 de setembro, algo aconteceu: os sonhos coalesceram, tomaram forma e ficaram à mostra, como vocês poderiam dizer. Parecia impossível acreditar, quando terminou, que anos não tivessem passado por nós, e que ainda era quinta-feira, 18 de setembro de 1987. E que realmente podíamos voltar para cá, como tínhamos planejado. Recordo-me de ficar olhando de modo incrédulo para o restaurante, que parecia ter se tornado estranhamente sólido de novo, meio que imaginando se não era algum novo truque de sonho. E fomos até o correio e ao banco para ter certeza da data! Então rastejamos de volta para cá em segredo, uma semana atrás, e ficamos em retiro até ontem, conferenciando e reunindo tudo o que tínhamos conseguido antes de sair do esconderijo. Acho que vou deixar que Trewyn conte tudo. Ele é melhor nisso do que eu; e viu mais coisas, depois das cenas iniciais."

"Não!", protestou Jeremy. "É melhor que o Alwin comece. A parte inicial é dele, mais do que minha. Ele se recorda mais do que foi dito por mim do que eu mesmo. Continue agora, Arry!"

"Bem", disse Lowdham, "a mim pareceu que foi assim. Acordei de sobressalto.[91] Evidentemente, estava cochilando num banco perto do fogo. As vozes pareciam se derramar sobre mim feito um riacho. Senti que tinha estado sonhando, algo muito esquisito e vívido, mas não conseguia captar o quê; e, por um minuto ou dois, a cena familiar no salão me pareceu estranha, e a fala inglesa à minha volta me soou estrangeira e remota, embora as vozes estivessem, na maior parte, usando a fala suave do oeste de Wessex que eu conhecia tão bem. Aqui e ali, captava os tons dos fronteiriços que vinham d'além da embocadura do Severn; e ouvia uns poucos falando de modo estranho, usando palavras incultas à maneira daqueles dos condados do leste.

"Vasculhei o salão com o olhar, esperando ver meu amigo Tréowine, filho de Céolwulf. Havia uma grande multidão no lugar, pois o Rei Éadweard estava lá. Os navios daneses estavam no Mar do Severn, e todas as costas do sul tinham pegado em armas. Os nobres gentios tinham sido derrotados lá nas marcas do oeste, em Archenfield, mas os piratas ainda estavam ao largo da costa galesa, tentando conseguir comida e suprimentos, e os homens devoneses e os somersets[92] ficavam de guarda. Acontecera uma escaramuça dura em Watchet algumas noites antes, mas os homens daneses tinham sido rechaçados. A vez de Porlock podia chegar.

"Olhei em volta, observando os rostos dos homens: alguns velhos e desgastados, outros jovens e ávidos; mas pareciam imprecisos, quase de sonho, à luz ondeante das tochas. As velas na mesa elevada estavam derretendo rápido. Um vento soprava fora do grande salão de madeira, dando voltas à casa; as vigas gemiam. Sentia-me cansado. Não só porque Tréowine e eu tínhamos enfrentado um bom tempo de serviço na guarda costeira, dormindo pouco desde a incursão em Watchet; mas também estava cansado desse mundo cheio de dores e confusão, deslizando devagar de volta à decadência, conforme me parecia, com suas guerras mesquinhas, mas cruéis, e toda a ruína das coisas boas e belas que tinham existido nos dias de meus avós. As tapeçarias na parede detrás da plataforma estavam esmaecidas e gastas, e na mesa havia só algumas vasilhas ou suportes de velas feitos de ouro e prata, que tinham sobrevivido à pilhagem dos gentios.

"O som do vento me perturbava e trazia de volta antigos anseios que eu acreditava ter enterrado. Peguei-me pensando em meu pai, o velho Éadwine, filho de Óswine,[93] e as histórias estranhas que me contara quando eu era um rapazinho, e ele, um marujo grisalho de mais de cinquenta invernos: histórias sobre as costas do oeste, e ilhas distantes, e sobre o alto mar, e uma terra que existia ao longe, onde havia paz e tudo frutificava em meio a um povo belo que não envelhecia.

"Mas Éadwine levara seu barco, o Éarendel, para o alto mar muito tempo antes, e nunca retornara. Que porto o recebeu homem nenhum debaixo do céu poderia dizer. Isso foi no inverno negro, quando Alfred se escondeu[94] e tantos homens de Somerset fugiram através do mar. Minha mãe fugiu para a sua gente entre os galeses do oeste[95] por um tempo, e eu só vira nove invernos neste mundo, pois nasci pouco antes de o santo Éadmund ser morto pelos gentios.[96] Aprendi a língua galesa e muito engenho sobre as águas bravias, antes que voltasse, já homem feito, a Somerset e ao serviço do bom rei em suas últimas guerras.[97]

"Tinha visitado Íraland mais de uma vez; e aonde quer que fosse, buscava histórias sobre o Grande Mar e sobre o que havia nele, ou além, se porventura existisse alguma costa de lá. O povo não tinha muita coisa a contar que fosse certa; mas falavam de um certo Maelduin[98] que tinha navegado para novas terras, do santo Brandão e de outros. E alguns havia que diziam que existira uma terra de Homens ao longe no oeste em distantes dias de antanho, mas que fora derribada, e que aqueles que escaparam tinham vindo a Ériu[99] (assim chamavam Íraland) em seus navios, e seus descendentes continuaram a viver lá, e em outras terras à volta das costas do Gársecg. Mas definharam e esqueceram, e nada agora restava deles além de um traço indócil no sangue dos homens do Oeste. 'E conhecerás os que o têm pelo anseio do mar que está neles', diziam; 'e a muitos ele atrai para o oeste, para suas mortes ou para nunca mais retornar em meio aos homens viventes'.

"E pensei que talvez o sangue de tais homens corresse nas veias de meu pai e nas minhas, pois nossa gente havia muito se estabelecera em Glastonbury, onde havia rumores de estranhos viandantes chegados do mar em dias de outrora. E o som dos ventos e mares nas costas do oeste era sempre uma música inquieta para mim, ao mesmo tempo uma dor e um desejo; e a dor era mais pungente na Primavera, e o desejo mais forte no Outono. E agora era Outono, e mal podia suportar o desejo; pois eu estava envelhecendo. E os mares eram vastos. Assim devaneava, esquecendo mais uma vez onde estava, mas sem dormir.

"Ouvi o estrondo das ondas nas encostas negras, e aves marinhas gritando; caía a neve. Então o mar se abriu diante de mim, pálido e sem divisa. E agora o sol brilhava sobre mim, e a terra, e o som dela, e o cheiro dela, ficaram muito para trás. Tréowine estava ao meu lado, e estávamos sozinhos, indo para o oeste. E o sol desceu e afundou na direção do mar diante de nós, e ainda assim navegávamos, continuando na direção do sol poente, e o anseio em meu coração me empurrava contra o meu medo e a minha vontade presa à terra. E assim passei à noite em meio às águas profundas, e pensei que uma fragrância doce era carregada pelo ar.

"E de repente fui trazido de volta a Porlock e ao salão do thegn do rei, Odda. Homens clamavam por um menestrel, e menestrel eu era, quando me sobrevinha o ânimo. O próprio rei, o severo Éadweard, filho de Alfred — exausto antes da velhice parecia — mandou me chamar, pedindo que eu cantasse ou falasse. Era um homem severo, como eu disse, mas semelhante a seu pai no fato de ter ouvido, quando tinha tempo, para o som das antigas medidas. Levantei-me e caminhei até os degraus da plataforma, e me inclinei.

"'*Westu hál, Ælfwine!*', disse o rei. '*Sing me nú hwæt-wegu: sum eald léoth, gif thu wilt.*'

"'*Ic can lýt on léothcræft, hláford*', respondi; '*ac this geworht'ic unfyrn thé to weorthmynde.*'

"E então comecei, e deixei minha voz rolar; mas minha boca não pronunciou as palavras que eu pretendera: de tudo aquilo que eu tinha planejado tão cuidadosamente para essa ocasião, nas vigílias da noite ou andando pelas encostas frias, nem uma estrofe saiu.

> *Hwæt! Éadweard cyning Ælfredes sunu*
> *beorna béaggifa on Brytenríce*
> *æt Ircenfelda*[100] *ealdorlangne tír*
> *geslóg æt sæcce sweorda ecgum**

e tudo o mais, coisas da sorte que os reis esperam: nem uma palavra saiu. Em vez disso, eis o que eu recitei:[101]

> *Monath módes lust mid mereflóde*
> *forth tó féran, thæt ic feor heonan*
> *ofer gársecges grimme holmas*
> *Ælfwina eard út geséce.*
> *Nis me tó hearpan hyge ne to hringthege,*
> *ne tó wífe wynn, ne tó worulde hyht,*
> *ne ymb ówiht elles, nefne ymb ýtha gewealc.*

* Lowdham apresenta as seguintes traduções "em benefício de Philip".

"Saudações, Ælfwine", disse o rei. "Recita-me algo, algum velho poema, se quiseres." "Tenho pouca habilidade com poesia, meu senhor", respondi, "mas compus isto em vossa honra pouco tempo atrás."

"Sus! Éadweard, o rei, de Alfred rebento, dos bravos patronos na bela Bretanha, em Archenfield fama imortal colheu para si na lide da espada."

Para a tradução dos versos seguintes, ver a Noite 66, p. 298. NG.

Então parei de repente, e lá fiquei, confuso. Houve algumas risadas, daqueles que não estavam à vista do rei, e alguns gritos de zombaria. Havia muita gente no salão que me conhecia bem, e fazia tempo que lhes agradava fazer troça de minha conversa sobre o Grande Mar; e agora se compraziam em fingir que eu tinha falado de *Ælfwines eard*,[*] como se eu tivesse um reino só meu na direção do oeste.

"'Se a Inglaterra não é boa o suficiente, que ele ache uma terra melhor!', gritaram. 'Não precisa ir além de Íraland, se anseia por elfos e cousas inauditas, Deus o guarde! Ou pode ir com os gentios até a Terra de Gelo que dizem ter encontrado.'

"'Se ele não se dispõe a cantar para dar ânimo a nossos corações, vamos achar um *scop*[††] que o faça.'

"'Já estamos fartos do mar', berrou um dos fronteiriços. 'Um pouco de caça aos daneses em volta da borda de Gales há de curá-lo.'

"Mas o rei permaneceu sentado, com ar grave, e não sorriu, e muitos além dele ficaram em silêncio. Podia ver nos olhos dele que as palavras o tinham tocado, embora não duvide que ele tivesse ouvido outras semelhantes com frequência antes.

"'Paz!', disse o velho Odda de Portloca, senhor do salão. 'Nosso Ælfwine navegou por mais mares do que aqueles de que ouvistes falar, e as terras dos galeses e irlandeses não lhe são estranhas. Com a permissão do rei, deixai que ele fale o que seu ânimo lhe dita. Não faz mal deixar de lado estas costas tristes por algum tempo e falar de maravilhas e terras estranhas, como os antigos fazedores de verso amiúde preferiam. Não queres recitar-nos algo dos poetas mais antigos, Ælfwine?'

"'Agora não, senhor', respondi; pois estava constrangido e cansado, e me sentia como um homem que, em sonho, acaba se vendo despido no meio do mercado. 'Há outros no salão. Homens das Marcas são os que ouço, a julgar por sua fala; e eles costumavam se vangloriar de sua arte na canção, antes que os daneses viessem. Com a permissão do rei, vou me sentar.'

"Nisso, um dos fronteiriços se pôs de pé e recebeu permissão para falar; e eis que era meu amigo Tréowine. Um homem miúdo

[*] "Terra de Ælfwine" em inglês antigo, mas que lembra "terra dos amigos-dos-elfos", daí a suposta confusão. [N.T.]

[†] Poeta ou menestrel em inglês antigo. [N.T.]

e moreno era ele, mas tinha boa voz, ainda que uma maneira estranha de lidar com as palavras. Seu pai, Céolwulf, pelo que eu ouvira, afirmava vir da gente dos reis que se assentavam em Tamworth[102] outrora; mas Tréowine viera para o sul muitos anos antes. Antes que eu achasse lugar para sentar, ele colocou um pé sobre o degrau e começou.

"Seus versos eram no estilo antigo e, de fato, eram obra de algum poeta antigo, talvez, embora eu não os tivesse ouvido antes, e muitas palavras fossem obscuras para nós, dos tempos tardios; mas ele os recitou de modo forte e claro, ora mais alto, ora mais suave, conforme o tema pedia, sem ajuda de harpa. Assim começou, e logo todo o salão estava parado feito pedra:

Hwæt! Wé on géardagum of Gársecge
fyrn gefrugnon of feorwegum
to Longbeardna londgemǽrum
tha hí ǽr héoldon, íglond micel
on North-théodum, nacan bundenne
scírtimbredne scríthan gangan...

"Mas se isso era obscuro para alguns de nossos homens mais jovens de Wessex, será como a noite para vós, que passastes tão adiante pelos ribeiros do tempo, desde que os poetas antigos cantaram em Angel sobre os grises mares do Norte; assim, traduzi os versos para a fala de vossa época. E o fiz porque, por acaso, ou por mais do que acaso, essa canção está ligada ao que se deu depois, e seu tema se entrelaçava aos meus próprios pensamentos, e tornava mais agudo o meu anseio."

Rei Feixe[103]

Em dias de outrora deu o Oceano aos longobardos, na bela terra que em antanho tinham nas nortistas ilhas, um barco que passava, com brilho no madeiro, sem remo ou mastro, no rumo do leste. O sol detrás dele, descendo a oeste, com fogo inflamou as faldas da água. Subia o vento. Nas bordas do mundo, nuvens grisalhas em anéis se alçavam, asas abertas, bastas ondejando, qual águias magnas que se movem rumo à Terra no leste e trazem agouros.

Espantaram-se os homens, postados na bruma das escuras ilhas nas cavas do tempo: riso não tinham, nem arrimo nem luz;

cobria-lhes a sombra, e abismos e montanhas cercavam-nos então, atrozes e sem vida, de maligna face. O Leste era sombrio.

Veio o navio, levado à costa, e aportou na praia, até que a proa descansou na areia. O sol se pôs. As nuvens cobriram a noite que chegava. Em temor e assombro, à margem d'água tristes homens trotando vieram, às praias quebradas, buscando o barco de claro madeiro no ocaso cinzento. Olharam dentro dele, e ali, dormindo, um garoto viram, de respiro suave: de faces belas, de forma amável; membros de alabastro, cabelos negros, tranças com ouro. Entalhes banhados com engenho incrível cercavam-no todo. Em vasilha d'ouro luzente água ao seu lado havia; lira dourada com cordas de prata posta em sua mão; cabeça dormente no abrigo gentil dum feixe de trigo, fogo pálido como o ouro fulvo de um país distante a oeste de Angol. O êxtase os tomou.

O barco puxaram, e à beira da praia firmaram-no bem, suas mãos erguendo da nau seu fardo. O menino dormia. No leito o levaram a seus lares tristes, de escuras cercas, nas sombras da terra entre o ermo e o mar. No alto havia, em desleixo, vazio, um salão de madeira, acima das casas. Ficara tanto assim, sem sinal de ruído, à noite ou de manhã, sem ver a luz. Ali o deitaram, com tranca à porta, repousando sozinho na vazia treva. A noite se foi, veio novo dia. Portões se abriram, entraram os homens, mas o assombro os deteve; de susto se encheram. Vazia estava a casa, deserto o salão; pessoa não se via no solo deitada, mas luzente, à cama, a vasilha deixada, seca, sem água, a sós na poeira. O estranho não estava.

A tristeza os tomou. Em pesar o buscaram, e no zênite o sol, no alto firmamento, aos humanos lares a luz foi trazendo. Olharam para cima, e no alto de um monte, alvo e desnudo, chamejava o ouro. O estrangeiro ali estava, de testa erguida, sem trança nos cabelos; a harpa soava alta em suas mãos, a seus pés posta a planta dourada, o feixe de trigo. Fez-se ouvir sua voz, começou a canção, de doçura celeste, trovas com música de estranho tecido em língua ignota. Silentes as árvores, os homens, imóveis, o murmúrio ouviram.

A Terra-média, por muitas eras, canções não conhecera, nem feição tão bela os mortais viam desde que a terra surgira, quando estavam despertos no triste país em que deixados foram. Chefes não tinham, nem rei, nem conselho, mas o horror frio que habita o deserto, as bastas sombras que os montes rondam e as matas grises: o Temor era mestre. Mudos e escuros, longos anos ao léu cobriam o salão dos reis, em desleixo a casa, sem fogo ou refeição.

Enfim vêm os homens das escuras casas. Franqueiam-se as portas, sem trancas os portões. A tristeza finda. Ao monte se encaminham, e assomando as cabeças observam o estranho. Os com cinza nas barbas se curvam e bençãos proferem, veem cura a seus anos; pequenos e moças, moços e mulheres acolhida lhe dão. A canção termina. Está mudo, de pé, fitando-os a todos. Torna-se seu senhor; é de rei que o chamam, os raios d'ouro da trigueira coroa, as gaias vestes, a harpa por cetro. Arde em sua casa o fogo pros famintos: é sem medo e sábio. Fez-se homem, forte e glorioso.

De Feixe o chamam, a quem xávega trouxe, um nome renomado no Norte antigo em glória e canção; mas segredos há que escondem seu nome na obscura língua de remoto país, onde os mares cadentes banham costas d'oeste, ocultas dos homens no declínio do mundo. Está muda a palavra e não vale o nome.

Salvou-lhes a vida, renovando leis e votos esquecidos. Palavras ensinou, lestas e amáveis: maduraram-se as línguas ao alento de Feixe com graça e canção. Segredos mostrou, runas revelando. Ricos os fez, com labutas bem-pagas, bastos confortos da terra tirados, arando alqueires, sempre a plantar na estação certa, em celeiro juntando loura colheita para arrimo dos homens. A rija floresta em seus dias volveu às vastas montanhas; retirou-se a sombra e, resplandecendo, o grão, as espigas de trigo, suspiros soltavam onde houvera ermo. Tinham viço os bosques.

Moradias e paços de madeira feitos, torres de pedra estreitas e altas, parapeitos dourados, pôs na cidade, de tetos os cobriu. Seu trono cercou de belos entalhes, trabalho de artista; tão várias as cores, lavrados com prata, com ouro e escarlate, qual lumes pendurados, histórias contando de estranhos países, que os sábios de engenho, conhecendo as lendas, podiam seguir. Sua grei a seus pés tinha bom conselho e são conforto, julgamentos justos. De mão aberta vinham seus dons. Elevou-se sua glória. Sua fama se fez pelas fulvas águas; pelo Norte imenso o renome ecoou do fulgurante rei, poderoso Feixe.

"Quando ele parou aí, ouviram-se fortes aplausos — mais fortes por parte dos que tinham entendido menos, para que os demais percebessem como eles compreendiam bem as antigas canções; e passaram um chifre para as mãos de Tréowine. Mas, antes que ele bebesse, eu me levantei e, ali mesmo onde estava, terminei a canção para ele:

Sete filhos gerou, fortes príncipes,[104] homens de ânimo, de alto espírito e poderoso braço. De sua raça vem a semente dos reis, começo das canções, pais de todo pai, que em priscas eras, nos Antigos Anos, a terra governaram, aos reinos do Norte seu nome deram, de sua gente escudo; gera-os Feixe: daneses e godos, nórdicos e suecos, francos e frísios, confrades das ilhas, anglos e suábios, ávidos saxões, e os Longobardos, que em brava luta, além de Mircwudu, magno reino e rico tomaram para si nas marcas galesas,* onde Ælfwine, de Éadwine filho, antes foi rei. Tudo isso passou!

"E, com isso, enquanto os homens ainda me olhavam fixamente — pois havia muitos ali que conheciam o meu nome, e o de meu pai —, fiz sinal para Tréowine, e saímos do lugar rumo à escuridão e ao vento.

"E acho que preciso parar por aí esta noite", disse Lowdham, com uma mudança repentina de tom que nos assustou: demos um pulo, feito quem desperta de repente de um sonho. Parecia que um homem tinha desaparecido e outro brotara em seu lugar, tamanha a vividez com que ele nos tinha apresentado Ælfwine enquanto falava. Com muita clareza eu o vira de pé ali, alguém muito parecido com Arry, mas não a mesma pessoa — um tanto mais alto e menos robusto, e com aparência mais velha e grisalha, embora, pelo seu relato, ele parecesse ter exatamente a idade de Arry; eu vira o luzir de seus olhos quando olhou em volta e saiu andando. O salão e os rostos eu vira num borrão atrás dele, e Tréowine fora só uma sombra vaga contra o bruxulear de velas distantes conforme ele falava do Rei Feixe; mas ouvi o vento soprando acima de todas as palavras.

* Para os ingleses dessa época, "galês" era um termo genérico para "estrangeiro", em especial se o estrangeiro em questão falasse uma língua de origem céltica ou latina. Isso explica o fato de que o personagem menciona "marcas galesas" embora os lombardos tenham conquistado regiões da Itália. [N.T.]

"No próximo encontro, Tréowine e eu vamos continuar falando outra vez, se quiserem mais disso", declarou Lowdham. "A história de Ælfwine está quase terminada; e depois vamos ficar pulando mais rapidamente, pois deixaremos para trás mais e mais o que Stainer chamaria de História — na qual o velho Ælfwine de fato atuou, pelo menos na maior parte, eu acho.

"Se não tiverem um chifre, encham uma caneca para mim! Pois fiz tanto o papel de Ælfwine quanto o de Tréowine, e é um trabalho que dá sede, o de menestrel."

Markison lhe passou um caneco de peltre, cheio. "*Béo thu blíthe æt thisse* béorthege!",[105] disse ele, pois inglês antigo é só uma das inumeráveis coisas que conhece.

Lowdham esvaziou o caneco de um gole só. E assim terminou a sexagésima-nona noite do Clube Notion. Concordaram em se encontrar de novo dentro de apenas uma semana, em 2 de outubro, para evitar que o começo do semestre atrasasse a continuação das histórias de Ælfwine e Tréowine.

WTJ. AAL. MGR. RD. PF. RS. JM. JJR. NG.

Noite 70. Quinta-feira, 2 de outubro de 1987.

> Aqui termina o texto datilografado, antes do pé da página; e aqui o manuscrito também termina, sem o cabeçalho com a data do encontro seguinte. O certo é que meu pai não escreveu nada mais nessa narrativa. Existem, entretanto, dois textos breves, escritos muito rapidamente a lápis, mas que são, por sorte, suficientemente legíveis, os quais trazem um vislumbre do que ele tinha em mente. Embora ambos obviamente tenham sido escritos na mesma época, não está claro qual precedeu o outro; o que apresento aqui primeiro foi escrito na parte de trás de um rascunho da passagem no texto E que começa com "Foi então que Arry deu as costas para o mar" (p. 326).

Os daneses atacam Porlock naquela noite. São rechaçados e se refugiam nadando até os navios e, assim, até "Relíquia Larga".[106] Um pequeno "cnearr"[107] é capturado.

O barco não é bem vigiado. Ælfwine diz a Tréowine que tinha acumulado provisões. Tiram o barco dali, guardam os mantimentos nele na noite seguinte e içam vela para o Oeste.

O vento vem do Leste, e eles navegam sempre em frente, e não chegam a terra nenhum; estão exaustos, e uma morte semelhante a um sonho parece lhes sobrevir. Sentem o cheiro [? a] fragrância. *Swéte is blóstma brǽþ begeondan sǽ*[108] diz Ælfwine, e se esforça para ficar de pé. Mas o vento muda: grandes nuvens vêm do Oeste. "Eis as Águias dos Senhores do Oeste vindo sobre Númenor", disse Ælfwine, e caiu para trás feito morto.

Tréowine vê o mundo redondo [?curvar-se] lá embaixo, e diretamente à frente uma terra luzente, antes que o vento os tome e os empurre para longe. Na escuridão [*ou* crepúsculo] que chega, ele vê uma estrela brilhante, chamejando num desvão das nuvens no Oeste. Éalá Éarendel *engla beorhtast*. Depois disso, não se lembra de mais nada.

"Se o que se segue é diretamente o meu sonho", disse Jeremy, "ou os sonhos de Tréowine e Ælfwine nas profundezas do mar, não sei dizer."

Acordei e me achei

Aqui esse rascunho é interrompido, deixando tudo no ar. Na mesma página e, com razoável certeza, escrita na mesma época, está a seguinte nota:

A teoria é que a visão e a memória se mantêm junto com os *descendentes* de Elendil e Voronwë (= Tréowine), mas *não* por meio da reencarnação; eles são pessoas diferentes, ainda que se assemelhem aos ancestrais de algumas maneiras mesmo após a passagem de muitas gerações.

O segundo esboço, no começo, está mais completo (e, por isso, pode-se pensar que foi escrito depois do que está acima), mas depois se transforma num sumário composto por subtítulos e afirmações curtas.

Daneses atacam naquela noite, mas são rechaçados. Ælfwine e Tréowine estão entre os que capturam um pequeno navio que tinha se aventurado muito perto da costa e ficara encalhado. Os demais escapam para "Relíquia Larga".

Começa a aparecer uma aurora cinza antes que a confusão termine. "Indo descansar?", pergunta Tréowine a Ælfwine. "Sim, é o que espero", disse Ælfwine, "mas não nesta terra, Tréowine! Eu vou — procurar aquela terra de onde, talvez, veio o Rei Feixe; ou encontrar a Morte, e isso não for o nome do mesmo lugar."

"Vou velejar", respondeu Ælfwine. "O vento sopra para o oeste. E aqui está um barco que conhece o mar. O próprio rei o deu para mim. Já lidei com muitos barcos assim antes. Quer vir? Com dois é possível revezar para manejá-lo."

"Vamos precisar de mais coisas; e quanto à água e aos mantimentos?"

"Já preparei tudo", disse Ælfwine, "pois essa jornada há muito anda sendo planejada em minha mente, e agora, por fim, a oportunidade e o desejo se encontraram. Há provisões na minha casa, perto do dique, e vamos encontrar uma dupla de sujeitos bem-dispostos de Somerset, que já conheço. Eles devem ir junto pelo menos até a Irlanda, e depois disso veremos."

"Sim, dá para achar gente doida o suficiente por lá", disse Tréowine, "mas irei com você, pelo menos nesse trecho".

Quando escureceu na noite seguinte, Ælfwine trouxe consigo Ceola (de Somerset) e Geraint (de Gales do Oeste), e nós abastecemos o barco e o empurramos para o mar. O vento leste se fortaleceu, e nós içamos vela e partimos águas escuras adentro. Não é preciso contar muita coisa a respeito: ajustamos nosso curso depois de passar pelas pontas de Pembrokeshire e assim saímos pelo mar aberto. E depois tivemos de enfrentar uma mudança de tempo, pois um vento bravo vindo do sudoeste nos empurrou para trás e no rumo norte, e mal conseguimos aportar numa enseada comprida no sudoeste da Irlanda. Eu nunca tinha estado lá, pois era mais jovem do que Ælfwine. Esperamos a tempestade passar lá e pegamos suprimentos frescos, e foi então que Ælfwine falou de seu desejo com Ceola e Geraint.

∽

Tréowine vê a rota reta e o mundo que se afunda. A nau de Ælfwine parece estar seguindo a rota reta e cai [*sic*] num desmaio de medo e exaustão.

Ælfwine tem uma visão do Livro das Estórias; e escreve o que consegue recordar.

Visões passageiras posteriores.

Conto sobre Beleriand.
Passagem por Númenor antes e durante a queda termina com *Elendil* e *Voronwë* fugindo sobre uma colina de água escuro adentro, com Águias e relâmpago que os perseguem. Elendil carrega um livro que ele escreveu.
Seus descendentes têm vislumbres desse livro.
Ælfwine está entre eles.

No mesmo pedaço de papel, escrita na mesma época que esse segundo texto, temos uma nota dizendo que a página de Edwin Lowdham "deveria estar *diretamente* em anglo-saxão, sem fragmentos de númenóreano", e que "o anglo-saxão *não* deveria ser escrito com caracteres númenóreanos". Finalmente, temos esta última nota: "No fim, Lowdham e Jeremy conseguem revisualizar alguns fragmentos, mas isso nem chega a ser necessário, já que os dois têm um sonho vívido sobre a Queda de Númenor".

Desde o princípio desta história, a figura do inglês Ælfwine, também chamado Eriol, que liga, por meio de sua estranha jornada, o mundo desaparecido dos Elfos com as vidas dos homens de tempos mais tardios, tem aparecido constantemente. Assim, nas últimas palavras do *Quenta Noldorinwa* (IV. 188), afirma-se:

> A Homens da raça de Eärendel foram por vezes contadas [*as histórias do Quenta*], e mormente a Eriol que, único dos mortais de dias posteriores, e, contudo, agora há muito tempo, navegou até a Ilha Solitária, e retornou à terra de Leithien [*Bretanha*] onde vivia, e lembrava-se de coisas que ouvira na bela Cortirion, a cidade dos Elfos em Tol Eressëa.

Podemos encontrá-lo em Tavrobel, em Tol Eressëa, traduzindo *Os Anais de Valinor* e *Os Anais de Beleriand* com base na obra de Pengolod, o Sábio, de Gondolin, e partes de seu texto em anglo-saxão estão preservadas (IV. 310, 330 e seguintes); foi para ele que Rúmil de Tûn recitou o *Ainulindalë* (V. 186); o *Lhammas* de Pengolod foi visto por Ælfwine "quando chegou ao Oeste" (V. 197). Ao *Quenta Silmarillion* está apensada a seguinte nota (V. 240): "A obra de Pengolod muito aprendi de cor, e a passei para a minha língua, parte dela durante minha estada no Oeste, mas a maior parte após meu retorno para a Bretanha"; depois dessa frase vêm os versos de Ælfwine Wídlást que Arundel Lowdham ouviu, tal como Alboin Errol os ouvira: *Fela bið on Westwegum werum uncúðra, wundra ond wihta, wlitescyne lond...*

Contradizendo esse tema, e remontando a uma das formas da antiga narrativa *Ælfwine da Inglaterra* (II. 387–8 e nota 42), temos a história segundo a qual Ælfwine nunca pôs os pés na Ilha Solitária. Assim, nos esboços de meu pai para as partes posteriores de *A Estrada Perdida* que ele nunca chegou a escrever, Ælfwine, de um lado (V. 95), desperta na praia da Ilha Solitária e "depara-se com o navio está sendo puxado por pessoas que caminham na água", e lá, em Eressëa, "lhe são contados os Contos Perdidos"; mas, em outras anotações da mesma época (V. 98), depois da "visão de Eressëa", o "vento oeste os sopra de volta", e eles vão parar na costa da Irlanda. Na nota sobre a versão final do poema *A Canção de Ælfwine* (versão que sugeri ter sido escrita "provavelmente [nos] anos após *O Senhor dos Anéis*, embora possa estar associada a *Os Documentos do Clube Notion* de 1945", V. 123), afirma-se (V. 127):

> Ælfwine (Amigo-dos-Elfos) era um marinheiro da Inglaterra de outrora que, ao ser impelido ao mar da costa de Erin, adentrou as águas profundas do Oeste e, de acordo com as lendas, por algum acaso ou graça estranhos, encontrou a "rota reta" da Gente-élfica e chegou por fim à Ilha de Eressëa em Casadelfos. Ou talvez, como dizem alguns, sozinho nas águas, faminto e sedento, ele tenha caído num transe e lhe foi concedida uma visão daquela ilha como havia sido outrora, antes que um vento do Oeste soprasse e o empurrasse de volta à Terra-média.

No primeiro dos esboços que acabamos de ver, Ælfwine e Treowine têm à vista a "terra luzente" quando o vento os empurra para longe; mas, no segundo, meu pai mais uma vez visualiza Ælfwine na Ilha Solitária observando "o Livro das Estórias". Mas a concepção, como um todo, agora desenvolveu uma complexidade perturbadora: a Queda de Númenor, a Rota Reta em direção ao Oeste, as histórias antigas numa língua desconhecida e em caracteres desconhecidos preservadas em Eressëa, a misteriosa jornada de Edwin Lowdham em seu navio *O Éarendel* e a única página que sobrou de seu livro em anglo-saxão, a "reemergência", em seu filho Arundel (Éarendel) e no amigo dele, Wilfrid Trewin Jeremy, da "visão e memória" de seus ancestrais em eras distantes, comunicadas em sonhos, e a irrupção violenta da lenda númenóreana no fim do século XX — tudo isso dentro de uma moldura narrativa que faz previsões complexas sobre o futuro (não sem elementos cômicos e irônicos).

Há um pedaço de papel no qual meu pai rascunhou muito rapidamente ideias para o que acabaria sendo a "Parte Dois" de *Os Documentos do Clube Notion*; esse texto certamente foi escrito antes que ele começasse a trabalhar no manuscrito E, mas o mais conveniente é apresentá-lo aqui.

Escrever a estória sobre Atlântida e abandonar a Saga de Eriol, com a participação de Loudham, Jeremy, Guildford e Ramer.

Depois da noite 62.[109] Loudham, caminhando para casa com Guildford e Ramer, pede desculpas por aparentar desdém. Eles param na praça Radcliffe e Loudham olha para a Câmera. O céu está estrelado, mas uma nuvem negra está vindo do Oeste [*alterado de imediato para* (mas) iluminada feito fumaça pelo luar, um pedaço de nuvem parece estar saindo da luminária do domo]. Loudham para e olha para cima, passando as [suas] mãos na testa. "Eu ia dizer", diz ele, "que — não sei. Sabe-se lá." Entrou correndo na faculdade e não falou mais nada.

Noite 65. Truncado. Texto começa após lacuna. Conversa versara sobre mitos, mas Loudham andara inquieto, andando de cá para lá mexendo em seu lenço e fazendo algumas piadas malsucedidas.

De repente, ele foi para a janela. Era uma noite de verão e ele olhou para fora, depois gritou com voz forte e solene. "Eis as Águias dos Senhores do Oeste vindo sobre Númenor." Ficamos espantados. Alguns de nós foram olhar para fora. Uma grande nuvem estava devorando as estrelas, espalhando duas asas vastas e escuras para o norte e para o sul.

Loudham se afastou. Eles discutem Númenor? A ascendência de Loudham?

As palavras com as quais esse esboço começa, "Escrever a estória sobre Atlântida e abandonar a Saga de Eriol", são significativas.

Em primeiro lugar, parecem dar apoio à minha análise sobre a maneira pelo qual *Os Documentos do Clube Notion* se desenvolveram, à qual aludi em vários pontos, e que explicarei aqui de forma mais coerente.

A "Parte Um" dos *Documentos* (que, naquela época, não tinha sido concebida para ter essa função) alcançara o estágio do manuscrito completo B (ver p. 186 e nota 4), e nessa fase o personagem Harry Loudham não era retratado como alguém que contribuía muito para as discussões do Clube Notion: suas falas eram apenas piadas ou interjeições. Acima de tudo, ele não tinha nenhum interesse especial na questão da Atlântida ou em nomes ligados a mundos desconhecidos. Exemplos disso foram citados nas notas da Parte Um.[110]

Foi só quando o manuscrito B foi completado (e o texto da "Parte Um" dos *Documentos* já chegara, em grande medida, ao formato final) que apareceu a ideia: "Escrever a estória sobre Atlântida". Com Loudham de pé sob a Câmera Radcliffe e olhando para o céu, todo o curso dos *Documentos* mudou. Ajustes e acréscimos foram feitos à "Parte Um" mais tarde, dando pistas sobre a peculiar "afinidade" do personagem com a lenda da queda do império insular, e alterando a natureza de seus interesses: pois, enquanto no texto B Guildford podia dizer acerca dele (p. 265, nota 23) "Memórias sobre as cortes de monarcas menores do século XVIII são o que ele gosta de folhear naturalmente", na lista de membros do Clube que aparece na p. 192 (feita quando o texto B já estava concluído),[111] ele se interessa principalmente "por islandês e anglo-saxão". E, conforme a composição da "Parte Dois" no manuscrito E avançava, ele deixou de ser Harry e passou a ser Arry, de Arundel (Éarendel).

Porém, quando meu pai disse "Escrever a estória sobre Atlântida", ele também afirmou que a "Saga de Eriol" deveria ser abandonada, embora não haja menção alguma a essa matéria no texto da "Parte Um". A única explicação que consigo conceber é que a "Saga de Eriol" tinha sido, até aquele momento, o que meu pai tinha em mente para o curso seguinte dos encontros do Clube Notion, mas que agora a estava rejeitando em favor da "Atlântida".

No fim das contas, não foi o que fez; ele se achou arrastado de volta às ideias que tinha esboçado em *A Estrada Perdida* (ver V. 94–6), mas agora seguindo um conceito tão intrincado que talvez nem seja necessário tentar achar uma resposta para a pergunta "Por que *Os Documentos do Clube Notion* foram abandonados?".

NOTAS

1 Escrito a lápis no alto da primeira página do único manuscrito ("E") da "Parte Dois" está o título "A Estranha [Investigação >] O Estranho Caso de Arundel Lowdham", e o mesmo título, junto com o número "[Parte] II", pode ser encontrado numa página de rosto separada que parece fazer parte do manuscrito E (p. 194, nota 2). O segundo texto dessa Parte, a versão datilografada "F", embora seja diferente do texto datilografado D da Parte Um e tenha paginação diferente, não tem nenhum título ou cabeçalho antes de "Noite 62" — *Loudham* é grafado assim, de início, no texto E, mas depois passa a ser *Lowdham* ao longo da composição do manuscrito (p. 194, nota 4).

2 No texto E não consta uma Noite 62; ver p. 244 (nota de rodapé de Guildford) e a nota 47.

3 Em E não há uma nota inicial para a Noite 63, exceto a palavra "texto com lacunas", e, portanto, não há referência à "*imrám*". No texto final, a versão datilografada F, o número da noite em que há a menção à *imrám* foi deixado em branco; acrescentei o número "69", já que foi nessa noite que Frankley leu seu poema sobre São Brandão (p. 318 e seguintes). — A palavra inicial "Boa", entre colchetes, que se supõe ausente do original, foi acrescentada pelo editor.

4 *a High*: a High Street; *Praça Radcliffe*, ver p. 273, nota 69.

5 No lugar de "especialmente quanto à *imrám*", o texto E diz "especialmente quanto aos Enkeladim", frase logo alterada para "à Imrám". Para referências aos *Enkeladim* (*En-keladim*) na Parte Um, ver pp. 248, 256, 272, nota 65; e para as *imrama* (histórias de viagem pelos mares), ver V. 100.

6 *nórdicos*: o texto E diz "filólogos" (mas o próprio Ramer era um filólogo).

7 *B.N.C.*: abreviação mais comum de Brasenose College, cujo portão fica na Praça Radcliffe. A "alameda" pela qual Ramer e Guildford foram caminhando depois que Lowdham se despediu deles é a Alameda Brasenose, que vai da Praça Radcliffe até a Rua Turl (p. 264, nota 18). — Sobre *A Câmera* na sentença seguinte, ver p. 273, nota 69.

8 Sobre a inclusão da Noite 64, ver o Prefácio do Editor, p. 197.

9 Em E, na versão original do texto, a abertura inteira da Noite 65 tinha se perdido, e a narrativa só é retomada com o trecho "[Jeremy].... 'como você disse. ....'" — que é onde, no texto F, a história continua depois da perda de uma página no meio do registro do encontro (p. 279). Assim, em E, a conversa sobre neologismos, de início, não aparecia; é algo que foi acrescentado mais tarde ao manuscrito.

10 No texto E, foi Dolbear, e não Ramer, que fez essa objeção à frase de Lowdham. *Arry* (substituindo *Harry*) foi inserido conforme o texto E foi sendo escrito; ver p. 264, nota 16.

[11] *N.E.D.*: *A New English Dictionary* [Um Novo Dicionário do Inglês], título formal do *Oxford English Dictionary* ou *O.E.D.*

[12] A expressão *a Guerra dos Seis Anos* foi usada no Prefácio e várias vezes ao longo do texto. Em E, meu pai a designou aqui como *a Segunda Guerra Alemã.*

[13] *Vita Fera*: literalmente "vida selvagem" (*ferus*, "silvestre, indomado, selvagem, feroz").

[14] Cf. p. 218: Frankley, de acordo com Guildford, "considera que o conhecimento de sua própria língua em qualquer período anterior à Batalha de Bosworth é uma contravenção".

[15] *Forte Normando* era uma pessoa real, que expôs ao meu pai a visão sobre a história inglesa aqui recontada por Philip Frankley enquanto fazia seu trabalho na barbearia de Weston e Cheal, na Rua Turl.

[16] *Batalha de Camlan*: a batalha na qual o Rei Arthur e seu sobrinho Mordred tombaram.

[17] *Zigūr*: o nome adunaico de Sauron, termo que Lowdham usa no texto E nesse ponto.

[18] *Owlamoo*: esse era, de fato, o nome de um duende imaginado por meu irmão Michael (retratado por meu pai num desenho datado de 1928, hoje na Biblioteca Bodleiana); mas é claro que Lowdham só quis pronunciar algum nome que soasse absurdo: em E, sua fala é "Wallamaloo, quem é ele?".

[19] *Nūmenōr*: essa é a forma do texto F em todas as ocorrências aqui (a marca de vogal longa no *o* foi acrescentada depois); o texto E tem a forma *Númenor.*

[20] *Nūmenōr é o meu nome para a Atlântida*: ver p. 272, nota 63.

[21] *Sabia que tinha ouvido aquele nome assim que Arry o pronunciou*: ver p. 370.

[22] Uma nota de rodapé do texto E diz o seguinte neste ponto: "Os registros deviam ser compilados e apresentados para correções no fim de cada trimestre. Antes de serem concluídos, recebiam as iniciais de todas as pessoas mencionadas neles. N.G." Cf. a Nota sobre a lista de membros do Clube Notion no texto F, p. 202.

[23] *O nome do meu pai era Edwin*: nos esboços iniciais (e em E, na forma original do texto), o pai de Lowdham se chamava *Oswin Ellendel* (uma "modernização" de *Elendil*), e o nome do próprio Lowdham era *Alboin Arundel* (cf. Oswin Errol, pai de Alboin em *A Estrada Perdida*, V. 48 e seguintes). No começo, a ideia é que Oswin Loudham fosse um marinheiro profissional, ou então o professor de anglo-saxão meio ausente de Cambridge ("creio que ele sabia algo de anglo-saxão", diz o filho dele).

[24] Não consegui achar nenhuma localidade chamada Penian em Pembrokeshire.

[25] *O* Éarendel: no texto E, o nome do barco era *Estrela de* Éarendel.

[26] *Ele não está voltado para Sussex*: é claro que Arundel, localidade de Sussex (nome cuja etimologia é o inglês antigo *hārhūn-dell*, "vale do marroio-negro", um tipo de planta), não tem conexão alguma com Éarendel, apenas uma semelhança fonética.

[27] O texto E diz "a Guerra de 1939" (ver nota 12).

[28] *três marinheiros*: o texto E diz apenas "E ele tinha tido muita dificuldade de conseguir alguém para a tripulação". Cf. os três marinheiros que acompanharam Eärendel e Elwing na viagem para Valinor no *Quenta Silmarillion* (V. 390, 392).

[29] Sobre essa passagem, cf. V. 49–50 e meu comentário em V. 68–70.

[30] *a conexão entre os Langobardos e o Rei Feixe*: ver p. 279, e V. 112 e seguintes.

[31] No texto E, Ramer diz: "Nem a repetição da sequência: *Alboin*, filho de *Audoin* = *Alwin*, filho de *Edwin*". No texto F, o acréscimo de *Ælfwine, filho de* Éadwine é curioso, já que nenhum Ælfwine, filho de Éadwine real chegou a ser mencionado (apenas as formas em inglês antigo de *Alwin* e *Edwin*). É possível que se deva depreender disso que Ramer, em sua discussão com Lowdham antes do encontro em questão (p. 288), tenha ficado sabendo dos versos atribuídos a *Ælfwine Wídlást* Éadwines *sunu* (p. 299).

[32] *Rosamund*: ver V. 69.

[33] Ó Amigo-dos-cavalos da Macedônia! Piada de Lowdham sobre o prenome de Frankley (mencionado logo acima), em referência ao Rei Filipe da Macedônia, pai de Alexandre, o Grande (do grego *phil-ippos*, "amante-dos-cavalos").

[34] *um nome de estrela, designando Órion, ou Rigel*: ver p. 363 e nota 6.

[35] *as glosas*: traduções para o anglo-saxão de palavras individuais em manuscritos latinos. Ver o rascunho da carta de meu pai escrita em agosto de 1967 para um missivista conhecido apenas como Sr. Rang (*Cartas*, n. 297), na qual ele apresenta um longo relato sobre a relação entre o termo anglo-saxão Éarendel e o *Eärendil* de sua mitologia. A parte relevante dessa carta foi republicada em II. 320–1, mas sem a nota de rodapé relativa às palavras "Na minha opinião, os usos em anglo-saxão parecem indicar claramente que era uma estrela que anunciava o amanhecer (ao menos na tradição inglesa)":

> Sua forma a-s mais arcaica registrada é *earendil* (*oer-*), posteriormente *earendel, eorendel.* Principalmente em glosas sobre *jubar* = *leoma*; também sobre *aurora*. Mas também em *Homilias Blickling* 163, *se níwa* éorendel, apl. a S. João Batista; e de forma mais notável *Crist* 104, éala! éarendel *engla beorhtast ofer middangeard monnum sended.* Frequentemente se supõe que se refere a Cristo (ou Maria), mas a comparação com as Homilias Blickling sugere que se refere ao Batista. Os versos referem-se a um arauto e mensageiro divino, claramente não o *sóðfæsta sunnan leoma* = Cristo.

As últimas palavras dessa nota se referem aos seguintes versos do poema *Crist*:

> *Éalá Éarendel engla beorhtast*
> *ofer middangeard monnum sended,*
> *ond sóðfaesta sunnan léoma,*
> *torht ofer tunglas – þú tída gehwane.*
> *of sylfum þé symle inlíhtes.*

"... e verdadeira radiância do Sol, brilhante acima das estrelas — tu, por teu próprio ser, iluminas para sempre cada estação." — *As Homilias Blickling* são uma coleção de sermões em inglês antigo, preservados num manuscrito armazenado em Blickling Hall, em Norfolk.

[36] Em E, o texto diz "o que Cynewulf quis dizer". Sobre Cynewulf, autor do *Crist* e de outros poemas, nada se sabe com certeza além de seu nome, que ele preservou ao colocar as letras rúnicas que o compõem em passagens curtas no corpo de seus textos, de maneira que os próprios nomes das runas (como, por exemplo, a correspondente ao W, chamada *wynn*, ou seja, "alegria") têm significados de acordo com o contexto.

[37] A partir deste ponto até o fim da Noite 66, é preciso levar em conta não dois, mas três textos (conforme já foi assinalado, p. 186), pois esta parte do material datilografado F foi rejeitada e substituída, enquanto ambas as versões datilografadas diferem radicalmente de E no que diz respeito às descobertas linguísticas de Ramer. As divergências têm muitas características notáveis, e as versões abandonadas serão apresentadas separadamente em p. 361 e seguintes.

[38] "Isso rompe o meu sonho" era uma expressão usada pela minha mãe, com o significado de algo da vida desperta que a tinha feito recordar subitamente uma passagem de seus sonhos. Na versão original da Noite 66 (p. 365), Jeremy diz "Isso rompe o *meu* sonho!" quando as palavras de Lowdham, de modo repentino, trazem-lhe à mente o lugar onde, em seu sonho, ele achara a referência a Númenor. — O *Oxford English Dictionary* não traz a expressão, e o único lugar onde a encontrei é o *English Dialect Dictionary*, ed. Joseph Wright, *Break* 27 (3), com uma referência a West Yorkshire.

[39] *Yōzāyan*: esse nome adunaico ocorre em *Aldarion e Erendis* (*Contos Inacabados*, p. 207): "Tu não amas a Yôzâyan?".

[40] O termo *latim-élfico* ocorre com frequência em *A Estrada Perdida* e no *Lhammas*: ver o Índice Remissivo do Vol. V. Alboin Errol chamava a primeira língua "transmitida" a ele (o "eressëano") de *latim-élfico*, mas não se explica porque o fazia.

[41] *Tíwas*: *Tíw* era o nome em inglês antigo do deus germânico identificado com Marte (daí vem *Tuesday*, terça-feira, termo cunhado com base no latim *dies Martis*; em francês, *Mardi*), e conhecido em islandês antigo como *Týr*. Em geral, acredita-se que o nome derive de uma forma mais antiga **Tiwaz*, cognata do latim *deus* (< **deiwos*), tendo assim o sentido original de "divindade"; em islandês antigo o plural *Tívar*, "deuses", está registrado. Desse modo, *Tíwas* (= "Valar") é o equivalente não registrado em inglês antigo que foi "transmitido" a Lowdham.

[42] *Nówendaland*: derivada da palavra *nówend*, "mestre de navios, marinheiro", registrada em inglês antigo. Para outra ocorrência de *Nówendaland*, ver pp. 383–4.

[43] *Fréafiras*: essa palavra também aparece em outro lugar (ver p. 383) como tradução do termo *Turkildi* no Fragmento de Lowdham I (p. 302), que ele

interpretou como "homens nobres" (p. 304): em inglês antigo *fréa* é "senhor", muitas vezes presente como primeiro elemento de palavras compostas, e *fíras* é "homens", palavra usada na poesia anglo-saxã (cf. IV. 239, 241, 246).

[44] *Regeneard*: sem dúvida, trata-se de uma referência a Valinor. Em inglês antigo o elemento *regn* ocorre em palavras compostas com força intensiva ("grandeza, poder") e também em nomes próprios (como *Regenweald*, recriado como *Reginald*). Nos antigos poemas nórdicos, *Regin*, no plural, tinha o significado de deuses, os governantes do mundo, e ocorre em *Ragna-rök*, "a sina dos deuses" (erroneamente transformado em "crepúsculo dos deuses" pela confusão com a palavra *rökr*, "crepúsculo"). Em inglês antigo *eard* é "terra, país, habitação, lar"; portanto, *Regeneard*, "Lar dos Deuses", Valinor.

[45] *Midswípen*: a palavra *midja-sweipains* ocorre na língua gótica, aparentemente com o significado "cataclisma, enchente da (terra-)média", *midja* funcionando como forma reduzida de *midjun-*, tal como no gótico *midjun-gards* (o mundo habitado pelos homens, "Terra-média"). Claramente essa é a base para a palavra em inglês antigo não registrada *Midswípen*.

[46] *hebaensuil*: em ortografia mais tardia, *heofonsýl*: cf. o texto em inglês antigo da p. 378. *frumaeldi*: "Primeira Era". Não consigo interpretar o termo *Wihawinia* com segurança.

[47] Em *The Lost Road* (V. 56–7), Oswin Errol diz a Alboin: "Mas você vai se meter em apuros se revelar os seus segredos entre os filólogos — a não ser, é claro, que corroborem as autoridades já consagradas". Tal como Edwin Lowdham, Oswin Errol tinha estudado inglês antigo (V. 57).

[48] *westra lage wegas rehtas, wraikwas nu isti*: o verso também foi "transmitido" a Alboin Errol em *A Estrada Perdida* (V. 57), mas com o final *nu isti sa wraithas*; ver p. 367.

[49] *Onomasticon*: lista alfabética de nomes próprios, especialmente de pessoas.

[50] Em *A Estrada Perdida*, Ælfwine entoou uma versão desse poema no salão, diante do Rei Eduardo, o Velho (V. 103), na qual os versos não têm forma arcaica, mas seguem a ortografia do manuscrito de *The Seafarer* (*O Navegante*) (ver V. 104):

Monađ modes lust mid mereflode
forđ to feran, þæt ic feor heonan
ofer hean holmas, ofer hwæles eđel
elþeodigra eard gesece.
Nis me hearpan hyge ne to hringþege
ne to wife wyn ne to worulde hyht
ne ymb owiht elles nefne ymb yđa gewealc.

A seguinte tradução em prosa é apresentada depois (enquanto Lowdham faz uma tradução em versos aliterativos): "O desejo do meu espírito me urge a sair em jornada por sobre o mar undante, para que longe daqui, através dos morros d'água e do país da baleia, eu possa buscar a terra de estranhos. Não tenho interesse pela harpa, nem por prenda de anel, nem deleite por mulheres, nem alegria no mundo, nem ânsia por nada mais que não o rolar das ondas."

Em *The Seafarer*, o texto é um pouco diferente:

monað modes lust mæla gehwylce
ferð to feran, þæt ic feor heonan
elþeodigra eard gesece.

(e depois seguem-se cinco versos omitidos por Ælfwine); *mæla gehwylce* "em todas as ocasiões", *ferð* (*ferhð*) = "coração, espírito", isto é, literalmente "o desejo do meu espírito convoca meu coração em todas as ocasiões a viajar". Essas alterações reaparecem na versão de Lowdham aqui, e elas derivam, imagino, da conclusão de meu pai que o texto preservado de *The Seafarer* foi corrompido. O terceiro verso no texto de *A Estrada Perdida*, *ofer hean holmas, ofer hwæles eðel*, que não se encontra em *The Seafarer*, foi substituída, na versão de Lowdham, pelo verso menos banal *ofer gársecges grimme holmas* (usando a ortografia mais tardia), "pelas ondas sombrias de Gársecg (o oceano); sobre *Gársecg*, ver as referências apresentadas em V. 101.

O quarto verso do poema de Lowdham difere daquele em *The Seafarer* por causa do uso de *aelbuuina eard* (= posteriormente, *ælfwina eard*), "terra dos Amigos-dos-Elfos", no lugar de *elþeodigra eard*, "terra dos estrangeiros, forasteiros"; a substituição de *elþeodigra* por *ælfwina* requer a presença da palavra *uut* (*út*) por razões métricas. O texto de *A Estrada Perdida* segue o de *The Seafarer*.

Em *Os Documentos do Clube Notion*, o canto de Ælfwine diante do rei (p. 330) é exatamente igual ao da versão de Lowdham aqui, mas emprega uma ortografia mais recente; ver também p. 367.

51 Alboin Errol recitou esses versos para seu pai em *A Estrada Perdida* (V. 57) precisamente da mesma forma, exceto pelo fato de que, naquele texto, Ælfwine não é chamado de Éadwines *sunu* [filho de Éadwine]. Para outras aparições desses versos, ver V. 71. Na tradução, as palavras "uma terra bela de contemplar" (*wlitescéne land*) foram acrescentadas a partir do primeiro texto datilografado (ver nota 37); a mesma expressão foi omitida inadvertidamente do segundo texto.

52 Lowdham conclui sua palestra à maneira de um menestrel medieval terminando um romance de cavalaria, e com uma provocação a Frankley. äte *de parar* [*or I ende*, no original]: "antes de eu terminar".

53 Da Noite 67 em diante, temos de novo apenas o manuscrito E e o texto datilografado F, sendo que o segundo é a continuação do texto datilografado revisado (ver p. 185 e nota 37 acima).

54 Ó Amante dos Cavalos: ver a nota 33.

55 Os "fragmentos" de Lowdham foram inseridos no texto datilografado em folhas separadas. Há duas formas deles: uma feita com máquina de escrever, apresentada aqui, e um manuscrito de duas páginas, reproduzido na guarda deste livro, o que representa as cópias feitas "por uma mão grande e forte,

usando uma das grandes canetas de ponta grossa de que Lowdham gosta", com "glosas em tinta vermelha": no caso das palavras não glosadas, entretanto (ao contrário do que Lowdham diz a respeito de suas cópias, p. 304), não há pontos de interrogação. No texto datilografado dos fragmentos, as palavras avallonianas e adunaicas são todas escritas com letra maiúscula, mas apresento-as aqui em itálico, seguindo o padrão de maiúsculas da versão manuscrita.

[56] A comparação do texto datilografado dos manuscritos, apresentado aqui, com a versão manuscrita, reproduzida na guarda, mostra que as únicas diferenças na forma das palavras propriamente ditas são, no manuscrito, *hikalba*, "ela caiu", em I (B), onde o texto datilografado tem a forma *hikallaba*; no manuscrito, *katha*, "todas", em II, no ponto onde o outro texto tem a forma *kātha*; e, no manuscrito, *īdō*, "agora", em todas as três ocorrências de II, mas *īdōn* nas últimas duas do texto datilografado, com a glosa "agora (está)". Há muitas diferenças sutis envolvendo as glosas de Lowdham.

O texto datilografado dos fragmentos foi feito, sem dúvida, para acompanhar a versão final escrita à máquina, F, mas para mim não está claro se ele precedeu as páginas manuscritas ou veio depois. Formas anteriores dessas páginas são apresentadas na p. 376. Quanto à forma dos fragmentos em E, ver p. 373.

[57] O diálogo de Platão intitulado *Timeu* (junto com *Crítias*, outro diálogo longo e inacabado) é a fonte da lenda da Atlântida. Segundo os textos, era um grande império insular no oceano ocidental que, ao se expandir de forma agressiva e atacar os povos do Mediterrâneo, foi derrotado pelos atenienses e engolido "num só dia e numa só noite" pelo mar, deixando para trás um vasto baixio de lama que fez com que as águas se tornassem intransitáveis no lugar onde a ilha existira. De acordo com Platão, a narrativa foi relatada (por volta do começo do século VI a.C.) por um sacerdote egípcio ao ateniense Sólon,* tendo sido transmitida, por vários intermediários, até chegar a Crítias, parente do próprio Platão, que conta a história nos dois diálogos. No *Crítias*, vemos um relato extenso e extremamente detalhado sobre a Atlântida, sobre sua grande cidade, o templo de Poseidon com sua estátua colossal do deus, a riqueza da terra e seus recursos, como minerais, animais, madeira, flores e frutos, as corridas de cavalos, sacrifícios de touros e as leis que governavam o reino. No fim desse relato, o narrador conta que os homens da Atlântida tinham deixado de lado a justiça, sabedoria e virtude das gerações anteriores, e que Zeus, percebendo o declínio e a corrupção deles, e desejando puni-los, reuniu todos os deuses e lhes falou; mas, nesse ponto, o *Crítias* ficou inacabado. A história da guerra com os gregos e da queda de Atlântida esta contada muito brevemente no outro diálogo, o *Timeu*.

O filho mais velho de Poseidon (divindade tutelar da Atlântida) com uma mulher mortal se tornou o primeiro rei da ilha, e o deus lhe deu o nome de

*Legislador semilendário da cidade-Estado grega, cuja reforma política é vista como um prenúncio da democracia. [N.T.]

Atlas, "e por causa dele a ilha e o oceano como um todo receberam o nome de Atlântida".*

Em última instância, *Atlas* é o nome do titã que segurava os céus com sua cabeça e suas mãos, postado, de acordo com Hesíodo, nas regiões mais ocidentais da Terra, perto da morada das Hespérides. Ele era o pai das Plêiades e, segundo Homero, também da ninfa Calipso, em cuja ilha, chamada Ogígia, Odisseu naufragou.

58 Cf. *A Estrada Perdida*, narrativa na qual Audoin Errol, filho de Alboin, fala consigo mesmo sobre seus sonhos (V. 66): "Apenas imagens, mas sem nenhum som, nenhuma palavra. Navios chegando à terra. Torres no litoral. Batalhas, com espadas cintilantes, mas silenciosas. E há aquela imagem ominosa: o grande templo na montanha, fumegando como um vulcão".

59 Neste ponto o texto E diz: " '... Mas fiz o que pude. *Sauron* e *nahamna* ainda precisam ser decifrados.' 'Sauron!', disse Jeremy com voz estranha." Lowdham se refere apenas a palavras desconhecidas em quenya porque, como veremos de forma mais completa depois, no texto E não havia nenhum elemento adunaico nos fragmentos que ele captou. A palavra *nahamna* é a antecessora de *nukumna*, "humilhado", no texto mais tardio do fragmento em quenya (p. 302), e também não foi interpretada por Alboin Errol em *A Estrada Perdida* (V. 60).

60 O nome *Nimruzīr* aparece no Fragmento I (B), "sete navios de Nimruzīr para o leste". No texto E, Jeremy se dirige a Lowdham chamando-o de Ëarendil, nome depois alterado para *Elendil.*

61 As palavras adunaicas *Bā kitabdahē!* não aparecem no texto E (ver nota 59).

62 No texto E, Lowdham grita: "*Es sorni heruion an!* As Águias dos Senhores estão próximas!" Mais tarde, isso foi alterado para "As Águias dos Poderes do Oeste estão próximas! *Sorni Numēvalion anner!*" Numa versão anterior da passagem, depois rejeitada, as palavras de Lowdham eram: "*Soroni númeheruen ettuler!*".

63 No texto E, Jeremy fala dos "conselhos feros de Sauron", não "de Zigūr". Diz ainda que "Tarkalion pôs em marcha seu poderio", enquanto F diz "o Rei", e as velas dos navios númenóreanos são "escarlates e negras" ("douradas e negras" em F). Em E, o final de sua fala é: "O mundo aguarda em temor. Os Númenóreanos abarcaram Avallon como que com uma nuvem. Os Eldar estão enlutados e com medo. Por que os Senhores do Oeste não dão sinal algum?"

64 No lugar de "Os Senhores falaram a Ēru, e o fado do Mundo foi mudado", o texto E traz "Os Senhores falaram a Ilúvatar [> o Criador], e o alvitre do Todo-poderoso foi mudado, e o fado do mundo foi transtornado".

65 No lugar da passagem em F que começa com "Vede! O abismo se abre...", o texto E (na forma original; detalhes das frases foram alterados mais tarde) traz:

*É a mesma origem do nome do oceano Atlântico. [N.T.]

"Ah! Olhai! Há um rombo em meio aos Grandes Mares e as águas escorrem para ele em grande confusão. Os navios dos Númenóreanos se afogam no abismo. Estão perdidos para sempre. Vede agora as águias dos Senhores a ensombrecer Númenor. A montanha se eleva ao céu em chama e vapor; os montes cambaleiam, deslizam e se esfarelam: a terra afunda. A glória desceu às águas profundas. Navios escuros, escuros navios fugindo rumo à escuridão! As águias os perseguem. O vento os empurra, ondas feito colinas que se movem. Tudo deixou de existir. A luz partiu!"

Houve um rugido de trovão e um brilho de relâmpago...

Assim, no texto, não se fala de Lowdham e Jeremy indo até a janela e "conversando entre si numa língua estranha".

66 No lugar de *Abrazān*, o texto E tem *Voronwë*, "Resoluto", "Fiel"; era o nome do Elfo que guiou Tuor até Gondolin, *Contos Inacabados*, p. 44 e seguintes. Cf. o segundo nome de Jeremy, Trewin (ver nota 84).

67 Sobre "a Grande Tempestade", ver p. 199 e a nota 1.

68 A afirmação de que Ramer pegou um pedaço de papel coberto de textos e o colocou numa gaveta está presente na forma original do texto E. Ver a nota 70.

69 *nas escolas*: atuando como examinadores nas provas finais, que aconteciam no fim do semestre de verão (cf. a nota de rodapé de Guildford na p. 310).

70 No texto E, a carta foi postada em Londres. — Quando essa versão foi escrita, o registro do encontro na Noite 68 terminou imediatamente depois que Guildford tinha lido a carta em voz alta, com as palavras: "Combinamos de nos encontrar na quinta-feira, 25 de setembro", ao que se segue a Noite 69, naquela data. Assim, embora a afirmação de Guildford, no final da Noite 67, de que ele vira Ramer pegar a folha do manuscrito de Edwin Lowdham e colocá-la numa gaveta estivesse presente no texto E em sua forma original, na Noite 68 Ramer não aparece, e o papel não é mencionado (razão pela qual o relato da Noite 68 começa com as palavras "Não há muito o que registrar" — palavras que deveriam ter sido retiradas do texto). Em E, a Noite 69 (o último encontro registrado em *Os Documentos do Clube Notion*) acontece essencialmente do mesmo modo que no texto F (pp. 317–36). O tema da "página de Edwin Lowdham" na Noite 68 foi inserido no texto E, mas a estrutura do manuscrito e sua paginação mostram claramente que isso só foi feito depois que o texto da Noite 69 tinha sido concluído.

71 No texto E, os comentários de Ramer sobre "a página de Edwin Lowdham" e sua descoberta de que o idioma do texto era o inglês antigo são muito parecidos com os do texto F, mas ele emite uma opinião sobre o dialeto e a data de composição: "Ele pensou que o texto estava em númenóreano, imagino. Mas na verdade é só inglês antigo — saxão-ocidental tardio, acho, mas não sou especialista nisso. Os caracteres, creio eu, são claramente númenóreanos..." Ver também as notas 72 e 74.

[72] *Rashbold* é uma tradução do sobrenome *Tolkien*: ver p. 192. Pembroke é a faculdade à qual está ligada a cátedra de anglo-saxão, e seu ocupante é, *ex officio*, um membro da faculdade. — No texto E, o Professor Rashbold não aparece, e é o próprio Ramer que decifra, transcreve e traduz a página ("E aqui está a transcrição, com a tradução que consegui fazer").

[73] Cf. a terceira versão em inglês antigo de *Os Anais de Valinor*, a respeito da qual observei (IV. 341) que a língua empregada é da Mércia do século IX. Há várias referências, nas cartas de meu pai, a seu gosto particular e sensação de afinidade pelas Midlands Ocidentais da Inglaterra e seu antigo idioma. Em janeiro de 1945, ele me disse (*Cartas*, n. 95): "Pois à exceção do Tolkien (que há muito tempo deve ter se tornado uma linhagem muito tênue), você é um mércio ou hwicciano (de Wychwood) de ambos os lados". Em junho de 1955, escreveu para W.H. Auden (*Cartas*, n. 163): "Sou um habitante das West Midlands pelo sangue (e afeiçoei-me ao antigo inglês médio das West Midlands como se fosse uma língua conhecida assim que coloquei meus olhos nele)"; e, em outra carta dessa época (*Cartas*, n. 165): "... creio também que seja devido tanto à descendência quanto à oportunidade que o anglo-saxão, o inglês médio ocidental e o verso aliterante sejam tanto uma atração de infância como minha principal esfera profissional".

[74] A versão em inglês antigo (que não está no dialeto mércio, ver a nota 71) escrita para acompanhar o manuscrito E é apresentada nas pp. 378–9, e a representação da forma original do texto usando as *tengwar* de Edwin Lowdham está nas pp. 385–6. No caso da versão seguinte em inglês antigo (mércio), publicada aqui a partir do texto F, meu pai começou a fazer um texto em *tengwar*, mas o abandonou depois de uma única página; ele está reproduzido na p. 387.

[75] *Arminalēth*: nome adunaico da Cidade dos Númenóreanos, encontrado também em *A Submersão de Anadûnê*. Em *A Queda de Númenor* (§2), ela era chamada de *Númenos* (V. 35, e na p. 400 deste livro). Sobre o local do templo, ver a p. 456.

[76] *Neowollond*: na tradução do Professor Rashbold (p. 313), o termo recebe a interpretação de "a terra ?prostrada"; na versão em inglês antigo anterior que acompanha o texto E, a qual foi traduzida por Michael Ramer (nota 72), o nome (com a forma *Niwelland*) equivale a "Terra que caiu fundo" (pp. 379–81). Do inglês antigo *neowol (néol, niwol)*, "prostrado, por terra; rebaixado, profundo"; cf. os nomes iniciais do Abismo de Helm, *Neolnearu*, *Neolnerwet*, VIII. 37, nota 6.

[77] *forrarder*: "mais adiante" ["pradiante" no texto].

[78] Sobre os textos e títulos deste poema, ver a nota na pp. 355–6, onde também se apresenta a versão publicada.

[79] *Cluain-ferta*: Clonfert, perto do rio Shannon, acima do Lough Derg. O monastério foi fundado por São Brandão, Abade de Clonfert, chamado "o Navegador", por volta do ano 559.

80 *Vi-a luzir, Noite Afora a se abrir* cf. o *Quenta Silmarillion* (V. 392): "Mas [os Valar] tomaram Vingelot [o navio de Eärendel], e o abençoaram, e o carregaram através de Valinor até a borda última do mundo, e ali o navio passou pela Porta da Noite e foi erguido até os oceanos do céu". O verso seguinte no presente texto, *argêntea e inflamada*, foi substituída na forma final do poema (p. 359, verso 104) por *da Porta dos Dias passada.*

81 A passagem à qual Lowdham se refere é a dos versos 33–52, nos quais, quando "os fumos enfim se abriram no cume", os marinheiros viram "a Torre da Perdição": na forma inicial do texto do poema, os viajantes "miraram Torre de Perdição" (p. 355).

82 Cf. o resumo da trama de *A Estrada Perdida* em V. 98, no qual "Ælfwine contesta ao dizer que não se pode chegar ao Paraíso de navio — há águas mais profundas entre nós do que o Garsecg. *As rotas são curvadas*: no fim, volta-se ao lugar de partida. Não há como escapar de navio".

83 *Porlock*: no litoral norte de Somerset.

84 *Trewyn*: o segundo nome de Jeremy é grafado como *Trewin* nas listas de membros do Clube Notion. O nome em inglês antigo é *Tréowine* (o qual Lowdham emprega depois, p. 326), "amigo verdadeiro"; cf. o nome élfico *Voronwë*, "Resoluto", pelo qual Lowdham o chama no texto E (nota 66).

85 *Hibérnia*: Irlanda (ver nota 99).

86 *Slieve League* é uma montanha na costa de Donegal, *Brandon Hill* fica na costa de Kerry; portanto, Lowdham quer dizer "por toda a costa oeste da Irlanda".

87 As *Ilhas Aran* ficam na entrada da Baía de Galway.

88 *Loughrea*: nome de uma pequena cidade e de um lago a leste de Galway.

89 *o Mar do Severn*: a foz do rio Severn.

90 "Apressemo-nos agora, Tréowine! Não gosto deste vento. Há grande probabilidade de que os daneses apareçam esta noite."

91 A abertura da história de Lowdham se baseia muito de perto no relato em *A Estrada Perdida* (V. 102–3), embora, naquele texto, as ações de Ælfwine sejam contadas pelo narrador, e seja o filho dele, Éadwine, e não o amigo dele, Tréowine, a pessoa que procura no salão. Para um breve relato sobre a ambientação histórica na época do Rei Eduardo, o Velho (filho do Rei Alfredo), a derrota dos daneses em Archenfield, em Herefordshire, e os ataques a Watchet e Porlock, ver V. 99.

92 *devoneses e somersets*: o primeiro termo vem do inglês antigo *Defenisc*, "de Devon"; *Defnas, Defenas*, "homens de Devon", é a origem do nome da região. *Somersets* deriva do inglês antigo *Sumorsǣte*, "homens de Somerset", com a terminação plural mais tardia acrescentada; tal como *Defnas* > *Devon*, *Sumorsǣte* passou a ser o nome da região, *Somerset.*

93 O pai de Edwin Lowdham ainda não foi mencionado, mas, como se vê aqui, seu nome era Oswin Lowdham.

94 *quando Alfred se escondeu*: na Ilha de Athelney, em Somerset, no ano de 878.

[95] *os galeses do oeste*: o povo da Cornualha (em inglês antigo, o termo *Cornwealas*, "os galeses da Cornualha", passou a ser o nome da região). Sobre a mãe de Ælfwine, que veio "do Oeste", ver II. 378, V. 104.

[96] Santo Edmundo, Rei de East Anglia, foi derrotado pelos daneses em 869 e (de acordo com a biografia do monarca, do século X) acabou sendo assassinado por eles: foi amarrado a uma árvore e trespassado por muitas flechas. As incursões danesas na região do rio Severn tiveram lugar em 914 e, portanto, "Ælfwine" tinha cerca de 45 anos nessa época (ver V. 98, 104), já que nasceu "pouco antes" da morte do santo. Arry Lowdham nasceu em 1938 e, no momento da narração, tinha 48 ou 49 anos. Mais tarde, Guildford diz (p. 335) que, na sua visão de Ælfwine no salão em Porlock, a aparência dele era de alguém mais velho do que Lowdham, "embora, pelo seu relato, ele parecesse ter exatamente a idade de Arry".

[97] *o bom rei em suas últimas guerras*: o Rei Alfred (que morreu em 899).

[98] *Maelduin*: ver V. 100.

[99] Ériu: o antigo nome céltico **Iveriu* (de onde veio o nome latino *Hibérnia*) se transformou no irlandês *Eriu* (no acusativo, *Eirinn*, ou Erin). É a mesma fonte dos nomes em inglês antigo Íras, Íraland.

[100] *æt Ircenfelda*: Archenfield, localidade de Herefordshire; ver V. 99 (a forma em inglês antigo *Ircingafeld* usada aqui é anterior).

[101] *Monath módes lust*: sobre esses versos, ver a nota 50.

[102] *Tamworth*: em Staffordshire, principal residência dos reis mercianos.

[103] *Rei Feixe*: para uma discussão sobre a lenda de "Feixe" e notas acerca do texto do poema, ver V. 111–8.

Entre os manuscritos do material de *A Estrada Perdida* (ver V. 104 e seguintes) há dois textos do poema, um deles (que chamarei aqui de "**V**") escrito com uma linha para cada verso, o outro ("**P**") na forma de prosa. Em *A Estrada Perdida* apresentei apenas a versão V, já que as duas versões diferem apenas em alguns detalhes menores. No texto V há uma breve abertura narrativa, na qual se diz que Ælfwine entoou o poema; em P há apenas um título, *Rei Feixe*.

No manuscrito E de *Os Documentos do Clube Notion*, não é Tréowine que recita o poema, como acontece no texto datilografado F:

> Com isso, um dos habitantes das marcas pôs-se de pé de um salto e teve permissão para falar. Antes mesmo que eu achasse um lugar ao lado de Tréowine, a quem vi no fundo do salão, o sujeito já tinha colocado um pé no tablado e principiara. Tinha uma boa voz, ainda que seu jeito com as palavras fosse estranho. Céolwulf, como ouvi mais tarde, era seu nome, e afirmava vir do sangue dos reis deles, que se assentavam em Tamworth outrora. Seus versos seguiam o estilo antigo...

Essa passagem foi modificada, a lápis, para a versão apresentada anteriormente. Em E, há apenas uma indicação dizendo "Aqui se segue a Balada do Rei Feixe", a qual está na parte debaixo da página 42 do manuscrito. O texto continua até outra página com "Quando ele terminou, houve forte aplauso... e passaram um chifre cheio de cerveja para a mão de Céolwulf". Quando editei *A Estrada Perdida,* não observei que essa página tem a numeração de 46, enquanto o manuscrito P de *Rei Feixe* (no qual o poema está escrito como prosa) recebeu a numeração de 43 a 45. Assim, os manuscritos V e P, que eu tinha interpretado como "obviamente de estreita contemporaneidade" (V. 106), na verdade estão separados por uns oito anos: um equívoco baseado no fato de que os textos tinham sido colocados juntos nos arquivos de meu pai, e na estreita similaridade entre eles, embora as evidências ligadas à paginação estejam perfeitamente claras.

O manuscrito P, portanto, foi elaborado em 1945 usando como base o texto V, muito anterior, e foi a partir dele que o texto datilografado F apresentado aqui foi feito (com algumas outras mudanças); e todas as diferenças entre o texto apresentado na p. 332 e seguintes deste livro e o que está na p. 139 e seguintes de *A Estrada Perdida* correspondem a 1945.

Os últimos oito versos da parte suplementar do poema (*A Estrada Perdida*, p. 145, versos 146–53, começando com "daneses e godos..."), que não aparecem no manuscrito V, aparentemente também vêm da época de *Os Documentos do Clube Notion.*

[104] O texto P [em inglês] possui *sires* ["progenitores"], mas tanto V como o texto datilografado F dos Documentos possuem *sire* ["progenitor"].

[105] *æt thisse béorthege*: do inglês antigo *béorðegu*, "ato de beber cerveja".

[106] Não consigo explicar a referência a "Relíquia Larga".

[107] *cnearr*: "navio", uma palavra muito rara em inglês antigo, provavelmente derivada do escandinavo, já que só é aplicada às embarcações dos vikings.

[108] "Doce é o hálito das flores além do mar."

[109] *Depois da noite 62*: essa é a versão posterior da Noite 63.

[110] Ver p. 265, nota 23; p. 242 e nota 46; p. 248 e nota 51; p. 256 e nota 63.

[111] Pode-se ver que essa lista, seguindo a página de rosto revisada que aparece na p. 189, foi feita depois do término do manuscrito B por causa do nome *Frankley*, que substitui *Franks*, a forma anterior (p.187).

Nota sobre "A Morte de São Brandão" com o texto da versão publicada "Imram"

Esse poema, com sua versificação complexa, foi objeto de enorme esforço: existem nada menos que 14 páginas com a elaboração inicial em letra miúda, e depois delas vieram quatro manuscritos concluídos que precedem o texto datilografado que apresentei nas pp. 318–22. O poema foi muito retrabalhado mais tarde. É notável, no entanto, que já no primeiro texto a forma final alcançada em *Os Documentos do Clube Notion* já tinha ficado muito próxima: de fato, há uma única passagem que mostra uma diferença significativa (e isso foi corrigido já no primeiro manuscrito, chegando à forma posterior). Trata-se dos versos 43–53, trecho onde o texto mais antigo diz:

e os fumos enfim se abriram no cume
da Montanha da Perdição:
Alta qual pórtico que o Céu exalta,
mais que montes mortais subida,
topo da torre de um poder que morre,
de coroa ígnea e dourada.

Velejamos, pois…[G]

O primeiro texto traz o título *A Balada da Morte de São Brandão*. O segundo, o qual, como mostra a paginação dele, faz parte do manuscrito E de *Os Documentos do Clube Notion*, é intitulado *A Morte de São Brandão*. O terceiro (com esse título) e o quarto (sem título) são manuscritos cuidadosamente compostos, e o quinto (com o título *A Morte de São Brandão* escrito a lápis, conforme mostra a p. 318) faz parte do texto datilografado F de *Os Documentos do Clube Notion*.

O poema, intitulado *Imram* (em irlandês, "ato de velejar, viajar"), foi publicado anteriormente uma vez, no exemplar do periódico *Time and Tide* de 3 de dezembro de 1955 (onde foi ilustrado por uma xilogravura de São Brandão e os grandes peixes feita por Robert Gibbings, originalmente produzida para o livro de traduções de Helen Waddell *Beasts and Saints*, de 1934). Outros três textos datilografados, todos com o título *Imram*, claramente foram produzidos nesse momento posterior. Apresento aqui a versão completa do texto que foi publicado em *Time and Tide*, pois essa versão hoje em dia é muito difícil de conseguir e, embora os versos de abertura e conclusão tenham passado por pouquíssimas alterações, meu pai modificou muito grande parte do poema em relação à forma que tinha em *Os Documentos do Clube Notion*.

IMRAM

Então do mar deixou a amplidão,
e a bruma chegou à costa;
não luzia a lua, ondas rugiam,
4 quando a barca se viu posta
na Irlanda, de volta àquelas bandas,
à alta torre de sua grei,
onde o sino de Cluain-ferta, fino,
8 soava na verde Galway.
Onde o Shannon até o Lough Derg vem
debaixo de um céu chuvoso,
São Brandão à viagem deu conclusão,
12 pediu a graça do repouso.

“Oh, dizei-me, padre, pois vos amei,
se palavras me podeis dar,
que lembranças de estranhas cousas tendes
16 do vasto e vazio mar,
de ilhas que fortes feitiços pilharam
onde habita a Élfica-gente:
ao léu sete anos, vistes o Céu
20 ou a Terra dos Viventes?”

“As cousas que vi, as cousas mil,
Há muito não posso vê-las;
Só três agora contemplo outra vez:
24 a Nuvem, a Árvore, a Estrela.

No mar mais de ano sem jamais achar
nem costa, nem campo, nem rês;
nem ave, nem barco vimos da nave
28 por quarenta dias mais dez.
Então vibrou o ar qual trovão a chegar,
veio a Nuvem no alto à frente,
sol não havia, alva ou arrebol,
32 mas sempre rubro era o Ocidente.

Do mar às nuvens então se armou
grã montanha sem parenta;
no sopé era negra, desde a maré
36 até a testa fumacenta,
sua espiral, porém, era viva pira,
num subir e descer eternal:
Alta qual pórtico que o Céu exalta,
40 pés no abismo infernal;
firmada em cavas por água inundadas
e engolidas sem lembrança,
posta-se, julgo, na terra remota
44 onde os reis dos reis descansam.

Velejamos, pois, ventos já não vinham,
forcejamos com os remos,
com sede e fome das que sempre ardem,

48 e os salmos não mais dissemos.
Enfim a Nuvem passamos assim
e chegamos a praia estrelada;
o mar sussurrava invadindo as cavas,
52 na areia joias esfareladas.
E farelo de ossos seriam os nossos
se nos roesse o mar;
pois sem igual subia o litoral
56 e ninguém o podia escalar.
Mas mais a oeste o muro agreste
abria-se em enseada;
lá havia água qual cinza fria
60 entre a montanhosa amurada.
Portão de pedra varamos então,
deixamos a maresia;
caía o silêncio por toda a ilha,
64 sagrado nos parecia.

Chegamos a um val feito argênteo graal
que colinas tinha por beira.
Em tal terra escondida vimos crescida,
68 Sob a lua altaneira,
árvore mais bela, posso asseverar,
do que as que no Éden crescem:
no chão como torre em sua fundação,
72 de altura que os homens não medem;
da cor que o inverno o chão faz pôr
tais eram as folhas dela;
mais densas eram que de cisne as penas,
76 longas, gentis e belas.

Pareceu devaneio o que nos veio:
sentir que o tempo passava
e a jornada era finda; co' retorno
80 ninguém entre nós sonhava.
No silêncio que ali era alento,
meio tristes, nós cantamos:
sutilmente, sim, mas o som subiu,
84 qual trombeta rija soamos.

Sacudiu-se a Árvore, e então se viu
as folhas dos ramos voarem
feito alvas aves saltando do leito,
88 e nus os galhos ficarem.
Do céu estrelado desceu ao léu
canto, mas não de passarada:
nem som de homem nem de anjo canção,
92 mas quiçá seja encontrada
outra bela gente no mundo ingente
além da afogada atalaia.
Porém fundo é o mar, co'abismo a soar,
96 para além daquela Praia."

"Oh! Calma, padre! Algo faltou.
De duas coisas falastes:
Árvore, Nuvem; mas resta uma.
100 A Estrela não recordastes?"

"A Estrela? Pois na célia cidadela,
na mais alta encruzilhada,
vi-a luzir, Noite Afora a se abrir,
104 da Porta dos Dias passada,
lá o orbe do mundo desce fundo,
mas a velha rota persiste,
ponte invisível pra costa aprazível
108 que ninguém sabe que existe."

"Mas foi dito a mim que antes do fim
Achastes ignota pista.
Falai-me então, querido Brandão,
112 dessa terra afinal vista."

"A Estrela – na mente inda posso vê-la,
e dos mares a divisa,
e o pungente sopro, doce e dolente,
116 carregado pela brisa.
Em qual lugar há flores sem igual,
em que terra hão de crescer,
que será que ouvi tão longe daqui,

120 se queres mesmo saber,
irmão, toma o barco e, na amplidão,
labuta no vasto mar,
acha sozinho o antigo caminho:
124 pois eu não vou mais falar."

Na Irlanda, por matas daquelas bandas,
na alta torre de sua grei,
eis que o sino de Cluain-ferta, fino,
128 soava na verde Galway.
São Brandão à vida deu conclusão
debaixo de um céu chuvoso,
viajando enfim no último navio,
132 e na Irlanda tem seu pouso.[H]

Principais Variações em versões anteriores de Os Documentos do Clube Notion (parte dois)

(i) As versões anteriores da Noite 66

Mencionei anteriormente que, a partir da fala de Lowdham "Éarendel me parece ser uma palavra especial. Não é anglo-saxão" (ver a p. 290 e a nota 37), há um terceiro texto a ser considerado: pois a parte da versão datilografada F que segue a partir desse ponto e se estende até o fim da Noite 66 (p. 300) foi rejeitada e substituída por outra versão. Vou me referir à porção rejeitada como "**F 1**" e à substituição dela como "**F 2**". O fato de que essa reescrita aconteceu enquanto o texto datilografado estava sendo feito é confirmado pelo detalhe de que, no fim da seção reescrita, é o texto F 2 que continua até a conclusão dos *Documentos.*

Até certo ponto, o manuscrito original E foi seguido de perto no texto F 1, e para esse trecho é necessário apresentar apenas a narrativa do segundo documento.

"De qualquer modo", disse Lowdham, "Éarendel não é anglo-saxão. Ou melhor, é e não é. Acho que esse é um daqueles casos curiosos de 'coincidência linguística' que por muito tempo me encafifaram. Às vezes acho que é fácil demais minimizá-los como 'mero acidente'. Vocês conhecem o tipo de coisa que se pode achar em qualquer dicionário de uma língua estranha, e que empolga tanto os filólogos amadores, os quais estão se coçando para derivar uma língua de outra que eles conhecem melhor: uma palavra que é quase a mesma, na forma e no sentido, que a palavra correspondente em inglês, ou latim, ou hebraico, ou o que seja. Como *mare*, 'macho' nas Novas Hébridas, e o latim *maris, marem.*[1] Ou o exemplo que costumava ser citado como um alerta assustador nos velhos livros didáticos: o fato de que *popol* significa 'povo' ou 'assembleia popular' em tâmil, mas não tem nenhuma conexão que seja com *populus* e seus derivados, e na verdade deriva, pelo que dizem, de uma palavra tâmil para um tapete no qual os conselheiros se agachavam.

"Arrisco-me a dizer que algumas dessas coisas são mera casualidade, ou pelo menos não são muito significativas. Contudo, acho que também acontece de a forma de uma palavra poder ser atingida por rotas diferentes, em tempos e lugares muito separados, e ainda assim o resultado pode ser o produto de um processo oculto de criação de símbolos buscando um fim similar. Ou, de qualquer modo, o 'acidente' pode resvalar, digamos, em ecos mentais mais profundos ou adormecidos, de modo que a forma similar adquire, assim, significância ou conteúdo emocional similares. Toda língua tem palavras nas quais seu gênio parece chegar a um ponto de lampejo, palavras cuja forma, embora permaneça dentro de seu estilo geral, alcança um brilho ou uma beleza de virtude universal."

"Se estou conseguindo acompanhar tudo isso, e não tenho certeza nenhuma de que estou", disse Markison, "suponho que você esteja tentando dizer que descobriu Éarendel ou coisa parecida em alguma língua estranha. É isso?"

"Acho que é aqui que eu entro por um instante", disse Jeremy, que andara tão inquieto quanto passarinho no galho desde a hora em que a palavra Éarendel tinha aparecido. "Andamos tentando fortalecer nossas rememorações por meio de tutoria; mas não tive muito sucesso ainda. Mesmo assim, consegui ligar o termo *Nūmenor* um pouco mais claramente com uma biblioteca,[2] com algo com que topei uma vez, quando estava trabalhando com Histórias de Fantasmas. Não consigo ser mais exato, ou não conseguia. Mas um resultado desse esforço para recordar foi o de puxar para cima uma bela quantidade de cenas de sonho daquela variante um tanto perturbada, a de procurar-algo-perdido: vagando por bibliotecas tentando achar um livro pedido, ficando empoeirado e preocupado.

"Então, duas noites atrás, recebi um sonho do qual ainda recordo uma passagem razoavelmente clara. Peguei uma pasta, ou uma caixa de papelão, de uma prateleira alta, e nela achei um manuscrito. O conteúdo era de uma caligrafia ornamental e bastante arcaica, mas parece que me lembro de saber que o texto não era realmente antigo (com base no papel, ou na tinta, ou em alguma coisa), mas tinha sido escrito neste século. Aqui e ali havia passagens em caracteres desconhecidos."

"Encontrei aquela folha que faltava do livro do meu pai", interrompeu Lowdham.[3] "Mostrei-a para Jeremy, e ele está bastante certo de que os caracteres são os mesmos. Embora eu não tenha tido sucesso na hora de decifrá-los. Não corresponde a nenhum alfabeto conhecido dos livros."

"E o que é mais peculiar", disse Jeremy, "é que não há nada mesmo que ligue a minha visão de sonho ou manuscrito de sonho com Edwin Lowdham: o estilo da caligrafia é completamente diferente, embora as formas das letras sejam as mesmas. O velho Edwin tinha uma caligrafia grande, forte, com traços largos; a que sonhei é mais delicada e cheia de pontas.

"Bem, infelizmente não me recordo de nada muito claro ou encadeado a respeito dos conteúdos do meu manuscrito de sonho — é assim que o chamo, porque começo a me perguntar se esse sonho realmente está fundado em qualquer experiência desperta que seja —, mas ele continha, creio eu, algum tipo de história lendária,[4] cheia de nomes estranhos, todos aparentemente pertencendo à mesma língua. Disto, pelo menos, eu me lembro: o nome *Nūmenor* ou *Nūmenōre* era frequente: assim como o nome *Ëarendil*. Quase exatamente o mesmo, veja você, mas na verdade era grafado *ë-a-r-e-n-d-i-l*, *Ëarendil*.

"Então acho que Arry deve estar certo. É um caso de coincidência ou congruência linguística, e a chave não vai ser achada no anglo-saxão. Não precisamos nos preocupar com as conexões da forma inglesa *Éarendel* nas outras línguas aparentadas ao inglês, como os nomes próprios *Ōrendel* e *Aurvendill*, ou o *Horwendillus* de Saxo."[5]

"Mas *Auriwandalo* não é um nome que de fato está registrado em longobardo?", perguntou Markison, que consegue meter o bedelho na maioria das áreas acadêmicas. "Estranho como os Longobardos não param de aparecer."

"É", disse Lowdham.

"Hm, sim, e há uma conexão entre esses nomes e as estrelas", disse Jeremy. "Não foi Thor que jogou o dedo do pé de Aurvendil rumo ao céu, Arry?[6] E o termo *Ëarendil* certamente tinha uma conexão com uma estrela naquela língua estranha. De algum modo, sinto que tenho certeza disso."[7]

"Sim, é verdade", disse Lowdham; "mas no idioma desconhecido era só uma conexão lendária, e não linguística, acho. *Ëarendil* significava Amigo-do-mar.[8] Tenho bastante certeza disso porque — bem, talvez seja melhor eu continuar de onde parei.

"Desde a época da partida do meu pai ...

A passagem seguinte no texto E / F 1 foi mantida no texto datilografado e revisado F 2 (pp. 291–2) até o ponto onde se diz "um conto grandioso sobre Nūmenor", quase sem nenhuma modificação, e não há necessidade de repeti-la. A única diferença entre os textos é o nome da "montanha em forma de cone", e essa diferença é muito importante no que diz respeito a determinar a relação dos textos de *A Submersão de Anadûnê* com os de *Os Documentos do Clube Notion*. Enquanto o texto F 2 diz "Desolado está *Minul-Tārik*, o Pilar do Céu está abandonado!", o nome em E é *Menelminda*, alterado a lápis para *Meneltyúla*, enquanto em F 1 a forma é *Menel-tūbel*, alterada para *Menel-tūbil*.

A partir de "um conto grandioso sobre Nūmenor", entretanto, todos os três textos divergem entre si, e a principal divergência é entre o manuscrito E e o primeiro texto datilografado, o documento F 1. Prossigo agora, portanto, com o texto E (cf. p. 292 e seguintes).

"Mas a maioria dessas recordações de palavras é, por assim dizer, casual: tão casual quanto as palavras que os olhos captam de relance num dicionário quando se está procurando outra coisa. Demorou muito antes que eu começasse a anotá-las e usá-las no idioma com o qual eu estava me distraindo ao 'inventá-lo'. Elas não se encaixaram nele, ou melhor, tomaram o controle da minha língua e começaram a desviá-la na direção de seu próprio estilo. Na verdade, ficou difícil dizer quais eram minhas palavras inventadas e quais eram as palavras-fantasmas: de fato, tenho a impressão de que a 'invenção' passou gradualmente a desempenhar um papel cada vez menor. Mas havia sempre um resíduo grande com o qual não era possível trabalhar.

"Logo descobri, conforme meu conhecimento aumentava, que alguns dos ingredientes eram do anglo-saxão e de outras coisas: falo disso em um instante. Mas, quando arranquei esses elementos, ainda havia uma grande quantidade de palavras que sobravam e, ao ficar matutando sobre elas, fiz uma descoberta. Elas pertenciam a outra língua-fantasma, e que era relacionada com a outra. Pude perceber uma boa quantidade das leis ou regras por trás das mudanças: pois o estilo númenóreano era, em muitos pontos, o mais antigo, mais arcaico, enquanto o outro idioma tinha sido alterado (como se pelo contato com nossas costas ocidentais) e adquirido um estilo muito mais semelhante aos das línguas norte-ocidentais mais antigas."

"Não estou conseguindo acompanhar tudo isso", disse Stainer. "Nem eu", disseram tanto Markison quanto Guildford. "Dê a eles alguns dos exemplos que você me deu, Arry", disse Ramer.

"Bem", disse Lowdham, hesitando, "vamos ver se consigo recordar algum dos exemplos nos quais a relação fica clara para gente leiga (muitas vezes é algo bastante complexo). Sim, *lōme* é 'noite' (mas *não* 'escuridão'), e *lōmelinde* é 'um rouxinol': sinto-me seguro disso. Na segunda língua o termo é *dūmh,* mais tardiamente *dū*; e *duilin*. Remonto essas palavras ao 'ocidental primitivo' *dōmi, dōmilindē*. *Alda* significa 'árvore' — foi uma das primeiras palavras indiscutíveis que captei — e *orne* é quando a árvore é menor e mais esbelta, como uma bétula ou um sorveiro; na segunda língua encontrei os termos *galað* e *orn* (no plural, *yrn*): eles remontam a *galadā* e *ornē* (no plural, *ornei*). Às vezes as formas são mais similares: o Sol e a Lua, por exemplo, aparecem como *Anār*, *Isil* ao lado de *Anaur* (mais tarde, *Anor*) e *Ithil*. Passei a apreciar primeiro uma das línguas e depois a outra conforme meus diferentes humores linguísticos,[9] mas a mais antiga sempre me pareceu a mais augusta, de certo modo, a mais, não sei... litúrgica, monumental: costumava chamá-la de latim-élfico; e a outra me parecia mais consonante com a perda e o remorso destas costas de exílio" — fez uma pausa — "mas não sei por que digo isso."

"Mas por que latim-*élfico*?", perguntou Markison.

"Não sei bem", respondeu Lowdham. "Certamente não quero usar o termo 'Elfos' em qualquer um dos sentidos pós-shakespeareanos mais degradados. Na verdade, a língua está associada, na minha cabeça, ao nome *Eressë*: uma ilha, eu acho. Frequentemente chamo o idioma de eressëano.[10] Mas ele também está associado a nomes como *Eldar*, *Eldalie*, os quais parecem se referir a, bem, a algo como os *Enkeladim*[11] de Ramer."

"Isso rompe o *meu* sonho!", gritou Jeremy.[12] "É claro! Agora eu sei. Não era uma biblioteca. Era uma pasta contendo um manuscrito numa prateleira alta, na seção de livros usados da Whitburn,[13] aquele lugar escuro e engraçado onde todo tipo de coisa invendável acaba indo parar. Não admira que meus sonhos estivessem cheios de poeira e ansiedade! Deve fazer 15 anos desde que encontrei aquele negócio lá: *Quenta Eldalien, ou seja, a História dos Elfos, por John Arthurson*[14] — num manuscrito tal como descrevi. Dei uma olhada ávida, mas apressada, no texto. Mas eu não tinha tempo de sobra naquele dia, e não consegui achar ninguém na loja capaz de tirar minhas dúvidas, então saí com pressa. Pretendia voltar, mas não voltei, não até que se passassem quase duas semanas. E — nisso, o manuscrito tinha desaparecido! Não tinham registro nenhum dele, e nem o velho Whitburn nem mais ninguém se lembrava de jamais ter visto qualquer coisa do tipo. Recordo agora que catástrofe aquilo me pareceu na época; mas eu estava muito ocupado com outros trabalhos e logo esqueci completamente toda a história."

"Certamente dá a impressão de que mais de uma mente estava tentando remontar as coisas usando elementos similares", disse Ramer. "Várias mentes, na verdade; pois o seu especialista errou, pelo menos dessa vez. Lewis também menciona esse nome em algum lugar."

"Menciona mesmo!", exclamou Jeremy. "Num prefácio, certo? Mas ele estava citando alguém, acho, usando uma fonte que não foi encontrada. E ele usou a forma *numinor*. Todas as outras fontes trazem a forma *númenor*, ou *númenórë* — é isso, não é, Arry?"[15]

"Sim", disse Lowdham. "*nūmē* é Oeste, e *nōrë* é gente, ou terra. A forma em inglês arcaico era *Westfolde*, Hespéria.[16] Mas vocês queriam saber o porquê do termo *élfico*. Bem, captei isso a partir de outro elemento também. Vocês se lembram de que eu mencionei que o anglo-saxão costumava ser transmitido misturado com essas outras coisas esquisitas? Bem, comecei a me virar com o anglo-saxão por meio dos livros comum, é claro, relativamente cedo, e isso confundiu a questão; embora me fossem transmitidas algumas palavras e nomes que não estão nos dicionários . . ."

Desse ponto até o fim da Noite 66, a versão do manuscrito original E é muito próxima da forma final (pp. 297–300), embora alguns elementos não estejam presentes, notadamente a descrição de Lowdham sobre a lentidão e sonoridade da fala (p. 296). Depois da frase de Frankley "A menos, é claro, que você apoie as teorias deles", Lowdham prossegue: "Para falar a verdade, acho que meus dados de fato as apoiam. Pelo menos, eis um trecho que foi transmitido muito cedo, bem antes que eu conseguisse interpretá-lo; e ele tem se repetido muitas e muitas vezes, em várias formas:

Westra lage wegas rehtas wraithas nu isti ..."[17]

Os versos em inglês antigo que começam com *Monað* módes lust seguem uma ortografia mais tardia, mas têm a mesma forma que os do texto F 2 (ver pp. 297–8 e a nota 50, bem como a p. 330). No texto E não há referência à data da "transmissão" desses versos, nem ao fato de ela corresponder a uma noite de vento forte.

A característica que chama a atenção nessa versão original é, claro, o fato de que as duas "línguas-fantasmas" de Lowdham eram o quenya e o sindarin (ou melhor, a língua que viria a ser chamada de sindarin). O relato de Lowdham nessa versão, assim, mantém a experiência linguística de Alboin Errol em *A Estrada Perdida* (cf. a nota 9): "O eressëano, como ele chamava o idioma quando era garoto... estava se tornando bastante completo. Também recebera muito beleriândico, e estava começando a compreendê-lo e a sua relação com o eressëano" (V. 58).

A primeira versão datilografada, a F 1, segue o manuscrito E no começo da seção que acabei de apresentar ("Mas a maioria dessas recordações de palavras ...", p. 364), na descrição de Lowdham sobre como as "palavras-fantasmas" "tomaram o controle da minha língua [inventada] e começaram a desviá-la na direção de seu próprio estilo"; mas, quando ele passa a contar que, ao filtrar o "resíduo grande [de palavras] com o qual não era possível trabalhar", ele fez uma descoberta, essa descoberta citada é totalmente diferente daquela que está no texto original. É aqui que o adunaico aparece pela primeira vez. Pode ser que meu pai estivesse cogitando esse novo idioma havia muito tempo; mas, mesmo se for esse o caso, ao que parece a língua não tinha alcançado uma forma suficientemente desenvolvida para ser inserida como o "segundo idioma" de Lowdham no manuscrito E. De fato, duvido que a coisa tenha ocorrido dessa forma. Parece-me altamente provável que o adunaico, na verdade, surgiu nesse momento (ver também a p. 186).

Apresento aqui o texto F 1 a partir desse ponto (correspondendo ao texto E na p. 364 e ao texto final F 2 na p. 292).

"Descobri, quando passei a saber mais, que alguns dos ingredientes eram do anglo-saxão e de outras coisas aparentadas: falo delas num minuto; não correspondiam a uma parcela muito grande. Trabalhando com o resto, coletando e filtrando, fiz uma descoberta. Eu tinha *duas* línguas-fantasmas: númenoreano A e B. A maioria do que eu tinha recebido no período inicial era da língua B; mais tarde, a língua A se tornou mais frequente, mas a B continuou sendo a língua mais comum, especialmente em qualquer coisa parecida com passagens contínuas; o idioma A ficou limitado principalmente a palavras isoladas e nomes, embora eu ache que muito dele foi incorporado no meu idioma inventado.

"Até onde eu conseguia ou consigo perceber, esses idiomas não têm relação entre si, embora incluam algumas palavras em comum. Mas, além dessas línguas, ainda permanece um resíduo, e agora percebo que ele consiste em alguns ecos de outras línguas posteriores que são mais tardias do que os númenoreanos A e B, mas são derivadas deles ou de uma mistura entre os dois. Consigo discernir algumas das leis ou tendências de mudança que elas exibem. Pois as línguas númenoreanas, pelo que sinto, são arcaicas e fazem parte de um mundo ancestral, mas as outras estão alteradas e fazem parte da Terra-média."

"Não estou conseguindo acompanhar tudo isso", observou Stainer. A maioria de nós sentia a mesma coisa, e foi o que dissemos.

"Será que você não poderia dar a eles alguns dos exemplos que me deu, Arry?", perguntou Ramer. "Alguns dos nomes importantes e uma palavra ou duas; ficaria mais claro tendo algo definido para levar em conta."

Lowdham hesitou. "Vou tentar", disse ele. "Mas não vou conseguir dar muitos exemplos das formas tardias alteradas; as relações entre as palavras raramente ficariam claras, mesmo para filólogos, sem muitos exemplos lado a lado, por escrito.

"Bem, considerem o nome *Númenor* ou *Númenōre*. Ele pertence à língua A. Significa Ociente, e é composto pelas palavras *nūme*, 'oeste', e *nōre*, 'povo' ou 'país'; mas o nome na língua B é *Anadūn*, e o povo é chamado de *Adūnāi*. E a terra tinha outro nome: em A, *Andōre* e, em B, *Athānāti*; e ambos significam 'terra da dávida'. Parece não haver conexão nenhuma entre as duas línguas aqui; mas em ambas *menel* significa 'os céus'. A palavra ocorre no nome B *Menel-tūbil* que mencionei agora há pouco. E parece haver alguma conexão entre a palavra A *Valar*, a qual parece significar algo como 'deuses', e o plural B *Avalōi*, bem como o topônimo *Avallōni*.

"O nome *Ëarendil*, a propósito, pertence à língua A, contendo *eäre*, 'o mar aberto', e o radical *ndil*, 'amor, devoção'. O nome correspondente em B é *Pharazīr*, formado a partir de *pharaz* e do radical *iri-* [*alterado à caneta no texto datilografado para*: *Azrubēl*, formado a partir de *azar*, 'mar', e da raiz *bel-*]. Um grande número dos nomes parece ter formas duplas como essas, quase como se uma pessoa falasse duas línguas. Se for esse o caso, suponho que a situação possa ter como paralelo o uso do chinês no Japão, digamos, ou, de fato, o do latim na Europa. Como se um homem pudesse ser chamado de Godwin e também de Theophilus ou Amadeus. Mas, mesmo assim, dois povos diferentes precisam ser inseridos na história em algum lugar.

"Não sei se vocês querem mais alguns exemplos; mas as palavras que designam o Sol e a Lua em A são *Anar* e *Isil* (ou, em suas formas mais antigas, *Anār e Ithīl*) e, em B, são *Ūri* e *Nīlu*. Essas palavras sobrevivem, com formas não muito alteradas, nas línguas mais tardias das quais falei: *Anor* (*Anaur*) e *Ithil*, em paralelo com *Uir*, *Ȳr* e *Nil*, *Njūl*. De novo, as formas A e B parecem não ter conexão entre si; mas há uma palavra que ocorre com frequência e é quase a mesma em ambas: *lōme* em A e *lōmi* em B. Significa 'noite', mas, com base na maneira como me é transmitida, sinto que não tem nenhuma conotação maligna; é uma palavra de paz e beleza e não tem nenhuma das associações com medo ou com o ato de tatear que, digamos, a palavra 'escuro' tem para nós. Não conheço a palavra em A que corresponde a esse sentido maligno. Em B e seus derivados existem muitas palavras ou raízes para isso, tais como *dolgu*, *ugru*, *nūlu*.

"Bem, aí está. Espero que não estejam todos entediados. Amo essas línguas. Eu as chamo de avalloniano e adunaico.[18] Tendo a achar primeiro uma e depois a outra mais atraente, em diferentes humores linguísticos; mas A, o avalloniano, é a mais bonita, com seu estilo fonético mais simples e mais eufônico. E ela me parece a língua mais augusta, de algum modo, a mais antiga e, bem, sacra e litúrgica. Costumava chamá-la de latim-élfico. Mas o adunaico é mais consonante com a perda e o remorso da Terra-média, estas costas de exílio." Ele fez uma pausa, como se ouvisse ecos vindos de uma grande distância; "Mas não sei por que digo isso", concluiu.

Fez um curto silêncio, e então Markison falou. "Por que você a chamou de latim-élfico?", perguntou ele. "Por que élfico?"

"Parecia se encaixar", respondeu Lowdham. "Mas certamente eu não queria dizer *elfo* em qualquer tipo de sentido rebaixado pós-shakespereano. ..."

O restante da Noite 66 é idêntico ao do texto F 2 (pp. 296–300), exceto pelo fato de que, tal como no texto E, o relato de Lowdham sobre o antigo modo de enunciar frases está ausente.

Ficará claro que, no texto F 1, tal como em E, Wilfrid Jeremy interrompe a conversa para falar de seu "manuscrito de sonho" (p. 362), encontrado numa biblioteca, no qual aparecem os nomes *Nūmenor* e Ëarendil: o caráter desconhecido de algumas das passagens nele era o mesmo da única folha preservada do "caderno de anotações numa forma de escrita estranha" de Edwin Lowdham (p. 288), o qual Arundel Lowdham agora tinha encontrado de novo; mas que essa passagem está inteiramente ausente do texto F 2 (p. 291). Mais tarde, no texto E, Jeremy volta ao assunto ("Isso rompe o *meu* sonho!", p. 365), ao recordar tanto que ele tinha encontrado — na vida desperta, anos antes — o manuscrito não numa biblioteca, mas no recinto de livros usados de uma livraria, e que o manuscrito trazia o título *Quenta Eldalien, ou seja, a História dos Elfos, por John Arthurson*: e isso leva a uma menção do uso que Lewis faz do nome *Numinor*. Essa segunda interrupção de Jeremy *não* consta do texto F 1, o que, à primeira vista, é estranho, já que sua primeira fala certamente tinha a intenção de levar à segunda. Uma explicação provável disso é que meu pai decidiu descartar esse elemento do manuscrito de Jeremy (talvez por complicar excessivamente uma concepção já complexa) enquanto estava datilografando o texto, e que essa é uma das razões pelas quais ele produziu a versão revisada nesse ponto. Mas os comentários de Jeremy no encontro anterior (Noite 65, p. 275: "Eu entro nisso também. Sabia que tinha ouvido aquele nome assim que Arry o pronunciou. Mas não consigo de jeito nenhum recordar onde ou quando no momento. Agora isso vai ficar me incomodando, feito um espinho no pé, até eu tirá-lo") deveriam ter sido removidos.

NOTAS

[1] Os casos genitivo e acusativo *maris, marem* são citados porque o nominativo era *mas* ("macho").

[2] Jeremy está se referindo à passagem anterior (Noite 65, p. 275) na qual afirma que ele próprio tinha ouvido o nome *Númenor*, mas não conseguia se lembrar de quando isso acontecera.

[3] No texto revisado F 2, não há menção da folha que faltava ter sido encontrada na narrativa da Noite 66 — o que é bastante natural, uma vez que foi nesse encontro que Lowdham se referiu a ela como desaparecida (p. 288). Foi um descuido estranho o fato de que, nos textos E e F1, no mesmo encontro, Lowdham menciona a folha e diz que não consegue achá-la naquele momento, e também declara que a achou e debateu com Jeremy a respeito dela. No texto F 2, ele traz a folha para o encontro seguinte (p. 303).

[4] O texto E diz aqui: "... o conteúdo do manuscrito de sonho — eu o chamo assim porque agora tenho dúvidas de que esse sonho realmente esteja fundado em qualquer experiência desperta que seja; ainda que, de algum modo, eu não duvide que um manuscrito assim exista em algum lugar, provavelmente em Oxford: contém, acho, algum tipo de história legendária..."

[5] *Ōrendel* em alemão, *Aurvandill* em nórdico, *Horwendillus* na forma latinizada da História Dinamarquesa de Saxo Grammaticus (segunda metade do século XII). A forma nórdica é *Aurvandill*, mas nas ocorrências do nome nos textos E e F 1 meu pai grafou o nome como *Aurvendill*. Ver a nota 6.

[6] Na "Edda em Prosa" de Snorri Sturluson, o deus Thor conta uma história estranha sobre como ele "carregou Aurvandill num cesto em suas costas no Norte, saindo de Jötunheim [terra dos gigantes]; e acrescentou, como sinal disso, que um dos dedos do pé de seu companheiro tinha ficado para fora do cesto e congelara; de modo que Thor o quebrou e lançou-o no céu, e fez dele uma estrela, que é chamada de *Aurvandilstá* [Dedo do Pé de Aurvandil]" (*Snorra Edda, Skáldskaparmál*, seção 17). Uma associação entre Aurvandill e Órion é a base das hipóteses mencionadas por Lowdham anteriormente (p. 291): "Alguns acham que, na realidade, [Éarendel] era um nome de estrela, designando Órion, ou Rigel" — sendo Rigel a estrela muito brilhante no pé esquerdo da constelação de Órion (da maneira como a figura era desenhada antigamente).

[7] O texto E diz: "E Ëarendil certamente tinha ligação com uma estrela na língua estranha; parece que me lembro disso: como o navio" — as últimas palavras foram alteradas a partir da frase "E o navio se chamava *Estrela de Éarendel*". Anteriormente, no texto E (p. 344, nota 25), o navio era chamado *Estrela de Éarendel*.

[8] No texto E, Lowdham traduz o nome Ëarendil como "Amante dos Grandes Mares"; no texto final F 2, como "Grande Marinheiro, ou literalmente Amigo do Mar" (p. 291).

[9] Essa passagem tem como modelo a conversa de Alboin Errol com seu pai em *A Estrada Perdida* (V. 54), usando os mesmos exemplos, com a mesma distinção a respeito da palavra *lōme* ("noite", mas não "escuridão"), a mesma observação

de que *alda* fui uma das primeiras palavras a surgirem e o mesmo comentário (nas palavras de Alboin) dizendo "Gosto primeiro de um, depois do outro, com ânimos diferentes".

[10] *Eressëano* era o nome dado por Alboin Errol à sua primeira língua, o "latim--élfico"; a segunda era o *beleriândico*.

[11] Cf. pp. 272–3, nota 65: a passagem citada ali, oriunda do manuscrito B da Parte Um, na qual há referências aos "Elfos Não Caídos de Tolkien" e aos "Eldar, Eldalie de Tolkien", embora não tenha sido riscada no manuscrito, deve ter sido rejeitada a essa altura; fica claro que Lowdham quer dizer que os termos *Eldar*, *Eldalie* tinham sido "transmitidos" a ele, e que só tomou conhecimento deles desse modo. Ver ainda a nota 14.

[12] Ver a p. 346, nota 38.

[13] *Whitburn*: ver a p. 189 e a nota 7.

[14] O nome do pai do meu pai era Arthur Tolkien; ele estava se referindo, é claro, ao seu manuscrito de *O Silmarillion*, o qual nunca teria sido publicado, mas teria ido parar, esquecido e abandonado, no recinto de livros usados de uma livraria. O autor de *O Silmarillion* é disfarçado por meio de um pseudônimo, pois, dentro na narrativa, não é possível fazer nenhuma referência às obras de *Tolkien*, muito menos como sendo livros publicados e conhecidos dos membros do Clube Notion (ver a citação no manuscrito B da Parte Um, p. 271, nota 52, no fim). — Numa forma rejeitada dessa passagem, o título do manuscrito não era *Quenta Eldalien*, mas *Quenta Eldaron*.

[15] A observação de Ramer, "Lewis também menciona esse nome em algum lugar", é estranha, à primeira vista, já que foi a menção de Lowdham aos termos *Eldar*, *Eldalie* que fez Jeremy se lembrar do manuscrito de autoria de "John Arthurson" que ele tinha visto uma vez, e o nome *Númenor* não tinha sido citado havia algum tempo. Mas Ramer estava seguindo a sua própria linha de pensamento, segundo a qual "várias mentes" estavam tentando "remontar as coisas usando elementos similares" (e, é claro, foi o nome *Númenor* que originalmente tinha chamado a atenção de Jeremy e, finalmente, levado à sua lembrança do manuscrito). — As palavras de Jeremy, "Num prefácio, certo?", referem-se, é de se imaginar, ao prefácio de Lewis em *Aquela Fortaleza Medonha*: "Quem quiser saber mais a respeito de Numinor e o Ocidente Verdadeiro terá de (lamentavelmente) esperar a publicação que existe apenas como manuscrito do meu amigo, o professor J.R.R. Tolkien". Mas então por que Jeremy diz "usando uma fonte que não foi encontrada", uma vez que a fonte, embora inédita, foi citada por Lewis? Um pesquisador tão incansável quanto Wilfrid Jeremy teria descoberto quem fora J.R.R. Tolkien, mesmo se o autor agora estivesse esquecido!

Com "todas as outras fontes", Jeremy presumivelmente quis dizer sua própria recordação sobre o manuscrito de "John Arthurson" e o nome que foi "transmitido" a Ramer (p. 285) e Lowdham.

Há algumas referências a *Numinor* em *Aquela Fortaleza Medonha*, tais como: "A arte de Merlin era a última sobrevivente de algo mais antigo e diferente — algo trazido à Europa Ocidental depois da queda de Numinor" (Capítulo 9, seção v); mais uma vez, em referência a Merlin, "É algo que nos leva de volta até Numinor, aos períodos pré-glaciares" (Cap. 12, seção vi); (Merlin) "'Diga-me, escravo, o que é Numinor?' 'O Ocidente Verdadeiro', disse Ransom" (Cap. 13, seção i); outras referências estão no Cap. 13, seção V.

[16] *Westfolde* (*folde*, "terra, região, país") é um termo que parece não estar registrado em inglês antigo. Trata-se do mesmo nome presente em *O Senhor dos Anéis*. — *Hespéria*: "terra ocidental" (*hesperus*, "ocidental", "estrela vespertina").

[17] Acima do *th* de *wraithas* está escrito *kw* (ver p. 347, nota 48).

[18] No texto F 1, as palavras de Lowdham sobre *Avallōni* em F 2 (p. 295) estão ausentes ("Embora esse seja um nome B, é com ele, curiosamente, que eu associo a Língua A; então, se quiserem ficar livres da álgebra, podem chamar A de avalloniano e B de adunaico"). Assim, não há explicação, no texto F 1, do porquê de ele chamar a língua A de *avalloniano* apesar do fato de que *Avallōni* é um nome da língua B.

(ii) A versão original dos "Fragmentos" de Lowdham (Noite 67)

No manuscrito E, os fragmentos de Lowdham, tal como os de Alboin Errol em *A Estrada Perdida* (V. 60–61), estão em uma língua apenas, o quenya ("eressëano"). Lowdham entra de supetão nos aposentos de Ramer e conta sobre sua visita a Pembrokeshire, tal como o faz no texto F (p. 302), mas não traz consigo cópias do texto que veio até ele — em vez disso, pede a Ramer uma grande folha de papel e a prende com alfinetes numa tábua. Depois, diz o seguinte: "Bem, aqui está! É númenóreano ou eresseano, e vou colocar aqui primeiro o texto que consigo recordar, em letras grandes, e a glosa em inglês (nos pontos em que eu conseguir) embaixo. É algo fragmentado, só uma coleção de frases incompletas."

O primeiro dos dois fragmentos diz o seguinte, na forma como o texto E foi escrito originalmente (a troca de *ilu* por *eru* muito provavelmente foi feita no momento da escrita: para o termo *ilu*, "o Mundo", ver IV. 285–9):

ar sauron túle nahamna ... lantier turkildi
e ? veio ? ... caíram ?

unuhuine ... tarkalion ohtakāre valannar ...
sob-sombra... ? guerra-fez aos-Poderes ...

Herunūmen *[ilu >] eru* *terhante* … *Ilūvatāren* …
Senhor-de-Oeste mundo no meio-partiu … de-Deus …

ëari *ullier* *kilyanna* … *Nūmenōre* *ataltane.*
mares deviam-verter dentro-Abismo … Numenor caiu.

Pode-se ver que o élfico aqui, com exceção da curiosa mudança de *ilu* para *eru*, é idêntico, em suas formas, ao presente no primeiro fragmento de Alboin Errol; e as únicas diferenças nas glosas são "de-Deus" no lugar de "de-Ilúvatar", "no meio-partiu" em vez de "partiu" e "deviam-verter" no lugar de "verteram". Algumas poucas mudanças foram feitas mais tarde: *lantier* > *lantaner*, *eru* > *arda*, *terhante* > *askante* e o acréscimo da palavra *lenēme*, "com permissão" — as formas alteradas se encontram na versão final (p. 302), com exceção de *askante*, no lugar da qual a versão definitiva traz a palavra *sakkante*, "rasgaram".

Depois disso, temos (no ponto onde, em *A Estrada Perdida*, o texto diz: "Então parecera haver uma longa lacuna"): "Depois disso houve um intervalo longo e sombrio que me escapou da memória assim que acordei à luz do dia. E depois recebi isto:"

Malle *tēna* *lende* *nūmenna* *ilya* *sī* *maller*
rota reta ia para oeste todas agora rotas

raikar … *turkildi* *rōmenna* … *nūruhuine*
curvadas … ? para leste … sombra-da-morte

mēne *lumna* … *vahāya* *sīn* *atalante.*
sobre-nós é-pesada … distante agora ?

Esse trecho também é muito próximo da segunda passagem de Alboin Errol. A palavra *tēna* ("reta") é uma alteração de *tēra* (tal como aparece em *A Estrada Perdida*), talvez feita no momento da escrita; fora isso, as únicas diferenças nas palavras em quenya são *mēne lumna* no lugar de *mel-lumna* em *A Estrada Perdida* (cuja glosa é "nos-é-pesada") e *sīn* no lugar de *sin*, ponto no qual a glosa de Lowdham foi alterada de "agora" (tal como em *A Estrada Perdida*) para "agora-está". Esse fragmento aparece em adunaico na versão final (Fragmento II, p. 303), com exceção das palavras *vahaiya sín Andóre/atalante*.

No texto E, Lowdham faz as mesmas observações presentes em F (pp. 303–4) sobre o vislumbre que teve do alfabeto estranho; e, da mesma forma, ele diz "E então, de repente, lembrei-me da escrita curiosa no manuscrito do meu pai. Mas isso pode esperar", sem, no entanto, acrescentar, tal como faz no texto F, "Trouxe a folha junto comigo", embora, no fim do encontro, depois da tempestade, Ramer pegue a folha do chão e a coloque numa gaveta (p. 351, notas 68 e 70). Lowdham observa que "há algumas palavras novas aqui" e que, "logo de cara, adivinhei que todas, exceto *nahamna*, eram nomes". Naturalmente, ele tem menos a dizer, no texto E, sobre a língua dos fragmentos do que diz em F, observando apenas ter achado que *Tarkalion* era o nome de um rei e que *Turkildi* era "o nome de um povo: 'homens senhoris', acho", e fazendo sobre *Atalante* um comentário com palavras muito parecidas com as do texto F, traduzindo o nome como "'Aquilo (ou Aquela) que decaiu' ou, de forma mais próxima, 'que deslizou para o fundo de um abismo'".

(iii) As versões anteriores dos "Fragmentos" de Lowdham em adunaico (Noite 67)

Existem duas páginas manuscritas dos fragmentos de Lowdham em quenya e adunaico que precedem aquelas reproduzidas na guarda deste livro. A primeira delas, aqui chamada de (**1**), tem glosas interlineares em inglês, feitas com tinta vermelha; a segunda, (**2**), não as tem. No fragmento I em quenya (A), pode-se observar o desenvolvimento, a partir da forma no texto E, até a forma final (p. 302), mas há apenas uns poucos pontos a ser mencionados. A palavra *nahamna*, que nem Alboin Errol nem Lowdham conseguiram traduzir, passa a ser, em (1), *kamindon*, ainda intraduzível, mas com a glosa *-mente* embaixo dela, e em (2) se torna *akamna*, alterada para *nukumna*. O nome *herunūmen* sobreviveu em (1) e (2), mas foi alterado, no segundo fragmento, para *Nūmekundo* (*númeheruvi* na forma final).

Os fragmentos adunaicos, I (B) e II (B), passaram por uma grande quantidade de mudanças, e apresento aqui o texto em (1), mostrando as mudanças feitas cuidadosamente com caneta, mas ignorando emendas rabiscadas a lápis que, em sua maioria, são muito difíceis de interpretar.

Kadō zigūrun zabathān [hunekkū >] unekkū ... eruhīn
E assim ? humilhado ele-veio ... ?

udūbanim dalad ugrus ... arpharazōn
caíram sob horror? sombra? ... ?

azgaranādu avalōi-[men >] si ... bārun-adūnō
estava fazendo guerra? Poderes contra ... O Senhor de Oeste

rakkhatū kamāt sōbēthumā eruvō ... azrē
quebrou ao meio terra permissão-com de Deus ... mares

nai [phurusam >] phurrusim akhās-ada. anadūni akallabi.
podiam-fluir Abismo-dentro Ociente caiu em ruína.

Adūnāim azulada ... agannūlō burudan
Os Adunai (Homens do O.) para leste ... sombra da morte pesada-está

nēnum ... adūn batān akhaini ezendi īdō kathī
sobre-nós ... Oeste estrada jaz reta eis que agora todos

batānī rōkhī-nam ... [vahaia sīn atalante] ... ēphalek
caminhos curvados-estão ... muito distante

īdōn akallabēth ... [haia vahaia sīn atalante] ...
eis que agora está Aquela-que-caiu ...

ēphal ēphalek īdōn athanātē
distante muito distante agora está Athanātē (a Terra da Dádiva)

No texto rejeitado F 1 da Noite 66, feito com máquina de escrever, aparece a forma *Athānāti* (p. 368), enquanto o texto F 2 traz a variante *Yōzāyan* (p. 295).

No texto (2), a forma final dos fragmentos foi alcançada, em larga medida, mas ainda assim com algumas diferenças. Listo-as todas aqui, na ordem de ocorrência das palavras no texto final, apresentando a forma definitiva primeiro:

unakkha: unakkha > yadda > unakkha
dubdam: dubbudam > dubdam
ar-pharazōnun: ar-pharazōn > ar-pharazōnun
azaggara: azagrāra, com *azzagara* como forma alternativa
bārim: *bārun*
yurahtam: urahhata > urahta
hikallaba (texto datilografado), *hikalba* (manuscrito): *hikallaba > hikalba*
bawība dulgī: dulgu bawīb
an-nimruzīr: nimruzīr
No começo de II, *Adunāim azūlada* foi mantido com base em (1) e depois riscado
burōda nēnud: *buruda nēnu*
adūn izindi batān tāidō ayadda: adūn batān ēluk izindi yadda
īdō (manuscrito) nas últimas duas ocorrências, *īdōn* (texto datilografado): *īdōn*
hi-Akallabēth: Akallabēth

Eru. A aparição do nome *Eru* nesses textos é interessante: Lowdham diz (pp. 304–5) que, na sua opinião, a palavra *ēruhīnim* em I (B) deve significar "Filhos de Deus"; que *eruvō* "é o nome sagrado *Ēru* com um elemento sufixado que significa 'de'" e que "portanto, *ilúvatáren* significa a mesma coisa." Numa lista de "Alterações na última revisão [de O Silmarillion] 1951", meu pai incluiu os termos *Aman*, *Arda*, *Eä*, *Eru* e outros nomes (V. 405). Parece muito provável que o nome *Eru* (*Ēru*) — e também o de *Arda* — emergiram pela primeira vez nessa época, como o equivalente adunaico de *Ilúvatar* (para a etimologia de *Ēru* em adunaico, ver a p. 516). A aparição de *eru* no texto E (pp. 373–4), substituindo *ilu*, "mundo" e, por sua vez, sendo substituído por *arda*, poderia ser explicada como o primeiro surgimento de *eru*, sendo agora uma palavra em quenya, e com significado diferente.

(iv) Versões anteriores do texto em inglês antigo de Edwin Lowdham

Dois textos de uma versão mais longa em inglês antigo foram preservados, sendo que o segundo deles, que apresento aqui, é uma revisão do primeiro, mas muito similar a ele e acompanhada de uma tradução. Essa versão corresponde ao manuscrito E: nomes em adunaico não aparecem, e um fac-símile completo do texto de Edwin Lowdham em caracteres númenóreanos (*tengwar*) remete a uma página do manuscrito. Nas passagens em que essa versão e a posterior (pp. 214–5) podem ser comparadas, vemos muitas diferenças nas formas das palavras, pois o texto a seguir não tenta representar o antigo dialeto mércio (ver p. 351, nota 71).

Trago aqui o texto da maneira como meu pai o escreveu, num manuscrito feito rapidamente a lápis. Os dois lados da folha de Edwin Lowdham em *tengwar* estão reproduzidos nas pp. 385–6; o texto em *tengwar* foi diretamente baseado no que está em inglês antigo a seguir, e (no sentido) quase não se desvia dele. Há algumas diferenças muito pequenas entre os dois na ortografia, entre elas a última palavra, o nome *Niwelland*, o qual, no texto em *tengwar*, tem a forma *Neowolland* (p. 352, nota 76).

Ealle sǽ on worulde hí oferlidon, sohton hí nyston hwæt; ac ǽfre wolde hyra heorte westweard, forðamðe hí ofhyngrede wurdon ðære undéadlican blisse ðære *Eldalie* 7 swa hyra wuldor wéox swa ǽfre hyra langung 7 hyra unstilnes wurdon ðe má ætiht .... þá forbudon ða *Eldan* him on *Eresse* úp to cumąnne, forðan hí mennisce wǽron 7 déadlice 7 þéahþe ða Wealdend him langes lífes úðon ne mihton hí alýsan hí of ðære woruldméðnesse ðe on ealle men ǽr ðam ende færeð 7 hí swulton efne hyra héacyningas, *Éarendles* yrfenuman, 7 hyra líffæc þúhte ðam *Eldum* scort. Forðon hit swá gefyrn arǽdde se Ælmihtiga ðæt hí steorfan sceoldon 7 þás woruld ofgyfan .... ac hí ongunnon murcnian, sægdon ðæt þis forbod him unryht þuhte. Þonne on dígle asendon hí scéaweras on *Avallon* ða dyrnan láre ðara *Eldena* to asméaganne; ne fundon ðeah nawðer ne rúne ne rǽd ðe him to bóte wǽron .... Hit gelamp siþþan ðæt se fúla Déofles þegn ðe Ælfwina folc *Sauron* nemneð wéox swíðe on middangearde 7 hé geaxode Westwarena miht 7

> wuldor 7 ðæt hí gyt holde wǽren Gode; ongunnon úpahæfenlice swaðeah ... Þá gehyrde Westwarena cyning æt his sǽlidum be *Saurone* ðæt he wolde cyning béon ofer eallum cyningum 7 héalicran stól habban wolde ðonne *Éarendles* afera sylf ahte. Þonne sende hé *Tarcalion* se cyning bútan Wealdendra rǽde oþþe *Eldena* his ǽrendracan to *Saurone*, abéad him ðæt he on ofste on Westfoldan cwóme þǽr to ðæs cyninges manrǽdenne to búganne 7 hé *Sauron* lytigende geéadmédde hine ðæt he cwóm, wæs þeah inwitful under, fácnes hogode Westwarena þéode. Þá cwóm he úp æt sumum cyrre on *Rómelonde* ðære hýðe 7 sóna adwealde fornéan ealle ða *Númenóriscan* mid wundrum 7 mid tácnum; forðam he mihte mycel on gedwimerum 7 drýcræftum .... 7 hí geworhton mycelne ealh on ðam héan "munte" ðe *Meneltyúla* — ðæt is to secganne Heofonsýl — hátte — se ðe ǽr wæs unawídlod; dydon ða hálignesse to hǽðenum hearge 7 þǽr onsægdon unasecgendlíce lác on unhalgum wéofode ... swa cwóm se déaþscúa on Westfarena land ....
>
> Þæs ofer fela géara hit gelamp ðæt *Tarcalione* wearþ yldo onsǽge 7 þý wearð he hréow on móde 7 þa wolde he be *Saurones* onbryrdingum *Avallon* mid fyrde gefaran, forðamðe *Sauron* him sægde ðæt ða *Eldan* him on wóh éces lífes forwyrnden ..... wǽron Westwarena scipfyrda swaswa unarímedlic ígland on ðære sǽ 7 hyra mæstas gelíce fyrgenbéamum on beorghliðum, 7 hyra herecumbol gelíce þunorwolcnum; wǽron hyra segl blódréad 7 blacu ..... Nú sitte wé on elelande 7 forgytað ðære blisse ðe iú wæs 7 nú sceal eft cuman nǽfre. Ús swíðe onsitt Déaþscúa. Wóh biþ seo woruld. Feor nú is Niwelland ð.

Não sou capaz de explicar a letra ð no fim desse texto, a qual se encontra no fim de uma linha, mas não no fim da página, e que deve ter algum significado, já que o símbolo usado para *th* encerra a versão em *tengwar* (e também a página). A tradução é a seguinte:

> Todos os mares do mundo eles singraram, buscando não sabiam o quê; mas seus corações se voltavam sempre para o oeste, pois tinham se tornado grandemente desejosos da ventura imorredoura dos Eldalie, e, conforme seu poder e glória cresciam, assim também seu anseio e inquietação aumentavam sempre mais .... Então os Eldar proibiram que eles desembarcassem em

Eresse, pois eram de descendência humana e mortal; e, embora os Poderes lhes tivessem dado vida longa, não podiam libertá-los do cansaço do mundo que vem a todos os homens antes do fim, e eles morriam, até mesmo seus altos-reis, descendentes de Éarendel; e o tempo de sua vida parecia curto aos olhos dos Eldar. Pois assim ordenara o Todo-Poderoso, que eles morressem e deixassem este mundo .... Mas começaram a murmurar, dizendo que essa proibição lhes parecia injusta. Então enviaram em segredo espiões a Avallon, para explorar o conhecimento oculto dos Eldar; mas não descobriram nem saber nem conselho que lhes fosse de alguma valia ......

Veio a se passar depois que o imundo serviçal do Demônio a quem o povo dos Ælfwinas chama Sauron se tornou poderoso nas Grandes Terras, e ele soube do poder e da glória dos Westware, e que eles ainda eram fiéis a Deus, mas estavam se comportando com arrogância, mesmo assim ... Então o Rei dos Westware ouviu notícias de seus marinheiros acerca de Sauron, de como ele desejava ser Rei acima de todos os Reis e ter um trono mais excelso do que até o próprio herdeiro de Éarendel possuía. Então ele, Tarkalion, o Rei, sem conselho seja dos Poderes ou dos Eldar, enviou seus embaixadores a Sauron, ordenando que ele viesse com toda pressa a Westfolde, para ali prestar vassalagem ao Rei. E Sauron, dissimulando, humilhou-se e veio, estando cheio de malícia dentro de si, e com desígnios de perversidade contra o povo dos Westware. Desembarcou então certo dia no porto de Rómelonde e, de imediato, iludiu quase todos os Númenóreanos com sinais e prodígios; pois tinha grande engenho com espectros e feitiçaria ... e eles construíram um grande templo naquela alta montanha que era chamada Meneltyúla (que quer dizer o Pilar do Céu), a qual antes era imaculada, e ali sacrificavam oferendas indizíveis sobre um altar impuro ... assim chegou a Sombra-da--morte sobre a terra dos Westware ....

Muitos anos depois, veio a se passar que a idade avançada afetou Tarkalion, de modo que ele se tornou sobremaneira triste em sua mente, e determinou então (tendo sido incitado por Sauron) que invadiria Avallon com um exército; pois Sauron disse a ele que os Eldar lhe recusavam a dádiva da vida sempiterna, injustamente ..... As frotas dos Númenóreanos eram como ilhas incontáveis no mar e seus mastros eram como altas árvores sobre as encostas das montanhas e suas bandeiras de guerra como nuvens de trovão, e suas velas eram vermelhas como sangue e negras ....

Agora habitamos na terra de exílio e esquecemos a ventura que antes houve e agora não há de voltar nunca mais. Pesada jaz sobre nós a Sombra-da-morte. Curvado está o mundo. Distante agora está a Terra que caiu no abismo.

No final, a seguinte frase colocada entre colchetes foi acrescentada mais tarde: "[que é Atalante, a qual antes era chamada de Andor e Vinyamar e Númenor.]"

Uma característica marcante desse texto é atribuir aos *Eldar* a interdição ao desembarque númenóreano em Eressëa, e mais ainda a afirmação de que Sauron teria dito a Tarkalion que os *Eldar* "lhe recusavam a dádiva da vida sempiterna"; sobre isso, ver pp. 424–5.

Sobre os nomes nesse texto, podemos notar o seguinte. Há uma forma em inglês antigo, *Eldan*, equivalente a "Eldar", com genitivo plural *Eldena*, dativo plural *Eldum*. Sobre *Meneltyúla* (no primeiro rascunho dessa versão, *Menelmindo*), ver a p. 365, e, para *Heofonsýl*, p. 296 e a nota 46. A afirmação de que Sauron desembarcou "no porto de *Rómelonde*" (no primeiro esboço, *Rómelónan*) é interessante: quanto a *Rómelonde*, "Porto-leste", cf. o grande ancoradouro de *Rómenna*, "Voltado para o leste", na forma posterior da lenda. Também é notável o nome *Vinyamar* atribuído a Númenor no acréscimo ao trecho final da tradução: a esse respeito, cf. *Vinya*, "a Jovem", "a Nova Terra" em *A Queda de Númenor* (V. 28, 35 e, neste livro, p. 399) e em *A Estrada Perdida* (V. 81). Mais tarde, *Vinyamar*, "Nova Morada", torna-se o nome da casa de Turgon na costa de Nevrast, antes que ele se mudasse para Gondolin (Índice Remissivo de *Contos Inacabados*).

Sobre as velas dos navios númenóreanos, que eram "vermelhas como sangue e negras", cf. p. 350, nota 63, trecho no qual Jeremy as enxerga como "escarlates e negras" em E, mas "douradas e negras" em F.

Vários outros textos e fragmentos de textos em inglês antigo sobreviveram. Em um deles, um relato muito mais completo da submersão de Númenor é apresentado, ao qual apenso uma tradução:

Ac þá þá Tarcaligeones foregengan dyrstlǽhton þæt híe on þæt land astígen and híe þǽr dydon micel yfel ond atendon Túnan þa burg, þa hréowsode Ósfruma and he gebæd him to þam Ælmihtigan, and be þæs Scyppendes rǽde 7 léafe onhwierfed wearþ worulde gesceapu. Wearð Ósgeard from eorþan asundrod, 7 micel æfgrynde ætíewde on middum Gársecge, be éastan Ánetíge. 7 þa sǽ dufon niþer in on þæt gin, ond mid þam bearhtme þara hréosendra wætera wearþ eall middangeard afylled; 7 þara wætergefealla se þrosm stanc up oþ heofon ofer þara écra munta héafdu.

Þǽr forwurdon eall Westfarena scipu, and adranc mid him eall þæt folc. Forwurdon éac Tarcaligeon se gyldena 7 seo beorhte Iligen his cwén, féollon bútú niþer swaswa steorran on þystro and gewiton seoþþan of eallra manna cýþþe. Micle flódas gelumpon on þam tíman and land styrunga, and Westfolde þe ǽr Númenor hátte wearð aworpen on Gársecges bósm and hire wuldor gewát.

Mas, quando aqueles que tinham seguido diante de Tarcalion ousaram subir à terra, e lá fizeram grande mal e deitaram fogo à cidade de Túna, então o Senhor dos Deuses se entristeceu, e ele rogou ao Todo-Poderoso; e, por meio do conselho e da permissão do Criador, a feição do mundo foi mudada. Ósgeard [Valinor] foi separada da terra, e um grande abismo apareceu no meio de Gársecg [o Oceano], a leste de Ánetíg [a Ilha Solitária]. E os mares mergulharam na abertura, e toda a Terra-média se encheu com o barulho das águas que caíam; e a fumaça das cataratas se ergueu ao firmamento acima das cabeças das montanhas sempiternas.

Ali pereceram todos os navios dos Habitantes do Oeste, e todo aquele povo se afogou com eles. Ali pereceu também Tarcalion, o dourado, e a luzente Ilien, sua rainha; ambos caíram feito estrelas na escuridão e desapareceram além do conhecimento de todos os homens. Houve grandes enchentes naquele tempo, e tumultos das terras, e Westfolde, que antes tivera o nome de Númenor, foi lançada no seio de Gársecg, e sua glória pereceu.

Tol Eressëa, a Ilha Solitária, é chamada de *Ánetíg* na versão em inglês antigo dos primeiros *Anais de Valinor* (IV. 330, etc.). Naquela obra, Valinor era chamada de *Godéþel*, termo depois alterado para *Ésa-eard* (IV. 332), sendo *Ésa* o genitivo plural de *Ós*, "deus", tal como aqui nos nomes *Ósgeard* (Valinor) e *Ósfruma*, "Senhor dos

Deuses" (Manwë). *Tarcaligeon*, *Iligen* são grafias do inglês antigo que representam *Tarcalion*, *Ilien*.

A comparação desse texto com *A Queda de Númenor*, §§6–8 (pp. 402–3), mostra que existe uma relação próxima entre eles. Acho muito provável que este texto represente a ideia original de meu pai para a única página preservada do manuscrito de Edwin Lowdham, antes que decidisse que essa página deveria consistir, conforme as palavras de Ramer (p. 316), numa "série de extratos fragmentados, separados, imagino, por vários intervalos de omissões".

Um trecho desse texto também se encontra escrito em *tengwar*, com glosas interlineares feitas com caracteres modernos. Esse, creio eu, foi o primeiro dos textos em *tengwar* (ver a seção seguinte).

Outros nomes em inglês antigo encontrados nesses manuscritos são *Ealfæderburg* ("a montanha do Pai-de-todos [Ilúvatar]"), nome alternativo de *Heofonsýl*, "Pilar do Céu"; *Héafíras*, "Homens Elevados", ou Númenóreanos (cf. *Fréafíras*, mencionado abaixo); e *se Malsca*, usado para Sauron (cf. *Malscor*, um nome de Morgoth que se encontra numa lista de equivalentes dos nomes élficos em inglês antigo associada ao *Quenta*, IV. 242; há registros de um substantivo em inglês antigo com a forma *malscrung*, "enfeitiçador, desorientador").

Por fim, pode-se mencionar um pedaço de papel que traz os fragmentos em quenya na sua forma original (isto é, na forma em que são encontrados em *A Estrada Perdida* e precedendo aquela do manuscrito E, como se pode ver pela forma *tēra*, "reta", no lugar de *tēna*, p. 374), com as glosas em inglês e pontos de interrogação usuais, mas também com uma tradução para o inglês antigo (colocada no papel rapidamente e difícil de ler):

> 7 Saweron cóm to hýþe. Gedruron Fréafíras under sceadu. Tarkalion wíg gebéad þam Héamægnum. Þa tocléaf Westfréa þas woruld be þæs Ælmihtigan léafe. 7 fléowon þa sǽ inn on þæt micle gin 7 wearþ Nówendaland ahwylfed.
>
> Géo læg riht weg westanweard, nú sind alle wegas [?forcrymbed]. Fréafíras éastweard. Déaþscúa ús líþ hefig on. Nú swíþe feor is seo Niþerhrorene.

É curioso ver que *nahamna* (marcada, como de costume, com um ponto de interrogação nas glosas em inglês moderno) foi traduzido como *to hýþe*, "ao porto". As palavras em inglês antigo *be ... léafe*, "com permissão", correspondem a pontos no texto élfico (a palavra *lenēme* foi introduzida aqui mais tarde no texto E, p. 374). *Fréafíras* e *Nówendaland* são termos mencionados por Lowdham (p. 296 e notas 42, 43) entre os nomes que foram "transmitidos" a ele e não estão registrados em inglês antigo. *Héamægnum*: *héah-mægen*, "grande poder". *Westfréa* ("Senhor do Oeste") foi riscado e substituído por (aparentemente) *Regenríces Wealdend* ("Governante de Valinor": cf. *Regeneard*, p. 296 e nota 44). Não há registro de nenhum verbo *(for)crymban*, mas cf. o inglês antigo *crumb*, "torcido, curvado", e também *crymbing*, "curvatura, virada".

(v) A página preservada do manuscrito de Edwin Lowdham escrito com caracteres númenóreanos

As representações dessa página feitas por meu pai estão reproduzidas nas pp. 385–7. A primeira forma, aqui chamada de Texto **I**, está escrita em ambos os lados de uma única folha, tal como o texto de Edwin Lowdham, e representa o texto em inglês antigo das pp. 378–9; como já foi explicado, ela foi escrita para acompanhar o relato do manuscrito E. Meu pai a escreveu com uma caneta de mergulho e, nos pontos onde a tinta foi ficando diluída, partes de muitas letras, em especial os traços mais finos, ficaram extremamente fracas no original e desaparecem inteiramente ao serem reproduzidas. Para remediar isso, trabalhei por cima de uma fotocópia do original e escureci os traços para que eles ficassem visíveis; também acrescentei números de linhas nas margens, para que meu comentário sobre as *tengwar* ficasse mais fácil de acompanhar.

O Texto **II** corresponde à versão posterior em inglês antigo na versão datilografada F, mas cobre apenas um lado de uma folha e chega apenas até as palavras *swé adwalde he for(néan)* (p. 314); nesse ponto, ao que parece, foi abandonado. Isso pode ou não estar relacionado à anotação de meu pai (p. 339): "o anglo-saxão *não* deveria ser escrito com caracteres númenóreanos".

As reproduções dessas páginas são seguidas de comentários sobre as formas de escrita, que diferem de uma versão para outra. Esses comentários são uma reprodução do meu manuscrito, já que seria muito mais difícil imprimi-los.

O Texto I foi escrito rapidamente e contém alguns erros; já o Texto II foi feito com mais cuidado. Algumas páginas de notas

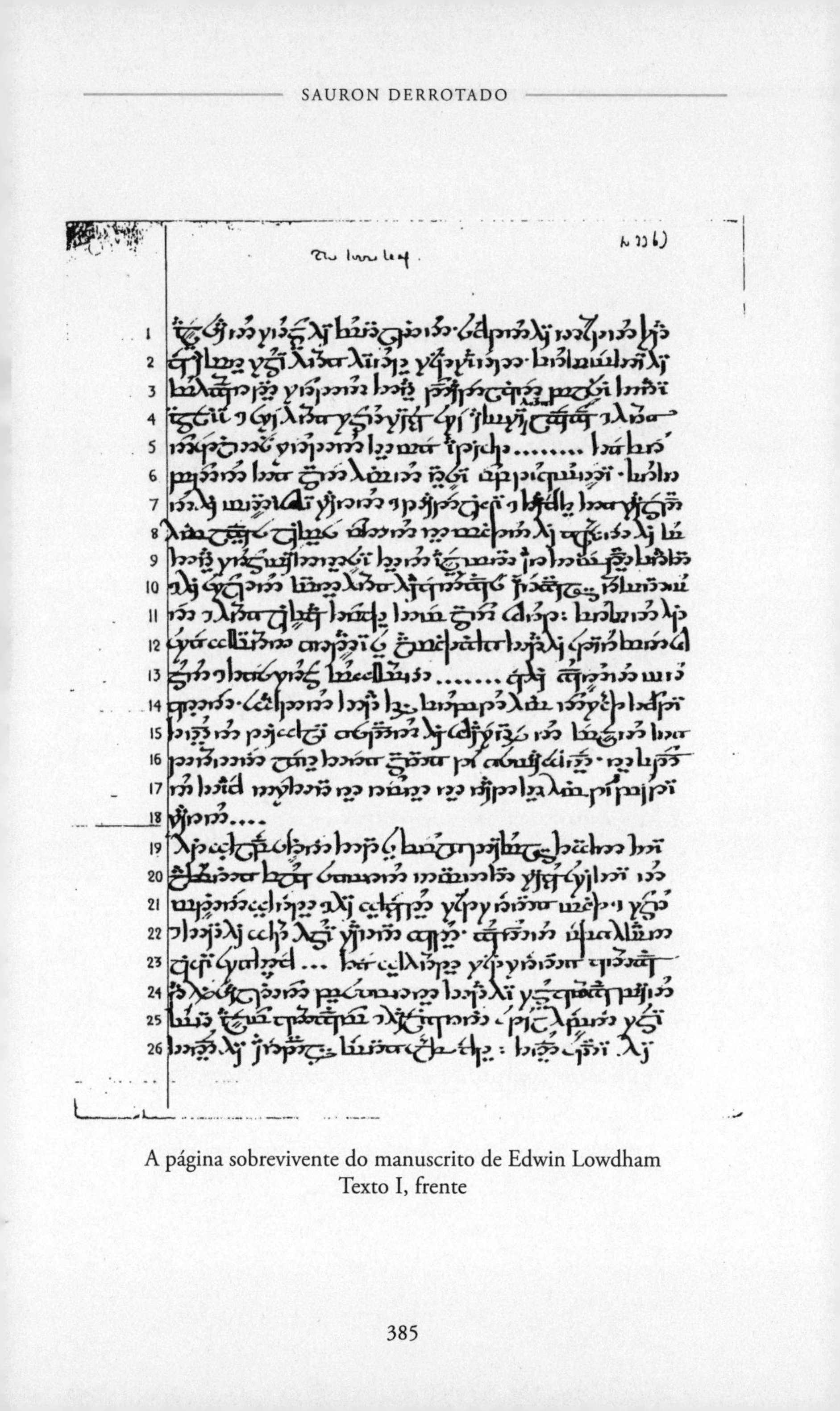

The lost leaf

A página sobrevivente do manuscrito de Edwin Lowdham
Texto I, frente

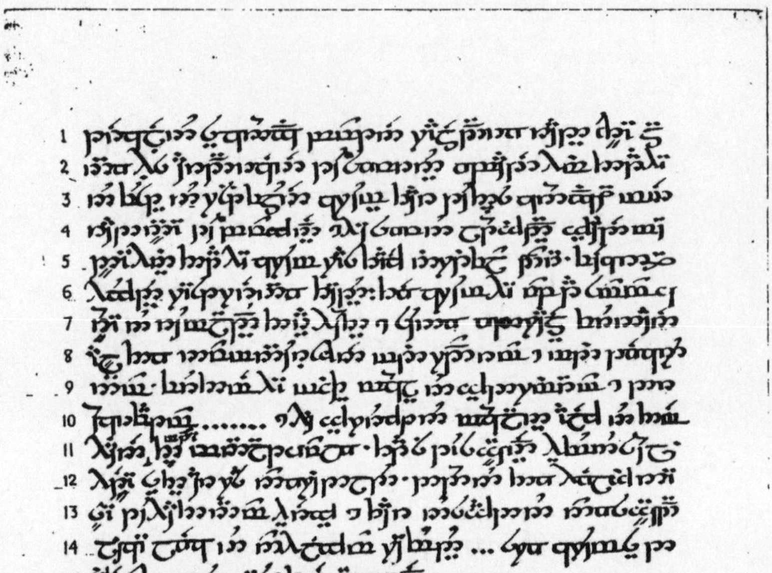

A página sobrevivente do manuscrito de Edwin Lowdham
Texto I, verso

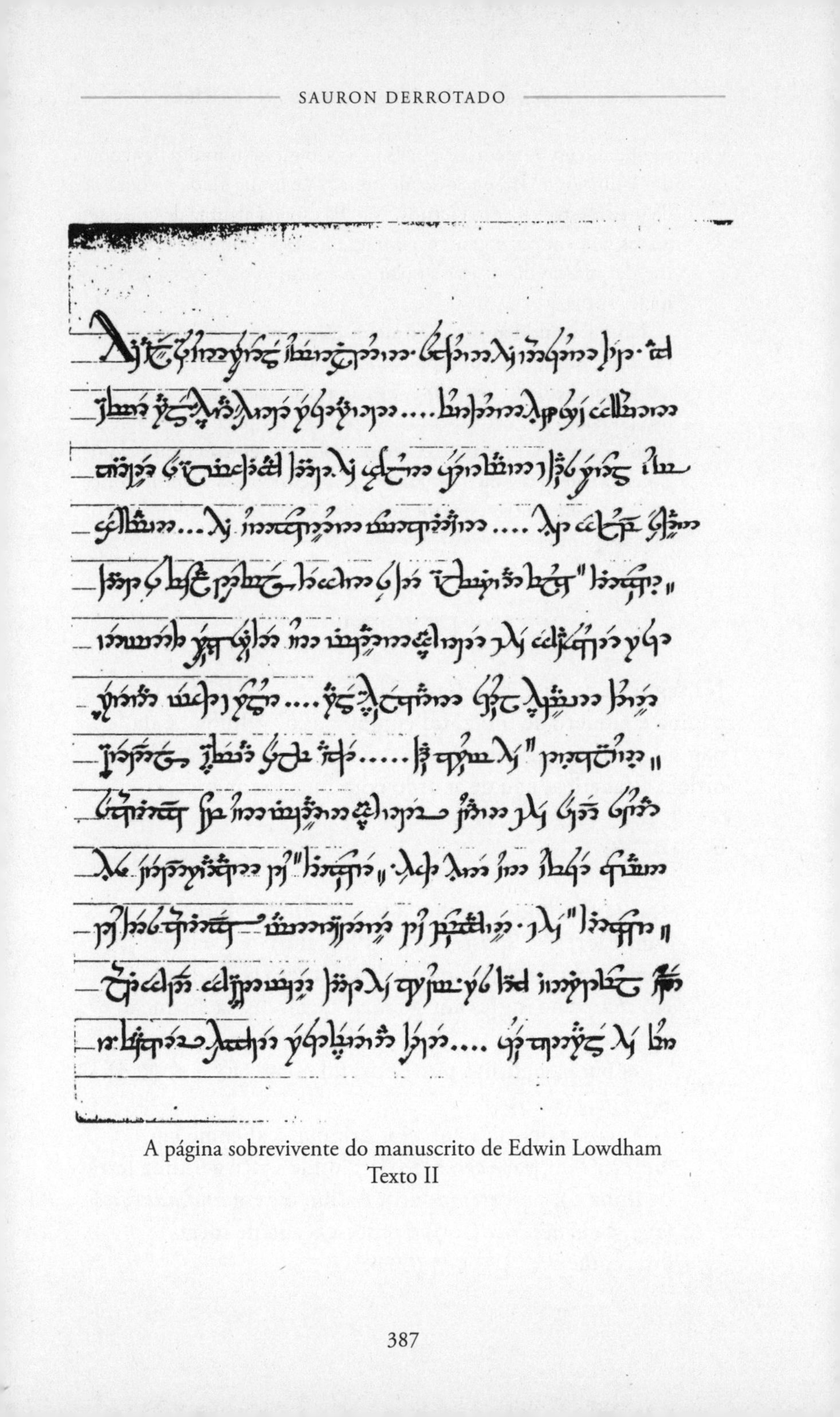

A página sobrevivente do manuscrito de Edwin Lowdham
Texto II

acompanham os textos originais, mas são rabiscos muito descuidados e difíceis de ler, e não se mostraram de muita ajuda na hora de deduzir a estrutura dos escritos. Não há dúvida alguma de que esses textos são, em certo grau, experimentais, especialmente quanto ao uso das marcas diacríticas e quanto à aplicação desses caracteres ao inglês antigo.

No que considero ser o primeiro desses textos de *tengwar* (não reproduzido aqui), correspondendo a parte do texto em inglês antigo apresentado na p. 382, os diacríticos das vogais diferem do uso adotado no Texto I. Aqueles empregados para *o* e *y* no Texto I são usados aqui para *u* e *o*, enquanto o *y* é representado pelo de *u* junto com um único ponto (= *i*), refletindo a origem histórica do *y* do inglês antigo, em muitos casos vindo de *u* seguido de *i* na sílaba seguinte.

TEXTO I

Na seguinte análise, as referências ao texto são feitas por página e número de linha, tal como "2: 26" = linha 26 da página de verso. As consoantes estão dispostas em simples ordem alfabética, não de acordo com função fonética.

b

c ; Em inglês antigo, a letra c tinha valores "anteriores" e "posteriores" ("palatais" e "velares"), com a oclusiva anterior passando a ser [tš], tal como em *church* no inglês antigo mais tardio. Essa distinção é representada aqui:

para a oclusiva posterior, tal como em *ac* (1: 2) *folc* (1:20)

para a oclusiva anterior original, tal como em <inserir tengwar> *cyrre* (2: 6–7, onde é a última letra da linha 6), *eces* (2: 20). Assim, o *c* em *undeadlican* (1: 3) e em *deadlice* (1: 7) é representado de forma diferente: e d para *ld*, ver *l*.

f Em inglês antigo, a letra *f* era usada em posições mediais, entre fonemas sonoros, para representar a fricativa sonora [v]; assim, "*v*" será encontrada em muitas palavras nas quais o texto em inglês antigo tem o *f*, tal *lífes* (1: 8), *næfre* (2: 26).

g Em inglês antigo, a letra *g* (ʒ) não apenas tinha valores anteriores e posteriores como também de oclusiva e fricativa. A oclusiva posterior é representada aqui por , tal como em *gode* (1: 22); também em *ng*, onde a nasal é indicada por uma linha horizontal acima dela: *langung* (1: 4).

A fricativa posterior tem a barra vertical que sobe, em vez de descer. , tal como em *hogode* (2: 6), *unhalgum* (2: 14).

A oclusiva anterior é representada por . Em inglês antigo tardio, ela passou a ser [dž], tal como em *judge*; isso aparece nas palavras *secganne* (2: 11), *unasecgendlice* (2: 13-14), onde *cg* representa *gg*, daí a marca de duplicação disposta abaixo do sinal: *secganne*.

A fricativa anterior, que em inglês moderno se tornou *y* em posição inicial ou se combinou para formar ditongos, tem a barra na vertical, , tal como em *þegn* (1: 19), ~ *gearde* (1: 21), *igland* (2: 22), *fyrgen* [cf. *Firien* em SA] (2: 22), *segl* (2: 24).

h A aspiração [h], encontrada apenas em posição inicial, é representada por . A aspirada surda posterior [x] é representada por (cf. em *g*), tal como em *þeah* (1: 17), *ealh* (2: 10), *woh* (2: 20).

ht pode ser representado por um sinal combinatório tal como em *þuhte* (1: 11), ou tal como em *mihton* (1: 8), de acordo com a posição anterior ou posterior da consoante aspirada (,); mas as barras verticais podem ser escritas separadamente, tal como em *ahte* (1: 26).

l ; ld tal como em *wuldor* (1: 4)

m

n

p (escrito em *upahæfenlice* 1 : 22)

r

s ; no final das palavras, frequentemente grafado como uma curva, tal como, por exemplo, em *facnes* (2: 5). Tal como é o caso de *f*, em inglês antigo o *s* era usado em posições mediais entre fonemas sonoros para representar a fricativa sonorizada [z]. O único exemplo de [z] no texto é *alysan* (1 : 8), onde a consoante é escrita com o sinal .

sc (que se tornou, no desenvolvimento do inglês antigo, o fonema [ʃ], tal como em *ship*), é escrito com um sinal combinatório tal como em *scort* ["short"] (1 : 11), *deaþscua* (2: 15).

t para *ht*, ver *h*.

th ; Em inglês antigo, tal como no caso de *f*/*v*, *s*/*z*, a aspirada surda (como no inglês moderno *thin*) e a sonora (como em *other*) aparecem em posições diferentes nas palavras, mas nesse caso havia dois símbolos diferentes, o *d* com barra "*ð*" e a letra rúnica "*þ*" ("*thorn*"). Entretanto, elas não eram usadas para distinguir os sons.

O texto em inglês antigo usa os sinais indiscriminadamente, tal como era comum em manuscritos nesse idioma; assim, por exemplo, ocorrem tanto *þeah* quanto *ðeah*. Mas é curioso que, embora a distinção entre e fosse fonética, entre consoante surda e sonora, essa distinção não é usada em nenhum momento: assim, encontramos em 2 : 5 (onde o texto em alfabeto moderno tem *þeah*), mas em 1 : 17 (onde a forma é *ðeah*).

v Sobre a ocorrência frequente de onde a palavra em inglês antigo é grafado com um *f*, ver o verbete *f*. O único outro exemplo é *Avallon* (2 : 18).

w Em *hreow* (2: 17), o sinal "*u*" é usado) (ver os verbetes sobre *Vogais*).

hw é representado por tal como em *hwæt* (1 : 1).

x tal como em *weox* (1: 20).

z ver o verbete *s*.

Vogais

As vogais normalmente são expressas por sinais diacríticos (*tehtar*):

a	/	i	•
æ	∴	o	
e	‥	u	
		y	

Esses sinais *precedem* a consoante se forem colocados *acima* dela e a seguem se forem colocados abaixo dela, tal como em *ðære*, *ende*. Os diacríticos referentes a *o* e *u* não são usados na posição subscrita.

Esses sinais frequentemente são dispostos em "carregadores", com o carregador breve sendo usado para vogais breves, e o carregador longo , para vogais longas (como em *sǽ*, 1 : 1).

Os ditongos do inglês antigo não são representados por sinais simples ou diacríticos: assim, temos *heorte* (1 : 2). O ditongo *ea*, quando representa [æa], é escrito com os diacríticos de *æ* e *a*, tal como em *westweard* (1 : 2); mas como e + a em *gearde* (1 : 21).

A semivogal "*i*, *y*" é em *Meneltyúla* (2: 11). *Iú* (2: 26).

Em certas posições (principalmente em prefixos e na posição final), o *a* é escrito como uma letra, , ainda que não invariavelmente: assim, temos *swa hyra* (1 : 4). ... *swa arædde* (1 : 12); também sempre com a *tengwa* em *Sauron*. O *a* longo é escrito tanto com a letra quanto com o diacrítico em *má* (1 : 5). Da mesma forma, *u* pode eser escrito como letra; ; assim, temos *nú* (2 : 26), *scúa* (2: 27).

Outros sinais

A duplicação de consonantes é marcada por dois riscos inclinados debaixo da letra, ou, no caso de , dentro dela: tal como em *Eresse* (1 : 6), *ealle* (1 : 1).

Uma linha horizontal acima da letra representa uma consoante nasal, em combinações tais como *nd*, *ng*, *mp*, como em *ende* (1 : 9), *cyning* (1 : 23); em *nn*, portanto, ela atua como um sinal de duplicação, como em *þonne* (1: 15).

O sinal do inglês antigo 7, *ond, and*, ou "e", também é usado (1 : 21 etc.).

Erros

O texto foi escrito rapidamente, e há diversos erros inquestionáveis, como, por exemplo: no lugar de Éarendles em 1 : 10, no lugar de *Eldum* em 1 : 11, "*Sauron*" em 2 : 4, no lugar de *gefaran* em 2 : 19. Em alguns casos, erros aparentes podem refletir indecisão ou formas rejeitadas, como em para representar *r* em *æfre* 1 : 4 (*næfre* 2: 26), *unryht* 1 : 14 e *he* em vez de *hi* duas vezes, em 1 : 1 e 1 : 2.

TEXTO II

Nessa forma do alfabeto, os valores das *tengwar* são os mesmos, e as diferenças em relação ao Texto I correspondem principalmente ao uso dos diacríticos de vogais. No texto II, esses diacríticos vêm depois das consoantes; e, enquanto *i*, *o*, *u* e *y* são os mesmos, os que representam *a*, *æ*, *e* agora são:

a ∴

æ ··

e ∕

Assim, *gefyrn* no Texto I (1 : 12) é escrito como , mas no Texto II passa a ser (linha 2).

Além disso, os diacríticos de *o* e *u* podem ser subscritos, como, por exemplo, em *weorulde*, oferliodon, ambos na linha 1.

Tal como no Texto I, o ditongo grafado como *ea* em inglês antigo, mas que foneticamente é [æa], é representado pelos diacríticos de *æ* e *a*, tendo-se assim *heara* na linha 2; por outro lado, em *Westwearena* (linhas 6-7), *ea* é representado por *e*+*a*.

No Texto II, as vogais longas podem ser representadas por um subscrito; evidentemente, trata-se da "cauda" do carregador longo . Assim, tem-se *sǽ* (linha 1), *þás* (3), *wéox swíðe* (6).

Há um problema quanto à representação dos nomes. Ramer diz, quanto ao texto, que os nomes próprios, quando não são traduções para o inglês antigo, estão no mesmo alfabeto, "mas as letras, nesses casos, são usadas de um jeito bem diferente". No texto em inglês antigo usando o alfabeto moderno, esses nomes são colocados entre colchetes. No Texto II aparecem apenas os nomes *Zigūr* (*Zigūre*) e *Tarcalion*, os quais são colocados entre marcas de citação e representados assim:

linha 5		*Zigūr*
linha 10		(*to*) *Zigūre*
linha 11		*Zigūr*
linha 8		*Tarcalion*

é usado aqui com o valor de "*z*". (É característico da escrita do Texto II que e (= "*th*") sejam frequentemente, mas não sempre, grafados com o risco vertical estendendo-se para baixo, em maior ou menor grau: assim, (*forðon*, linha 2), (*seoþþan*, linha 4), (*þæt*, linha 4), mas (*þegn*, linha 5). Em = "*z*", o risco vertical não se estende para baixo; mas não consigo dizer se essa distinção, que de todo modo não é marcada com muita clareza, é significativa ou não.)

As outras consoantes em *Zigūr* e em *Tarcalion* não são diferentes daquelas usadas para representar o inglês antigo; mas o uso de diacríticos é misterioso. Em *Zigūr*(*e*), · = i, = u, / = e, e um subscrito = vogal longa, tal como no resto do texto; mas em uma ocorrência de *Zigūr* um pontinho único é colocado debaixo do *r*, e na outra não. Em *Tarcalion*, pontinhos únicos são colocados embaixo de *r* e *n*; presumivelmente representa *lio* (mas como ·· = i), mas não representações das duas ocorrências de *a* nesse nome.

Nesse texto, há um único erro claro: trata-se da palavra "*ste*" na última linha da página, no lugar de *swé* ("assim"), escrita como na linha 2.

PARTE TRÊS

A SUBMERSÃO DE ANADÛNÊ

Com a Terceira Versão de
A QUEDA DE NÚMENOR

E o Relatório de Lowdham sobre
A LÍNGUA ADUNAICA

A SUBMERSÃO DE ANADÛNÊ

(i) A terceira versão de A Queda de Númenor

Antes de chegar à *Submersão de Anadûnê*, é necessário abordar primeiro a narrativa original da lenda de Númenor, que surgiu em associação próxima com *A Estrada Perdida* (ver V. 16). Essa forma de *A Queda de Númenor* sobreviveu em duas versões (além de um rascunho inicial), publicadas no volume V, a partir da p. 21, que chamei de QdN I e QdN II, sendo que a segunda tem muita similaridade com a primeira na maior parte de sua extensão. Houve algum trabalho subsequente nesse texto durante o período da escrita de *O Senhor dos Anéis*, incluindo a reescrita da passagem que descreve "o Mundo Tornado Redondo" e o desenvolvimento da seção final, acerca de Beleriand e da Última Aliança (ver V. 43 ss.); mas, como o nome *Ondor* aparece nessa passagem mais recente, é possível datá-la como anterior a fevereiro de 1942, quando *Ondor* se tornou *Gondor* (VII. 498); naquele momento, meu pai estava trabalhando no Livro III de *O Senhor dos Anéis*.

Mas há ainda outro texto de *A Queda de Númenor* num manuscrito cuidadoso, ao qual fiz referência, mas que não publiquei no volume V; naquele livro, observei que "essa versão, aprimorada e alterada em detalhes, exibe, no entanto, pouquíssimos avanços adicionais em substância narrativa", e concluí, portanto, que ela pertence ao mesmo período que as revisões às quais tinha acabado de me referir, isto é, a um estágio relativamente precoce da escrita de *O Senhor dos Anéis*. Uma vez que *A Submersão de Anadûnê* mostra diferenças tão extraordinárias em relação à *Queda de Númenor*, apresento aqui a terceira versão desse texto em sua forma completa, denominando-a "QdN III", para que a comparação das duas obras seja mais fácil. Mais uma vez, usei a numeração de parágrafos que inseri nas versões anteriores; e várias alterações que foram feitas ao texto QdN III subsequentemente também estão indicadas.

Os Últimos Contos

1. A Queda de Númenor

§1 Na Grande Batalha, quando Fionwë, filho de Manwë, sobrepujou Morgoth, as três casas dos Homens de Beleriand foram amigas e aliadas dos Elfos, e operaram muitas façanhas de valor. Mas homens de outras gentes se voltaram para o mal e lutaram por Morgoth e, depois da vitória dos Senhores do Oeste, aqueles que não foram destruídos fugiram de volta para o leste da Terra-média. Ali muitos dos de sua raça vagavam ainda pelas terras incultas, bravios e sem lei, recusando tanto os chamados de Fionwë quanto os de Morgoth para que os ajudassem em sua guerra. E os homens malignos que tinham servido a Morgoth se tornaram seus mestres; e as criaturas de Morgoth que escaparam da ruína das Thangorodrim surgiram em seu meio e lançaram sobre eles uma sombra de medo. Pois os deuses [> Valar] abandonaram por algum tempo os Homens da Terra-média que tinham recusado seus chamados e tomado os amigos de Morgoth para serem seus senhores; e os homens eram atormentados por muitas coisas malignas que Morgoth tinha engendrado nos dias de seu domínio: demônios, e dragões e feras disformes, e os orques imundos, que são arremedos das criaturas de Ilúvatar; e infeliz era a sorte dos homens.

Mas Manwë lançou fora a Morgoth, e o prendeu além do Mundo no Vazio que está fora dele; e Morgoth não consegue [> não conseguia] retornar outra vez ao Mundo, presente e visível, enquanto os Senhores estão [> os Senhores do Oeste estivessem] em seus tronos. Contudo, sua vontade permanece, e guia [> permanecia, e guiava] seus servos; e os impele [> impelia] sempre a buscar a derrubada dos deuses [> Valar] e o mal dos que a eles obedecem [> obedeciam]. Quando Morgoth foi lançado fora, os deuses [> Valar] celebraram concílio. Os Elfos [> Eldar] foram chamados a retornar ao Oeste; e aqueles que obedeceram habitaram uma vez mais em Eressëa, a Ilha Solitária; e aquela terra recebeu o novo nome de Avallon; pois está muito próxima de Valinor, e à vista do Reino Abençoado. Mas aos homens das três casas fiéis rica recompensa foi dada. Fionwë, filho de Manwë, apareceu no meio deles e lhes trouxe ensinamentos; e lhes deu sabedoria, e poder, e vida mais fortes do que quaisquer outros têm na raça mortal. [*Acrescentado*: e a duração de seus anos, estando intocados por doença, era três vezes aquela dos Homens da Terra-média, e aos descendentes de Húrin, o Resoluto, anos ainda mais longos foram concedidos, / chegando até a três centenas [> conforme se conta mais tarde].[1]

§2 Uma terra foi criada para que nela habitassem, a qual não era nem parte da Terra-média nem de Valinor; pois estava separada de ambas por um vasto mar, embora estivesse mais próxima de Valinor. Foi erguida por Ossë das profundezas da Grande Água, e estabelecida por Aulë e enriquecida por Yavanna; e os Eldar trouxeram para lá flores e fontes de Avallon, e lá fizeram jardins de grande beleza, nos quais por vezes os filhos dos Deuses [>Valar] iam caminhar. Àquela terra os Valar chamaram Andor, a Terra da Dádiva: e pelo seu próprio povo ela foi chamada, de início, Vinya, a Jovem; mas, nos dias de sua soberba, davam-lhe o nome de Númenor, isto é, Ociente, pois ficava a oeste de todas as terras habitadas por mortais; contudo, estava distante do verdadeiro Oeste, pois esse é Valinor, a terra dos Deuses. Mas a glória de Númenor foi posta abaixo [> derrubada], e seu nome pereceu; e depois de sua ruína recebeu o nome, nas lendas dos que fugiram dela, de Atalantë, a Decaída.

Em antanho a principal cidade e o grande porto daquela terra ficava em meio às suas costas ocidentais, e era chamada de Undúnië [> Andúnië],[2] porque estava voltada para o pôr-do-sol. Mas o lugar que cabia ao rei ficava em Númenos, no coração daquela terra, a torre e cidadela que tinha sido construída por Elros, filho de Ëarendel [> Ëarendil], a quem os deuses e elfos e homens escolheram para ser o senhor [> que [foi] designado para ser o primeiro senhor] dos Númenóreanos. Ele descendia tanto da linhagem de Hador quanto da de Bëor, pais de Homens, e em parte também tanto dos Eldar quanto dos Valar, pois Idril e Lúthien eram suas ancestrais. Mas Elros e todo o seu povo eram mortais; pois os Valar não podem retirar a dádiva da morte, que vem aos homens de Ilúvatar. [*Essa passagem, a partir de "Ele descendia...", foi riscada e substituída pelo seguinte trecho*: "Ora, Elrond, e Elros, seu irmão, descendiam tanto da linhagem de Hador quanto da de Bëor, pais de Homens, e em parte também tanto dos Eldar quanto dos Valar, pois Idril e Lúthien, filha de Melian, eram suas ancestrais. Nenhum outro entre os Homens dos Dias Antigos tinha parentesco com os Elfos, e por isso eles eram chamados de Meio-Elfos. Os Valar, de fato, não podem retirar a dádiva da morte, que vem aos Homens de Ilúvatar, mas na matéria dos Meio-Elfos Ilúvatar lhes concedeu o juízo. E isto é o que julgaram: a escolha caberia aos irmãos. E Elrond escolheu permanecer com os Primogênitos, e a ele a vida dos Primogênitos foi dada, e ainda se acrescentou uma graça: a de que a escolha nunca seria anulada, e que enquanto o mundo durasse ele poderia retornar, se desejasse, aos homens mortais, e assim morrer. Mas a Elros, que escolheu ser um rei de homens, ainda assim uma grande duração de vida foi concedida, sete vezes a dos homens mortais; e toda a sua linhagem, os reis e senhores da casa real de Númenor, [*acrescentado*: sendo descendentes de Húrin,] tinha vida longa mesmo de acordo com a idade dos Númenóreanos, pois alguns dos reis que se assentavam em Númenos viveram quatrocentos anos. Mas Elros viveu quinhentos anos, e regeu os Númenóreanos por quatrocentos anos e dez. Assim, embora longevos em vida, sem sofrer assédio de doença alguma, os homens de Númenor eram ainda mortais.] Contudo, a fala de Númenor era a fala dos Eldar do Reino Abençoado, e os Númenóreanos tinham colóquio com os Elfos, e lhes era permitido contemplar Valinor ao longe; pois seus navios iam amiúde a Avallon, e lá seus marinheiros tinham permissão para habitar por certo tempo.

§3 No decorrer do tempo, o povo de Númenor se tornou grande e glorioso, em todas as coisas mais semelhante aos Primogênitos do que quaisquer outras das gentes dos Homens; contudo, eram menos belos e menos sábios que os Elfos, ainda que maiores em estatura. Pois os Númenóreanos eram sobremaneira altos, mais do que os mais altos dos filhos dos homens na Terra-média. Acima de todas as artes cultivavam a construção de navios e os ofícios do mar, e se tornaram marinheiros que nunca mais terão semelhantes de novo, uma vez que o mundo decaiu. Suas jornadas iam de Eressëa, no Oeste, às costas da Terra-média, e chegavam até mesmo aos mares internos; e velejavam pelo Norte e pelo Sul e vislumbravam de suas altas proas os Portões da Manhã no Leste. E apareciam entre os homens selvagens e enchiam-nos de assombro e temor; pois os homens que viviam nas sombras do mundo julgavam que fossem deuses ou os filhos de deuses vindos do Oeste. Aqui e ali os Númenóreanos semeavam boa semente nas terras ermas, e ensinavam aos homens selvagens o conhecimento e a sabedoria que eram capazes de compreender; mas, em sua maior parte, os homens da Terra-média tinham medo e fugiam deles; pois estavam sob o jugo de Sauron e das mentiras de Morgoth e acreditavam que os deuses eram terríveis e cruéis. Donde, daquele tempo distante, descendem os ecos de lendas tanto luzentes quanto obscuras; mas a sombra jazia pesada sobre os homens, pois os Númenóreanos pouco vinham entre eles e nunca se demoravam muito em qualquer lugar. Sobre todas as águas do mundo velejavam, buscando não sabiam o quê, porém seus corações se voltavam ao rumo oeste; e começavam a ansiar pela ventura imorredoura de Valinor, e sempre o seu desejo e a sua inquietação aumentavam conforme seu poder e sua glória cresciam.

§4 Os deuses proibiram que eles velejassem além da Ilha Solitária e não permitiam que desembarcassem em Valinor; pois os Númenóreanos eram mortais e, embora os Senhores do Oeste lhes tivessem recompensado com vida longa, não podiam tirar deles o cansaço do mundo que vem afinal, e eles morriam, até mesmo seus reis da semente de Ëarendel, e a duração de sua vida era breve aos olhos dos Elfos. E começaram a murmurar contra esse decreto, e um grande descontentamento cresceu entre eles. Seus mestres do conhecimento buscavam incessantemente segredos que pudessem prolongar suas vidas; e enviaram espiões que buscavam saber oculto em Avallon; e os deuses se enraiveceram.

§5 Ora, veio a se passar [*acrescentado*: nos dias de Tar-kalion, e doze reis tinham governado aquela terra antes dele,][3] que Sauron, serviçal de Morgoth, tornou-se forte na Terra-média; e ele soube do poder e esplendor dos Númenóreanos, e de sua lealdade aos deuses; e temeu que eles viessem e arrancassem dele o domínio do Leste e resgatassem os homens da Terra-média da Sombra. E o rei, de seus marinheiros, ouviu também rumores sobre Sauron, e lhe foi relatado que ele queria fazer de si um rei, maior até mesmo que o rei de Númenor. Donde, sem obter conselho algum dos deuses ou dos Elfos, Tar-kalion, o rei, mandou seus mensageiros a Sauron e ordenou que viesse e lhe prestasse homenagem. E Sauron, estando repleto de malícia e astúcia, humilhou-se e veio; e iludiu os Númenóreanos com sinais e prodígios. Pouco a pouco, Sauron voltou-lhes os corações na direção de Morgoth, seu mestre; e profetizou diante deles, e mentiu, dizendo que Morgoth viria de novo ao mundo. E Sauron falou a Tar-kalion, e a Tar-ilien, sua rainha, e lhes prometeu vida interminável e o domínio da terra, caso se voltassem para Morgoth. E acreditaram nele, e caíram sob a Sombra, e a maior parte de seu povo os seguiu. E Tar-kalion erigiu um grande templo a Morgoth sobre a Montanha de Ilúvatar no meio da terra; e Sauron habitou lá, e toda Númenor estava sob sua vigilância. [*Essa passagem, desde "sobre a Montanha de Ilúvatar...", foi riscada e substituída pelo seguinte*: no meio da cidade de Númenos,[4] e seu domo se erguia como uma colina negra contemplando raivosa toda a terra; e fumos saíam dele, pois naquele tempo os Númenóreanos faziam horrendo sacrifício a Morgoth, implorando ao Senhor das Trevas para livrá-los da Morte. Mas o lugar consagrado de Ilúvatar ficava sobre o cume da Montanha de Menelmin, Pilar do Céu, no meio da terra, e ali os homens costumavam subir para oferecer ação de graças. Ali apenas, em toda Númenor, Sauron não usou nunca pôr pé, e proibiu [que qualquer um] fosse até lá, sob pena de morte. Poucos ousavam desobedecê-lo, mesmo se o desejassem, pois Sauron tinha muitos olhos, e todos os caminhos da terra estavam sob sua vigilância. Mas alguns havia que permaneceram fiéis, e não se curvaram a ele, e desses o principal era Elendil, o belo, e seus filhos Anárion e Isildur, e eles eram do sangue real de Ëarendel, embora não o da direta linhagem.]

§6 Mas, com a passagem dos anos, Tar-kalion sentiu que se aproximava a idade avançada, e turbou-se; mas Sauron disse que a mercê de Morgoth fora retida pelos deuses, e que para obter plenitude de poder e liberdade da morte o rei precisava ser senhor do Oeste. E o medo da morte jazia pesado sobre Tar-kalion. Portanto, à sua ordem, os Númenóreanos construíram grandes armamentos; e seu poder e engenho haviam crescido sobremaneira naqueles dias, pois tinham, em tais matérias, o auxílio de Sauron. As frotas dos Númenóreanos eram como uma terra de muitas ilhas, e seus mastros eram como uma floresta de árvores das montanhas, e suas bandeiras como as nuvens de uma grande tempestade, e suas velas eram escarlates e negras. E seguiram lentamente para o Oeste, pois todos os ventos se detiveram, e todo o mundo estava em silêncio pelo medo daquela hora. E cercaram Avallon; e conta-se que os Elfos se enlutaram e que uma enfermidade lhes sobreveio, pois a luz de Valinor foi barrada pela nuvem dos Númenóreanos. Então Tar-kalion assediou as costas de Valinor, e lançou sobre ela coriscos de trovão, e o fogo caiu sobre Túna, e chamas e fumaça se ergueram à volta de Taniquetil.

§7 Mas os deuses não deram resposta. Então a vanguarda dos Númenóreanos pôs pé nas costas proibidas, e eles acamparam em ordem de batalha nas fronteiras de Valinor. Mas o coração de Manwë estava cheio de tristeza e desânimo, e ele invocou a Ilúvatar, e obteve poder e conselho do Criador; e o fado e a feição do mundo foram mudados. O silêncio dos deuses foi rompido e o seu poder se fez manifesto; e Valinor foi separada da terra, e um corte apareceu em meio ao Grande Mar, a leste de Avallon.

Nessa cava o Grande Mar mergulhou, e o ruído das águas que caíam encheu toda a terra, e o vapor das cataratas se ergueu acima dos topos das montanhas sempiternas. Mas todos os navios de Númenor que estavam a oeste de Avallon foram atraídos para dentro do abismo, e foram submersos; e Tar-kalion, o dourado, e a luzente Ilien, sua rainha, caíram como estrelas na escuridão, e pereceram além de todo conhecimento. Mas os guerreiros mortais que tinham posto pé sobre a Terra dos Deuses foram enterrados debaixo de colinas que desabavam; conta-se que ali jazem aprisionados, nas Cavernas dos Esquecidos, até o dia do Juízo e a Última Batalha.

§8 Então Ilúvatar lançou adiante os Grandes Mares a oeste da Terra-média e as Terras Vazias a leste dela, e novas terras e novos mares foram feitos; e o mundo foi diminuído, pois Valinor e Eressëa foram tirados dele e levados ao reino das coisas ocultas. E dali em diante, por mais que um homem velejasse, nunca mais poderia achar o Verdadeiro Oeste, mas voltaria exausto, por fim, ao lugar de seu início; pois todas as terras e mares estavam igualmente distantes do centro da terra. Houve enchente e grande confusão d'águas naquele tempo, e o mar cobriu muito do que nos Dias Antigos fora região seca, tanto no Oeste quanto no Leste da Terra-média.

§9 Númenor, estando próxima do leste do grande abismo, foi completamente derribada, e sobrepujada pelo mar, e sua glória pereceu, e só um remanescente de todo o seu povo escapou da ruína daqueles dias. Alguns por ordem de Tar-kalion, e alguns por sua própria vontade (porque ainda reverenciavam os deuses e não desejavam ir guerrear no Oeste) tinham ficado para trás quando as frotas içaram vela, e se sentaram em seus navios na costa leste da terra, para o caso de que a guerra tivesse mau fim. Portanto, estando protegidos por algum tempo pela muralha de sua terra, evitaram a força do mar; e muitos fugiram para o Leste, e chegaram afinal às costas da Terra-média.

Pequeno remanescente de todo o povo poderoso que tinha perecido foi aquele que veio do mar devorador sobre as asas dos ventos da ira, e despidos estavam eles de seu orgulho e poder de outrora. Mas, para aqueles que observavam das colinas da costa e contemplaram sua chegada, cavalgando a tempestade vindos da bruma e das trevas e do estrépito das águas, suas velas negras contra o sol poente, terríveis e fortes eles pareciam, e o temor daqueles altos reis chegou a terras distantes do mar.

§10 Pois senhores e reis de homens os Númenóreanos se tornaram, e perto das costas do oeste da Terra-média estabeleceram reinos e lugares fortificados. Alguns poucos eram, de fato, malignos, sendo daqueles que tinham dado ouvidos a Sauron e ainda não o tinham abandonado em seus corações; mas a maioria era daqueles de boa vontade, que tinham reverenciado os deuses e se recordavam da sabedoria de outrora. Contudo, todos estavam igualmente cheios do desejo de ter longa vida sobre a terra, e o pensamento da morte pesava sobre eles. Seu fado os havia lançado no leste, sobre a Terra-média, mas seus corações ainda se voltavam para o oeste. E construíram mais magnas casas para os seus mortos do que para os seus vivos, e dotaram seus reis enterrados com tesouro inacessível; pois seus homens sábios tinham ainda a esperança de descobrir o segredo de prolongar a vida, e quiçá o de trazê-la de volta. Contudo, diz-se que a duração de suas vidas, que tinha sido outrora três vezes a de homens menores, decresceu lentamente; e alcançaram apenas a arte de preservar incorrupta a carne morta dos homens. Donde os reinos do mundo ocidental se tornaram um lugar de tumbas e ficaram cheios de fantasmas. E, na fantasia de seus corações, em meio à confusão das lendas acerca de coisas meio esquecidas que antes tinham existido, imaginaram em seu pensamento uma terra de sombras, cheia dos espectros das coisas que existem na terra mortal; e muitos julgavam que essa terra ficava no Oeste e era regida pelos deuses, e que em sombra os mortos haviam de ir até lá, carregando consigo as sombras de suas posses, já que em corpo não podiam mais achar o Verdadeiro Oeste. Portanto, em dias posteriores, muitos enterravam seus mortos em navios, lançando-os em pompa sobre o mar nas costas ocidentais do mundo antigo.

§11 Ora, o sangue dos Númenóreanos se manteve mormente entre os homens daquelas terras e costas do oeste; e a memória do mundo primevo habitava mais fortemente ali, onde as antigas sendas para o Oeste, em antanho, saíam da Terra-média. Pois as antigas linhas do mundo permaneciam na mente de Ilúvatar, e no pensamento dos deuses, e na memória do mundo, como uma forma e um plano que foi alterado, e ainda assim subsiste. E já foram comparadas a uma planície de ar, ou a uma visão reta que não se conforma à curvatura da terra, ou a uma ponte nivelada que se ergue lentamente acima do ar pesado. Outrora muitos dos exilados de Númenor conseguiam ainda ver, alguns claramente e outros de modo mais tênue, as sendas para o Verdadeiro Oeste; e acreditavam que por vezes, de um lugar alto, conseguiam descortinar os picos de Taniquetil no final da Rota Reta, muito acima do mundo. Portanto, construíram torres muito altas naqueles dias, e seus lugares sacros ficavam sobre os topos das montanhas, pois queriam subir, se possível, acima das brumas da Terra-média e chegar ao ar mais claro, que não vela a visão das coisas distantes.

§12 Mas cada vez mais o número daqueles que tinham a antiga visão se esvaía, e aqueles que não a tinham e não a podiam conceber em seu pensamento escarneciam dos construtores de torres, e confiavam em navios que velejavam sobre a água. Mas chegavam apenas às terras do novo mundo, e as acharam semelhantes ao antigo e sujeitas à morte; e relataram que o mundo era redondo. Pois pela Rota Reta apenas os deuses podiam caminhar, e apenas os navios dos Elfos podiam viajar; pois, sendo reta, aquela rota passava através do ar da respiração e do voo e se erguia acima dele, e atravessava Ilmen, no qual carne mortal nenhuma é capaz de subsistir; enquanto a superfície da terra estava curva, e curvos estavam os mares que jaziam sobre ela, e curvos também estavam os ares pesados que havia acima deles. Contudo, diz-se que mesmo entre aqueles Númenóreanos de outrora que tinham a visão reta havia alguns que não compreendiam isso, e se ocuparam em construir navios que se erguessem acima das águas do mundo e se mantivessem nos mares imaginados. Mas obtiveram apenas navios que navegavam no ar da respiração. E esses navios, voando, chegaram também às terras do novo mundo, e ao leste do velho mundo; e eles relataram que o mundo era redondo. Portanto, muitos abandonaram os deuses e os retiraram de suas lendas. Mas os homens da Terra-média olharam para o alto com medo e assombro, vendo os Númenóreanos que desciam do céu; e fizeram desses marinheiros do ar seus deuses, e alguns dos Númenóreanos estavam contentes que assim fosse.

§13 Contudo, nem todos os corações dos Númenóreanos tinham se pervertido; e o conhecimento acerca dos dias anteriores à Queda e da sabedoria legada pelos Amigos-dos-Elfos, seus pais, foi por muito tempo preservado no meio deles. E os mais sábios ensinavam que o fado dos Homens não era circunscrito pela rota redonda, nem disposto para sempre na reta. Pois a redonda não tem fim, mas também não tem escapatória; e a reta é verdadeira, mas tem um fim dentro do mundo, e esse é o fado dos Elfos. Mas o fado dos Homens, diziam eles, não é nem curvo nem está terminado, e não fica completo dentro do mundo.

Mas mesmo a sabedoria dos sábios estava cheia de tristeza e arrependimento; e recordavam amargamente como a ruína veio a ocorrer, assim como a separação dos Homens de sua parte na Rota Reta. Portanto, evitavam a sombra de Morgoth, de acordo com suas forças, e a Sauron tinham ódio. E assediaram os templos dele e seus serviçais, e houve guerras entre os poderosos da Terra-média, das quais apenas os ecos ora restam.

A seção (§14) que conclui as versões anteriores de *A Queda de Númenor* acerca de Beleriand (ver p. 397) foi omitida no texto QdN III.

Aceitando-se a conclusão (ver p. 397) de que a versão aqui apresentada, conforme foi originalmente escrita, vem de um estágio muito anterior da escrita de *O Senhor dos Anéis* do que *Os Documentos do Clube Notion*, parece quase certo que as alterações e adições feitas nele correspondem ao período dos *Documentos* e de *A Submersão de Anadûnê*. A principal evidência disso[5] está no acréscimo a §5 afirmando que Tar-kalion era o décimo-terceiro rei de Númenor, e na correção da descrição do templo: ele não ficava na Montanha de Ilúvatar, mas "no meio da cidade de Númenos" (ver notas 3 e 4).

A característica mais marcante e, de fato, impressionante desses acréscimos posteriores ao texto QdN III é a afirmação no §2 de que enquanto "a vida dos Primogênitos" foi dada a Elrond de acordo com sua escolha, "ainda se acrescentou uma graça: a de que a escolha nunca seria anulada, e que enquanto o mundo durasse ele poderia retornar, se desejasse, aos homens mortais, e assim morrer." Até onde vai meu conhecimento presente, nada parecido é dito em outros textos sobre a Escolha de Elrond; basta comparar o trecho com o Apêndice A (I, i) de *O Senhor dos Anéis*: "No fim da Primeira Era os Valar deram aos Meio-Elfos *uma escolha irrevogável* sobre a gente à qual iriam pertencer". Essa passagem em QdN III acerca de

Elrond e Elros reapareceu anos mais tarde no *Akallabêth*, mas com a frase em questão removida (*O Silmarillion*, p. 344).

NOTAS

[1] Sobre o tempo de vida triplicado dos Númenóreanos, ver p. 449, §13. — *Os descendentes de Húrin, o Resoluto*: presumivelmente uma troca não intencional do nome de Huor, pai de Tuor, pai de Eärendil; mas *Húrin* aparece de novo no acréscimo ao §2. Cf. a nota em VII. 13, "Troteiro é um homem da raça de Elrond, descendente de Túrin", onde *Túrin* presumivelmente quer dizer *Tuor*.

[2] *Undúnië*: *Andúnië* é a forma em QdN II, mas no texto datilografado por amanuense feito a partir de QdN II (V. 43) a forma foi mudada para *Undúnië*.

[3] Tar-kalion se tornou o décimo-quarto (e não o décimo-terceiro) rei de Númenor por meio da correção do segundo texto de *A Submersão de Anadûnê* (ver p. 452, §20).

[4] Sobre a incerteza acerca do local do templo, ver p. 456, §32.

[5] Na parte de trás do pedaço de papel que leva o longo acréscimo a §2 acerca de Elrond e Elros estão anotações rápidas nas quais há uma referência à língua adûnaica, mas não é possível datá-las.

(ii) O texto original de A Submersão de Anadûnê

Ficará bastante evidente que *A Submersão de Anadûnê* estava associada de modo tão estreito com a Parte Dois de *Os Documentos do Clube Notion* quanto a *Queda de Númenor* original estava ligada à *Estrada Perdida*. Apresentarei primeiro o esboço original e deixarei as observações sobre ele para a conclusão.

O esboço é um texto datilografado com extremo descuido, com uma grande quantidade de erros de datilografia, e tenho poucas dúvidas de que meu pai, por alguma razão, e pela primeira vez, compôs um esboço primário inteiramente *ab initio* numa máquina de escrever, datilografando às pressas. Certamente não há traço nenhum, em meio a toda essa grande coleção de textos e notas, de nenhuma narrativa ainda mais "primária" (embora haja esboços preliminares que serão apresentados mais tarde, p. 473 e seguintes). Publico aqui o texto essencialmente tal como foi datilografado, corrigindo os erros óbvios e, aqui e ali, inserindo a pontuação, mas ignorando correções subsequentes. Tais correções se restringem principalmente aos parágrafos de abertura, depois do qual cessam; parece que meu pai percebeu que seria impossível realizar uma reescrita completa num texto datilografado com espaço simples e margens estreitas. De qualquer modo, essas correções foram adotadas no segundo texto, que também apresento em sua totalidade. Um nome que foi alterado sempre, entretanto, é *Balãi* > *Avalãi*, isso até §16, onde *Avalãi* aparece no texto datilografado sem mudanças. Usei as marcas de duração nas vogais* ao longo de todo o texto: como a máquina de escrever de meu pai não tinha essas marcas, ele as inseria com lápis e com frequência as omitia.

Os parágrafos numerados não têm, é claro, nenhuma relação com o manuscrito: fui eu que os inseri para facilitar referências e comparações subsequentes. Este primeiro texto tem, de fato, poucas divisões de parágrafos, e as que fiz dependem principalmente da versão seguinte.

Vou me referir a este texto, daqui por diante, com a sigla "**SA I**". Não tinha título quando foi datilografado, mas *A Submersão de Númenor* foi colocado a lápis depois.

§1 Antes da vinda dos Homens havia muitos Poderes que governavam a Terra, e eles eram Eru-bēnī, serviçais de Deus, e na mais antiga língua registrada eram chamados de Balāi. Alguns eram menores e outros eram maiores. O mais poderoso e o chefe de todos eles era Mēlekō.

§2 Mas, muito tempo atrás, durante a própria criação da Terra, ele ponderou o mal; tornou-se um rebelde contrário a Eru, desejando o mundo inteiro para si, sem ter ninguém acima dele. Portanto, Manawē, seu irmão, procurou reger a terra e os Poderes de acordo com a vontade de Eru; e Manawē habitou no Oeste. Mas Mēlekō ali permaneceu, habitando escondido no Norte, e operou o mal, e tinha o maior poder, e as Grandes Terras se fizeram escuras.

§3 E, no tempo determinado, os Homens nasceram no mundo, e vieram num tempo de guerra; e caíram rapidamente sob o domínio de Mēlekō. E então ele se revelou e apareceu como um Grande Rei e como um deus, e seu senhorio era maligno, e a adoração a ele, impura; e os Homens se alienaram de Eru e dos Balāi, seus serviçais.

§4 Mas houve alguns dos pais dos Homens que se arrependeram, vendo o mal do Rei Mēlekō, e suas casas retornaram, em

*Essas marcas são o traço (mácron) em cima das vogais, que serve para indicar que se trata de uma vogal longa, ou seja, que deve ser pronunciada com o dobro da duração de uma vogal normal breve. [N.T.]

tristeza, à lealdade a Eru, e eles se tornaram amigos dos Balãi, e foram chamados de Eruhil, os filhos de Deus. E os Balãi e os Eruhil fizeram guerra a Mēlekō, e naquele tempo destruíram seu reino e derribaram seu trono negro. Mas Mēlekō não foi destruído, e mais uma vez, por algum tempo, escondeu-se, sem ser visto pelos Homens. Mas seu mal ainda estava sempre a operar, e reis cruéis e templos malignos surgiam sempre no mundo, e a maior parte da Gente dos Homens passou a servi-lo; e fizeram guerra aos Eruhil.

§5 E os Balãi, cheios de tristeza, recuaram cada vez mais para o oeste (ou, se não o faziam, desvaneciam e se tornavam vozes secretas e sombras dos dias de outrora); e a maior parte dos Eruhil os seguiu. Embora se conte que alguns desses homens bons, povo simples, pastores e outros semelhantes, habitavam no coração das Grandes Terras.

§6 Mas todos os mais nobres dos Eruhil e aqueles de amizade mais estreita com os Balãi, que mais haviam ajudado na guerra contra o Trono Negro, vagaram para longe, até que chegaram, por fim, às últimas costas dos Grandes Mares. Ali se detiveram e ficaram cheios de temor e anelo; pois os Balãi, em sua maior parte, passaram através do mar, buscando o reino de Manawē. E ali, instruídos pelos Balãi, os homens aprenderam a arte de construir barcos e de velejar ao vento; e construíram muitos barcos pequenos. Mas não ousavam se arriscar nas águas profundas, e suas jornadas eram mormente pelas costas e em meio às ilhas mais próximas.

§7 E foi por seus barcos que foram salvos. Pois os homens malignos se multiplicaram naqueles dias e perseguiram os Eruhil, cheios de ódio; e os homens malignos, inspirados pelo maligno espírito de Mēlekō, tornaram-se astutos e cruéis nas artes da guerra e no fazer de muitas armas; e os Eruhil muito sofriam para manter alguma terra na qual habitar.

§8 E naqueles dias sombrios de medo e guerra surgiu um homem entre os Eruhil, e seu nome era Earendil, o Amigo-do-mar, pois seu denodo no mar era grande. E entrou em seu coração que iria construir um navio maior do que qualquer um que já tivesse sido construído, e que velejaria pelas águas profundas e chegaria, quiçá, à terra de Manawē e lá obteria ajuda para sua gente. E mandou construir um grande navio e o chamou de Wingalōtē,[1] a Flor-de-espuma.

§9 E, quando tudo estava pronto, disse adeus a seus filhos e à sua esposa e a toda a sua gente; pois intentava viajar só. E disse:

"É possível que nunca me vejais de novo e, se não me virdes, então continuai vossa guerra, e resisti até o fim. Mas, se eu não falhar em minha demanda, então também pode ser que não me vejais de novo, mas um sinal vereis, e então tende esperança."

§10 Mas Earendel[2] passou através do Grande Mar e chegou ao Reino Abençoado e falou a Manawē.

§11 [*Trecho rejeitado de imediato*: E Manawē disse que não tinha agora o poder de guerrear contra Mēlekō, o qual, ademais, era de direito o governante da Terra, embora seu direito pudesse, ao que parecia, ter sido destruído por sua rebelião; e que a governança da terra agora estava na mão de] E Manawē disse que Eru tinha proibido os Balāi de fazer guerra pela força; e que a terra estava agora nas mãos dos Homens, para construir ou destruir. Mas, por causa do arrependimento e da fidelidade dos Eruhil, eles dar-lhes-ia, como lhe era permitido, uma terra onde habitarem, se desejassem. E aquela terra era uma ilha magna em meio ao mar. Mas Manawē não permitiria que Earendil retornasse de novo no meio dos Homens, já que tinha posto pé no Reino Abençoado, onde até então nenhuma Morte chegara. E tomou o navio de Earendil e o encheu com chama prateada e o ergueu acima do mundo para que velejasse no céu, uma maravilha a ser contemplada.

§12 E os Eruhil nas costas do mar contemplaram a luz dele; e souberam que era o sinal de Earendil. E esperança e coragem nasceram em seus corações; e reuniram seus navios, pequenos e grandes, e todos os seus bens, e içaram vela sobre as águas calmas, seguindo a estrela. E houve uma grande calmaria naqueles dias, e todos os ventos foram detidos. E os Eruhil chegaram à terra que tinha sido disposta para eles, e a acharam bela e fecunda, e ficaram contentes. E chamaram àquela terra Andōrē,[3] a terra da Dádiva, embora mais tarde ela fosse chamada mormente de Nūmenōrē, Ociente.

§13 Mas não foi desse modo que os Eruhil escaparam à sina da morte, que tinha sido promulgada para toda a Gente dos Homens; e ainda eram mortais; embora, por sua fidelidade, fossem recompensados com um tempo de vida tríplice, e seus anos fossem longos e ditosos e imperturbados por doença, enquanto permaneceram leais. E os Nūmenōreanos se tornaram sábios e belos e gloriosos, os mais poderosos dos homens que já existiram; mas seu número não era grande, pois seus filhos eram poucos.

§14 E estavam sob a tutela dos Balāi, e adotaram a língua dos Balāi e abandonaram a sua própria; e escreveram muitas coisas de saber e beleza naquela língua no ápice de seu reino, das quais mui poucas agora são recordadas. E se tornaram poderosos em todos os ofícios, de modo que, se o tivessem em mente, poderiam facilmente ter sobrepujado os reis malignos da Terra-média no fazer de armas e na guerra; mas eram, por ora, homens de paz; e de todas as artes eram mais ávidos no ofício da armação de navios, e no viajar estava o principal feito e deleite de seus homens mais jovens.

§15 Mas os Balāi ainda lhes proibiam velejar a oeste e ficar longe da vista das costas ocidentais de Nūmenōr: e os Nūmenōreanos, por ora, estavam contentes, embora não entendessem plenamente o propósito desse interdito. Mas esse propósito era o de que os Eruhil não fossem tentados a vir até o Reino Abençoado e lá aprender o descontentamento, ficando enamorados da imortalidade dos Balāi, e da ausência de morte de todas as coisas na terra deles.

§16 Pois, por ora, os Balāi tinham permissão de Eru para manter sobre a terra, sobre alguma ilha ou costa das terras do oeste ainda não exploradas (não se sabe ao certo onde; pois Earendel apenas entre os Homens jamais chegou até lá e nunca mais retornou) um lugar de morada, um paraíso terrestre e um memorial daquilo que poderia ter sido, caso os homens não se tivessem voltado para Mēlekō. E os Nūmenōreanos deram àquela terra o nome de Avallondē, o Porto dos Deuses, pois por vezes, quando todo o ar estava claro e o sol estava no leste, podiam descortinar, como a eles parecia, uma cidade alva-brilhante numa costa longínqua, e grandes ancoradouros e uma torre; mas apenas quando o próprio porto ocidental deles, Andūniē de Nūmenōr, estava baixo no horizonte, e não ousavam romper a interdição e velejar mais para oeste. Mas para Nūmenōr os Avalāi vinham de quando em vez, as crianças e os menos poderosos entre o Povo Sem-morte, ora em barcos sem remos, ora feito aves voando, ora em outras formas belas; e eles amavam os Nūmenōreanos.

§17 E assim foi que as viagens dos homens de Ociente naqueles dias eram para o leste e não para o oeste, da escuridão do Norte até os calores do Sul e além, até a escuridão inferior. E os Eruhil vinham amiúde às costas das Grandes Terras, e tinham piedade do mundo abandonado da Terra-média; e os jovens príncipes dos Nūmenōreanos vinham no meio dos homens das Eras Sombrias, e lhes ensinavam linguagem (pois as línguas nativas dos homens da Terra-média eram ainda rudes e informes) e canção, e muitas artes, na medida em que as compreendiam, e lhes traziam grão e vinho.

§18 E os homens da Terra-média foram confortados, e em alguns lugares se desembaraçaram em parte do jugo dos rebentos de Mēlekō; e reverenciavam a memória dos Homens vindos do Mar e lhes chamavam Deuses, pois naquele tempo os Nūmenōreanos não se fixavam na Terra-média nem nela habitavam por muito tempo. Pois, embora seus pés estivessem voltados para leste, seus corações se voltavam sempre para oeste.

§19 Contudo, por fim, toda essa ventura e melhora resultou em mal de novo, e os homens caíram, como se diz, uma segunda vez. Pois surgiu uma segunda manifestação do poder das trevas sobre a terra e, se aquela era não mais que uma forma da Antiga ou um de seus velhos serviçais que cresceu e ganhou nova força, não se sabe. E essa coisa maligna era chamada de muitos nomes, mas os Eruhil lhe deram o nome de Sauron, e os homens da Terra-média (quando ousavam dizer seu nome de algum modo) lhe chamavam mormente de Zigūr, o Grande. E ele fez de si um grande rei no meio da terra, e era, a princípio, de bom semblante e justo, e seu governo era benéfico para todos os homens em suas necessidades do corpo; pois tornou ricos àqueles que o quisessem servir. Mas aqueles que não o quiseram foram expulsos para os lugares ermos. Contudo, Zigūr desejava, como Mēlekō antes dele, ser tanto um rei acima de todos os reis quanto um deus para os homens. E devagar seu poder se espalhou para o norte e o sul, e cada vez mais para o oeste; e ouviu sobre a vinda dos Eruhil e se enfureceu. E planejou em seu coração como poderia destruir Nūmenōr.

§20 E notícias chegaram também a Nūmenōr e a Tarkalion, o rei, herdeiro de Earendel (pois esse título tinham todos os reis de Nūmenōr, e eles eram de fato descendentes, em linhagem ininterrupta, de Elros, o filho de Earendel), sobre Zigūr, o Grande, e sobre como ele tinha o propósito de se tornar mestre de toda a Terra-média e, depois, do mundo inteiro. E Tarkalion se enraiveceu, pois os reis de Nūmenōr tinham se tornado cheios de glória e soberbos naquele tempo.

§21 E, nesse meio tempo, o mal, do qual havia muito os pais deles tinham provado, embora tivessem depois se arrependido, despertou de novo nos corações dos Eruhil; pois o desejo da vida sempiterna e de escapar da morte lhes sobreviera cada vez mais potente conforme sua sorte na terra de Nūmenōr se tornava mais ditosa.

E começaram a murmurar em seus corações (e, por vezes, mais abertamente) contra a sina dos homens; e especialmente contra aquela interdição que lhes proibia velejar para o oeste ou visitar o Reino Abençoado.

§22 "Por que, pois, os Avalāi deveriam se sentar em paz interminável lá", disseram eles, "enquanto nós temos de morrer e ir aonde não sabemos, deixando nosso próprio lar; pois a falha não foi nossa no princípio; e não é o autor do mal, o próprio Mēlekō, um dos Avalāi?"

§23 E os Avalāi, sabendo o que se dizia, e vendo a nuvem do mal crescer, entristeceram-se, e vinham menos a Nūmenōr; e aqueles que vinham falaram claramente aos Eruhil; e tentaram ensinar a eles sobre a feição e o fado do mundo, dizendo que o mundo era redondo e que, se eles velejassem rumo ao último Oeste, ainda assim apenas voltariam de novo ao Leste e, desse modo, aos lugares de sua partida, e o mundo parecer-lhes-ia não mais que uma prisão.

§24 "E assim é para aqueles de vossa estranha raça", disseram os Avalāi. "E Eru não pune sem benefício; nem são suas mercês sem severidade. Pois nós (dizeis) não somos punidos e habitamos para sempre em ventura; e assim é que não morremos, mas não podemos escapar, e estamos atados a este mundo, para nunca mais o deixar, até que tudo seja transformado. E vós (murmurais) sois punidos, e assim é que morreis, mas escapais e deixais o mundo e não estais atados a ele. Qual de nós, portanto, deveria invejar o outro?

§25 "Vós a nós, talvez, pois de vós se requer a maior confiança, não sabendo o que jaz adiante dentro de pouco tempo. Mas, ainda que não saibamos nada da mente de Eru sobre isso (pois ele não revelou coisa alguma de seu propósito convosco aos Avalāi), dizemos a vós que essa confiança, se a derdes, não será desprezada; e que, embora leve muitas idades dos Homens, e esteja ainda além da vista dos Avalāi, Iluvatar, o Pai, não deixará que pereçam para sempre aqueles que o amam e amam o que mundo que Ele fez."

§26 Mas apenas uns poucos dos Nūmenōreanos deram ouvidos a esse conselho. Pois lhes parecia duro, e desejavam escapar da Morte em seus próprios dias, e acabaram alienando-se dos Avalāi, e esses agora não vinham mais a Nūmenōr, salvo raramente e em segredo, visitando aqueles poucos dos fiéis. Dos quais os principais eram um certo Amardil e seu filho Elendil (que era chamado também de Earendil por causa de seu amor pelo mar, e porque seu pai, ainda que não fosse da linhagem mais velha dos que se sentavam sobre o trono de Nūmenōr, era também do sangue de Earendil de antanho).

§27 Mas Tarkalion, o rei, caiu num ânimo maligno, e a adoração a Eru sobre o lugar alto na montanha de Meneltyūlā, no meio da terra, foi negligenciada naqueles dias.

§28 Mas Tarkalion, ouvindo falar de Sauron, determinou, sem conselho dos Avalāi, exigir dele vassalagem e homenagem; pois pensou que nenhum rei tão poderoso [poderia] jamais surgir a ponto de competir com os senhores de Nūmenōr; e começou, naquele tempo, a forjar grande acúmulo de armas de guerra, e mandou construir grandes navios; e velejou para o leste e desembarcou na Terra-média, e ordenou que Sauron viesse e lhe prestasse homenagem. E Sauron veio, pois ainda não considerava que era o tempo de impor sua vontade a Nūmenōr, e estava, talvez, não pouco assombrado com a majestade dos reis dos homens; e era matreiro. E se humilhou e parecia ser, em todas as coisas, belo e sábio.

§29 E entrou no coração de Tarkalion, o Rei, que, para melhor guarda de Sauron e de suas novas promessas de fidelidade, ele deveria ser trazido a Nūmenōr como refém real. E a isso Sauron assentiu de boa vontade, pois se afinava a seu próprio desejo. E Sauron, contemplando Nūmenōr nos dias de sua glória, ficou de fato assombrado; mas, no fundo de seu coração, ficou ainda mais repleto de ódio.

§30 Tais eram seu engenho e sua astúcia que não demorou para que se tornasse o mais próximo conselheiro do Rei; e devagar uma mudança sobreveio à terra, e os corações dos Fiéis, os Avaltiri, ensombreceram-se.

§31 Pois, com sutis argumentos, Sauron contrariava tudo o que os Avalāi tinham ensinado. E incitou os Nūmenōreanos a pensar que o mundo não era um círculo fechado; e que dentro dele havia muitas terras ainda a serem conquistadas, nas quais havia riqueza incontável; e, mesmo quando chegassem ao fim dele, havia o Escuro do lado de fora, da qual tinham vindo todas as coisas. "E o Escuro é o Reino do Senhor de Tudo, Mēlekō, o Grande, que fez este mundo a partir da escuridão primeva. E só a Escuridão é verdadeiramente sagrada", disse ele.

§32 E Tarkalion, o Rei, voltou-se para a adoração do Escuro e de Mēlekō, o Senhor dela. E o Meneltyūlā ficou deserto naqueles dias, e ninguém podia subi-lo sob pena de morte, nem mesmo aqueles dos fiéis que ainda mantinham Eru em seus corações. Mas Sauron mandou construir, sobre uma colina em meio à cidade dos Nūmenōreanos, Antirion, a Dourada, um grande templo; e ele tinha a forma de um círculo no chão, e seus muros tinham a largura de cinquenta pés, e eram coroados com um magno domo, e esse era todo feito de prata, mas a prata era negra. E essa foi a mais magna das obras dos Nūmenōreanos, e a mais maligna, e os homens tinham medo de sua sombra. E do topo do domo, onde havia uma abertura ou grande lanternim, saía de quando em vez fumaça, e isso com cada vez mais frequência conforme o mal de Sauron crescia. Pois ali os homens sacrificavam a Mēlekō com derramamento de sangue e tormento e grande crueldade; e amiúde eram aqueles entre os fiéis os escolhidos como vítimas. Mas nunca abertamente sob acusação de que não adoravam a Mēlekō; antes, buscava-se contra eles a causa de que odiavam o Rei ou, falsamente, que tramavam contra sua gente e engendravam mentiras e venenos.

§33 E mesmo com tudo isso a Morte não partiu daquela terra. Antes, vinha mais cedo e mais amiúde e em forma horrenda. Pois enquanto outrora os homens tinham envelhecido devagar, e se deitado como se para dormir no fim, quando estavam cansados, afinal, deste mundo, agora a loucura e a enfermidade os assediavam e, contudo, tinham medo de morrer e sair para o escuro, o reino do senhor que tinham adotado. E os homens fabricaram armas naqueles dias, e matavam um ao outro por escassos motivos.

§34 Entretanto, parecia que prosperavam. Pois sua riqueza aumentou grandemente com a ajuda de Sauron, e construíam navios cada vez maiores. E velejavam para a Terra-média para obter novas riquezas; mas não vinham mais como os que trazem presentes, mas como homens de guerra. E caçavam os homens da Terra-média e os escravizavam e tomavam seus bens; mas construíram fortalezas e grandes tumbas sobre as costas do oeste naqueles dias. E os homens os temiam, e a memória dos reis bondosos dos Dias Antigos se desvaneceu no mundo, e a ela se sobrepuseram muitas lendas de horror.

§35 Assim se ensoberbeceu Tarkalion, o Rei, até se tornar o mais poderoso tirano que já se tinha visto no mundo desde o reinado de Mēlekō; e, contudo, mesmo assim, ele sentia a sombra da morte se aproximar conforme seus dias passavam. E ficou cheio de raiva e de medo. E então veio a hora que Sauron tinha planejado. Pois falou então ao Rei dizendo o mal acerca de Eru, afirmando que era não mais que um espectro, uma mentira arquitetada pelos Avalãi para justificar sua própria inação e cobiça; e que os Avalãi retinham a dádiva da vida sempiterna por avareza e medo, para que os reis dos homens não arrancassem o governo do mundo e o Reino abençoado deles. "E embora, sem dúvida, a dádiva da vida sempiterna não seja para todos, e apenas para aqueles que são dignos, sendo homens de poder e orgulho e grande linhagem, ainda assim", disse Sauron, "é contra toda justiça que essa dádiva, que é o mínimo que lhe cabe, seja recusada a Tarkalion, o Rei, mais poderoso dos filhos da Terra. A quem apenas Manawē se compara, e talvez nem ele." E Tarkalion, estando ébrio e também sob a sombra da Morte, pois seu tempo de vida se aproximava do fim, deu-lhe ouvidos, e planejou guerrear contra os Avalãi. Por muito tempo esteve a ponderar esse desígnio, e não o pôde ocultar de todos.

§36 E naqueles dias Amardil, que era da casa real, como foi contado, e fiel, e contudo tão nobre e tão bem-amado de todos, com exceção dos mais ébrios do povo, que até nos dias de Sauron o Rei não ousara deitar-lhe mãos ainda, descobriu os propósitos secretos do Rei, e seu coração ficou cheio de tristeza e grande terror. Pois sabia que os Homens não poderiam derrotar os Avalãi na guerra, e que grande ruína deveria sobrevir ao mundo se essa guerra não fosse detida. Portanto, chamou seu filho Elendil Earendil, e disse a ele: "Eis que os dias são sombrios e desesperados; portanto, tenho em mente tentar aquele alvitre que nosso ancestral Earendil adotou: velejar para o Oeste (havendo interdito ou não) e falar aos Avalãi, sim, até ao próprio Manawē, se puder, e implorar a ajuda dele antes que tudo esteja perdido."

"Trairias então o Rei?", disse Elendil.

"Para essa coisa mesma é que pretendo ir", disse Amardil.

"E então o que pensais que pode sobrevir àqueles de tua casa que deixares para trás, quando teu ato se tornar conhecido?"

§37 "Ele não deve se tornar conhecido", disse Amardil. "Hei de prepará-lo em segredo e velejarei, a princípio, para o Leste, aonde muitos navios diariamente vão, e então darei a volta. Mas a ti e à tua gente aconselho que prepareis para vós navios, e que leveis a bordo todas as coisas das quais vossos corações não suportariam se separar, e que fiqueis prontos. Mas deveis manter vossos navios nos portos do leste; e espalhei entre os homens que pretendeis, talvez, quando tudo estiver pronto, seguir-me no Leste. E não penso que vossa ida será impedida; pois a casa de Amardil não é mais tão cara a nosso parente no trono de Earendil para que ele pranteie demasiado se buscarmos partir. Mas não leves muitos homens contigo, ou ele pode ficar incomodado por causa da guerra que ora trama, para a qual precisará de toda a força que tem. Não leves muitos, e apenas aqueles acerca dos quais tens certeza de serem fiéis. Mesmo assim, não reveles tal desígnio a ninguém."

§38 "E que desígnio é esse que traças para mim?"

"Até que eu retorne, não posso dizer. Mas por certo há de ser fuga para longe da bela Andōrē, que agora está tão conspurcada, e para longe de nosso povo; para o leste ou para oeste, apenas os Avalāi hão de dizer. Mas é bastante provável não hajas de me ver nunca mais, e que eu não haja de te mostrar nenhum sinal como o que Earendil, nosso ancestral, mostrou outrora. Mas continua sempre de prontidão, pois o fim do mundo que conhecemos está à mão."

§39 E diz-se que Amardil içou vela à noite e foi para o leste e depois deu a volta, e levou três serviçais consigo, caros a seu coração, e nunca mais se ouviu deles por palavra ou sinal neste mundo; nem há qualquer história ou ideia acerca de seu destino. Mas isto, ao menos, está claro: que os homens não poderiam, pela segunda vez, ser salvos por um mensageiro como esse; e para a traição de Nūmenōr não havia fácil indulto. Mas Elendil foi morar no leste da terra e se pôs em segredo, e não tomou parte nos feitos daqueles dias; e procurava sempre o sinal que não vinha. Por vezes viajava para as costas ocidentais da terra e contemplava o mar, e a tristeza e a saudade lhe vinham, pois amava seu pai — mas mais longe não lhe permitiam ir; pois Tarkalion estava agora reunindo suas frotas nos portos do oeste.

§40 Ora, em tempos de antanho, na ilha de Nūmenōr, o tempo fora sempre bom, ou pelo menos apto ao gosto e às necessidades dos homens, chuva na estação devida e na medida, e luz do sol, ora quente, ora mais suave, e ventos vindos do mar; e, quando o vento vinha do oeste, parecia a muitos que estava cheio de uma fragrância, passageira, porém doce, de tocar o coração, como a de flores que desabrocham para sempre em prados imorredouros e não têm nomes nas terras mortais. Mas agora isso também tinha mudado. Pois o próprio céu se escurecera e havia tempestades de chuva e granizo naqueles dias, e de quando em vez os grandes navios dos Nūmenōreanos afundavam e não retornavam ao porto. E do Oeste vinha por vezes uma grande nuvem, de forma como que a de uma águia com alas que se espalhavam para o Norte e o Sul; e devagar se arrastava, apagando o pôr-do-sol — pois naquela hora é que mormente era vista; e então a noite mais completa caía sobre Nūmenōr. E logo depois, sob as alas das águias, relâmpagos se carregavam, e o trovão ribombava no céu, um som tal como os homens daquela terra não tinham ouvido antes.

§41 Então os homens tiveram medo. "Eis as Águias dos Senhores do Oeste vindo sobre Nūmenōr!", gritavam, e caíam sobre seus rostos. E alguns se arrependiam, mas outros endureciam seus corações e sacudiam seus punhos contra o céu, e diziam: "Os Senhores do Oeste fazem-nos guerra. Desferem o primeiro golpe, o próximo será nosso." E essas palavras foram ditas pelo Rei e pensadas por Sauron.

§42 Mas os relâmpagos aumentaram e mataram os homens sobre as colinas e nos prados, e sempre os dardos de maior fúria feriam o domo do Templo. Mas ele se manteve firme.

§43 E agora as frotas dos Nūmenōreanos estavam escurecendo o mar no oeste da terra, como um arquipélago de magnas ilhas, e seus mastros eram como florestas, e suas bandeiras rubras como o sol moribundo numa grande tempestade, e negras como a noite que vem depois. Mas as Águias dos Senhores do Oeste subiram então do ocaso, numa longa fila, uma atrás da outra, como se em ordem de batalha, e conforme chegavam suas asas se espalhavam cada vez mais, até que abraçaram os céus.

§44 Mas Tarkalion endureceu seu coração, e foi a bordo de seu magno navio Andalōkē e mandou desfraldar seu estandarte, e deu a ordem para que se levantassem as âncoras.

§45 E assim a frota dos Nūmenōreanos partiu para as garras da tempestade, e remaram resolutamente para o Oeste; pois tinham muitos escravos. E, quando a tempestade amainou, o céu clareou, e um vento veio do Leste (pelas artes de Sauron, disseram alguns), e havia uma falsa paz sobre todos os mares e todas as terras enquanto o mundo esperava o que haveria de ocorrer. E as frotas dos Nūmenōreanos velejaram para além da vista de Andūniē e romperam a interdição, e seguiram em frente por três noites e dias; e passaram além da vista de todas as sentinelas.

§46 E ninguém pode contar a história de sua sina, pois ninguém jamais retornou. E se enfim chegaram em verdade àquele porto que outrora os homens pensavam poder descortinar; ou se não o acharam ou chegaram a alguma outra terra e ali assediaram os Avalãi, quem há de dizer? Pois ninguém sabe. Pois o mundo foi mudado naquele tempo, e a memória de tudo o que veio antes tem se tornado tênue e incerta.

§47 Mas aqueles que são os mais sábios em discernimento asseveram que as frotas dos Nūmenōreanos chegaram de fato a Avallondē e a circundaram, mas os Avalãi não deram sinal algum. Mas Manawē, estando entristecido, buscou o conselho, por fim, de Eru, e os Avalãi depuseram sua governança da Terra. E Eru modificou a forma da Terra, e uma grande rachadura se abriu no mar entre Nūmenōr e Avallondē, e os mares fluíram para dentro, e naquele abismo caíram todas as frutas dos Nūmenōreanos, e elas foram engolidas pelo esquecimento. Mas Avallondē e Nūmenōrē, que estavam de cada um dos lados do grande corte, também foram destruídas; e afundaram e não existem mais. E os Avalãi, dali em diante, não tinham mais habitação local na terra, nem há mais qualquer lugar onde a memória de uma terra sem mal esteja preservada; e os Avalãi habitam em segredo ou se esvaneceram em sombras, e seu poder está diminuído.

§48 Mas Nūmenōr foi para dentro do mar, e todas as suas crianças e belas donzelas e suas damas, e mesmo Tar-Ilien, a Rainha, e todos os seus jardins e salões e suas torres e riquezas, suas joias e suas tapeçarias e seus objetos pintados e esculpidos, e seu riso e seus folguedos e sua música e sua sabedoria e sua fala, desapareceram para sempre.

§49 Salvo apenas o topo do Meneltyūlā, pois aquele era um lugar sagrado e nunca fora profanado, e talvez esteja ainda acima das ondas, como uma ilha solitária em algum lugar das grandes águas, se porventura um marinheiro topar com ela. E muitos, de fato, depois a buscaram, porque se dizia entre os remanescentes de Nūmenōr que aqueles com vista sagrada tinham sido capazes, do topo do Meneltyūlā, de ver o porto de Avallondē, o qual, de outro modo, só podiam ver aqueles que velejavam muito para o oeste. E os corações dos Nūmenōreanos, mesmo depois de sua ruína, ainda estavam voltados para o oeste.

§50 E, embora soubessem que Nūmenōr e Avallondē não existiam mais, diziam: "Avallondē não existe mais e Nūmenōr não há: contudo, existiam, e não nesta escuridão presente; contudo, existiam, e, portanto, ainda existem em verdadeiro ser e na forma completa do mundo." E os Nūmenōreanos sustentavam que os homens assim abençoados podiam contemplar outros tempos que não aqueles da vida de seu corpo, e ansiavam sempre por escapar da escuridão do exílio e ver, em alguma feição, a luz que havia outrora. "Mas todos as vias agora estão torcidas", diziam, "entre as que antes eram retas."

§51 E desse modo veio a se passar que alguns foram poupados da queda de Nūmenōrē; e talvez essa tenha sido a resposta à demanda de Amardil. Pois aqueles que foram poupados eram todos de sua casa e parentela. Pois Elendil tinha ficado para trás, recusando a convocação do Rei quando ele partiu para a guerra, e foi a bordo de seu navio, e lá se postou para enfrentar a tempestade sob o abrigo da costa do leste. E, estando protegido pela terra do grande arrasto do mar, que levou tudo para o fundo do abismo, escapou da morte naquele tempo. E um vento poderoso surgiu, tal como não se tinha visto antes, e veio do Oeste, e soprou o mar até que ele se tornasse grandes colinas; e, fugindo diante dele, Elendil e seus filhos, em sete navios, foram carregados para longe, erguidos nas cristas de grandes ondas feito montanhas da Terra-média, e foram lançados, afinal, muito para o interior da Terra-média.

§52 Mas todas as costas e regiões próximas do mar da Terra-média sofreram grande ruína e mudança naquele tempo. Pois a terra foi duramente balançada, e os mares se elevaram por cima das terras e as costas afundaram, e antigas ilhas foram submersas e novas foram levantadas, e montes se esfarelaram e rios assumiram estranhos cursos.

§53 E aqui termina a história falando de Elendil e seus filhos, que depois fundaram muitos reinos na Terra-média e, embora seu saber e engenho fosse não mais que um eco daquele que tinha sido antes que Sauron viesse a Nūmenōr, ainda parecia muito grande aos olhos dos homens do ermo.

§54 E conta-se que o próprio Sauron ficou cheio de terror diante da fúria da ira dos Avalāi e do juízo de Eru, pois era de longe muito maior do que qualquer coisa que previsse, esperando apenas a morte dos Nūmenōreanos e a derrota de seu orgulhoso rei. Mas ele próprio, sentado em seu assento negro em meio a seu templo, riu quando ouviu as trombetas de Tarkalion soarem para a batalha; e riu ainda outra vez quando ouviu ao longe o ruído do trovão; e uma terceira vez, no momento em que ria de seu próprio pensamento (pensando no que faria agora na Terra-média, estando livre dos Eruhil para sempre), foi pego em meio a seu folguedo, e seu templo e seu assento caíram no abismo.

§55 [*Trecho rejeitado imediatamente*: Foi longo o tempo antes que ele aparecesse em forma visível sobre a terra de novo] Mas Sauron não era de carne mortal e, embora estivesse trajado naquela forma na qual praticara o mal por tanto tempo, como Zigūr, o grande, antes que muito tempo passasse ele criou outra; e voltou à Terra-média e atormentou os filhos de Elendil e, além deles, todos os homens. Mas isso não entra no conto da Queda de Nūmenōr, Atalante, a decaída, como os exilados sempre a chamavam depois de perdê-la, a terra da Dádiva no meio do Mar.

ɞ

Há duas pistas definitivas sobre a data desse texto. Uma é que, no pé de uma das páginas, estão datilografadas as palavras "Ramer discute a sensação de perda de significado" (ver pp. 229, 236); e a outra é que o nome do Pilar do Céu em Númenor é *Meneltyūlā*, o qual aparece como correção a lápis do nome original *Menelminda* no manuscrito E da Parte Dois de *Os Documentos do Clube Notion* (p. 362), enquanto o texto seguinte dos *Documentos* (a versão datilografada F 1) tem a forma *Menel-tūbel*, modificada para *Menel-tūbil*. Assim, é certo que esse primeiro esboço de *A Submersão de Anadûnê* foi escrito durante a composição da Parte Dois de *Os Documentos do Clube Notion* e pode, de fato, ser encaixado, presumivelmente de forma precisa, entre o manuscrito E e o texto datilografado F 1.

A comparação com o texto da terceira versão de *A Queda de Númenor* (QdN III) apresentada na p. 397 e seguintes mostra que a obra acima é inteiramente nova, uma concepção muito mais rica, e com muitas diferenças notáveis. Mas a comparação com o *Akallabêth*, muito mais tardio (presente no *Silmarillion* publicado, pp. 339–70) também mostra que o presente texto é o ancestral direto daquela obra, numa proporção muito maior que a de *A Queda de Númenor*, embora essa última também tenha sido usada no *Akallabêth*.

Uma das características mais extraordinárias desse texto é a concepção dos *Balāi*, que prefiro chamar de *Avalāi*, já que esse nome substituiu o outro antes que o texto SA I fosse totalmente datilografado. No começo (§1), esse é um nome, "na língua mais antiga registrada", dos *Eru-bēnī*, "serviçais de Deus", que "governavam a Terra"; "alguns eram menores e outros eram maiores", e "o mais poderoso e o chefe de todos eles era Mēlekō", irmão de Manawē (ver V. 195, nota 4). Em §4 conta-se que alguns dos pais dos Homens que se arrependeram, e que receberam o nome de *Eruhil*, "Filhos de Deus", fizeram guerra a Mēlekō em aliança com os Avalāi e o derrubaram; porém (§5), entristecidos com as obras malignas dos Homens, os Avalāi recuaram cada vez mais para o oeste ("ou, se não o faziam, desvaneciam e se tornavam vozes secretas e sombras dos dias de outrora"), e a maior parte dos Eruhil os seguiu. E, quando chegaram às costas do Grande Mar (§6), os Avalāi "em sua maior parte passaram através do mar, buscando o reino de Manawē", mas os Eruhil das costas ocidentais foram instruídos pelos Avalāi na arte da construção de navios.

Depois da chegada dos Eruhil a Númenor, eles "adotaram a língua dos Balāi e abandonaram a sua própria" (§14); e os Avalāi "lhes proibiam de velejar a oeste e ficar longe da vista das costas ocidentais de Nūmenōr" (§15). Os Avalāi habitavam em algum lugar do Oeste desconhecido dos Homens, que chamavam aquela terra de *Avallondē*, termo traduzido como "o Porto dos Deuses", pois por vezes conseguiam ver uma cidade distante muito ao longe no Oeste; e "para Nūmenōr os Avalāi vinham de quando em vez, as crianças e os menos poderosos entre o Povo Sem-morte, ora em barcos sem remos, ora feito aves voando, ora em outras formas belas" (§16). Alguns Avalāi vieram a Númenor e tentaram persuadir os Eruhil acerca do erro de seus pensamentos (§§23–5); e, quando as frotas de Númenor chegaram a Avallondē, os Avalāi "depuseram sua governança da Terra" (§47). No Cataclismo, Avallondē e Nūmenōrē foram sobrepujadas e engolidas, "e os Avalāi, dali em diante, não tinham mais habitação local na terra... e habitam em segredo ou se esvaneceram em sombras, e seu poder está diminuído" (§47).

Quem são os Avalāi, então? Levando em conta apenas o presente texto, deve-se dizer que o nome representa toda a "ordem" de seres sem-morte que, antes da vinda dos Homens, receberam poder para governar o mundo dentro de uma ampla gama ou hierarquia de capacidades e propósitos. Considerando esse fato em relação à narrativa mais antiga, *A Queda de Númenor*, a distinção entre "Deuses" e "Elfos" acaba se perdendo aqui. Naquela obra, depois da Grande Batalha na qual Morgoth foi sobrepujado, "os Elfos foram chamados a retornar ao Oeste; e aqueles que obedeceram habitaram uma vez mais em Eressëa, a Ilha Solitária; e aquela terra recebeu o novo nome de Avallon; pois está muito próxima de Valinor..." (QdN III, §1, p. 398); e "a fala de Númenor era a fala dos Eldar do Reino Abençoado, e os Númenóreanos tinham colóquio com os Elfos, e lhes era permitido contemplar Valinor ao longe; pois seus navios iam amiúde a Avallon, e lá seus marinheiros tinham permissão para habitar por certo tempo" (QdN III §2, p. 399). *A Queda de Númenor* era uma extensão, cheia de vitalidade e ramificações, das lendas reunidas no *Quenta Silmarillion*, mas tinha congruência com elas. O mais antigo texto de *A Submersão de Anadûnê*, no qual os Elfos não são representados de modo distinto, e Valinor e Eressëa são confundidas, não tem essa congruência.

Ainda mais espantosa, talvez, é a perda, nessa narrativa, do conceito de que o mundo se tornou redondo com a Queda de Númenor. Aqui, os Avalāi, chegando a Númenor e tentando ensinar aos Eruhil "a feição e o fado do mundo", declararam a eles "que *o mundo era redondo* e que, se eles velejassem rumo ao último Oeste, ainda assim apenas voltariam de novo ao Leste e, desse modo, aos lugares de sua partida, e o mundo parecer-lhes-ia não mais que uma prisão" (§23); mas, quando Sauron veio a Númenor, ele "contrariava tudo o que os Avalāi tinham ensinado. E incitou os Nūmenōreanos a pensar que *o mundo não era um círculo fechado*" (§31). O mais impressionante é uma passagem escrita com pressa, a lápis, ao lado de §§49–50, que não foi incorporada ao seguinte texto: "Pois eles acreditavam ainda *nas mentiras de Sauron de que o mundo era reto* ["plano"], até que suas frotas tinham dado a volta em todo o mundo procurando o Meneltyūlā, e souberam que o mundo era redondo. Então disseram que o mundo tinha sido curvado, e que a rota rumo a Avallondē não podia ser achada, pois ela seguia em rumo reto." Não há instruções sobre onde inserir esse trecho; mas creio que a intenção era usá-lo para substituir a frase no fim de §50: "'Mas todos as vias agora estão torcidas', diziam, 'entre as que antes eram retas.'"

A esse respeito, a versão mais antiga do texto em inglês antigo (a única folha preservada do livro de Edwin Lowdham) que acompanhava o manuscrito E de *Os Documentos do Clube Notion* (pp. 378–81) é interessante. No texto em inglês antigo, foram os *Eldar* que proibiram os Númenóreanos de desembarcar em Eresse (enquanto, em *A Queda de Númenor*, foram os Deuses que impuseram a interdição à viagem além de Tol Eressëa, §4), porque eram mortais, embora "os Poderes" (*Wealdend*) lhes tivessem concedido vida longa; e, o que é muito notável, Sauron declarou a Tarkalion que "os *Eldar* lhe recusavam o dom da vida sempiterna". Diz-se, nesse texto, que os Númenóreanos "enviaram em segredo espiões a Avallon para vasculhar o conhecimento oculto dos Eldar" (uma reminiscência de QdN §4: "enviaram espiões para procurar o saber proibido em Avallon"). A referência a *Avallon* não está explicada no texto em inglês antigo, mas certamente é a mesma coisa que *Eresse* (em QdN §1, Eressëa recebeu o nome de Avallon); contudo, Tarkalion determinou a invasão de Avallon porque Sauron disse que os Eldar lhe tinham negado a vida sempiterna (enquanto em QdN §6 as frotas dos Númenóreanos, tendo "cercado Avallon", "assediaram as costas de Valinor").

Essa versão manuscrita em inglês antigo, quanto à sua composição, fica entre a conclusão do manuscrito E dos *Documentos* e a escrita de SA I.[4] Assim, há um desenvolvimento que sai de um texto no qual tanto "os Poderes" como "os Eldar" aparecem, mas no qual os Eldar têm poderes muito maiores e de uma ordem diferente dos que poderiam ser atribuídos corretamente a eles, e chega a um texto (SA I) no qual "os Poderes (Valar) e "os Eldar" são confundidos sob a mesma rubrica de *Avalâi*; e, em inglês antigo, o nome *Avallon* parece ser usado de modo confuso (em contraste com *A Queda de Númenor* mais antiga), enquanto em SA I *Avallondē* é um termo vago, relacionado ao nome também vago dos *Avalâi*.

Os desenvolvimentos posteriores e o significado dessas mudanças extraordinárias serão discutidos mais tarde: ver pp. 418 e 484 e seguintes.

No texto SA I há muitos outros desenvolvimentos importantes da lenda de Númenor que foram mantidos na história mais tardia. A Interdição agora se torna mais severa, pois os Númenóreanos não têm permissão "de velejar a oeste e ficar longe da vista das costas ocidentais de Nūmenōr" (§15); a importância das viagens para leste emerge, a vinda "dos Homens do Mar", primeiro como tutores e iluminadores dos homens da Terra-média (§17), mas depois como opressores e escravizadores (§34); e recorda-se que os "Avalâi" vieram do Oeste para Númenor e tentaram reverter a crescente hostilidade à Interdição. O templo agora é construído não na Montanha consagrada a Ilúvatar, mas "em meio à cidade dos Nūmenōreanos, Antirion, a Dourada" (§32), e ascender a Montanha fica proibido sob pena de morte. Faz-se referência aos "Fiéis" (chamados de *Avaltiri*,

§30), e a história de Amardil (mais tarde, Amandil) e seu filho Elendil é contada, com a afirmação de que, embora Amardil não fosse da linhagem mais velha da qual vinham os reis de Númenor, ele também era descendente de Eärendil (§26, §36, §38). Esses são apenas os mais marcantes desenvolvimentos novos da narrativa e, além do mais, a comparação com o *Akallabêth* mostra que parte da própria prosa permaneceu inalterada até a forma final.

Parece que, no texto SA I, o adunaico está prestes a emergir, com os termos *Eru-bēnī*, *Avalāi* e *Zigūr* (que seria o nome de Sauron entre os homens da Terra-média, §19).

NOTAS

1 *Wingalōtē*: no *Quenta* (ver Índice Remissivo do Vol. IV) a forma era *Wingelot* > *Vingelot*, no *Quenta Silmarillion* (Índice Remissivo do Vol. V) se tornou *Vingelot*. *Wingalōtē* foi, mais tarde, corrigido para *Vingalōtē* nesse texto datilografado (ver p. 447, §8).

2 A forma *Earendel* ocorre também em §§16, 20, mas claramente era apenas uma reversão casual. Já no manuscrito E da Parte Dois dos *Documentos* Wilfrid Jeremy destaca que o nome que viu em seu "manuscrito de sonho" foi *Earendil*, não *Earendel*.

3 *Andōrē*: *Andor* em *A Queda de Númenor* e *A Estrada Perdida* (V. 81).

4 O tema da "página de Edwin Lowdham" foi inserido no manuscrito E dos *Documentos* depois que o texto estava completo, ao menos até onde prosseguiu (ver p. 351, nota 70), e o nome do Pilar do Céu no texto em inglês antigo que o acompanhava já era *Meneltyūlā* (p. 377; substituindo o termo anterior *Menelminda* no texto E), tal como no texto SA I, de modo que esse nome, aqui, não é um indicador de data relativa. Por outro lado, no texto em inglês antigo, Sauron constrói o grande templo no próprio *Meneltyūlā*, não em meio à cidade, o que é uma boa evidência de que ele era o trabalho anterior. Do mesmo modo, a interdição ao desembarque em Eressëa no texto em inglês antigo (p. 379) claramente foi um desenvolvimento em relação à história original em *A Queda de Númenor* (§4), na qual os Númenóreanos não deviam velejar para além de Eressëa, chegando àquela em SA I, na qual eles não deviam velejar fora da vista das costas ocidentais de Númenor.

(iii) O segundo texto de A Submersão de Anadûnê

Este texto, "**SA II**", foi datilografado com cuidado e quase não contém erros. Um pedaço de papel enrolado em volta dele, com a caligrafia de meu pai, traz meu nome e as palavras "Cópia passada a limpo Anadūnē". O texto SA II representa um avanço e uma elaboração tão grandes em relação ao SA I que (considerando que ele estava quase livre de alterações ou hesitações quando foi datilografado originalmente) é difícil acreditar que nenhum rascunho tenha existido entre os dois, embora não haja agora traço nenhum de qualquer coisa do tipo; mas não acho que eu tenha datilografado o SA II (ver p. 455, §28).

O título é *A Submersão de Anadûnê.* Muitas alterações foram feitas a lápis no texto datilografado e, além delas, várias passagens foram reformuladas ou ampliadas em pedaços de papel datilografados e anexados ao corpo do texto. Tais mudanças foram ignoradas no texto impresso, mas todas as alterações relevantes estão registradas no comentário sobre o SA II, p. 446 e seguintes.

Apresento aqui o texto integral, embora isso envolva certa repetição, especialmente na parte final da narrativa, por motivos de clareza no comentário e para permitir a comparação com o *Akallabêth.* Os parágrafos são numerados para tornar convenientes as referências ao SA I. No texto SA II, tanto as marcas de vogal longa quanto os acentos circunflexos foram usados (inseridos a lápis); o circunflexo substituiu a marca de vogal longa, como se pode ver pelo fato de que ele se encontra principalmente em passagens corrigidas ou acrescentadas e em nomes corrigidos, e só aqui e ali no texto original. O terceiro texto de *A Submersão de Anadûnê* usa exclusivamente o circunflexo, e é mais conveniente fazer o mesmo aqui.

A SUBMERSÃO DE ANADÛNÊ

§1 Antes da vinda dos Homens havia muitos Poderes que governavam a Terra, e esses eram os Eru-bênî, serviçais de Deus. Muitas eram as suas dignidades e os seus encargos; mas alguns havia em meio a eles que eram senhores poderosos, os Avalôi, que os Homens recordavam como deuses, e no princípio o maior desses era o Senhor Arûn.

§2 Mas conta-se que muito tempo atrás, durante a própria criação da Terra, o Senhor Arûn se voltou para o mal e se tornou um rebelde contra Eru, desejando o mundo inteiro para si, sem ninguém acima dele. Portanto, seu irmão Amân buscou reger a Terra e os Poderes de acordo com a vontade de Eru; e Amân habitou no Oeste. Mas Arûn permaneceu na Terra, habitando escondido no Norte, e operou o mal, e tinha o maior poder. E a Terra obscureceu-se naquele tempo, de modo que a Arûn um novo nome foi dado, e ele foi chamado de Mulkhêr, o Senhor da Escuridão; e houve guerra entre Mulkhêr e os Avalôi.

§3 Na hora designada, os Homens nasceram no mundo, e foram chamados de Eru-hîn, os filhos de Deus; mas vieram num tempo de guerra e sombra, e caíram rapidamente sob o domínio de Mulkhêr, e o serviram. E então ele se mostrou e apareceu como um Grande Rei, e como um deus; e seu mando era maligno, e seu culto impuro, e os Homens se tornaram estranhos a Eru e seus serviçais.

§4 Mas alguns havia entre os pais dos Homens que se arrependeram, vendo o mal do Senhor Mulkhêr e que sua sombra se fazia cada vez maior sobre a Terra; e eles e seus filhos retornaram com tristeza à lealdade a Eru, e obtiveram a amizade dos Avalôi, e receberam de novo seu nome antigo, Eruhîn, filhos de Deus. E os Avalôi e os Eruhîn fizeram guerra aos serviçais de Mulkhêr; e, naquele tempo, destruíram seu reino e derribaram seus templos. Mas Mulkhêr fugiu e se pôs a tramar na escuridão de fora, pois ele os Poderes não puderam destruir. E o mal que ele começara ainda brotava feito uma semente sombria na Terra-média, produzindo amargo grão, o qual, embora fosse sempre colhido e queimado, nunca tinha fim. E ainda reis cruéis e templos profanos surgiam no mundo, e a maior parte da Gente dos Homens servia a eles; pois os Homens estavam corrompidos e ainda ansiavam em seus corações pelo Reino de Arûn, e faziam guerra aos Eruhîn e os perseguiam com ódio, onde quer que pudessem habitar.

§5 Portanto, os corações dos Eruhîn se voltaram para o rumo oeste, onde estava a terra de Amân, como acreditavam, e havia uma paz duradoura. E conta-se que em antanho havia um povo belo que habitava ainda a Terra-média, e os Homens não sabiam donde tinham vindo. Mas alguns diziam que eles eram os filhos dos Avalôi e não morriam, pois seu lar era no Reino Abençoado, muito ao longe, para onde ainda podiam ir, e donde vinham, operando a vontade de Amân em todos os feitos e labores menores do mundo. Eledâi era seu nome em sua própria língua de antanho, mas pelos Eruhîn eram chamados de Nimrî, os Luzentes, pois eram sobremaneira belos de se contemplar, e belas eram todas as obras de suas línguas e mãos. E os Nimrî se tornaram entristecidos com a escuridão daqueles dias e recuaram cada vez mais para o oeste; e nunca mais houve relva tão verde, nem flor tão bela, nem água tão cheia de luz depois que partiram. E os Eruhîn, em sua maior parte, seguiram os Nimrî, embora houvesse alguns que permaneceram nas Grandes Terras, homens livres, que não serviam a nenhum senhor maligno; e eles eram pastores e habitavam longe das torres e cidades dos reis.

§6 Mas aqueles dos Eruhîn que eram os mais poderosos e mais belos, de mais estreita amizade com os Nimrî, mais amados pelos Serviçais de Deus, voltaram seus rostos para a luz do Oeste; e esses eram os filhos dos pais que tinham sido os mais valentes na guerra a Mulkhêr. E, ao cabo de jornadas imemoriais, chegaram afinal às costas dos Grandes Mares. Ali se detiveram e ficaram cheios de grande terror, e de anseio; pois os Nimrî passavam sempre através das águas, buscando a terra de Amân, e os Eruhîn não podiam segui-los.

Então aqueles dos Nimrî que permaneciam no oeste do mundo se apiedaram dos Eruhîn, e os instruíram em muitas artes; e os Eruhîn se tornaram mais sábios de mente, mais hábeis de mão e língua, e fizeram para si muitas coisas que antes não se tinham visto. Desse modo, os habitantes da costa aprenderam o ofício da construção de navios e de navegar ao vento; e construíram muitos e belos navios. Mas suas naus eram pequenas, e eles não ousavam provar-se nas águas profundas; pois, embora seu desejo fosse chegar às costas jamais vistas, não tinham, por ora, coragem para enfrentar os ermos do Mar, e velejavam apenas à volta das costas e em meio às ilhas próximas.

§7 Contudo, foi por seus navios que foram salvos e não reduzidos a nada. Pois homens malignos se multiplicaram naqueles dias, e perseguiram os Eruhîn, cheios de ódio; e os homens da Terra-média, estando cheios do espírito de Mulkhêr, tornaram-se matreiros e cruéis nas artes da guerra e no fazer de muitas armas, de modo que os Eruhîn muito sofriam para manter qualquer terra na qual habitar, e seu número diminuía.

§8 Naqueles dias sombrios de medo alevantou-se um homem, e seu denodo no Mar era maior do que o de todos os outros homens; e os Nimrî lhe deram um nome e o chamaram de Ëarendil, o Amigo do Mar, Azrabêl na língua dos Eruhîn. E entrou no coração de Azrabêl que ele construiria um navio, mais belo e mais veloz do que qualquer um que os homens já tinham feito; e que ele velejaria pelas águas profundas e chegaria, quiçá, à terra de Amân, e lá obteria ajuda para sua gente. E, com a ajuda dos Nimrî, fez que se construísse um navio, belo e valente; alvos eram seus madeiros, e suas velas eram alvas, e sua proa foi esculpida à semelhança de uma ave prateada; e, ao zarpar, deu a ele um nome, e o chamou Rôthinzil, Flor da Espuma, mas os Nimrî o abençoaram e deram-lhe um nome também em sua própria língua, Vingalôtë. Esse foi o primeiro de todos os navios dos Homens a portar um nome.

§9 Quando, por fim, seu navio estava pronto, então Azrabêl disse adeus à sua esposa e a seus filhos e toda a sua gente; pois tinha em mente velejar só. E disse a eles: "É provável que nunca mais me vejais; e, se for assim, então endurecei vossos corações, e não cesseis de guerrear, mas suportai até o fim. Mas, se eu não falhar em minha demanda, então pode ser que também não me vejais; mas um sinal vereis, e nova esperança há de ser dada a vós."

§10 E foi no tempo de entardecer que Azrabêl partiu, e velejou rumo ao sol poente e passou além da vista dos homens. Mas os ventos o levaram por sobre as ondas, e os Nimrî o guiaram, e ele seguiu através dos Mares da luz do sol, e através dos Mares de sombra, e chegou afinal ao Reino Abençoado e à terra de Amân e falou aos Avalôi.

§11 Mas Amân disse que Eru tinha proibido os Avalôi de fazerem guerra de novo por força aos reinos de Mulkhêr; pois a Terra estava agora nas mãos dos Homens, para construir ou destruir. Contudo, foi-lhe permitido, por causa da fidelidade dos Eruhîn e do arrependimento de seus pais, dar a eles uma terra na qual habitar, se o desejassem. E aquela terra era uma magna ilha em meio ao mar, sobre a qual pé algum ainda pisara. Mas Amân não permitiria que Azrabêl retornasse de novo no meio dos Homens, já que tinha caminhado no Reino Abençoado, aonde morte nenhuma inda chegara. Portanto, tomou o navio Rôthinzil e o encheu com uma chama prateada, e o elevou acima do mundo para velejar no céu, uma maravilha a ser contemplada.

§12 Então os Eruhîn nas costas do Mar contemplaram a nova luz surgindo no Oeste como se fora magna estrela, e souberam que esse era o sinal de Azrabêl. E esperança e coragem se acenderam em seus corações; e reuniram todos os seus navios, grandes e pequenos, e suas esposas e seus filhos, e toda a riqueza que podiam carregar, e içaram vela sobre as águas profundas, seguindo a estrela. E houve uma grande calmaria naqueles dias, e todos os ventos foram detidos. Tão luzente era Rôthinzil que mesmo pela manhã os homens podiam vê-lo chamejando no Oeste; e na noite sem nuvens ele brilhava sozinho, pois nenhuma outra estrela podia ficar a seu lado. E, mantendo seu curso na direção dele, os Eruhîn chegaram afinal à terra que tinha sido preparada para eles, e viram que era bela e fecunda, e ficaram contentes. E chamaram àquela terra Amatthânê, a Terra da Dádiva, e Anadûnê, que é Ociente, Nûmenôrë na língua nimriana.

§13 Mas não foi desse modo que os Eruhîn escaparam do juízo de morte que tinha sido pronunciado sobre toda a Gente dos Homens, e eram mortais ainda, ainda que, por sua fidelidade, tivessem sido recompensados com vida de duração tripla, e seus anos fossem plenos e contentes e não conhecessem nenhuma mágoa nem enfermidade, enquanto ainda permanecessem leais. Portanto, os Adûnâi, os Homens d'Ociente, tornaram-se sábios e belos e gloriosos; mas seu número só aumentava lentamente na terra, pois, embora lhes nascessem filhos e filhas, mais belos que seus pais, e muito amassem suas crianças, tais crianças eram poucas, contudo.

§14 Assim os anos passavam, e os Adûnâi habitavam sob a proteção dos Avâlôi, e na amizade dos Nimrî; e os reis e príncipes aprendiam a língua nimriana, na qual muito saber e muitas canções foram preservados desde o princípio do mundo. E fizeram letras e pergaminhos e livros e escreveram neles muitas coisas de sabedoria e assombro no zênite de seu reino, das quais tudo agora está esquecido. E se tornaram poderosos em todos as outras artes, de modo que, se lhes viesse à mente, teriam com facilidade sobrepujado os reis malignos da Terra-média no fazer da guerra e no forjar de armas; mas tinham se tornado homens de paz. Na armação de navios ainda estava o seu grande deleite, e essa arte adotavam mais avidamente que todas as outras; e viajar pelos vastos mares era a grande façanha e aventura de seus homens mais jovens.

§15 Mas os Avalôi proibiram que eles velejassem a uma distância tal para o oeste em que as costas de Anadûnê não mais pudessem ser vistas; e os Adûnâi ainda estavam contentes, embora não entendessem plenamente o propósito dessa interdição. Mas o propósito de Amân era que os Eruhîn não fossem tentados a buscar o Reino Abençoado, nem desejassem ultrapassar os limites postos à sua ventura, ficando enamorados da imortalidade dos Avalôi e da terra na qual todas as coisas duram.

§16 Pois Eru ainda permitia aos Avalôi manterem sobre a Terra, sobre alguma ilha ou costa das terras do oeste (os Homens não sabem onde), um lugar de morada, um memorial terreno daquilo que poderia ter sido se Mulkhêr não tivesse pervertido seus caminhos e se os Homens não o tivessem seguido. E àquela terra os Adûnâi deram o nome de Avallôni, o Porto dos Deuses; pois por vezes, quando todo o ar estava claro e o sol estava no leste, eles conseguiam descortinar, como lhes parecia, uma cidade alva-luzente numa costa distante, e grandes ancoradouros, e uma torre. Mas isso apenas do pico mais alto de sua ilha os de vista aguçada podiam ver, ou de algum navio ancorado ao largo de suas costas ocidentais, à distância que era lícita de percorrer para os marinheiros. Pois eles não ousavam quebrar a interdição. E alguns sustentavam que era uma visão do Reino Abençoado o que os homens observavam, mas outros diziam que era apenas uma ilha mais distante onde os Nimrî habitavam, bem como os menores entre os que não morrem; pois quiçá os Avalôi não tinham nenhuma habitação visível sobre a Terra.

E certo é que os Nimrî tinham alguma habitação vizinha a Anadûnê, pois para lá iam de quando em vez, os filhos do Povo Sem-morte, às vezes por sendas que ninguém podia ver; pois eles amavam os Adûnâi.

§17 Assim foi que as viagens dos Adûnâi naqueles dias seguiam sempre no rumo leste e não para o oeste, da escuridão do Norte aos calores do Sul, e além do Sul para a Escuridão Ínfera. E os Eruhîn vinham amiúde às costas das Grandes Terras, e tiveram piedade do mundo abandonado da Terra-média. E os príncipes dos Adûnâi puseram seus pés de novo sobre as costas do oeste nos Anos Sombrios dos Homens, e então ninguém ousou se opor a eles; pois a maioria dos povos daquela era, que se sentavam sob a sombra, tinham então se tornado fracos e temerosos. E, vindo no meio deles, os filhos dos Adûnâi lhes ensinaram muitas coisas. Linguagem lhes ensinaram, pois as línguas dos homens da Terra-média tinham se tornado brutas, e eles gritavam como aves bravias ou rosnavam como as feras selvagens. E grão e vinho os Adûnâi trouxeram, e instruíram os homens em semear a semente e moer o grão, em dar forma à madeira e em cortar a pedra, e em dar ordem à vida, tal como se pode fazê-lo nas terras de pouca ventura.

§18 Então os homens da Terra-média foram confortados, e aqui e ali, nas costas do oeste, as matas sem morada recuaram, e os homens sacudiram de si o jugo da prole de Mulkhêr, e desaprenderam o terror que tinham do escuro. E passaram a reverenciar a memória dos altos Reis-do-mar e, quando esses tinham partido, chamaram-nos de deuses, na esperança de seu retorno; pois naquele tempo os Adûnâi nunca moravam por muito tempo na Terra-média nem faziam qualquer habitação para si próprios; para o leste tinham de velejar, mas sempre para o oeste seus corações se voltavam.

§19 Assim veio o alívio da sombra sobre a Terra, e o princípio de uma melhora, dos quais as canções dos homens preservam ainda a memória distante, feito um eco do Mar. E, contudo, no fim aquele novo bem se voltou de novo para o mal, e os Homens caíram, como se diz, uma segunda vez. Pois se alevantou uma segunda manifestação do poder das trevas sobre a Terra: uma nova forma da Sombra Antiga, talvez, ou um de seus serviçais que obtinha poder dela e cresceu, forte e fero. E essa coisa maligna era chamada de muitos nomes; mas seu próprio nome, que assumiu no surgir de seu poder, era Zigûr — Zigûr, o Grande. E Zigûr fez de si um rei poderoso no meio da Terra; e de bela aparência era, no começo, e justo, e seu governo era benéfico para todos os homens nas necessidades do corpo. Pois fez ricos aos que o quisessem servir; mas aqueles que não o quiseram ele expulsou para os lugares ermos. Contudo, era o propósito de Zigûr, como o de Mulkhêr antes dele, fazer de si um rei acima de todos os reis, e ser o deus dos Homens. E lentamente seu poder se espalhou para o norte e o sul, e cada vez mais no rumo oeste; e ele ouviu acerca da vinda dos Eruhîn, e se tornou iracundo, e tramou em seu coração como poderia destruir Anadûnê.

§20 E notícias de Zigûr chegaram também a Anadûnê, a Ar-Pharazôn, o rei, herdeiro de Azrabêl; pois esse título tinham todos os reis de Amatthânê, descendendo, de fato, em linhagem ininterrupta, de Indilzar, filho de Azrabêl, e sete reis tinham governado os Adûnâi entre Indilzar e Ar-Pharazôn, e agora dormiam em seus túmulos profundos sob o monte de Menel-Tûbal, deitados sobre camas d'ouro. Pois altivos e gloriosos tinham se tornado os reis de Amatthânê; e grande e soberbo era Ar-Pharazôn, sentando-se em seu trono entalhado na cidade de Ar-Minalêth no zênite de seu reino. E até ele vieram os mestres de navios e os homens que retornavam do Leste, e falaram de Zigûr, sobre como ele se dera o nome de Grande, e pretendia se tornar mestre de toda a Terra-média e, de fato, do mundo inteiro, se isso pudesse ser. Grande foi a raiva de Ar-Pharazôn quando ouviu essas coisas, e se sentou longamente em pensamento, e seu ânimo se ensombreceu.

§21 Pois é mister contar que o mal, no qual uma vez, havia muito, seus pais tinham tomado parte, embora tivessem depois se arrependido, não fora banido totalmente dos corações dos Eruhîn, e agora de novo se atiçava. Pois o desejo da vida sempiterna, de escapar da morte e do fim do deleite, crescia cada vez mais forte entre eles conforme sua sorte na terra de Amatthânê se tornava mais cheia de ventura. E os Adûnâi começaram a murmurar, primeiro em seus corações e enfim em palavras, contra a sina dos Homens; e acima de tudo contra aquela interdição que lhes proibia velejar Oeste adentro ou buscar a terra de Amân e o Reino Abençoado.

§22 E diziam entre si: "Por que os Avalôi se assentam em paz interminável lá, enquanto nós devemos morrer e ir para onde não sabemos, deixando nosso próprio lar e tudo o que fizemos? Pois a falha não foi nossa no princípio, vendo-se que Mulkhêr era mais forte e mais sábio que nossos pais; e não era ele, o próprio Senhor Arûn, autor desse mal, um dos Avalôi?"

§23 E os Nimrî relataram essas palavras aos Avalôi, e os Avalôi se entristeceram, vendo as nuvens se ajuntarem no zênite de Amatthânê. E enviaram mensageiros aos Adûnâi, que falaram abertamente ao rei e a todos os que desejassem ouvi-los, ensinando-lhes acerca da feição e do fado do mundo.

"A sina do mundo", disseram, "só o Uno pode mudar, ele que a fez. E se partísseis em viagem de tal modo que, escapando de todos os enganos e perigos, chegásseis de fato ao Reino Abençoado, pouco bem isso havia de vos fazer. Pois não é a terra de Amân que torna seu povo sem-morte, mas os habitantes ali é que consagram a terra; e ali antes feneceríeis mais cedo, como mariposas numa chama demasiado clara e quente."

Mas Ar-Pharazôn disse: "E não vive ainda Azrubêl [*sic*], meu pai? Ou não está na terra de Amân?"

Ao que foi respondido: "Não, ele não está lá; embora talvez ainda viva. Mas de tais coisas não vos podemos falar. E eis que a feição da Terra é tal que um cinturão pode ser posto à volta dela. Ou, como uma maçã, pende dos galhos do Céu, e é redonda e bela, e os mares e terras são não mais que a casca da fruta, que há de subsistir na árvore até a madureza que Eru designou. E, ainda que buscásseis para sempre, contudo, quiçá, não acharíeis o lugar onde Amân habita, mas, viajando além das torres de Nimroth, passaríeis ao último Oeste. Assim, chegaríeis apenas, afinal, de volta aos lugares de onde partistes: e então o mundo inteiro pareceria ter encolhido, e julgaríeis que ele era uma prisão.

§24 "E uma prisão, talvez, ele tenha se tornado para todos aqueles de vossa raça, e não podeis repousar contentes em qualquer lugar dentro dele. Mas as punições de Eru são para a cura, e suas mercês podem ser severas. Pois os Avalôi, dizeis, não são punidos, e assim é que não morrem; mas eles não podem escapar e estão atados a este mundo, para nunca mais deixá-lo, até que tudo seja mudado. E vós, dizeis, sois punidos, e assim é que morreis; mas escapais, e deixais o mundo, e não estais atados a ele. Qual de nós, portanto, deveria invejar o outro?"

§25 E os Adûnâi responderam: "Por que não havíamos de invejar os Avalôi, ou mesmo o menor dos sem-morte? Pois de nós se requer a maior confiança, não sabendo o que jaz diante de nós dentro de pouco tempo. E, contudo, também nós amamos o mundo e não desejamos perdê-lo."

E os mensageiros responderam: "De fato, o intento de Eru acerca de vós não é conhecido dos Avalôi, e ele ainda não o revelou. Mas ardentemente eles vos pedem para não negar de novo aquela confiança que de vós se exige e à qual vossos pais retornaram em pesar. Esperai antes que no fim até o menor de vossos desejos haja de dar fruto. Pois o amor a esta Terra foi posto em vossos corações por Eru, que a fez e vos fez; e Eru não planta sem propósito. Contudo, muitas eras de homens não nascidos podem passar antes que esse propósito se faça conhecer."

§26 Mas só poucos dos Adûnâi deram ouvidos a esse conselho. Pois lhes parecia duro e cheio de dúvida, e desejavam escapar da Morte em seus próprios dias, sem depender de uma esperança; e se alienaram dos Avalôi, e não mais queriam receber seus mensageiros. E esses agora não vinham mais a Anadûnê, salvo raramente e em segredo, visitando aqueles poucos que permaneciam fiéis de coração. Desses os principais eram um certo Arbazân e seu filho Nimruzân, grandes capitães de naus; e eles eram da linhagem de Indilzar Azrabêlo, ainda que não da casa mais antiga, à qual pertenciam a coroa e o trono na cidade de Arminalêth.

§27 Mas o próprio Ar-Pharazôn, o rei, caiu na dúvida, e em seus dias a oferta das primícias foi negligenciada; e os homens raramente iam ao santuário no lugar alto sobre o Monte Menel-Tûbal que ficava no meio da terra; e se voltaram ainda mais para as obras de suas mãos, e ao ajuntar de riqueza em suas naus que navegavam para a Terra-média, e bebiam e se banqueteavam e se trajavam de prata e ouro.

E certa vez Ar-Pharazôn sentou-se com seus conselheiros em sua casa majestosa, e debateu as palavras dos mensageiros, que diziam que a forma da Terra era tal que um cinturão poderia ser posto à volta dela. "Pois, se houvermos de crer nisso", disse ele, "que aquele que for para o oeste há de retornar pelo Leste, então não acontecerá também que aquele que seguir sempre para o leste há de chegar por fim detrás do Oeste, e ainda assim não quebrará interdição nenhuma?"

Mas Arbazân disse: "Talvez seja assim. Contudo, nada foi dito sobre quão longo poderia ser o cinturão. E quiçá a largura do mundo seja tal que um homem poderia gastar o total de sua vida antes que jamais a percorresse. E julgo ser verdade que fomos postos, para nossa saúde e proteção, no lado mais extremo do oeste entre todos os homens mortais, onde a terra daqueles que não morrem jaz na beira mesma da visão; de modo que aquele que quisesse dar a volta saindo de Anadûnê teria de atravessar quase todo o cinturão da Terra. E, mesmo assim, pode ser que não haja nenhuma rota pelo mar." E diz-se que naquele tempo ele estimou tais fatos corretamente, e que, antes que a forma das coisas fosse mudada, a leste de Anadûnê a terra se estendia, em verdade, do Norte até o extremo Sul, onde estão geleiras que não se podem passar.

Mas o rei disse: "Mesmo assim, podemos considerar essa rota, se puder ser descoberta." E ponderou em seu pensamento secreto a armação de navios de grande calado e capacidade, e o estabelecer de postos avançados de seu poder em costas distantes.

§28 Assim foi que sua raiva se tornou ainda maior quando ele ouviu aquelas notícias sobre Zigûr, o Poderoso, e sua inimizade quanto aos Adûnâi. E determinou, sem conselho dos Avalôi ou de qualquer sabedoria que não a sua, que exigiria lealdade e homenagem desse senhor; pois, em sua soberba, pensava que nenhum rei jamais poderia surgir que fosse poderoso a ponto de rivalizar com o herdeiro de Azrabêl. Portanto, começou, naquele tempo, a forjar grande acúmulo de armas de guerra, e mandou construir grandes naus e as encheu de armamentos; e, quando tudo estava pronto, ele próprio içou vela para o Leste, e desembarcou na Terra-média;

e ordenou que Zigûr viesse até ele e lhe jurasse fidelidade. E Zigûr veio. Pois via que ainda não era a hora de operar sua vontade com Anadûnê; e talvez estivesse, por ora, pasmado com o poder e a majestade dos reis dos homens, que ultrapassavam todos os rumores acerca deles. E era matreiro, de bom engenho em ganhar o que desejava por sutileza quando a força não lhe valia. Portanto, humilhou-se diante de Ar-Pharazôn, e suavizou sua língua, e parecia em todas as coisas belo e sábio.

§29 E entrou no coração de Ar-Pharazôn, o rei, que, para a melhor guarda de Zigûr e de suas juras de fidelidade, ele deveria ser levado a Anadûnê e habitar lá como um refém em nome de si mesmo e de todos os seus serviçais. E a isso Zigûr assentiu de boa vontade, pois se casava com seu desejo. E Zigûr, vindo, contemplou Anadûnê e a cidade de Ar-Minalêth nos dias de sua glória, e ficou, em verdade, pasmado; mas seu coração dentro dele ficou ainda mais cheio de inveja e de ódio.

§30 Contudo, tal era sua astúcia que, antes que três anos tivessem passado, ele se tornou o mais próximo dos alvitres secretos do rei; pois lisonja doce como mel estava sempre em sua língua, e conhecimento ele tinha de muitas coisas ocultas; e todos os conselheiros, salvo Arbazân apenas, começaram a adulá-lo. Então, lentamente, uma mudança sobreveio à terra, e os corações dos Fiéis ficaram cheios de medo.

§31 Pois agora, sendo ouvido pelos homens, Zigûr, com muitos argumentos, contradizia tudo o que os Avalôi tinham ensinado. E incitou os homens a pensarem que o mundo não era um círculo fechado, mas que havia muitos mares e muitas terras para o ganho deles, nos quais existia riqueza incontável. E ademais, se chegassem eles afinal ao término disso, além de tudo havia a Escuridão Antiga. "E esse é o Reino do Senhor de Tudo, Arûn, o Grandíssimo, que fez este mundo da Escuridão primeva; e outros mundos ele pode ainda fazer e dar como presente àqueles que o servem. E a Escuridão apenas é verdadeiramente sacra", disse ele, e mentia.

§32 Então Ar-Pharazôn, o rei, voltou-se para o culto do Escuro, e de Arûn-Mulkhêr, o Senhor dessa treva; e Menel-tûbal foi completamente abandonado naqueles dias, e nenhum homem podia ascender ao lugar alto, nem mesmo aqueles dos Fiéis que mantinham Eru em seus corações. Mas Zigûr mandou construir sobre uma colina em meio à cidade dos Eruhîn, Ar-Minalêth, a Dourada, um magno templo; e ele era na forma de um círculo na base, e lá os muros eram de cinquenta pés de espessura, e a largura de suas bases era de quinhentos pés de lado a lado, e eles se erguiam do chão por quinhentos pés, e estavam coroados por um magno domo; e esse era todo feito de prata, mas a prata se tornou negra. E do topo do domo, onde havia uma abertura ou grande lanternim, saía fumaça; e cada vez mais amiúde conforme o poder maligno de Zigûr crescia. Pois lá os homens sacrificavam a Mulkhêr com derramamento de sangue e tormento e grande perversidade, para que ele os libertasse da Morte. E muita vez aqueles entre os Fiéis é que eram escolhidos como vítimas; mas nunca abertamente sob acusação de que não queriam cultuar a Mulkhêr, antes se buscava contra eles a causa de que odiavam o rei e eram rebeldes a ele, ou que tramavam contra sua gente, criando mentiras e venenos. E essas acusações eram, na maior parte, falsas, salvo que perversidade gera perversidade, e opressão produz assassínio.

§33 Apesar de tudo isso, a Morte não partiu da terra. Antes, vinha mais cedo e mais amiúde e com feição horrenda. Pois enquanto outrora os homens tinham envelhecido lentamente e se deitado, no fim, para dormir, quando afinal estavam cansados do mundo, agora a loucura e a enfermidade os assediavam; e, contudo, tinham medo de morrer e sair para o escuro, o reino do senhor que tinham adotado; e maldiziam a si mesmos em sua agonia. E os homens tomaram armas naqueles dias e se puseram a matar uns aos outros por pequena causa, pois tinham se tornado rápidos para a raiva; e Zigûr, ou aqueles que ele tinha ligado a si, iam à volta da ilha pondo homem contra homem, de modo que o povo murmurava contra o rei e os senhores e qualquer um que tivesse algo que não tinham, e os homens de poder tiravam dura vingança.

§34 Mesmo assim, por muito tempo pareceu aos Adûnâi que prosperavam e, se não tinham crescido em felicidade, tornaram-se, porém, mais fortes, e seus homens ricos, mais ricos. Pois, com o auxílio de Zigûr, multiplicaram sua riqueza e criaram muitas máquinas, e construíram navios cada vez maiores. E velejaram com poder e armamento para a Terra-média, e vinham não mais como portadores de presentes, mas como homens de guerra. E caçavam os homens da Terra-média e lhes tomavam os bens e os escravizavam, e muitos eles matavam cruelmente sobre seus altares. Pois construíram fortalezas e templos e grandes tumbas nas costas do oeste naqueles dias; e os homens os temiam, e a memória dos reis bondosos dos Dias Antigos se esvaneceu no mundo e foi obscurecida por muitas histórias de horror.

§35 Assim, Ar-Pharazôn, o Rei da terra da Estrela de Azrabêl, tornou-se o mais poderoso tirano que já tinha sido visto no mundo desde o reinado de Mulkhêr, embora em verdade Zigûr regesse a tudo de detrás do trono. E os anos passaram, e eis que o rei sentiu a sombra da Morte se aproximar conforme seus dias se estendiam; e ficou cheio de fúria e medo. E então veio a hora que Zigûr tinha planejado e havia muito esperava. E Zigûr falou ao rei, dizendo o mal de Eru, e que ele era não mais que um espectro, uma mentira criada pelos Avalôi para justificar seu próprio ócio e cobiça.

"Pois os Avalôi", disse ele, "negam a dádiva da vida sempiterna por avareza e medo, para que os Reis dos Homens não arranquem deles o governo do mundo e tomem para si o Reino Abençoado. E embora, sem dúvida, a dádiva da vida sempiterna não seja para todos, mas apenas para aqueles que são dignos, sendo homens de poder e orgulho e grande linhagem, é ir, porém, contra toda justiça que essa dádiva, que é o mínimo que lhe cabe, seja negada ao Rei, Ar-Pharazôn, mais poderoso dos filhos da Terra, a quem Amân apenas pode ser comparado, se é que o pode." E Ar-Pharazôn, estando ébrio, e caminhando sob a sombra da Morte, pois seu tempo de vida estava chegando ao fim, deu ouvidos a Zigûr; e começou a ponderar em seu coração sobre como poderia fazer guerra aos Avalôi. Longamente esteve preparando esse desígnio, e falou dele a poucos; contudo, não podia ser oculto de todos para sempre.

§36 Ora, habitava ainda no leste de Anadûnê, perto da cidade de Ar-Minalêth, Arbazân, que era da casa real, como foi contado, e era fiel; e, contudo, tão nobre tinha sido, e tão poderoso como capitão do mar, que ainda era honrado por todos, salvo os mais ébrios do povo, e embora tivesse o ódio de Zigûr, nem rei nem conselheiro ousavam deitar mão sobre ele por ora. E Arbazân soube dos conselhos secretos do rei, e seu coração ficou cheio de pesar e grande terror; pois sabia que os Homens não podiam derrotar os Avalôi na guerra, e que grande ruína havia de vir sobre o mundo se essa guerra não fosse detida. Portanto, chamou seu filho Nimruzân e disse a ele: "Eis que os dias são sombrios e desesperados. Portanto, tenho em mente tentar aquele alvitre que nosso ancestral Azrabêl seguiu em antanho: velejar para o Oeste (havendo ou não interdição) e falar aos Avalôi — sim, até mesmo com o próprio Amân, se puder, e implorar o auxílio dele antes que tudo esteja perdido."

"Atraiçoarias então o Rei?", disse Nimruzân.

"Para essa coisa mesma é que proponho ir", disse Arbazân.

"E o que então pensas que deve acontecer àqueles de tua casa a quem deixares para trás, quando teu ato se tornar conhecido?"

§37 "Não se deve tornar conhecido", disse Arbazân. "Prepararei minha ida em segredo, e içarei vela para o Leste, donde diariamente muitos navios partem de nossos portos, e dali em diante, conforme o vento e a sorte permitirem, darei a volta pelo sul ou pelo norte de volta ao Oeste, e buscarei o que puder achar.

"Mas tu e teu povo, meu filho, eu aconselho que prepareis outros navios, e que coloqueis a bordo aquelas coisas das quais vossos corações não suportariam se separar e, quando os navios estiverem prontos, deveis fazer vossa morada dentro deles, mantendo uma vigília insone. E deveis ficar nos portos do leste, e propagar entre os homens que vosso propósito, no tempo apropriado, é içar vela e me seguir no Leste. Arbazân não é mais tão caro ao nosso parente no trono que ele vá prantear demasiado se buscarmos partir por uma estação ou para sempre. Mas que não se perceba que pretendes levar muitos homens, ou ele pode ficar perturbado por causa da guerra que agora trama, para a qual terá necessidade de todas as forças que puder reunir. Busca antes os Fiéis que te são conhecidos, e manda-os ficar em terra no aguardo, se estiverem dispostos a ir contigo. Mas mesmo a esses homens não contes mais de teus desígnios do que é necessário."

§38 "E qual há de ser esse desígnio que planejas para mim?", disse Nimruzân.

"Até que eu retorne, não posso dizer", respondeu o pai dele. "Mas decerto o mais provável é que devas fugir da bela Amatthânê, que agora está conspurcada, e perder o que amavas, sentindo o gosto da morte em vida, buscando uma terra pior em outro lugar. Se no Leste ou no Oeste, os Avalôi apenas é que podem dizer.

"E pode muito bem ser que não me vejas nunca mais, e que eu não haja de te mostrar nenhum signo tal como Azrabêl mostrou outrora. Mas mantém sempre a vigilância, pois o fim do mundo que conhecemos está agora à mão."

§39 E conta-se que Arbazân içou vela num pequeno navio à noite, e o conduziu primeiro no rumo leste e depois deu a volta e passou-se para o Oeste. E tomou três serviçais consigo, caros a seu coração, e nunca mais se ouviu falar deles por palavra ou sinal neste mundo; nem há qualquer história ou ideia sobre seu destino. Mas isto, ao menos, pode-se ver, que os Homens não podiam, uma segunda vez, ser salvos por qualquer embaixada como essa, e para a traição de Anadûnê não havia nenhum perdão fácil. Mas Nimruzân fez tudo o que seu pai tinha pedido, e seus navios ficaram fundeados na costa leste da terra, e ele se pôs em segredo e não tomou parte nos feitos daqueles dias. Por vezes, viajava até as costas do oeste e contemplava o mar, já que o pesar e a saudade lhe sobrevinham, pois amara grandemente a seu pai; mas nada podia descortinar além das frotas de Ar-Pharazôn se reunindo nos portos do oeste.

§40 Ora, em antanho, na ilha de Anadûnê, o clima fora sempre adequado ao gosto e às necessidades dos homens: chuva nas estações certas e sempre na medida, e sol, ora quente, ora mais suave, e ventos vindos do mar; e, quando o vento vinha do Oeste, parecia a muitos que estava cheio de uma fragrância, passageira, mas doce, de tocar o coração, como a de flores que desabrocham para sempre em campinas imorredouras e não têm nomes em costas mortais. Mas tudo isso agora estava mudado. Pois o próprio céu escurecera, e havia tempestades de chuva e granizo naqueles dias, e ventos violentos; e de quando em vez um grande navio dos Adûnâi afundava e não retornava ao porto, embora nunca uma tal tristeza tivesse se dado antes desde o surgir da Estrela. E do Oeste vinha por vezes uma grande nuvem, com forma como a de uma águia, com alas espalhadas para o Norte e o Sul; e lentamente se achegava, tapando o pôr-do-sol (pois naquela hora mormente era vista), e então máxima noite caía sobre Anadûnê. E por vezes, sob as asas das águias, carregava-se o relâmpago, e o trovão ribombava no céu, um tal som como os homens daquela terra não tinham ouvido antes.

§41 Então os homens tiveram medo. "Eis as Águias dos Senhores do Oeste!", gritavam; "as Águias de Amân estão sobre Anadûnê!", e caíram sobre seus rostos. E alguns poucos se arrependiam, mas os outros endureciam seus corações e sacudiam seus punhos diante do céu, e diziam: "Os Senhores do Oeste desejaram essa guerra. Eles atacam primeiro; o próximo golpe será nosso." E essas palavras o próprio rei pronunciou, mas Zigûr as formulou.

§42 Então os relâmpagos aumentaram e mataram homens nas colinas, e nos campos, e nas ruas da cidade; e um raio de fogo atingiu o domo do Templo, que ficou envolto em chama. Mas o Templo não foi abalado; pois o próprio Zigûr se pôs sobre o pináculo e desafiou os relâmpagos; e naquela hora os homens o chamaram de deus e passaram a fazer tudo o que queria. Quando, por isso, o último portento veio, deram-lhe pouca importância; pois a terra sacudia debaixo deles, e um ruído como o de trovão debaixo da terra se misturava ao rugido do mar; e apareceu fumaça no topo de Menil-Tûbal [*sic*]. Mas ainda assim Ar-Pharazôn foi adiante com seus desígnios.

§43 E agora as frotas dos Adûnâi escureciam o mar no oeste da terra, e eram como um arquipélago de mil ilhas; seus mastros eram como uma floresta sobre as montanhas, e suas velas eram como uma nuvem ameaçadora; e suas bandeiras eram negras e douradas como estrelas sobre os campos da noite. E todas as coisas agora aguardavam a palavra de Ar-Pharazôn; e Zigûr se retirou para o círculo mais interno do Templo, e os homens lhe trouxeram vítimas para serem queimadas. Então as Águias dos Senhores do Oeste surgiram, vindas do ocaso, e estavam arranjadas como que para a batalha, uma depois da outra em linha interminável; e, conforme chegavam, suas asas se espalhavam cada vez mais, abrangendo todo o céu; mas o Oeste ardia vermelho detrás delas, e elas brilhavam como sangue vivo na parte de baixo, de modo que Anadûnê foi iluminada como que por um fogo moribundo, e os homens contemplaram os rostos de seus companheiros, e lhes pareciam estar cheios de ira.

§44 Então Ar-Pharazôn endureceu seu coração, e foi a bordo de seu magno navio, Aglarrâma, castelo do mar; muitos remos tinha e muitos mastros, dourados e negros, e sobre ele o trono de Ar-Pharazôn foi colocado. Então ele pôs sua panóplia e sua coroa, e mandou que se alçasse seu estandarte, e deu o sinal para o levantar das âncoras; e naquela hora as trombetas de Anadûnê soaram mais altas que o trovão.

§45 E assim as frotas dos Adûnâi saíram contra a ameaça do Oeste; e havia pouco vento, mas eles tinham muitos remos, e muitos escravos fortes para remar debaixo do açoite. O sol desceu, e veio um silêncio; e sobre a terra e todos os mares um torpor sombrio se abateu, enquanto o mundo esperava pelo que havia de ocorrer. Lentamente as frotas passaram além da vista das sentinelas nos portos, e suas luzes se esvaneceram sobre o mar, e a noite as tomou; e pela manhã tinham sumido. Pois no meio da noite um vento se alevantou no Leste (por artes de Zigûr, é o que se diz), e os levou para longe; e quebraram a interdição dos Avalôi, e navegaram para mares proibidos, indo fazer guerra ao Povo Sem-morte, para arrancar dele vida sempiterna no círculo do mundo.

§46 E quem há de contar o conto de seu destino? Pois nem nau nem homem, de toda aquela hoste, jamais retornou às terras dos homens viventes. E se chegaram em verdade àquele ancoradouro que outrora os Adûnâi podiam descortinar de Menel-Tûbal; ou se não o acharam, ou chegaram a alguma outra terra e lá assediaram os Avalôi, não se sabe. Pois o mundo foi mudado naquele tempo, e a memória de tudo o que aconteceu antes é incerta e tênue.

§47 Em meio aos Nimrî apenas preservou-se palavra das coisas que foram; deles é que os mais sábios nas tradições de outrora aprenderam esta história. E eles dizem que as frotas dos Adûnâi chegaram de fato a Avallôni, nas lonjuras do mar, e a cercaram; e ainda assim tudo estava em silêncio, e o juízo pendia por um fio. Pois Ar-Pharazôn hesitou no fim, e quase deu a volta; mas a soberba era sua mestra, e afinal ele deixou seu navio e caminhou pela costa. Então Amân clamou a Eru, e naquela hora os Avalôi depuseram sua governança da Terra. Mas Eru mostrou o seu poder, e mudou a feição do mundo; e uma grande rachadura se abriu no mar entre Anadûnê e a Terra Sem-morte, e as águas fluíram para dentro dela, e o barulho e o vapor daquelas cataratas subiu ao céu, e o mundo foi abalado. E dentro do abismo caíram todas as frotas dos Adûnâi e foram engolidas pelo esquecimento. Mas a terra de Amân e a terra de sua dádiva, estando em cada um dos lados da grande rachadura nos mares, foram também destruídas; pois suas raízes se soltaram, e elas tombaram e afundaram, e não existem mais. E os Avalôi, desde então, não tiveram habitação nenhuma na Terra, nem há mais qualquer lugar onde uma memória de um mundo sem mal esteja preservada; e os Avalôi habitam em segredo, ou se tornaram semelhantes a sombras, e seu poder se desvaneceu.

§48 Numa hora imprevista esse juízo sobreveio, na sétima tarde desde a passagem das frotas. Então, de repente, fez-se um vento poderoso e um tumulto da Terra, e o céu cedeu e os montes deslizaram, e Anadûnê desceu mar adentro com todas as suas crianças, e suas esposas, e suas donzelas, e suas soberbas damas; e todos os seus jardins e seus salões e suas torres, suas riquezas e suas joias e suas tapeçarias e suas coisas pintadas e entalhadas, e seu riso e seus folguedos e sua música e sua sabedoria, e sua fala — tudo isso desapareceu para sempre. E por último de tudo a onda crescente, verde e fria e emplumada de espuma, tomou em seu seio Ar-Zimrahil, a Rainha, mais bela do que prata ou marfim ou pérolas; tarde demais ela lutou para subir os caminhos íngremes de Menel-Tûbal até o lugar sacro, pois as águas a alcançaram, e seu grito se perdeu no rugir do vento.

§49 Mas, de fato, o cimo da Montanha, o Pilar do Céu, no meio da terra, era um lugar consagrado, nem jamais tinha sido profanado. Portanto, alguns pensaram que não tinha sido submerso para sempre, mas que se erguera de novo acima das ondas, uma ilha solitária perdida nas grandes águas, se porventura um marinheiro chegasse a ela. E muitos houve que depois a buscaram, porque se dizia entre os remanescentes dos Adûnâi que os homens de vista aguçada de outrora podiam ver, do topo de Menel-Tûbal, o chamejar da Terra Sem-morte. Pois, mesmo depois de sua ruína, os corações dos Adûnâi ainda estavam postos no rumo oeste.

§50 E, embora soubessem que a terra de Amân e a ilha de Anadûnê não existiam mais, diziam: "Avallôni desapareceu, e a Terra da Dádiva nos foi retirada, e no mundo desta escuridão presente não podem ser achadas; contudo, existiram, e portanto ainda existem em verdadeiro ser e na forma inteira do mundo." E os Adûnâi sustentavam que os homens que fossem abençoados podiam contemplar outros tempos que aqueles da vida do corpo; e ansiavam sempre por escapar das sombras de seu exílio e ver, em alguma feição, a luz que existira outrora. Portanto, alguns entre eles ainda vasculhavam os mares vazios; "mas todas as vias estão torcidas entre as que antes eram retas", disseram.

§51 E desse modo veio a acontecer que alguns foram poupados da queda de Anadûnê; e talvez essa tenha sido a resposta à jornada de Arbazân. Pois aqueles que foram poupados eram todos de sua casa e gente, ou seguidores fiéis de seu filho. Ora, Nimruzân tinha ficado para trás, recusando a convocação do rei quando ele partiu para a guerra; e, evitando os soldados de Zigûr, que vieram prendê-lo e levá-lo para os fogos do Templo, ele foi a bordo e se postou a pouca distância da costa, aguardando a hora. Lá ficou protegido pela terra do grande arrasto do mar, que arrastou tudo para o fundo do abismo, e depois da primeira fúria da tempestade e da grande onda que rolou para fora quando a rachadura se fechou e as fundações do mar foram abaladas.

Mas, quando a terra de Anadûnê desabou em sua queda, então enfim ele fugiu, antes para o salvar das vidas daqueles que o seguiam do que da sua própria; pois julgava que nenhuma morte podia ser mais amarga que a ruína daquele dia. Mas o vento do Oeste soprou ainda mais feroz que qualquer vento que os homens conheciam; e arrancou vela e derribou mastro e caçou os homens infelizes como se fossem palha sobre a água. E o mar se alevantou em grandes colinas; e Nimruzân, e seus filhos e povo, fugindo diante do negro vendaval do crepúsculo até a noite, foram carregados sobre as cristas das ondas que pareciam montanhas em movimento, e depois de muitos dias foram lançados ao longe, no interior da Terra-média.

§52 E todas as costas e regiões marítimas do mundo sofreram grande ruína e mudança naquele tempo; pois a Terra foi duramente abalada, e os mares subiram por sobre as terras, e costas afundaram, e ilhas antigas ficaram submersas, e novas ilhas se levantaram; e colinas se esfarelaram, e os rios assumiram estranhos cursos.

§53 E aqui termina a história ao falar de Nimruzân e seus filhos, que depois fundaram muitos reinos na Terra-média; e, embora seu saber e sua arte fossem não mais que um eco daquilo que tinha sido antes que Zigûr viesse a Anadûnê, ainda assim pareciam muito grandes aos olhos dos homens selvagens do mundo.

§54 E o que se diz é que o próprio Zigûr ficou cheio de horror diante da fúria da ira dos Avalôi e do juízo que Eru decretara; pois era em muito mais duro do que qualquer coisa que ele aguardasse, esperando apenas a morte dos Adûnâi e a derrota de seu rei soberbo. E Zigûr, sentado em seu negro assento em meio a seu templo, riu quando escutou as trombetas de Ar-Pharazôn soando para a batalha; e de novo riu quando escutou o trovão da tempestade; e uma terceira vez, bem quando ria de seu próprio pensamento (pensando no que faria agora no mundo, estando livre dos Eruhîn para sempre), foi atingido em meio a seu divertimento, e seu assento e seu templo caíram no abismo.

§55 Mas Zigûr não era de carne mortal e, embora fosse despojado daquela forma na qual fizera tão grandes males, mesmo assim logo criou outra; e voltou também à Terra-média e atormentou os filhos de Nimruzân e todos os homens além deles. Mas isso não entra no conto da Submersão de Anadûnê, da qual tudo agora está contado. Pois o nome daquela terra pereceu, e aquela que fora outrora a Terra da Dádiva em meio ao mar foi perdida, e os exilados nas costas do mundo, se voltavam-se para o Oeste, falavam de Akallabê, que foi sobrepujada nas ondas, a Decaída, Atalantë na língua nimriana.

ᘓ

Mostrei (p. 421) que o texto original de *A Submersão de Anadûnê* (SA I) pode ser datado entre a composição do manuscrito (E) da Parte Dois de *Os Documentos do Clube Notion* e a seção rejeitada F 1 do texto datilografado, com base no nome do Pilar do Céu: *Meneltyûlâ* em SA I (que aparece como correção no texto E), mas *Menel-tûbel* (> *-tûbil*) em F 1 (daqui em diante, em passagens comparativas, uso o acento circunflexo em todas as formas, qualquer que seja o padrão no texto citado). Com base no mesmo raciocínio, o presente texto SA II corresponde ao texto F 1, já que o Pilar do Céu aqui é *Menel-Tûbal*, enquanto a seção F2 do texto datilografado dos *Documentos* tem o termo *Minul-Târik*. Do mesmo modo, SA II e F 1 concordam no uso de *Avalôi, Adûnâi* em contraste com *Avalôim, Adûnâim* em F 2 (para as diferentes formas dos nomes adûnaicos em F1 e F2, ver as pp. 294–5, 368).

Por outro lado, o texto SA II traz *Anadûnê*, tal como F 2, enquanto F 1 tem o termo *Anadûn*; e o F 1 tem, como nome adunaico de Eärendil, a forma *Pharazîr*, alterada no texto datilografado para *Azrubêl*, enquanto o SA II usa *Azrabêl* desde o princípio. Em SA II aparece o nome *Amatthânê* para "Terra da Dádiva", que suplantou o nome em F 1, *Athânâti* (ver pp. 448–9, §12); F 2 tem o nome final, *Yôzâyan*.

Com essa comparação, fica claro que a escrita de SA II pode ser datada entre as formas original e reescrita (F 1 e F 2) do relato de Lowdham sobre o adunaico na Noite 66 de *Os Documentos do Clube Notion*.

Esta versão muito ampliada de *A Submersão de Anadûnê* serve, quando analisada de modo mais amplo, como um exemplo extraordinariamente claro do método de "composição por expansão" empregado por meu pai. Separada por anos e muitos novos textos do *Akallabêth* publicado, a versão SA II (e especialmente a sua parte final) já contém uma grande parte do fraseado do próprio *Akallabêth*. A abertura do SA II é totalmente distinta (pois nesse ponto o *Akallabêth* foi ampliado a partir de *A Queda de Númenor*); mas, começando com §12 (a viagem até Anadûnê seguindo a Estrela), calculo que não menos que três quintos do exato fraseado de SA II tenham sido preservados. Isso é ainda mais impressionante quando se olha a questão na ordem inversa: pois descobri que, começando no mesmo ponto do *Akallabêth* (p. 343), apenas três oitavos desse texto (de novo, considerando o fraseado exato) estão presentes em SA II. Em outras palavras, muito mais do que metade do que o meu pai escreveu nessa época foi mantido de forma exata no *Akallabêth*; mas muito menos do que metade do *Akallabêth* corresponde a uma reprodução exata do texto SA II.

Boa parte dessa expansão aconteceu por meio da inserção (em diferentes estágios da história textual) de frases ou passagens breves no corpo do texto original (e uma pequena parte disso pertence à história textual subsequente de *A Submersão de Anadûnê*). Em medida muito maior, a velha narrativa foi sendo transformada pela introdução de longas seções de texto novo. Também houve alterações significativas de estrutura.

Segue aqui um comentário, por parágrafos, do texto SA II, o qual inclui todas as alterações significativas feitas no texto depois que ele foi datilografado, e também indicações sobre as expansões posteriores que se encontram no *Akallabêth*.

Comentário sobre a segunda versão

§1 Em SA II a ambiguidade do termo *Avalâi* em SA I é eliminada, e os *Avalôi* são "senhores poderosos, que os Homens recordavam como deuses", os Valar; enquanto em §5 aparecem os *Nimrî* (Eldar). A frase "que os Homens recordavam como deuses" foi alterada para "que existiam antes que o mundo fosse feito, e não morrem".

Esse parágrafo de abertura tinha sido reescrito de forma muito rápida no texto SA I até chegar quase à forma em SA II, mas "o Senhor Arûn" tinha antes o nome de "o Senhor Kherū".

§2 *seu irmão Amân* (no texto SA I, *Manawē*). Em todos os textos de *A Submersão de Anadûnê* Manwë é chamado de *Amân*, e esse é o único significado desse nome. *Aman* foi um dos termos que meu pai listou como "Alterações da última revisão [de *O Silmarillion*] em 1951" (ver p. 377), e parece haver boas razões para supor que *Amân*, na verdade, fez sua primeira aparição aqui, como o nome adunaico de Manwë.

§5 *alguns diziam que eles eram os filhos dos Avalôi e não morriam.* Em §16 os Nimrî são classificados, sem qualquer ressalva do tipo "alguns diziam", como "os filhos do Povo Sem-morte". Cf. a abertura do *Quenta Silmarillion* (V. 242, §2):

> A esses espíritos os Elfos dão o nome de Valar, que significa Poderes, e os Homens amiúde os chamaram de Deuses. Muitos espíritos menores de sua própria gente trouxeram eles em seu séquito, tanto grandes como pequenos; e alguns desses os Homens confundiram com os Elfos, mas em erro, pois eles foram feitos antes do Mundo, enquanto os Elfos e os Homens despertaram primeiro no Mundo, após a vinda dos Valar.

Embora isso não seja mencionado em tal passagem, o conceito dos "Filhos dos Valar" pode ser encontrado com frequência no *Quenta Silmarillion*; e cf. especialmente *Os Anais Tardios de Valinor* (V. 134–35): "Com esses grandes vieram muitos espíritos menores, seres de sua própria gente, mas de menor poder… E com eles também foram contados mais tarde seus filhos…" (ver comentário sobre isso em V. 146).
Eledâi: esse nome também aparece em outros textos: ver p. 473 e seguintes.

§7 *e não foram reduzidos a nada*: modificado para "e não pereceram de todo da Terra."

§8 No fim da frase de abertura "… do que o de todos os outros homens", foi acrescentado o seguinte:

> Pois amiúde ele lançava seu barco nos ventos rumorosos, ou velejava sozinho longe da vista até mesmo das montanhas de sua terra, e retornava uma vez mais, faminto do mar, depois de muitos dias.

Azrabêl: cf. a seção rejeitada F 1 do texto datilografado da Parte Dois dos *Documentos* (p. 369): "*Azrubêl* é formado por *azar*, 'mar', e pela raiz *bel-*". A forma *Azrabêl* se tornou *Azrubêl* quando o texto SA III estava sendo datilografado; mas há uma única ocorrência de *Azrubêl* no texto original SA II (§23). Sobre a significância das duas formas, ver p. 513.

Rôthinzil: esse nome se encontra no *Akallabêth* (pp. 341 e 343).

Vingalôtë: no texto SA I, *Wingalôtê*; tornou-se *Wingalôtë* em SA III e voltou a ser *Vingalôtë* no texto final SA IV.

§11 A passagem de conclusão do parágrafo, a partir de "Mas Amân não permitiria que Azrabêl...", foi alterada para:

> Azrubêl não retornou para trazer essas novas à sua gente, seja por sua própria vontade, pois não poderia suportar partir de novo em forma vivente do Reino Abençoado, aonde nenhuma morte chegara; ou por ordem de Amân, para que relatos sobre isso não perturbassem os corações dos Eruhîn, sobre os quais o próprio Eru pusera a sina da morte. Mas Amân tomou o navio Rôthinzil e o encheu com uma chama prateada, e pôs nele marinheiros dos Nimîr, e o ergueu acima do mundo para velejar no céu, uma maravilha de se contemplar.

A forma *Nimîr*, equivalente a *Nimrî*, aparece no terceiro texto, SA III.

§12 O nome *Amatthânê* ("a Terra da Dádiva") foi datilografado depois por cima de um nome apagado, mas é possível ver que a forma original do nome tinha oito letras, começando com A e provavelmente terminando com *e*. No texto F 1 da Parte II dos *Documentos*, a Terra da Dádiva era *Athānāti* (p. 369), e o termo *Athanātē* ocorre numa forma anterior do fragmento II de Lowdham, p. 376; assim, o nome apagado aqui era obviamente *Athanātē*. Mais tarde, o nome *Amatthânê* aparece de início no texto datilografado SA III.

Nesse parágrafo, um pedaço de papel datilografado foi inserido no texto, mudando a passagem depois das palavras "içaram vela sobre as águas profundas, seguindo a estrela":

> E os Avalôi puseram uma paz sobre o mar por muitos dias, e enviaram luz do sol e bom vento nas velas, de modo que

> as águas faiscavam diante dos olhos dos Eruhîn feito vidro fluido, e a espuma voava como neve diante dos cascos de seus navios. Mas tão brilhante era Rôthinzil que, mesmo pela manhã, os homens podiam vê-lo luzir no Oeste, e, na noite sem nuvens, ele brilhava sozinho, pois nenhuma outra estrela podia ficar a seu lado. E, estabelecendo seu curso na direção dele, os Eruhîn cruzaram, afinal, as léguas do mar e viram ao longe a terra que lhes fora preparada, Zenn'abâr, a Terra da Dádiva, chamejando em uma névoa dourada. Então saíram do mar e encontraram belo e fértil país, e ficaram contentes. E chamaram àquela terra Gimlad, que é Rumo-à-estrela, e Anadûnê, que é Ociente, Nûmenôrë na língua nimriana.

Esse é virtualmente o texto do *Akallabêth* (p. 343), exceto, é claro, pelos nomes. *Zenn'abâr* foi alterado mais tarde para *Zen'nabâr*, e depois para *Abarzâyan* (que era a forma no terceiro texto, SA III). O nome *Amatthânê* não se perdeu, contudo: ver p. 462, §23.

§13 A afirmação, aqui e no texto SA I, de que os Eruhîn foram recompensados com um tempo triplicado de vida remonta a uma mudança feita no texto QdN II, §10 (V. 39), cf. também as palavras de Aragorn: "Eu ainda tenho o dobro do tempo de vida de outros homens", p. 81, e a afirmação no Apêndice A (I, i) de *O Senhor dos Anéis*: os Númenóreanos foram agraciados com um tempo de vida "no começo o triplo da dos Homens menores". Para um relato sobre as visões de meu pai acerca da longevidade dos Númenóreanos, ver *Contos Inacabados*, pp. 305–6.

Entre §13 e §14 há uma longa passagem no *Akallabêth* na qual Andúnië, o Meneltarma, Armenelos e as tumbas dos reis são citados, e depois a ancestralidade e as escolhas de Elrond e Elros (parte que deriva bastante de perto de uma longa inserção no texto QdN III, §2: ver pp. 399, 406–7).

§14 A frase de abertura foi alterada para esta forma:

> Assim os anos passaram e, enquanto a Terra-média regredia e a luz e a sabedoria fraquejavam lá, os Adûnâi habitavam

sob a proteção dos Avalôi, e na amizade com os Nimrî, e aumentavam em estatura tanto do corpo quanto da mente.

Sobre "os reis e príncipes aprendiam a língua nimriana, na qual muito saber e muitas canções foram preservados desde o princípio do mundo", cf. QdN III, §2 (p. 399): "a fala de Númenor era a fala dos Eldar do Reino Abençoado". No *Akallabêth* (p. 344) a concepção linguística é mais complexa: os Númenóreanos ainda usavam sua própria fala nativa, mas "seus reis e senhores conheciam e falavam também a língua élfica, que tinham aprendido nos dias de sua aliança, e assim tinham colóquio ainda com os Eldar, seja os de Eressëa ou os das terras do oeste da Terra-média. E os mestres-de-saber no meio deles aprendiam também a língua alto-eldarin do Reino Abençoado, na qual muita história e canção foram preservadas desde o princípio do mundo..." Ver nota 20 de *Aldarion e Erendis* em *Contos Inacabados*, pp. 294–5.

§15 Sobre as restrições progressivamente mais fortes da Interdição, ver p. 425, nota 4.

§16 O conhecimento vago acerca da habitação dos Avalôi — "alguma ilha ou costa das terras do oeste (os Homens não sabem onde)" — foi mantido com base no texto SA I, e os Adûnâi ainda a chamam de "o Porto dos Deuses", *Avallôni*, substituindo *Avallondē*, do texto SA I. (Em QdN §1, o nome *Avallon* foi dado a Tol Eressëa, "pois fica perto de Valinor". Em ambas as versões dos exemplos de nomes númenóreanos dados por Lowdham em *Os Documentos do Clube Notion*, pp. 295, 368–9, ele se refere ao topônimo *Avallōni* sem sugerir onde ou o que seria; e, na segunda versão, a F 2, ele acrescenta que, embora seja um nome da sua língua B, o adunaico, "é a esse termo, por mais estranho que seja, que eu associo a língua A", o quenya. Em ambas as versões ele chama a língua A de "avaloniano".) Os Adûnâi chamavam a terra dos Avalôi de "o Porto dos Deuses", *Avallôni*, "*pois* por vezes... eles conseguiam descortinar... uma cidade alva-luzente numa costa distante, e grandes ancoradouros, e uma torre." Mas nesse ponto entra em *A Submersão de Anadûnê* a ideia das opiniões divergentes acerca dessa visão de uma terra a oeste: "E alguns sustentavam que era uma visão do Reino Abençoado o que os homens observavam, mas outros diziam que era apenas uma ilha mais distante onde os Nimrî habitavam... pois quiçá os Avalôi não tinham nenhuma habitação visível sobre a Terra." Essa segunda opinião recebe o apoio do autor de *A Submersão de Anadûnê*, já que "certo é que os Nimrî tinham alguma habitação vizinha a Anadûnê, pois para lá iam de quando em vez, os filhos do Povo Sem-morte..."

Esses trechos foram mantidos durante os dois textos seguintes de *A Submersão de Anadûnê* sem qualquer mudança significativa, salvo pela retirada das palavras "os filhos do Povo Sem-morte" (ver a nota sobre §5 acima). No *Akallabêth*, a verdadeira natureza da cidade distinta é esclarecida: "Mas os sábios entre eles tinham conhecimento de que essa terra distante não era de fato o Reino Abençoado de Valinor, mas era Avallónë, o porto dos Eldar em Eressëa, a mais oriental das Terras Imortais" (p. 346). Ver mais sobre isso no comentário sobre §47 abaixo.

Antes do termo "o Reino Abençoado", o nome *Zen'namân* foi escrito a lápis na página datilografada, e mais uma vez em §23; em ambos os casos, a palavra foi riscada. Ver o comentário sobre §47.

A referência ao "próprio porto ocidental deles, Andūniē de Nūmenōr" em SA I foi retirada. Andúnië tinha aparecido no texto QdN (§2, p. 399): "Em antanho a principal cidade e o grande porto daquela terra ficava em meio às suas costas ocidentais, e era chamada de Andúnië, porque estava voltada para o pôr-do-sol"; essa passagem reaparece no *Akallabêth*, pp. 343–4.

§17 Em *então ninguém ousou se opor a eles*, a palavra "então" foi trocada por "ainda"; no *Akallabêth*, o trecho é "ninguém ainda ousava se opor a eles", p. 346.

A totalidade de §§17–18 foi mantida no *Akallabêth*, com exceção da referência aos idiomas embrutecidos dos homens da Terra-média (repetida nos textos seguintes de *A Submersão de Anadûnê*). No *Akallabêth* aparece aqui uma referência às viagens dos Númenóreanos para o extremo leste: "e chegaram até mesmo aos mares internos, e velejaram à volta da Terra-média, e vislumbraram de suas altas proas os Portões da

Manhã no Leste"; esse trecho deriva de QdN, §3 (p. 400; ver V. 29, comentário a §3). Comparar isso com a opinião expressa em §27, segundo a qual não havia passagem marítima para o Leste.

§19 *dos quais as canções dos homens preservam ainda a memória distante, feito um eco do Mar.* A canção do *Rei Feixe* sem dúvida deve ser entendida como um desses ecos.

No *Akallabêth* a primeira menção ao surgimento de Sauron é adiada para um ponto muito posterior na narrativa, e é só em §21 que a versão antiga começa a ser usada de novo, com as murmurações dos Númenóreanos contra a Sina dos Homens e a interdição a suas viagens para o oeste.

Em SA I *Zigūr* é o nome que os homens da Terra-média deram a Sauron; não se diz que esse era o nome que ele mesmo assumiu.

§20 *Amatthânê*: na primeira ocorrência neste parágrafo, o nome foi mantido, mas na segunda (e de novo em §21), foi modificado para *Zen'nabâr* (ver a nota de §12 acima).

Indilzar: Elros, primeiro Rei de Númenor. O nome foi mudado para *Gimilzôr* (e assim aparece nos textos seguintes). Nos desenvolvimentos posteriores da lenda númenóreana, o nome *(Ar-)Gimilzôr* foi dado ao vigésimo-terceiro rei (pai de Tar-Palantir, que se arrependeu dos caminhos tomados pelos reis, e avô de Ar-Pharazôn; *Contos Inacabados*, p. 303, *Akallabêth*, p. 352).

sete reis: aqui Ar-Pharazôn se torna o nono rei, já que se diz expressamente que "sete reis tinham governado entre Indilzar [Elros] e Ar-Pharazôn." *Sete* foi alterado para *doze*, e esse número permanece no texto final de SA; assim, ele se torna o décimo-quarto rei. Em sua longa explicação sobre os "ciclos" de suas lendas para Milton Waldman em 1951 (*Cartas* n. 131, p. 227), meu pai escreveu sobre "o décimo terceiro rei da linhagem de Elros, Tar-Calion, o Dourado". Pode ser que ele estivesse contando os reis "da linhagem de Elros" e excluindo o próprio Elros; mas, por outro lado, num acréscimo a QdN III, §5 (p. 401), afirma-se que "doze reis tinham governado antes dele", o que faria de Ar-Pharazôn o décimo terceiro rei, incluindo Elros. Ver também p. 517, nota de rodapé 6.

Menel-Tubâl: ver p. 445.

Ar-Minalêth substitui o nome da cidade em SA I (§32), *Antirion, a Dourada*; com a ortografia *Arminalêth*, o termo ocorre na forma final do texto em inglês antigo da "página de Edwin Lowdham", pp. 314–6. *Arminalêth* se manteve nos textos iniciais do *Akallabêth*, com uma nota de rodapé: "Esse era o nome na língua númenóreana; pois por esse nome ela era mais conhecida. *Tar Kalimos* era o nome que lhe davam na língua eldarin."

§23 As palavras "os Avalôi se entristeceram" foram alteradas para "Amân se entristeceu"; do mesmo modo, o *Akallabêth* traz o nome "Manwë" nesse ponto (p. 347).

O termo *Amatthânê* não foi alterado aqui (ver referência a §20 acima).

Azrubêl: ver referência §8.

No *Akallabêth* as palavras dos "mensageiros" de Manwë aos Númenóreanos ainda são descritas como "acerca do fado e da feição do mundo", mas a palavra *feição* se referia originalmente aos ensinamentos deles sobre a forma física do mundo. Em SA I, os Avalâi dizem simplesmente "que o mundo era redondo e que, se eles velejassem rumo ao último Oeste, ainda assim apenas voltariam de novo ao Leste e, desse modo, aos lugares de sua partida", mas agora é inserida ali (e isso foi mantido nos textos seguintes de SA) o conceito de que a Terra (a qual é "tal que um cinturão pode ser posto à volta dela") lembra "uma maçã [que] pende dos galhos do Céu", cujos mares e terras são como "a casca da fruta, que há de subsistir na árvore até a madureza que Eru designou." Nada disso foi mantido nas obras posteriores do ciclo.

as torres de Nimroth: Nimroth foi alterado para *Nimrûn*, e assim aparece nos textos seguintes; nenhum desses nomes aparece em outras obras.

§24 As palavras "até que tudo seja mudado" foram alteradas para "pois a vida dele é também a deles".

§25 Depois de "de nós se requer a maior confiança", foi acrescentado: "e esperança sem certeza"; e "ele ainda não o revelou" foi alterado para "ele ainda não revelou todas as coisas que vos reserva". Depois disso, mais uma passagem foi acrescentada num pedaço de papel datilografado:

> Mas isto consideramos ser verdadeiro, que vosso lar não é aqui, nem no país de Amân, nem em qualquer lugar dentro do cinturão da Terra; pois a Sina dos Homens não foi [*acrescentado*: no princípio] criada como uma punição. Se dor se tornou para vós, como dizeis (embora isso nós não entendamos claramente), então não será isso apenas porque agora deveis partir num tempo estabelecido, e não de vossa própria escolha? Mas essa é a vontade de Eru, que não pode ser contradita; e os Avalôi mui ardentemente vos pedem..."

No fim das palavras dos mensageiros, foi acrescentado: "e a vós isso será revelado, e não aos Avalôim" (a desinência plural *-m* em *Adûnâim*, *Avalôim* aparece no texto seguinte, o SA III; ver p. 445).

§26 A partir da recusa de todos, com exceção de poucos dos Númenóreanos, a dar ouvido ao conselho dos mensageiros, o *Akallabêth* passa a divergir bastante de *A Submersão de Anadûnê*, com a introdução de uma passagem muito longa (pp. 349–54) na qual a história de Númenor recebe uma vasta ampliação. Naquela versão, foi também para tratar com o décimo terceiro rei (mas incluindo na conta Elros como o primeiro soberano: ver *Contos Inacabados*, p. 218 e seguintes, e a referência a §20 acima) que os mensageiros vieram, mas esse rei era Tar-Atanamir, e muitos reis acabariam por segui-lo antes de Ar-Pharazôn. Segue-se um relato da decadência dos Númenóreanos naquela era, conforme sua riqueza e seu poder aumentavam, de seu crescente horror à morte e de sua expansão na Terra-média. As frases breves da abertura de §27 foram incorporadas a essa passagem. Então, no *Akallabêth*, vem a ascensão de Sauron, contada em termos inteiramente diferentes da história na versão antiga, com menções a Barad-dûr, ao Um Anel e aos Espectros-do-Anel; e toda a história da divisão dos Númenóreanos, da perseguição dos Fiéis sob Ar-Gimilzôr e da proibição da língua élfica, e da linhagem dos Senhores de Andúnië e do arrependimento de Tar-Palantir, o último rei antes de Ar-Pharazôn.

Arbazân e seu filho *Nimruzân*: Amandil (no *Akallabêth*) e Elendil. Em SA I o pai de Elendil é *Amardil*; mas os nomes élficos não aparecem de novo em *A Submersão de Anadûnê.*

Indilzar Azrabêlo foi alterado para *Indilzar Azrabêlôhin*, e depois para *Gimilzôr* (ver a nota a §20 acima).

§27 *Menel-Tûbal* foi alterado aqui para *Menil-Tûbal*, bem como nas demais ocorrências da palavra.

Do debate de Ar-Pharazôn com Arbazân sobre a possibilidade de velejar para o leste e assim chegar à terra de Amân a partir do oeste, mantido nos textos seguintes, não há vestígio no *Akallabêth*. Sobre a suposição de Arbazân de que poderia não haver passagem oriental pelo mar, ver a nota a §17 acima. Talvez seja possível que uma ideia da concepção geográfica desse trecho apareça nos dois mapas que acompanham o *Ambarkanta* no volume IV. 293, 295: afinal, no primeiro deles, fica enfaticamente marcado que não há passagem marítima, e no Norte e no Sul existem "gelos impassáveis", enquanto no segundo há estreitos pelos quais navios poderiam chegar ao extremo Leste. Mas, mesmo se isso fosse verdade, é algo que teria não mais que uma relevância "pictórica", pois o segundo mapa exibe as catástrofes depois da derrocada de Utumno e do acorrentamento de Melkor na Primeira Batalha dos Deuses (*Quenta Silmarillion*, §21, V. 252–3).

§28 A história da expedição de Ar-Pharazôn para a Terra-média e da submissão de Sauron foi bastante ampliada no *Akallabêth*, mas essa expansão já tinha ocorrido no terceiro texto, SA III (ver pp. 463–4, §28).

§31 No lugar de "incitou os homens a pensarem que o mundo não era um círculo fechado, mas que havia muitos mares e muitas terras para o ganho deles" (mantido nos textos seguintes), o *Akallabêth* (p. 356) diz: "incitou os homens a pensar que no mundo, a leste e mesmo a oeste, havia ainda muitos mares e muitos terras para que os conquistassem".

A passagem que conclui §31, "E esse é o Reino do Senhor de Tudo...", foi substituído pelo seguinte texto num pedaço de papel datilografado:

"E dele o mundo foi feito; e o Senhor dessa treva pode ainda fazer outros mundos para serem dados àqueles que o servem, de modo que o aumento de seu poder não achará fim."

"E quem é o senhor da Escuridão?", disse Ar-Pharazôn.

E, detrás de portas trancadas, Zigûr falou, e mentiu, dizendo: "É aquele cujo nome não é falado agora, pois os Avalôim vos enganaram acerca dele, pondo em sua frente o nome de Eru, um espectro criado na perversidade [> insensatez] de seus corações, buscando acorrentar os Homens na servidão a eles. Pois são o oráculo desse Eru, que fala apenas o que desejam. Mas aquele que é o mestre deles e ainda há de prevalecer libertar-vos-á desse espectro; e seu nome é Arûn, Senhor de Tudo."

Com exceção dos nomes, esse é quase o texto do *Akallabêth.*

§32 Depois da afirmação de que Ar-Pharazôn "voltou-se para o culto do Escuro" e de que a maioria do povo o seguiu, nesse ponto aparece no *Akallabêth* (p. 357) a primeira menção a Amandil e Elendil, incorporando as palavras do texto SA, §26, bem como as frases de abertura de §36, e expandindo-as bastante, com um relato sobre a amizade de Ar-Pharazôn e Amandil em sua juventude, sobre o ódio que Sauron tinha a Amandil e sobre a ida deste para o porto de Rómenna.

A frase "e nenhum homem podia ascender ao lugar alto" foi alterada para "pois embora nem mesmo Zigûr ousasse profanar o lugar alto, ainda assim o rei não deixava homem algum, sob pena de morte, ascender a ele." A forma revisada aparece no *Akallabêth*, depois da qual há uma longa passagem (pp. 358–9) acerca da Árvore Branca de Númenor: a relutância do Rei em cortar a Árvore por incitação de Sauron, Isildur passando pelos guardas em volta de Nimloth e pegando um fruto, mal escapando, com muitos ferimentos, e o momento em que o rei cede às exigências de Sauron. Então se segue a descrição do templo, não muito alterada em relação à do texto SA II, mas com o acréscimo de que o primeiro fogo do altar foi acendido com a madeira de Nimloth. Da Árvore Branca de Númenor não há menção nos textos de *A Submersão de Anadûnê.*

Pode-se notar aqui uma referência confusa ao local do templo. Ela está na versão final da página de Edwin Lowdham em inglês antigo, a que aparece no texto datilografado F 2 da Parte Dois de *Os Documentos do Clube Notion*. Na versão anterior em inglês antigo (pp. 379–81), o templo foi construído "naquela alta montanha que era chamada de Meneltyúla (quer dizer, o Pilar do Céu), a qual antes não fora profanada." Já que as mesmas palavras são usadas em ambos os textos em inglês antigo, a segunda versão sugere um estágio intermediário, no qual o templo ainda seria construído sobre o Pilar do Céu (*on ðæm héan munte*), até então não profanado (*unawídlod*), mas o Pilar do Céu ficava em meio à cidade de Arminalēth. Mas dificilmente isso seria possível, pois já no texto SA I está presente a história de que o Meneltyúla tinha sido abandonado, e que o templo tinha sido construído numa colina em meio à cidade (Antirion). No texto SA II ambas as referências a *Mulkhêr* foram alteradas para *Arûn*, mas a forma *Arûn-Mulkhêr* foi mantida.

§35 No lugar da passagem que se segue às palavras "E Zigûr falou ao rei", foi colocado o seguinte texto datilografado num pedaço de papel (mantido de modo quase exato no *Akallabêth*):

> dizendo que seu poder agora era tão grande que ele podia pensar em obter sua vontade em todas as coisas e não estar sujeito a nenhum mandamento ou interdição. "Vede, pois, que os Avalôim se apossaram da terra onde não há morte; e mentem a vós acerca disso, escondendo-a tão bem quanto podem, por causa de sua avareza e de seu medo de que os reis dos Homens arranquem deles o Reino Abençoado e governem o mundo em seu lugar. E embora, sem dúvida...

§38 *Amatthânê* aqui foi alterada para *Anadûnê* (ver notas sobre §§20 e 23 acima).

§39 No *Akallabêth* (pp. 362–3) é introduzido neste ponto um relato dos tesouros que foram colocados a bordo dos navios em Rómenna, com as Sete Pedras ("o presente dos Eldar") e o rebento de Nimloth, a Árvore Branca.

§43 *suas bandeiras eram negras e douradas*: no texto SA I as bandeiras eram "rubras como o sol moribundo numa grande tempestade, e negras como a noite que vem depois." Do mesmo, no manuscrito E da Parte Dois dos *Documentos*, as velas dos navios Númenóreanos eram "escarlates e negras", mas "douradas e negras" no texto datilografado F (p. 350, nota 63; "escarlates e negras" também no texto QdN III, §6, "vermelhas como sangue e negras" no primeiro texto em inglês antigo, pp. 379–81).

§44 *Aglarrâma, castelo do mar*: no *Akallabêth* o nome do grande navio de Ar-Pharazôn é *Alcarondas*, com o mesmo significado.

§47 A concepção radicalmente diferente do Cataclismo (em relação tanto à *Queda de Númenor* quanto ao *Akallabêth*), aqui derivada dos Nimrî, mas atribuída, no texto SA I, simplesmente "aos mais sábios em discernimento", na qual a própria Terra de Amân afundou, continuou a ser usada nos textos seguintes: "as frotas dos Adûnâi chegaram de fato a Avallôni, nas lonjuras do mar, e a cercaram", e "uma grande rachadura se abriu no mar entre Anadûnê e a Terra Sem-morte... *Mas a terra de Amân e a terra de sua dádiva*, estando em cada um dos lados da grande rachadura [> fenda] nos mares, *foram também destruídas*..."

Do lado do nome *Avallôni* foi escrito a lápis o termo *Zen'namân*, e esse nome aparece escrito ao lado de "O Reino Abençoado" em §§16 e 23, embora tenha sido riscado. No fim de §47 foram escritos, mas também riscados, os nomes *Zen'namân* e *Zen'nabâr*, isto é, "Terra de Amân" e "Terra da Dádiva" (sobre *Zen'nabâr*, ver §12 acima). As referências a *Avallôni* parecem significar o seguinte: a cidade distante vislumbrada do outro lado do mar era chamada pelos Adûnâi de *Avallôni*, "Porto dos Deuses" (*Avalôi*) porque alguns achavam que era uma visão do Reino Abençoado (§16). Alguns diziam que não o era: o que conseguiam ver era apenas uma ilha na qual os Nimrî moravam. A questão não chega a ser resolvida; mas o nome *Avallôni*, mesmo assim, foi usado em §47 quando o texto se refere à Terra de Amân. A afirmação de que *Avallôni* foi "cercada" pelas frotas dos Adûnâi possivelmente está associada às palavras de §16, segundo as quais os Avalôi habitavam "*alguma ilha* ou costa das terras do oeste".

Excetuando a opinião de alguns em Anadûnê de que a terra que podiam ver era uma ilha onde os Nimrî moravam, e a certeza de que os Nimrî deviam ter alguma habitação perto de Anadûnê, já que a visitavam, não há referência alguma a Tol Eressëa em *A Submersão de Anadûnê*.

A relação do *Akallabêth* (p. 365) com os textos anteriores nessa passagem é curiosa e característica. Assim como em SA se diz que as frotas de Ar-Pharazôn "chegaram de fato a Avallôni... e a cercaram", também no *Akallabêth* elas "cercaram Avallónë"; mas no texto de *O Silmarillion* o termo *Avallónë* se refere ao porto oriental de Tol Eressëa, e o texto continua: "e toda a ilha de Eressëa, e os Eldar estavam em luto, pois a luz do Sol poente tinha sido tapada pela nuvem dos Númenóreanos." Meu pai estava, de fato, retornando ao texto de *A Queda de Númenor* (§6, p. 402), que é quase o mesmo nesse ponto — mas que tem "cercaram Avallon" e não traz as palavras "e toda a ilha de Eressëa": pois em QdN *Avallon* era o nome da própria ilha.

A descrição da "mudança da feição do mundo" no *Akallabêth* é quase exatamente igual à de *A Submersão de Anadûnê*:

> ... e um grande abismo se abriu no mar entre Númenor e as Terras Sem-Morte, e as águas correram para dentro dele, e o barulho e o vapor das cataratas subiram ao céu, e o mundo foi abalado. E todas as frotas dos Númenóreanos foram puxadas para o abismo, e eles foram afogados e engolidos para sempre.

Mas, enquanto em *A Submersão de Anadûnê* essa passagem é seguida pela afirmação de que não apenas Anadûnê, mas também a Terra de Amân desapareceu na grande fenda, no *Akallabêth* meu pai retornou à *Queda de Númenor* (*§§7–8*), contando que o rei e seus guerreiros que tinham posto os pés no Reino Abençoado foram "enterrados sobre colinas desabadas" e "jazem aprisionados nas Cavernas dos Esquecidos, até a Última Batalha e o Dia do Juízo"; e que depois "Ilúvatar lançou para trás os Grandes Mares a oeste da Terra-média... e o mundo ficou diminuído, *pois Valinor e Eressëa foram tiradas dele e levadas ao reino das coisas ocultas.*" Assim, a diferença radical na concepção da perda do Verdadeiro Oeste que se vê entre *A Submersão de Anadûnê* e o *Akallabêth* foi uma *volta* à concepção de *A Queda de Númenor.*

A passagem "Ilúvatar lançou para trás os Grandes Mares..." foi uma revisão (ver V. 43) da forma original de *A Queda de Númenor* (V. 24; o segundo texto, QdN II, é virtualmente o mesmo), na qual o Mundo Tornado Redondo era descrito de forma mais inequívoca: os Deuses "curvaram as bordas da Terra-média, e a tornaram um globo... Assim, Novas Terras surgiram sob o Velho Mundo, e todas eram equidistantes do centro da terra redonda..."

Esse assunto volta a ser discutido na p. 466 e seguintes.

Na frase que conclui §47 no texto SA II, "e os Avalôi habitam em segredo, ou se tornaram semelhantes a sombras, e seu poder se desvanece", meu pai estava seguindo o texto SA I, onde o nome Avalāi é usado de modo ambíguo; no texto seguinte, SA III, a frase foi alterada (pp. 465–6, §§46–7).

§48 *Ar-Zimrahil: Tar-Ilien* em SA I e em QdN (§§5, 7); mais tarde, *Tar-Míriel,* cujo nome adunaico era Ar-Zimraphel (*Contos Inacabados,* p. 304, *Akallabêth,* p. 354).

§§49–50 Essa passagem, apesar de muitas mudanças pequenas em sua expressão, não difere de modo algum em seu conteúdo daquela em SA I, exceto pelo acréscimo, no fim de §50, de "Portanto, alguns entre eles ainda vasculhavam os mares vazios". Ver também p. 466 e seguintes.

§51 Depois de "Nimruzân, e seus filhos e povo", as palavras "em seus sete navios" foram acrescentadas — presumivelmente, tinham sido omitidas de modo não intencional, já que "em sete navios" está presente no texto SA I. No *Akallabêth* havia nove navios, "quatro para Elendil, e para Isildur três, e para Anárion dois." Os filhos de Elendil não são citados pelo nome, nem fica explícito quantos são, em *A Submersão de Anadûnê.*

(iv) A forma final de A Submersão de Anadûnê

As alterações extensas no texto SA II detalhadas nos comentários precedentes foram absorvidas no terceiro texto, SA III, o qual foi datilografado na mesma máquina e no mesmo papel que SA II. Mais mudanças foram introduzidas no texto SA III, e o texto datilografado completo recebeu, então, novas alterações. Finalmente, outro texto datilografado, SA IV, foi produzido, idêntico em aparência aos dois que o precederam; nele, as mudanças feitas em SA III foram incorporadas, mas o texto completado mal recebeu alterações. Com o texto SA IV, essa fase do desenvolvimento da lenda númenóreana chega ao fim.

Segue aqui um relato, parágrafo por parágrafo, das alterações feitas entre o SA II, já com emendas, e a forma final, excluindo apenas mudanças muito pequenas (tal como "tempo designado" no lugar de "hora designada" em §3). Em geral, não faço distinções entre aquelas que entraram na versão SA III e as feitas nela subsequentemente, aparecendo quando SA IV foi datilografado.

§1 O termo *Avalôi* se tornou *Avalôim* em todo o texto; essa é a forma no texto final F 2 da Parte Dois de *Os Documentos do Clube Notion* (ver p. 445).

Eru (*Eru-bênî*, *Eruhîn*) passou a ser Êru em todo o texto. Na forma mais antiga dos fragmentos de Lowdham, o nome tinha uma vogal curta (p. 376), mas na forma final ela se tornou longa (p. 302).

§5 A frase de abertura foi alterada da seguinte forma: "E por causa dos pesares do mundo os corações dos Eruhîn se voltaram no rumo do oeste, pois lá, conforme acreditavam, estava a terra de Amân e paz duradoura."

Nimrî passou a ser *Nimîr* em todo o texto.

§6 "cheios de grande terror, e de anseio"> "cheios de anseio"

§8 *Azrabêl* passou a ser *Azrubêl* sempre, primeiro pela emenda de *Azrabêl* no texto SA III, e depois datilografado diretamente; ver pp. 447–8, §8.

Vingalôtë > *Wingalôtë* > *Vingalôtë*, ver pp. 447–8, §8.

§12 O nome adunaico da “Terra da Dádiva” em SA III era *Abarzâyan* (ver pp. 448–9, §12), alterado para a forma final *Yôzâyan*, a qual aparece em SA IV e no texto final F 2 de *Os Documentos do Clube Notion* (pp. 295, 303). Assim, é possível perceber que SA III precedeu F 2.

§13 “enquanto ainda permanecessem leais” foi omitido.

Adûnâi passou a ser *Adûnâim* sempre (cf. a nota sobre *Avalôi, Avalôim*, em §1 acima).

§16 “quebrar a interdição” > “quebrar a interdição de Amân”

“(uma visão do Reino Abençoado) que os homens viam” > “que os homens viam como graça”

“os filhos do Povo Sem-morte” foi omitido.

§19 “E, contudo, no fim aquele novo bem se voltou de novo para o mal, e os Homens caíram, como se diz, uma segunda vez” foi omitido, com a frase seguinte começando assim: “Mas depois de uma era se alevantou uma segunda manifestação...”

“(ele ouviu falar da vinda) dos Eruhîn” > “dos Reis-do-mar vindos das águas profundas”

§20 O nome *Minul-Târik*, usado para designar o Pilar do Céu, substituindo *Menel-Tûbal* (mais tarde, *Menil-Tûbal*) do texto SA II, aparece pela primeira em SA III (ver p. 445).

§21 “e agora de novo se atiçava” > “e agora as sementes desse mal, plantadas fundo, estavam sendo atiçadas de novo”

§23 No lugar de *Amatthânê* em SA II, §§21, 23 (onde o termo se refere à “Terra da Dádiva”), os textos seguintes trazem *Anadûnê*; mas no lugar de *o Reino Abençoado* em SA II, §23, eles trazem *Amatthâni, o Reino Abençoado*. Assim, *Amatthânê*, cuja acepção foi substituída por Anadûnê e depois por *Zen'nabâr, Abarzâyan, Yôzâyan*, reaparece agora na forma *Amatthâni* como o nome de Valinor; mas o termo *Avallôni* foi mantido em §§16, 47 e 50. A etimologia de *Amatthâni* é explicada no “Relatório sobre o adunaico” de Lowdham, pp. 519–20.

§25 Ao texto do pedaço de papel datilografado anexado a SA II e apresentado nas pp. 453–4 foi feito o seguinte acréscimo depois das palavras "nem em qualquer lugar dentro do cinturão da Terra": "pois não foram os Avalôim que vos deram no princípio o nome de Êruhîn, os filhos de Deus."

"que a fez e vos fez" foi omitido.

§26 *Arbazân* passou a ser *Aphanuzîr*, e *Nimruzân* se tornou *Nimruzîr*, no texto SA III. Jeremy chama Lowdham de *Nimruzîr* em *Os Documentos do Clube Notion*, pp. 306, 308, e o nome aparece no fragmento I de Lowdham (B), p. 302, "sete navios de Nimruzîr no rumo leste".

§27 Depois das palavras de Aphanuzîr (Arbazân), "Talvez seja assim", ele observa o seguinte acerca do argumento fraudulento de Ar-Pharazôn: "Contudo, dar a volta num mandamento não é segui-lo"; e, na passagem que se segue à sua fala, as palavras "onde há geleiras que não se podem passar", inicialmente alterada para "... há gelo...", foi omitida.

§28 A história da expedição de Ar-Pharazôn à Terra-média foi bastante ampliada numa página datilografada que foi inserida no texto SA III. O novo texto é muito próximo daquele no *Akallabêth* (p. 355), mas falta nele a referências aos Portos de Umbar:

> ... e quando tudo estava pronto, ele próprio içou vela para o Leste. E os homens viram suas velas vindo do poente, tingidas como que com escarlate e reluzindo com ouro rubro, e o medo lhes sobreveio e eles fugiram para longe. Vazia e silente sob a lua pálida estava a terra quando o Rei de Anadûnê [> Yôzâyan] pôs pé na costa. Por sete dias ele marchou com bandeira e trombeta, e chegou a uma colina, e a subiu e dispôs ali seu pavilhão e seu trono; e se assentou em meio à terra, e as tendas de suas hostes se espalhavam à sua volta como um campo de flores soberbas [> se dispunham à sua volta, azuis, douradas e brancas, como um campo de flores altas]. Então enviou arautos e ordenou a Zigûr que viesse diante dele e lhe jurasse fidelidade.

Uma recordação minha relacionada a essa passagem talvez seja interessante de mencionar. Lembro-me de meu pai, em seu estúdio na casa na zona norte de Oxford, lendo para mim *A Submersão de Anadûnê* numa noite de verão: isso foi em 1946, pois meus pais deixaram aquela casa em março de 1947. Dessa leitura, recordo com clareza que as tendas de Ar-Pharazôn eram como um campo de flores altas de muitas cores. Já que a passagem só apareceu no texto SA III, e que a lista de cores das flores, "azuis, douradas e brancas", foi colocada a lápis no texto datilografado, aparecendo no texto final SA IV desde o começo, meu pai estava lendo o SA III ou o SA IV. Tenho a forte impressão de que os nomes adunaicos me pareceram estranhos, e que meu pai estava lendo *A Submersão de Anadûnê* como um texto novo que tinha escrito. Isso parece dar apoio à hipótese que apresentei anteriormente (p. 186), a de que o surgimento do adunaico e a evolução de uma nova forma da lenda da Queda vêm da primeira metade de 1946.

§30 Esse parágrafo foi reescrito da seguinte forma:

> Contudo, tal era a astúcia de sua mente, e a força de sua vontade oculta, que, antes de três anos terem passado, ele se tornou o mais próximo dos conselhos secretos do Rei; pois lisonja doce como mel estava sempre em sua língua, e conhecimento ele tinha de muitas coisas ainda não reveladas aos Homens. E, vendo o favor que tinha do senhor deles, todos os conselheiros, salvo apenas Aphanuzîr, começaram a adulá-lo. Então, lentamente, uma mudança veio sobre a terra, e os corações dos Fiéis foram duramente atormentados.

§31 No fim do texto no pedaço de papel em SA II, apresentado nas pp. 455–6, depois de "seu nome é Arûn, Senhor de Tudo", foi acrescentado: "Provedor da Liberdade, e ele há de vos tornar mais forte do que eles."

§32 A descrição do templo foi modificada, numa página datilografada do texto SA III, por meio da alteração das frases que se seguem a "um magno domo":

E aquele domo foi feito todo de prata e se erguia rebrilhando ao sol, de modo que a luz dele podia ser vista ao longe; mas logo a luz se escureceu e a prata se tornou negra. Pois no topo do domo havia uma larga abertura ou lanternim, e de lá saía grande fumaça...

À segunda referência a Mulkhêr (> Arûn) em SA II foi acrescentado o título "Provedor da Liberdade" (cf. §31 acima). A frase final do parágrafo ficou assim: "Essas acusações eram, em sua maior parte, falsas; contudo, aqueles eram dias amargos, e perversidade gera perversidade."

§36 A resposta de Aphanuzîr (Arbazân) à pergunta de Nimruzîr, "Atraiçoarias então o Rei?", foi expandida até chegar a uma forma que se aproxima da presente no *Akallabêth* (p. 361):

> "Sim, em verdade é o que eu faria", disse Aphanuzîr, "se eu achasse que Amân teria necessidade de tal mensageiro. Pois há apenas uma lealdade da qual homem nenhum pode ser absolvido no coração por causa alguma. E, quanto à interdição, sofrerei em mim mesmo, sozinho, a punição, para que os Êruhîn não se tornem todos culpados."

§38 "devas fugir da bela Amatthânê, que agora está conspurcada, e perder o que amavas" > "devas fugir da terra da Estrela sem nenhuma outra estrela a te guiar; pois essa terra está conspurcada. Então hás de perder aquilo que amavas"

§39 "Mas isto, ao menos, pode-se ver" foi omitido.

§41 "(as Águias de Amân) estão sobre Anadûnê!" > "ensombrecem Anadûnê!"

§43 "uma depois da outra em linha interminável" > "avançando numa linha cujo fim não se podia ver"

§§46–47 A passagem do texto SA II foi seguida de perto na forma final, incluindo a referência às frotas dos Adûnâim chegando a "Avallôni, nas lonjuras do mar", salvo pela inserção e alteração que se segue a "Pois Ar-Pharazôn hesitou no fim, e quase deu a volta" em §47:

> Seu coração lhe falhou quando contemplou as costas sem som e viu a Montanha de Amân reluzindo, mais alva que a neve, mais fria que a Morte, silenciosa, solitária, imutável, terrível como a sombra da luz de Deus. Mas a soberba agora era sua mestra, e por fim ele deixou seu navio, e caminhou pela praia, reivindicando aquela terra para si, se ninguém fosse batalhar por ela.

Essa passagem foi mantida no *Akallabêth* (p. 365), com *Taniquetil* no lugar de *Montanha de Amân* e *Ilúvatar* no de *Deus*.

Depois de "a terra de Amân e a terra de sua dádiva" (perto do fim de §47), foi acrescentado "Amatthâni e Yôzâyan" (ver §23 acima).

A frase final de §47 foi alterada da seguinte forma: "E os Avalôim, dali em diante, não tiveram habitação nenhuma na Terra, e habitam invisíveis; nem há qualquer lugar mais onde uma memória de um mundo sem mal esteja preservada." Ver p. 460 (§47, no final).

§§49–50

Essa passagem crucial foi, a princípio, mantida no texto SA III exatamente na forma que tinha em SA II (p. 443), com uma diferença (além da troca de *Minul-Târik* por *Menil--Tûbal*). O fim de §50 foi alterado e ficou assim: "Portanto, alguns entre eles ainda vasculhavam os mares vazios, *esperando encontrar a Ilha Solitária. Mas não a acharam*: 'pois todas as vias estão torcidas entre as que antes eram retas', disseram." Desde a versão de §49 que aparece em SA I o cume do Pilar do Céu é chamado de "*uma ilha solitária* em algum lugar das grandes águas", se fosse descoberto elevando-se acima da superfície do mar.

Uma vez que, com exceção das afirmações em §16 de que os Nimîr deviam viver perto de Anadûnê, e de que alguns diziam que era a ilha dos Nimîr que podia ser vista ao longe, Tol Eressëa fica, de resto, claramente ausente de *A Submersão de Anadûnê*, e *Avallôni* é um nome do Reino Abençoado, está claro que meu pai usou o nome *Ilha Solitária* para se referir ao cume do Pilar do Céu em Anadûnê de modo deliberadamente ambíguo.

Mais folhas datilografadas foram usadas para substituir a conclusão (§§49–55) da narrativa de SA III, e §50 foi ampliado de modo muito notável. O texto não recebeu novas alterações mais tarde, e esta é a forma final de §§49–50 em *A Submersão de Anadûnê* (apresento a passagem inteira para facilitar a comparação com a conclusão do *Akallabêth*, que a segue):

> Ora, o cume do Monte Minul-Târik, o Pilar do Céu, no meio da terra, era um lugar consagrado, pois lá os Adûnâim tinham o costume de dar graças a Êru e adorá-lo; e mesmo nos dias de Zigûr não tinha sido profanado. Portanto, muitos homens acreditavam que ele não tinha afundado para sempre, mas se erguera de novo acima das ondas, uma ilha solitária perdida nas grandes águas, se porventura um marinheiro chegasse a ela. E houve muitos que depois o buscaram, porque se dizia entre os remanescentes dos Adûnâim que os homens de visão aguçada de outrora podiam ver do Minul-Târik o brilho da Terra Sem-Morte. Pois mesmo depois de sua ruína os corações dos Adûnâim ainda estavam postos a oeste; [§50] e, embora soubessem que o mundo estava mudado, diziam: "Avallôni está desaparecida da Terra, e a Terra da Dádiva foi retirada, e no mundo desta presente escuridão não podem ser achadas; contudo, uma vez existiram e, portanto, ainda existem, em ser verdadeiro e na forma inteira do mundo." E os Adûnâim sustentavam que os homens assim abençoados podiam contemplar tempos outros que aqueles da vida do corpo; e ansiavam sempre por escapar das sombras de seu exílio e ver em alguma feição a luz que havia outrora. Portanto, alguns entre eles ainda vasculhavam os mares vazios, esperando chegar à Ilha Solitária, e ali ter uma visão das coisas que existiram.
>
> Mas não a encontraram, e diziam: "Todas as rotas estão curvadas entre as que antes eram retas". Pois na juventude do mundo era duro para os homens compreender que a Terra não era plaina como parecia ser, e poucos, mesmo entre os Fiéis de Anadûnê, tinham acreditado, em seus corações, nesse ensinamento; e quando, em dias

> que vieram depois, seja por saber e arte-das-estrelas, seja por viagens de navios que vasculhavam todos os caminhos e águas da Terra, os Reis de Homens descobriram que o mundo de fato se tinha feito redondo, então a crença surgiu entre eles que ele se fizera assim apenas no tempo da grande Queda, e que não tinha sido dessa forma antes. Portanto, pensavam que, enquanto o novo mundo ficava para trás, a antiga rota e o caminho da memória da Terra ainda continuava rumo ao céu, como se fosse uma enorme e invisível ponte. E muitos eram os rumores e as histórias entre eles acerca de marinheiros e homens abandonados sobre as águas que, por alguma graça ou sina, adentraram a antiga via e viram o rosto do mundo afundar abaixo deles, e assim chegaram à Ilha Solitária, ou em verdade à Terra de Amân de outrora, e contemplaram a Montanha Branca, terrível e bela, antes de morrer.

No *Akallabêth* boa parte dessa passagem foi mantida, mas recebeu novos ajustes. Cito-a aqui da forma como foi impressa em *O Silmarillion*, pp. 368–9 (algumas alterações editoriais no começo e no fim não afetam o sentido da passagem).

> Em meio aos Exilados, muitos acreditavam que o cume do Meneltarma, o Pilar do Céu, não tinha sido afundado para sempre, mas se erguera de novo acima das ondas, uma ilha solitária perdida nas grandes águas; pois tinha sido um lugar consagrado e, mesmo nos dias de Sauron, ninguém o profanara. E alguns havia, da semente de Eärendil, que mais tarde o buscaram porque se dizia, entre mestres-de-saber, que os homens de visão aguçada de outrora podiam ver do Meneltarma um vislumbre da Terra Sem-Morte. Pois, mesmo depois da ruína, os corações dos Dúnedain ainda estavam postos a oeste; e, embora soubessem de fato que o mundo estava mudado, diziam: "Avallónë está desaparecida da Terra, e a Terra de Aman foi retirada, e no mundo desta presente escuridão não podem ser achadas. Contudo, uma vez existiram e, portanto, ainda existem em ser verdadeiro e na forma inteira do mundo como no princípio ele foi criado."

Pois os Dúnedain sustentavam que até os Homens mortais, se assim fossem abençoados, podiam contemplar tempos outros que aqueles da vida de seus corpos; e ansiavam sempre por escapar das sombras de seu exílio e, ver em alguma feição, a luz que não morre; pois o pesar do pensamento da morte os tinha perseguido através das profundezas do mar. Assim foi que grandes marinheiros entre eles ainda vasculhavam os mares vazios, esperando chegar à Ilha do Meneltarma e ali ter uma visão das coisas que existiram. Mas não a encontraram. E aqueles que velejavam para longe chegavam apenas às novas terras e as achavam semelhantes às terras antigas e sujeitas à morte. E aqueles que viajavam mais longe ainda apenas faziam uma volta em torno da Terra e retornavam cansados, enfim, ao lugar onde tinham começado; e diziam: "Todas as rotas agora estão curvadas".

Assim, em dias que vieram depois, seja por viagens de navios, seja por saber e arte-das-estrelas, os reis de Homens descobriram que o mundo de fato se tinha feito redondo, e, contudo, os Eldar ainda tinham permissão para partir e chegar ao Antigo Oeste e a Avallónë, se desejassem. Portanto, os mestres-de-saber dos Homens disseram que uma Rota Reta ainda devia existir para aqueles com permissão para encontrá-la. E ensinaram que, enquanto o novo mundo ficava para trás, a antiga rota e o caminho da memória do Oeste ainda continuava, como se fosse uma enorme e invisível ponte que passava através do ar, da respiração e do voo (que estavam agora curvados como o mundo estava curvado), e atravessava Ilmen, que a carne sem auxílio não pode suportar, até que chegava a Tol Eressëa, a Ilha Solitária, e talvez até além, a Valinor, onde os Valar ainda habitam e observam o desenrolar da história do mundo. E histórias e rumores surgiram ao longo das costas do mar acerca de marinheiros e homens abandonados sobre as águas que, por alguma sina ou graça ou favor dos Valar, entraram na Rota Reta e viram o rosto do mundo afundar abaixo deles e, assim, chegaram aos ancoradouros iluminados por lâmpadas de Avallónë, ou, em verdade, às últimas praias nas margens de Aman, e lá contemplaram a Montanha Branca, terrível e bela, antes de morrer.

Pode-se perceber que §49 e a primeira parte de §50 (até "Mas não a encontraram") em SA foram mantidos, em larga medida, no *Akallabêth* (onde, entretanto, toda essa passagem sobre as especulações dos Exilados foi colocada no fim do texto). Porém, onde SA tem "Avallôni está desaparecida da Terra, e a Terra da Dádiva foi retirada", o *Akallabêth* tem "Avallónë está desaparecida da Terra, e a Terra de Aman foi retirada". Em SA Avallôni é a Terra de Amân; no *Akallabêth*, ela é o porto de Tol Eressëa (ver p. 459). Em SA aqueles que vasculhavam os mares vazios tinham a esperança de topar com "a Ilha Solitária", que equivale ao cume do Pilar do Céu; no *Akallabêth* eles tinham a esperança de encontrar "a Ilha do Meneltarma".

Em ambas as versões, os marinheiros que velejavam a oeste da Terra-média buscando o cume do Minul-Târik ou Meneltarma descobriram em suas viagens que o mundo era redondo; mas em SA o texto diz "que o mundo era de fato redondo", enquanto no *Akallabêth* a frase é "que o mundo de fato *se tinha feito* redondo".

Em *A Queda de Númenor* era algo explícito, o núcleo mesmo da lenda do Cataclismo, que o mundo se fizera redondo na época da Queda (ver pp. 459–60): era essa a história, e no contexto dessa história o arredondamento do mundo naquela época era um fato indubitável. Em *A Submersão de Anadûnê*, os Nimîr (Eldar) tinham visitado os Adûnâim e ensinado a eles expressamente que o mundo era, *por sua natureza,* redondo ("como uma maçã, pende dos galhos do Céu", §23), mas Zigûr, ao vir para Anadûnê, contrariou o que disseram ("O mundo não era um círculo fechado", §31). No segundo texto, o autor sabe que o mundo é, por sua natureza, um globo; mas muito poucos dos Adûnâim haviam acreditado nesse ensinamento até que as viagens dos sobreviventes da Queda lhes ensinaram que ele era verdadeiro (cf. a passagem escrita no texto original SA I, p. 423: "Pois eles acreditavam ainda nas mentiras de Sauron de que o mundo era plaino, até que suas frotas tinham dado a volta em todo o mundo procurando o Meneltyūlā, e souberam que o mundo era redondo"). E assim (conforme ele reconta a tradição), em vez de aceitar a verdadeira natureza do Mundo Redondo, "a crença surgiu entre eles que ele se fizera assim apenas no tempo da grande Queda, e que não tinha sido dessa forma antes." Assim foi que os sobreviventes de Anadûnê no Oeste da Terra-média chegaram ao conceito da Rota Reta: "*Portanto, pensavam* que, enquanto o novo mundo ficava para trás, a antiga rota e o caminho da memória da Terra ainda continuava rumo ao céu, como se fosse uma enorme e invisível ponte."

É uma ideia radicalmente distinta da presente em *A Queda de Númenor* (QdN III, §11, pp. 404–5): "Pois as antigas linhas do mundo permaneciam na mente de Ilúvatar, e no pensamento dos deuses, e na memória do mundo, como uma forma e um plano que foi alterado, e ainda assim subsiste." O autor de *A Queda de Númenor* sabe que "outrora muitos dos exilados de Númenor conseguiam ainda ver, alguns claramente e outros de modo mais tênue, as sendas para o Verdadeiro Oeste"; mas, para o autor racionalizante (ao que parece) de *A Submersão de Anadûnê*, a Rota Reta era uma crença nascida do desejo e do remorso.

O autor do *Akallabêth* tinha diante de si ambas as obras e, nessa passagem, fez uso de ambas. Apresento de novo aqui a passagem que conclui esse texto com as fontes destacadas (necessariamente, de modo algo aproximado): *A Submersão de Anadûnê* em itálico, *A Queda de Númenor* (QdN III, §§8, 12) em fonte normal entre asteriscos e as passagens que não se encontram em nenhuma dessas fontes em fonte normal entre parênteses.

> *Mas não a encontraram.* (E aqueles que velejavam para longe) *chegavam apenas às novas terras e as achavam semelhantes às terras antigas e sujeitas à morte.* (E aqueles que viajavam mais longe ainda apenas faziam uma volta em torno da Terra e retornavam) *cansados, enfim, ao lugar onde tinham começado;* *e diziam: "Todas as rotas agora estão curvadas".*
>
> *Assim, em dias que vieram depois, seja por viagens de navios, seja por* (saber e) arte-das-estrelas, *os reis de Homens descobriram que o mundo de fato se tinha* (feito) *redondo,* (e, contudo, os Eldar ainda tinham permissão para partir e chegar ao Antigo Oeste e a Avallónë, se desejassem.) *Portanto,* (os mestres-de-saber dos Homens disseram que uma Rota Reta ainda devia existir para aqueles com permissão para encontrá-la. E ensinaram) *que, enquanto o*

> *novo mundo ficava para trás, a antiga rota e o caminho da memória do* (Oeste ainda) *continuava, como se fosse uma enorme e invisível ponte* (que) *passava através do ar, da respiração e do voo* ((que estavam agora curvados como o mundo estava curvado),) *e atravessava Ilmen, que a carne sem auxílio não pode suportar,* (até que chegava a Tol Eressëa, a Ilha Solitária, e talvez até além, a Valinor, onde os Valar ainda habitam e observam o desenrolar da história do mundo.) *E histórias e rumores* (surgiram ao longo das costas do mar) *acerca de marinheiros e homens abandonados sobre as águas que, por alguma sina ou graça* (ou favor dos Valar,) *entraram na Rota* (Reta) *e viram o rosto do mundo afundar abaixo deles e, assim, chegaram* (aos ancoradouros iluminados por lâmpadas de Avallónë, ou, em verdade, às últimas praias nas margens de) *Aman, e lá contemplaram a Montanha Branca, terrível e bela, antes de morrer.*

A intenção por trás desses aspectos de *A Submersão de Anadûnê* será discutida na próxima seção (v).

§51 A descrição da ventania que se seguiu ao Cataclismo foi reescrita em SA III e atingiu uma forma próxima daquela no *Akallabêth* (p. 367), mas mantendo ainda os sete navios (ver p. 460, §51):

> Mas, quando a terra de Anadûnê desabou em sua queda, então ele [Nimruzîr] teria sido arrastado até perecer, e teria julgado ser essa a tristeza menor, pois nenhum golpe de morte poderia ser mais amargo que a ruína daquele dia; mas o vento o tomou, pois soprava ainda do Oeste, mais selvagem do que qualquer vento que os Homens tinham conhecido; e rasgou as velas e quebrou os mastros, e caçou os homens infelizes feito palha sobre a água; e as profundezas se ergueram em raiva avassaladora.
>
> Então os sete navios de Nimruzîr fugiram diante da ventania negra, do crepúsculo da perdição rumo à escuridão do mundo; e ondas feito montanhas em movimento com capuzes de neve carregaram-nos em meio às nuvens e, depois de muitos dias, lançaram os navios longe, no interior da Terra-média.

No texto SA IV a palavra *sete* foi alterada, num rabisco rápido, para *doze*.

§55 No começo, a conclusão de SA III foi mantida com a forma de SA II, mas foi substituída pelo seguinte texto (com correções a lápis, conforme indicado, as quais apareceram no texto datilografado SA IV):

> E o nome daquela terra pereceu: pois não falavam os homens de Gimlad, nem de Abarzâyan (> Yôzâyan], a Dádiva que foi retirada, nem de Anadûnê nos confins do mundo; mas os exilados nas costas do Mar, caso se voltassem para o Oeste, falavam de Akallabê [> Akallabêth] que foi sobrepujada pelas ondas, a Decaída, Atalantë na língua nimriana.

Akallabēth é a forma que aparece nos fragmentos de Lowdham (pp. 303, 376).

Demonstrei (na p. 421) que a composição do rascunho original SA I de *A Submersão de Anadûnê* aconteceu entre a do manuscrito E da Parte Dois de *Os Documentos do Clube Notion* e a do primeiro texto datilografado, F 1, da Noite 66 dos *Documentos*. O segundo texto SA II fica entre F1 e o texto substituto F 2 (p. 445), assim como o terceiro texto, SA III (p. 462, §12). O texto final SA IV é o primeiro no qual o nome adunaico da "Terra da Dádiva" é *Yôzâyan*, a forma no texto F 2; não é possível saber qual desses dois textos precede o outro, mas isso não parece ter muita importância. O que é significativo em relação a esses detalhes, claro, é que eles confirmam que a composição de *A Submersão de Anadûnê* estava entrelaçada com, e foi completada no mesmo período que, o desenvolvimento posterior da Parte Dois de *Os Documentos do Clube Notion*.

(v) A teoria da obra

Volto-me agora para a questão fundamental: qual o significado das extraordinárias transformações e omissões, em relação ao conteúdo das lendas já existentes, no desenvolvimento de *A Submersão de Anadûnê*? Dei a esta seção o título *A teoria da obra* porque meu pai usou a palavra nesse sentido, e porque creio e espero ser capaz de mostrar que havia uma "teoria" por trás dela.

Antes de tentar formular uma resposta, é preciso levar em consideração três textos extremamente curiosos. Todos os três foram escritos muito rapidamente, rabiscados de modo descuidado conforme as palavras vinham à mente, e provavelmente um logo depois do outro. Precedendo, de modo bastante óbvio, o aparecimento do adunaico, eles correspondem a uma série de esboços dos conceitos em evolução rápida que subjazem à nova versão da lenda númenóreana que meu pai estava planejando: o primeiro deles, de fato, leva o título *A teoria desta versão*.

Este primeiro ensaio, que chamarei de "Esboço I", de estrutura extremamente bagunçada e desconjuntada, acabou desembocando num segundo texto ("Esboço II"), que reproduziu o I até certo ponto, aumentando e expandindo esse texto, mas depois foi abandonado. O mais conveniente é apresentar o Esboço II primeiro, até o ponto em que foi abandonado, e depois o restante do texto I.

As notas sobre esta seção podem ser encontradas nas páginas 491 e seguintes.

O Mal se reencarna de tempos em tempos — reiterando, de certa forma, a Queda.

Existiam "Enkeladim" outrora na terra, mas esse não era o nome deles neste mundo, mas sim *Eledāi* (em númenóreano, *Eldar*).[1] Depois da Primeira Queda, eles tentaram se tornar amigos do Homens e lhes ensinar a amar a Terra e todas as coisas que crescem nela. Mas o mal também estava sempre a operar. Existiam falsos Eldar: contrafações e enganos criados pelo mal, fantasmas e gobelins, mas nem sempre de feição maligna. Eles aterrorizavam os Homens, ou então os engavam e traíam, e daí surgiu o medo dos Homens em relação a todos os espíritos da Terra.

Os Homens "despertaram" primeiro no meio da Grande Terra Média (Europa e Ásia), e a Ásia, de início, era esparsamente habitada, antes das Eras Escuras de grande frio. Mesmo antes daquele tempo os Homens tinham se espalhado no rumo oeste (e leste) até as costas do Mar. Os [Enkeladim >] Eledāi se recolheram para lugares ermos ou recuaram no rumo oeste.[2]

Os Homens que viajaram no rumo oeste eram, em geral, aqueles que permaneceram em contato mais próximo com os verdadeiros Eledāi e, em sua maior parte, foram atraídos para o oeste pelos rumores sobre uma terra no (ou além do) Mar Ocidental que era bela e era o lar dos Eledãi, onde todas as coisas eram lindas e ordenadas de acordo com a beleza. Havia essa crença por causa da existência de uma grande ilha no Oceano onde os Eledãi tinham "despertado" quando o mundo foi feito: isto é, tornou-se completo e pronto para as ações deles.

Assim é que as lendas mais belas (contendo verdades) surgiram, sobre as oréades, dríades e ninfas; e sobre os *Ljós-alfar*.[3]

Por fim, os Homens alcançaram as costas ocidentais das Grandes Terras, e se detiveram nas costas do Mar. O choque e o assombro e o anseio daquele encontro com o Mar permaneceram em seus descendentes para sempre, e o Grande Mar e o sol poente se tornaram para eles os símbolos mais comoventes da Morte e da Esperança de Escapar.

Na margem do texto dessa página, que termina nesse ponto, meu pai escreveu: "O Todo-Poderoso, mesmo depois da Queda, permitiu que um paraíso terrestre se mantivesse por um tempo; mas os Eledãi foram convocados a se recolher nele conforme os homens se espalhavam — se quisessem permanecer como tinham sido: do contrário, desvanecer-se-iam e desapareceriam."[4]

Em tempos remotos, quando os Homens, embora agora já tivessem vagado por muitas e muitas vidas pela face da Terra, eram ainda jovens e sem instrução (salvo por aquelas poucas gentes que se tinham unido em amizade aos Eledãi do oeste, cuja língua tinha se enriquecido, e que conheciam verso e canção e outras artes), o mal mais uma vez tomou forma visível. Um grande tirano surgiu, primeiro como senhor da guerra de uma tribo, mas se tornou lentamente um rei poderoso, um mágico e, finalmente, um deus. Em meio [*escrito em cima*: Norte?] às Grandes Terras ficava o assento de seu terrível domínio, e à sua volta os homens foram escravizados por ele. Naquele tempo a Escuridão se tornou terrível. O poder negro lentamente se espalhou para o oeste; pois Melekō[5] sabia que lá ainda estavam os mais poderosos e benéficos dos Eledãi, e que a amizade deles com os Homens era o maior obstáculo à completude de seu domínio.

Aqueles entre os Homens do Oeste que estavam mais cheios de desejo pelo mar começaram a fazer barcos, ajudados e inspirados (como em muitas outras coisas) pelos Eledãi, e começaram a testar as águas, de início com medo, mas com comando crescente de vento e maré, e também de si próprios. Mas então a guerra foi deflagrada, pois as forças de Melekō ameaçavam as terras fronteiriças do oeste, à beira-mar. Os Homens do Oeste eram fortes, e livres, e os Lestenses de Melekō foram rechaçados repetidas vezes. Mas foi apenas um alívio temporário, pois os Lestenses eram inumeráveis, e o ataque era sempre renovado com maior força; e Melekō enviou espectros e demônios e espíritos do mal para as terras ocidentais, de modo que essas também se tornassem intoleráveis e viesse um tempo de horror, quando os homens se acovardavam em suas casas e não mais olhavam para as estrelas.

Os Eledāi tinham desaparecido havia muito. Alguns diziam que tinham morrido, ou se esvanecido no nada; alguns, que nunca tinham existido, e que eram não mais que as invenções de contos de antanho; alguns poucos, que tinham atravessado o Mar rumo à sua terra no Oeste.

Um marinheiro surgiu naquele tempo, o qual era chamado de Earendel, e ele era rei de Homens que viviam na costa oeste do Grande Mar no Norte do mundo. Ele relatou que, certa vez, levado por um grande vento, tinha sido arrastado para muito longe de seu curso e visto, de fato, muitas ilhas nas regiões do sol poente — e uma, a mais remota, da qual vinha um perfume como o de jardins de belas flores. E veio a se passar que todo os Homens do Oeste que não tinham morrido ou decaído ou fugido para lugares ermos estavam agora presos numa terra estreita, uma grande ilha, dizem alguns, e estavam sendo assediados por Melekō, mas apenas porque sua terra era uma ilha, dividida por uma faixa estreita de água das Grandes Terras, eram capazes ainda de resistir. Então Earendel tomou seu navio e disse adeus a seu povo. Pois afirmou que era seu propósito velejar para o Oeste e encontrar os Eledāi e pedir a ajuda deles. "Mas não hei de retornar", disse. "Se eu falhar, então o mar devorar-me-á, mas, se eu tiver sucesso, uma nova estrela surgirá no céu."

E que façanhas Earendel operou em sua última viagem não se sabe ao certo, pois ele não foi visto de novo entre Homens viventes. Mas depois de alguns anos uma nova estrela de fato surgiu no Oeste, e era muito brilhante; e então muitos homens começaram a aguardar o retorno dos Eledāi para lhes dar auxílio; mas estavam sendo duramente premidos pelo mal.

Aqui o Esboço II termina enquanto texto escrito de modo contínuo, mas meu pai acrescentou algumas anotações rabiscadas e desconjuntadas no final, as quais incluem esta passagem:

> Melekō foi derrotado com o auxílio dos Eledāi e dos Poderes, mas muitos Homens tinham se aliado a ele. Os Poderes (sob ordens de Ilúvatar) levaram os Eledāi para a Ilha de Eresse, cujo principal porto ficava a oeste, Avallon(de).[6] Aqueles que permaneceram na Terra-média murcharam e se desvaneceram. Mas aos homens fiéis dos Eruhildi (Turkildi) também foi dada uma ilha, entre Eresse e a Terra-média.

O Esboço I (escrito com extrema velocidade usando lápis macio, em tiras pequenas de papel) era essencialmente a mesma coisa que o Esboço II, embora muito mais breve, até o ponto em que Earendel aparece no segundo texto. No Esboço I, entretanto, não havia referência a Earendel, e o que se conta é que, quando a guerra com o "tirano (que não tem nome nesse texto) e seus Lestenses" amainou, os Homens do Oeste içaram vela, tendo sido instruídos na arte da construção de navios pelos "últimos Enkeladim que restavam", e eles desembarcaram "numa ampla ilha em meio ao Grande Mar". No alto da página, meu pai anotou: "O primeiro a içar vela foi Earendel. Ele nunca mais foi visto." Então vem o seguinte (em forma levemente editada):

> Mas há outra ilha menor além da vista no Oeste — e, além dela, o rumor de uma Grande Terra [?inabitada] no Oeste.
>
> Essa ilha é chamada de Ociente Númenor, a outra Eressëa.
>
> A religião dos Númenóreanos era simples. Uma crença num Criador de Tudo, Ilúvatar. Mas ele era muito remoto. Mesmo assim, eles ofereciam sacrifício incruento. O templo dele era o *Pilar do Céu*, uma grande montanha no centro da ilha. Acreditavam que Ilúvatar habitava totalmente fora do mundo; mas simbolizavam isso dizendo que ele habitava no Alto Céu.
>
> [*Acrescentado*: Mas acreditam que, sob a autoridade dele, existem Poderes (Valar), alguns sob seu comando especial, alguns residindo no mundo para seu governo imediato. Esses, embora *bons* e serviçais de Deus, são inexoráveis e...... hostis em certo sentido. Não fazem preces a eles, mas os temem e obedecem

(quando algum contato chega a ocorrer). Alguns são Valandili (Amantes dos Poderes).]

Mas acreditam que o mundo é plano, e que os "Senhores do Oeste" (Deuses) habitam além da grande barreira de colinas de nuvens — onde não há morte e o Sol é renovado e passa sob o mundo para se erguer de novo.

[*Riscado*: Os serviçais dele para a governança do mundo eram Enkeladim e outros espíritos maiores. *Acrescentado*: Havia seres menores — associados especialmente às coisas vivas e ao ato de criar... — chamados de Eldar.] A esses pediam auxílio quando necessitados. Alguns ainda velejavam para Eressëa. [*Na margem*: Elendili] Mas a maioria não o fazia e, exceto entre os sábios, surgiu a teoria de que os grandes espíritos ou Deuses (*não* Ilúvatar) habitavam no Oeste em uma Grande Terra além do sol. [*Entre colchetes:* Os Enkeladim contaram a eles que o mundo era redondo, mas isso era duro para seu entendimento.] Alguns de seus grandes marinheiros tentaram descobrir.

Viviam até uma idade avançada, 200 anos ou mais, mas ansiavam ainda mais por vida longa. Invejavam os Enkeladim. Tornaram-se poderosos na construção de navios e começaram a se aventurar pelo mar. Alguns tentaram alcançar o Oeste além de Eressëa, mas não conseguiram retornar.

O Pilar do Céu é negligenciado por quase todos. Os reis constroem grandes casas. O costume de enviar seus corpos à deriva no mar ao vento leste aparece. O vento leste começa a simbolizar a Morte.[7]

Alguns velejam de volta às Terras Sombrias. Lá são recebidos com reverência, pois são muito altos........... Ensinam a religião verdadeira, mas são tratados como deuses.

Sauron vem a existir.

Ele não consegue prevalecer pela força das armas contra os Númenóreanos, que agora têm muitas fortalezas no Oeste.

O texto termina com um esboço muito rudimentar da vinda de Sauron e da Queda. "Sauron é trazido a Númenor para prestar vassalagem a Tarkalion." Ele "prega um grande sermão", ensinando que Ilúvatar não existe, mas que o mundo é regido pelos Deuses, que se trancafiaram no Oeste, odiando os homens e negando-lhes vida. O único Deus bom foi lançado para fora do mundo no Vazio; mas retornará. Numa passagem acrescentada (mas que, sem dúvida, pertence à época em que o texto foi escrito), conta-se, surpreendentemente, que "Sauron diz que *o mundo é redondo*. Não há nada fora dele além da Noite — e de outros mundos."[8]

Sauron faz com que "um grande templo com domo" seja construído no Pilar do Céu (ver pp. 456–7), e ali sacrifícios humanos acontecem, cujo propósito é "acrescentar as vidas dos sacrificados aos escolhidos viventes". Os Fiéis são perseguidos e escolhidos para o sacrifício; "uns poucos fogem para Eressëa pedindo ajuda — mas os eressëanos partiram ou se esconderam". Uma vasta frota é preparada "para assediar Eressëa e ir adiante até tomar dos Deuses a Terra do Oeste", e o texto termina com as afirmações sem detalhes de que a frota foi sugada para dentro do grande abismo que se abriu, e que "apenas aqueles Númenóreanos que se retiraram para o leste da ilha e se recusaram a.... guerra foram salvos". A isso se segue uma maçaroca de nomes, incluindo "Elendil, filho de Valandil, e seus filhos Árundil e Firiel", da qual emergem "Elendil e seus filhos Isildur e Anárion". Finalmente, há mais algumas notas: "Sauron também foge para o Leste. O Pilar do Céu se torna vulcânico.[9] Sauron constrói um grande tempo numa colina perto de onde tinha desembarcado. O Pilar do Céu também começa a soltar fumaça e ele chama a isso de um sinal; e a maioria crê nele."

O terceiro texto ("Esboço III") começa com uma nota sobre nomes: "*Ilūve Ilu*: Céu, o universo, tudo o que existe (dentro e fora da Terra); *menel*: os céus, o firmamento."[10] Então segue-se isto:

> No princípio havia *Eru*, o Deus Uno (*Ilúvatar*, o Pai-de-todos, *Sanavaldo*, o Todo-poderoso). Ele designou poderes (*Valar*) para reger e dar ordem à Terra (*Arda*). Um certo *Melekō*, o principal deles, tornou-se maligno. Havia também duas gentes de seres menores, Elfos: *Eldar* (**Eledāi*) e Homens (*Hildi* = filhos, ou seguidores). Os Eledāi vieram primeiro, assim que Arda se tornou habitável para coisas vivas, para ali governar, para aperfeiçoar as *artes* de usar e ordenar o material da Terra até a perfeição e a beleza dos detalhes, e para preparar o caminho para os Homens. Os Homens (os Seguidores ou Segunda Gente) vieram depois, mas estima-se que, nos desígnios primevos de Deus, eles eram destinados (depois de certa tutela) a assumir a governança de toda a Terra e, em última instância, a se tornar Valar, a "enriquecer o Céu", *Ilúve*. Mas o Mal (encarnado em Melekō)

os seduziu, e eles caíram. Tornaram-se imediatamente alienados em relação a Eldar e Valar. Pois Melekō retratava a tutela deles como usurpação, por parte dos Eldar e Valar, da herança que por direito era dos Homens. Deus proibiu os Poderes de interferir por meio de violência ou força bruta. Mas eles enviaram muitas mensagens aos Homens, e os Eldar constantemente tentavam se tornar seus amigos e ensiná-los. Mas o poder de Melekō aumentou, e os Valar recuaram para a ilha de *Eresse* nos Grandes Mares a oeste das Grandes Terras (*Kemen*) — onde sempre tinham tido como que uma habitação e um centro em sua contenda antiga com Melekō.[11]

Melekō, então (porque o mal o fez decrescer, ou para ir adiante com seus desígnios, ou por ambos os motivos), tomou forma visível como Rei Tirano, e seu assento ficava no Norte. Criou muitas contrafações dos Eledāi que eram malignas (mas nem sempre assim pareciam ser), e que iludiam e traíam os Homens, e assim aumentou o medo e a suspeita deles quanto aos verdadeiros Eldar.

Houve guerra entre os Poderes e Melekō (a segunda guerra: a primeira acontecera na criação do mundo, antes que Elfos e Homens existissem). Embora todos os Homens tivessem "caído", nem todos permaneceram escravizados. Alguns se arrependeram, rebelaram-se contra Melekō e se tornaram amigos dos Eldar, e tentaram ser leais a Deus. Não tinham culto algum além de oferecer primícias a Eru em lugares altos. Não estavam totalmente felizes, já que Eru parecia distante, e não ousavam fazer preces a ele diretamente; e assim consideravam os Valar como deuses, e assim eram, muitas vezes, corrompidos e enganados por Melekō, tomando a ele ou a seus servos (ou espectros) por "deuses". Mas na guerra contra os tronos de Melekō no Norte havia *três gentes* de homens bons (filhos de Deus, *Eruhildi*) que foram totalmente fiéis e nunca ficaram do lado de Melekō. Entre esses havia *Earendel*, e apenas ele, entre os Homens, era parcialmente da gente dos Eledāi, e se tornou o primeiro dos Homens a velejar pelo Mar. Nos dias da Segunda Guerra, quando os Homens e os Eledāi remanescentes estavam duramente premidos, ele velejou para Oeste. Disse ele: "Não hei de retornar. Se eu falhar, não ouvireis mais falar de mim. Se eu não falhar, uma nova estrela surgirá no Oeste." Ele chegou a Eresse e foi o embaixador das

Duas Gentes diante dos Principais dos Valar, e os comoveu. Mas a Earendel não foi permitido retornar em meio aos homens viventes, e sua nau foi posta a se erguer no céu como um sinal de que sua mensagem fora aceita. E Elfos e Homens a viram, e acreditaram que a ajuda viria, e foram encorajados. E os Poderes vieram e ajudaram Elfos e Homens a sobrepujar Melekō, e a forma corpórea dele foi destruída, e seu espírito, banido.

Mas os Poderes então recolheram os Eldar a Eresse (onde eles próprios tinham habitado, mas agora não tinham mais qualquer habitação local na terra, e raramente assumiam forma visível para Elfos ou Homens). Aqueles que se demoraram em Kemen estavam destinados a se desvanecer e murchar. Mas em Eresse se manteve por muito tempo um paraíso terrestre repleto de todas as belezas do crescimento e da arte (sem excessos), a habitação dos Eldar, um memorial do que a Terra "poderia ter sido" se não fosse o Mal. Mas aos Homens (Eruhildi) das Casas Fiéis foi permitido (se quisessem) ir habitar em outra ilha (maior, mas menos bela) entre Eresse e a Terra-média. Elros, filho de Earendel, foi o primeiro rei deles, na terra de Andor também chamada Númenor: de modo que os reis dos Númenóreanos eram chamados de "Herdeiros de Earendel". Earendel não apenas era parcialmente da gente-élfica como também era um amigo-dos-elfos (*Elendil*), donde os Reis de Númenor eram também chamados de *Elendili* (*Ælfwinas*). [*Acréscimo na margem:* Elrond, seu outro filho, escolheu permanecer em Kemen e habitar com os Homens e os Elfos que ainda [?tinham morada] no Oeste da Terra-média.]

Naquele tempo o mundo estava muito desolado e abandonado, pois apenas os Elfos que se esvaneciam habitavam no Oeste da Terra-média, e os melhores dos Homens (exceto outros dos Eruhildi muito ao longe, no meio de Kemen) tinham ido para o oeste. Mas mesmo os Eruhildi de Númenor eram mortais. Pois não era concedido aos Poderes revogar aquele decreto de Deus após a queda (o de que os Homens haviam de morrer e deixar o mundo não por sua própria vontade, mas por sina e involuntariamente); mas lhes foi permitido agraciar os Númenóreanos com um tempo triplo de vida (mais de 200 anos).

E em Númenor os Eruhildi se tornaram sábios e belos e gloriosos, os mais poderosos dos Homens, mas não muito numerosos (pois seus filhos não eram muitos). Sob a tutela dos eressëanos — cuja língua adotaram (embora, no decorrer do tempo, tenham-na alterado muito) – adquiriram canção e poesya,* música e todos os ofícios; mas em nenhum ofício tinham tal talento e deleite quanto na construção de navios, e velejavam em muitos mares. Naqueles dias era permitido a eles, ou àqueles de seus reis e homens sábios que assim eram favorecidos e chamados de amigos-dos-elfos (*Elendili*), viajar a Eresse; mas lá podiam ir apenas ao porto de *Avallon(de)* do lado leste da ilha, e à cidade de [Túna >] Tirion na colina atrás dele, para lá ficar apenas por pouco tempo.[12] Embora amiúde os Elendili estivessem sequiosos por morar em Eresse, isso não lhes era permitido por ordem dos Poderes (recebida de Deus); pois os Eruhildi continuavam mortais e destinados, por fim, a ficar cansados do mundo e morrer, mesmo seus altos-reis, os herdeiros de Earendel. E não lhes era concedido velejar para além de Eresse a oeste, onde, segundo os rumores, havia uma Nova Terra, pois os Poderes não desejavam ainda que essa terra fosse ocupada por Homens. Mas os corações dos Eruhildi tinham piedade do mundo abandonado da Terra-média, e amiúde velejavam para lá, e homens sábios ou príncipes dos Númenóreanos vinham por vezes entre os homens das Eras Sombrias e lhes ensinavam linguagem, e canção, e artes, e lhes traziam grão e vinho; e os homens da Terra-média reverenciavam sua memória como a de deuses. E em um ou dois lugares perto do mar homens de raça ocidental fizeram assentamentos e se tornaram reis e pais de reis. Mas por fim toda essa ventura se voltou para o mal, e os homens caíram uma segunda vez.

Pois eis que surgiu uma segunda manifestação do Mal sobre a Terra, se foi o espírito do próprio Melekō que tomou nova forma (ainda que menor), ou se foi um dos serviçais de Melekō que tinha se escondido no escuro e agora recebia o [? conselho] de Melekō a partir do Vazio e se tornava grande e perverso, as histórias divergem. Mas essa coisa maligna era chamada de muitos nomes, e os Eruhildi o chamavam de *Sauron*, e ele buscava ser tanto rei acima de todos os reis quanto, para os Homens, rei e deus ao mesmo tempo. Seu trono ficava ao sul e ao leste de

*No original, Tolkien usa a palavra arcaica *poesy*, em vez do termo usual *poetry*, daí a opção pela forma histórica com *y* em português. [N.T.]

Kemen, e seu poder sobre os Homens (em especial no leste e no sul) cresceu cada vez mais e se expandiu para o oeste, expulsando os Eledāi remanescentes e subjugando mais e mais os da gente dos Eruhildi que não tinham ido para Númenor. E Sauron ouviu falar de Númenor e de seu poder e glória; e a Númenor, nos dias de Tarkalion, o Dourado (o [21º >] décimo da linhagem de Earendel),[13] notícias chegaram sobre Sauron e seu poder, e que ele tinha o propósito do tomar o domínio de toda Kemen, e de toda a Terra depois.

Mas enquanto isso o mal [?já] tinha operado nos corações dos Númenóreanos; pois o desejo da vida sempiterna e de escapar da morte crescia cada vez mais forte sobre eles; e murmuravam contra a proibição que os excluía de Eresse, e os Poderes estavam desgostosos deles. E proibiram-nos, então, até mesmo de desembarcar na ilha. Nessa época de alienação dos Eledāi e dos Valāi, Tarkalion, ouvindo falar de Sauron, determinou sem o conselho de Eldar ou Valar de exigir a vassalagem e homenagem de Sauron. … [*sic*]
Númenor derrubada.

Eresse e os Eledāi removidos do mundo salvo na memória e o mundo entregue aos Homens. Homens de sangue númenóreano ainda podiam ver Eresse como uma miragem [?numa] rota reta que leva até lá.

Os antigos Númenóreanos sabiam (tendo sido ensinados pelos Eledāi) que a Terra era redonda; mas Sauron lhes ensinou que ela era um disco e plana, e além dela havia o nada, onde o mestre dele reinava. Mas ele disse que além de Eresse havia uma terra no [?extremo] Oeste onde os Deuses viviam em ventura, e usurpavam as coisas boas da Terra.[14] E que era a sua missão levar os Homens àquela terra prometida, e destronar os Poderes cobiçosos e ociosos. E Tarkalion acreditou nele, por cobiçar a vida imortal.

E os Númenóreanos depois da queda ainda falavam da Rota Reta que ia adiante quando a Terra tinha sido curvada. Mas os bons — aqueles que fugiram de Númenor e não tomaram parte na guerra contra Eresse — usavam isso apenas como símbolo. Pois com a expressão "aquilo que existe além de Eresse" eles queriam dizer o mundo da eternidade e do espírito, na região de Ilúvatar.[15]

Aqui termina esse texto, com linhas traçadas mostrando que tinha sido completado. Toda a passagem da conclusão ("Os antigos

Númenóreanos sabiam..."), acerca da forma do mundo e do significado da Rota Reta, foi riscada, sendo a única parte do texto que foi modificada assim.

Pode-se ver que, na parte posterior do Esboço III, aparecem certas frases que sobreviveram em *A Submersão de Anadûnê* (tais como "os homens caíram uma segunda vez", "surgiu uma segunda manifestação do Mal sobre a Terra", "essa coisa maligna era chamada de muitos nomes").

Parece-me que há, em termos gerais, duas formas possíveis de explicar o pensamento de meu pai nessa época. De um lado, muitos anos tinham passado desde que o desenvolvimento progressivo de "O Silmarillion" tinha sido travado, e durante todo esse tempo os manuscritos narrativos propriamente ditos não tinham sido tocados; mas não há motivos para pensar que ele tivesse tirado esses textos de todo da cabeça, que eles não tivessem continuado a evoluir de modo oculto. Acima de tudo, a relação entre a mitologia autocontida de "O Silmarillion" e a história de *O Senhor dos Anéis* prenunciava problemas de uma natureza profunda. *O Senhor dos Anéis* estava parado fazia mais de um ano; mas *Os Documentos do Clube Notion* estavam levando a um reaparecimento de Númenor como um elemento crescentemente importante do todo, do mesmo modo que os reinos númenóreanos na Terra-média tinham crescido muito em significado em *O Senhor dos Anéis*.

Portanto, pareceria pelo menos possível que as mudanças em relação à "tradição recebida" (da qual nem uma só linha tinha sido publicada, como é sempre necessário ter em mente) vistas nos escritos de meu pai nessa época representam a emergência de novas ideias, que chegariam até a um verdadeiro desmonte e uma transformação de certos conceitos profundamente enraizados. O principal entre eles era a natureza da "habitação" dos Valar em Arda e a questão, relacionada a essa, da "forma do mundo"; e também a "Queda dos Homens", seduzidos em seu princípio por "Mēlekō", mas seguida do arrependimento por parte de alguns e da rebelião contra ele.

Por outro lado, pode-se argumentar que esses desenvolvimentos foram inspirados por um propósito especifico, relacionado apenas à *Submersão de Anadûnê*. Essencialmente, essa é a visão que eu mesmo tenho; mas não é por isso que a outra visão deva ser excluída radicalmente ou em todos os pontos, pois ideias que aparecem aqui pela primeira vez teriam repercussões num momento posterior.

Pode-se perceber que os "esboços" que acabei de apresentar são marcantemente distintos em muitos pontos, embora seja verdade que a pressa e brevidade de sua composição, uma certa vagueza de linguagem, e a maneira característica pela qual meu pai omitia certos traços e reforçava outros em "resumos" sucessivos, fazem com que muitas vezes seja difícil decidir quais diferenças são mais aparentes do que reais. Mas, de qualquer modo, não vou embarcar em nenhuma análise comparativa, pois acho que se pode concordar, sem mais discussões, que esses "esboços", junto com os textos de abertura de *A Submersão de Anadûnê*, dão uma forte impressão de incerteza por parte de meu pai: eles são como uma sucessão caleidoscópica de diferentes padrões, conforme ele buscava uma concepção abrangente que satisfizesse seu objetivo.

Mas qual era esse objetivo? A chave, creio eu, pode ser achada na maneira como são retratados os Elfos (*Enkeladim*, *Eledāi*, *Eldar*, *Nimrî* ou *Nimîr*). Pois, além de umas poucas ideias muito generalizadas, nada se sabe sobre eles: nada sobre sua origem e história, sobre a Grande Marcha, a rebelião dos Noldor, as cidades que tinham em Beleriand, a longa guerra contra Morgoth. No primeiro texto de *A Submersão de Anadûnê* essa ignorância vai além da que existe nos "esboços", até o obscurecimento total da distinção entre Valar e Eldar (pp. 421–2), embora no segundo texto os Eldar apareçam com o nome adunaico de *Nimrî*. Nos "esboços", a ilha de Eressëa (Eresse) está presente, ainda que de forma confusa, pois (no Esboço III) os Valar habitam em Eresse, e foi para Eresse que Earendel veio e falou diante do "Principal dos Valar"; enquanto em *A Submersão de Anadûnê* Tol Eressëa virtualmente desapareceu.

Onde tal ignorância a respeito dos Elfos poderia ser encontrada, a não ser nas mentes dos Homens de uma época mais tardia? Isso, creio eu, é o que meu pai estava preocupado em retratar: uma tradição dos Homens, que se tornou vaga e confusa ao longo de muitas eras. Nessa época, talvez, no contexto de *Os Documentos do Clube Notion* e da vasta ampliação de sua grande história que estava tomando forma com *O Senhor dos Anéis*, ele começou a se preocupar com questões de "tradição" e dos acasos ligados a ela, com as perdas, confusões, simplificações e amplificações na evolução de lendas, conforme podiam se aplicar à sua própria história — dentro do conjunto sempre em ampliação da Terra-média. Isso é especulação: teria sido muito útil, de fato, se ele tivesse, nessa época, deixado algum registro ou anotação, ainda que breve, de suas reflexões. Mas, muitos anos depois, ele acabou por escrever tal nota, ainda que de fato breve, no envelope que contém os textos de *A Submersão de Anadûnê*:

> Contém versão muito antiga (em adunaico), que é boa — considerando que é tão diferente (em inclusões e omissões e ênfase) quanto seria provável no suposto caso de:
> Tradição dos Homens
> Tradição élfica
> Tradição mista dúnedânica

A caligrafia e o uso de uma caneta esferográfica sugerem uma data relativamente tardia, e se não houvesse nenhuma outra evidência eu suporia que isso foi em algum momento dos anos 1960. Mas é certo que o que parece ter sido a fase final do trabalho de meu pai com Númenor (*Uma Descrição de Númenor*, *Aldarion e Erendis*) data de meados dos anos 1960 (*Contos Inacabados*, pp. 21–2); e pode ser que o *Akallabêth* derive desse período também.

De qualquer modo, aqui há evidências inequívocas de como, muito mais tarde, ele percebeu suas intenções em *A Submersão de Anadûnê*: era especificamente uma "tradição dos Homens". Poderia muito bem ser que — embora os "esboços" precedam o surgimento do adunaico — a concepção de tal obra tenha sido um fator importante para o aparecimento da nova língua nessa época.

Parece-me provável que com "tradição élfica" ele queria dizer *A Queda de Númenor*; e, já que "tradição mista dúnedânica" presumivelmente significa uma mistura das tradições élfica e númenóreana, com isso ele certamente estava se referindo ao *Akallabêth*, no qual tanto *A Queda de Númenor* quanto *A Submersão de Anadûnê* foram usadas (ver pp. 445–6, 471–2).

Concluo, portanto, que as diferenças marcantes nos esboços preliminares refletem as ideias cambiantes de meu pai sobre o que seria a "tradição dos Homens", e sobre como apresentá-la; ele estava esboçando rapidamente modos possíveis pelos quais a memória e o esquecimento de Homens na Terra-média, descendentes dos Exilados de Númenor, poderiam ter transformado sua história anterior.[16]

Em *A Submersão de Anadûnê*, as confusões e obscuridades da "tradição dos Homens" acabaram sendo, na verdade, aprofundadas em relação aos esboços preliminares: os Elfos acabam classificados com o termo genérico *Avalāi* em SA I, e há o virtual desaparecimento de Tol Eressëa, com o nome "Ilha Solitária" dado ao cume do Pilar do Céu procurado pelos navegantes depois da Queda. Isso também se verifica na abordagem de "Avallon(de)": pois, nos esboços (ver nota 12), esse nome já aparece com a aplicação final ao porto a leste de Tol Eressëa, enquanto em SA I a referência a Avallondē é obscura, e nos textos subsequentes *Avallôni* é um termo usado para se referir ao Reino Abençoado (ver pp. 450–1, §16, 458, §47). Meu pai parece não ter resolvido de forma definitiva como apresentar o Reino Abençoado nessa tradição; ou, mais provavelmente, escolheu deixar isso como um tema "incerto e obscuro". No Esboço III, conta-se que, depois do banimento de Melekō do mundo, os Poderes "não tinham mais qualquer habitação local na terra", e a Terra dos Deuses no Oeste distante parece ser apresentada como uma mentira de Sauron (ver nota 14). Em *A Submersão de Anadûnê* (§16), os Adûnâi que argumentavam que a cidade distante vista do outro lado da água era uma ilha onde os Nimrî (Nimîr) viviam também defendiam que "quiçá os Avalôi(m) não tinham nenhuma habitação visível sobre a Terra"; contudo, mais tarde, reconta-se (§47, e ainda mais explicitamente na revisão feita a essa passagem, pp. 465–6) que Ar-Pharazôn pôs os pés na Terra de Amân, e que depois que a Terra de Amân foi engolida no abismo "os Avalôi(m), desde então, não tiveram habitação nenhuma na Terra".

A tentativa de analisar e dar ordem a essas concepções cambiantes e fugidias talvez não produza mais, no fim das contas, do que uma compreensão de quais eram os problemas que andavam passando pela mente de meu pai. Mas, já que não há razão para pensar que ele tenha voltado ao assunto de Númenor de novo depois que se forçou a retomar o dilema de Sam Gamgi na porta subterrânea da Torre de Kirith Ungol, até que muitos anos tivessem passado, é interessante ver o que ele escreveu a respeito em sua longa carta a Milton Waldman em 1951 (*Cartas*, n. 131): e reapresento dois excertos dessa carta aqui.

> Assim, conforme a Segunda Era avança, temos um grande Reino e teocracia maligna (pois Sauron é também o deus de

seus escravos) crescendo na Terra-média. No Oeste — na verdade, o Noroeste é a única parte claramente contemplada nestes contos — situam-se os precários refúgios dos Elfos, enquanto os Homens naquelas partes permanecem mais ou menos incorruptos, ainda que ignorantes. De fato, a melhor e mais nobre estirpe de Homens é a aparentada daqueles que partiram para Númenor, mas permanece em um estado "homérico" simples de vida patriarcal e tribal.

Nesse ínterim, *Númenor* crescera em riqueza, sabedoria e glória sob sua linhagem de grandes reis de vida longa, que descendiam diretamente de Elros, filho de Earendil, irmão de Elrond. A *Queda de Númenor*, a Segunda Queda do Homem (ou do Homem reabilitado, mas ainda mortal), ocasiona o fim catastrófico, não apenas da Segunda Era, mas do Mundo Antigo, o mundo primevo das lendas (visto como plano e limitado). Depois disso, começou a Terceira Era, uma Era de Crepúsculo, um Medievo, a primeira do mundo partido e mudado; a última do domínio remanescente dos Elfos visíveis e completamente encarnados, e também a última na qual o Mal assume uma única forma encarnada dominante.

A *Queda* é, em parte, o resultado de uma fraqueza interior nos Homens — resultante, eu diria, da primeira Queda (não registrada nestes contos) —, arrependidos, mas não curados definitivamente. A recompensa na terra é mais perigosa para os homens do que a punição! A Queda é alcançada pela astúcia de Sauron ao explorar essa fraqueza. Seu tema central é (inevitavelmente, creio, em uma história de Homens) uma Interdição ou Proibição.

Os Númenóreanos habitam à vista remota da mais oriental terra "imortal", Eressëa; e como os únicos homens a falarem uma língua élfica (aprendida nos dias de sua Aliança), eles estão em constante comunicação com seus antigos amigos e aliados, seja na bem-aventurança de Eressëa, seja no reino de Gilgalad nas costas da Terra-média. Assim, tornaram-se na aparência, e mesmo nos poderes da mente, difíceis de serem distinguidos dos Elfos — mas permaneceram mortais, apesar de recompensados com uma duração de vida tripla, ou mais do que tripla. Sua recompensa é sua ruína — ou o meio de sua tentação. Sua vida longa auxilia suas realizações na arte e na sabedoria, mas gera uma atitude possessiva em relação a essas coisas, e desperta o desejo de mais *tempo* para desfrutá-las. Antevendo isso parcialmente, os deuses impuseram uma Interdição sobre os Númenóreanos desde o início: jamais deviam navegar até Eressëa, nem para o oeste fora da vista de sua própria terra. Em todas as outras direções podiam ir conforme quisessem. Não deviam pôr os pés em terras "imortais" e, dessa forma, tornam-se enamorados de uma imortalidade (dentro do mundo) que era contra sua lei, o destino especial ou dádiva de Ilúvatar (Deus), e que sua natureza não podia suportar de fato.

Mas, por fim, a maquinação de Sauron concretiza-se. Tar-Calion sente a velhice e a morte aproximando-se e dá ouvidos à última sugestão de Sauron e, ao construir a maior de todas as armadas, zarpa para o Oeste, violando a Interdição e levando a guerra para arrancar dos deuses "a vida eterna dentro dos círculos do mundo". Diante dessa rebelião, de espantosa insensatez e blasfêmia, e também de perigo real (visto que os Númenóreanos, conduzidos por Sauron, poderiam ter causado ruína na própria Valinor), os Valar depõem seu poder delegado e apelam a Deus e recebem o poder e a permissão para lidar com a situação; o antigo mundo é partido e mudado. Um precipício é aberto no mar e Tar-Calion e sua armada são engolfados. A própria Númenor, à beira da fenda, rui e desaparece para sempre, com toda a sua glória, no abismo. Depois disso, não há habitação visível dos divinos ou imortais na terra. Valinor (ou Paraíso) e até mesmo Eressëa são removidas, permanecendo apenas na lembrança do mundo. Os Homens podem agora navegar para o Oeste, se quiserem, até onde conseguirem, mas não chegam próximo de Valinor ou do Reino Abençoado, retornando tão somente ao leste e de volta outra vez; pois o mundo é redondo e finito, um círculo inescapável — exceto pela morte. Apenas os "imortais", os Elfos remanescentes, caso queiram, ainda podem, cansados do círculo do mundo, tomar um navio e encontrar o "caminho reto", e chegar ao antigo ou Verdadeiro Oeste, e ficar em paz.

Três anos mais tarde, meu pai disse o seguinte numa carta a Hugh Brogan (18 de setembro de 1954, *Cartas* n. 151):

Terra-média é apenas a palavra em inglês arcaico para ἡ οἰκουμένη, o mundo habitado dos homens. Encontrava-se então como se encontra agora. Na verdade, exatamente da mesma forma em que se encontra, redondo e inescapável. Essa é em parte a questão. A nova situação, estabelecida no início da Terceira Era, leva por fim e inevitavelmente à História habitual, e vemos aqui o processo culminando-se. Caso você, ou eu, ou qualquer um dos homens mortais (ou hobbits) dos dias de Frodo zarpasse pelo mar, a oeste, acabaríamos, como agora, por voltar (como agora) ao nosso ponto de partida. Foi-se a época "mitológica" em que Valinor (ou Valimar), a Terra dos Valar (deuses, se preferir) existia fisicamente no Extremo Oeste, ou a imortal eldaica (élfica) Ilha de Eressëa; ou a Grande Ilha de Ociente (Númenor-Atlântida). Após a Queda de Númenor e sua destruição, todas essas foram removidas do mundo "físico" e não eram alcançáveis por meios materiais. Somente os Eldar (ou Altos-Elfos) ainda podiam navegar para lá, abandonando o tempo e a mortalidade, mas sem jamais retornar.

Uma semana mais tarde, ele escreveu para Naomi Mitchison (25 de setembro de 1954, *Cartas* n. 154):

Na verdade, na imaginação desta história estamos vivendo agora em uma Terra fisicamente redonda. Mas o "legendário" inteiro possui uma transição de um mundo plano (ou pelo menos um οἰκουμένη com bordas em todo seu redor) a um globo: uma transição inevitável, suponho, para um moderno "criador de mitos" com uma mente submetida às mesmas "aparências" às quais foram submetidos homens antigos, e que de certa forma alimentou-se de seus mitos, mas que aprendeu que a Terra era redonda desde os primeiros anos. Tão profunda foi a impressão exercida pela "astronomia" sobre mim que não creio que pudesse lidar com ou conceber imaginativamente um mundo plano, apesar de um mundo de uma Terra estática com um Sol circundando-a parecer mais fácil (de se imaginar, se não de se racionalizar).

O "mito" específico que subjaz a esta história e ao temperamento tanto de Homens como de Elfos nesta época é a Queda de Númenor: uma variedade especial da tradição de Atlântida. ...

Escrevi um relato da Queda, que a senhora pode estar interessada em ver. Mas o ponto imediato é que, antes da Queda, situava-se além do mar e das costas ocidentais da Terra-média um paraíso *terrestre* élfico, Eressëa, e *Valinor*, a terra dos *Valar* (os Poderes, os Senhores do Oeste), lugares que poderiam ser alcançados fisicamente por embarcações à vela comuns, embora os Mares fossem perigosos. Porém, após a rebelião dos Númenóreanos, os Reis de Homens, que habitavam uma terra ao extremo oeste de todas as terras mortais e que finalmente, no auge de seu orgulho, tentaram ocupar Eressëa e Valinor à força, Númenor foi destruída, e Eressëa e Valinor foram removidas da Terra fisicamente alcançável: o caminho para o oeste estava aberto, mas não conduzia a lugar algum exceto de volta mais uma vez — para os mortais.

NOTAS

1 O nome *Eledâi* ocorre em SA II (e textos subsequentes), §5, como sendo o nome dos Nimrî (Nimîr) em sua própria língua. Quanto aos *Enkeladim* de Michael Ramer, ver pp. 247, 256 e nota 65, p. 365.

2 O Esboço I tem o seguinte aqui: "A Grande Terra Central, Europa e Ásia, foi a primeira a ser habitada. Os Homens despertaram na Mesopotâmia. Suas sinas, conforme se espalharam, foram muito variadas. Mas os Enkeladim recuaram cada vez mais para o oeste".

3 *Ljós-alfar*: em nórdico antigo, "elfos-da-luz", mencionados no "Edda em Prosa" de Snorri Sturluson.

4 Cf. SA II (e textos subsequentes), §16: "Pois Eru ainda permitia aos Avalôi manterem sobre a Terra... um lugar de morada" (em SA I "um lugar de morada, um paraíso terrestre").

Na explicação que meu pai escreveu sobre seu trabalho para Milton Waldman em 1951, há uma passagem de interesse em relação à abertura desse esboço (*Cartas* n. 131, pp. 218–9).

> Na cosmogonia há uma queda: uma queda de Anjos, diríamos, apesar de evidentemente ser bem diferente, em forma, daquela do mito cristão. Essas histórias são "novas", não são derivadas diretamente de outros mitos e lendas, mas devem possuir inevitavelmente uma ampla medida de motivos ou elementos antigos e difundidos. Afinal, acredito que as lendas e mitos são compostos mormente da "verdade", e, sem dúvida, aspectos presentes nela só podem ser recebidos nesse modo; e, há muito tempo, certas verdades e modos dessa espécie foram descobertos e devem reaparecer sempre. Não pode haver qualquer "história" sem queda — todas as histórias, no fim, são sobre a queda —, pelo menos não para mentes humanas tal como as conhecemos e possuímos.

> Assim, prosseguindo, os Elfos sofrem uma queda, antes que sua "história" possa tornar-se histórica. (A primeira queda do Homem, por razões explicadas, não aparece em lugar algum — os Homens não entram em cena até que tudo isso tenha há muito passado, e há apenas um rumor de que por algum tempo eles sucumbiram ao domínio do Inimigo e de que alguns se arrependeram.) A parte principal da história, o *Silmarillion* propriamente dito, trata da queda do mais talentoso clã dos Elfos...

É notável aqui a referência que meu pai faz a "um rumor de que por algum tempo [os Homens] sucumbiram ao domínio do Inimigo e de que alguns se arrependeram", e veja-se também a outra citação dessa carta na p. 488; quanto a isso, cf. SA II (e textos subsequentes), §§3–4:

> Na hora designada, os Homens nasceram no mundo, e foram chamados de Eru-hîn, os filhos de Deus; mas vieram num tempo de guerra e sombra, e caíram rapidamente sob o domínio de Mulkhêr, e o serviram... Mas alguns havia entre os pais dos Homens que se arrependeram, vendo o mal do Senhor Mulkhêr e que sua sombra se fazia cada vez maior sobre a Terra; e eles e seus filhos retornaram com tristeza à lealdade a Eru, e obtiveram a amizade dos Avalôi, e receberam de novo seu nome antigo, Eruhîn, filhos de Deus.

Sobre isso não há indícios no *Quenta Silmarillion* (V. 327–30); cf., entretanto, os indícios no Capítulo 17 do *Silmarillion* publicado: "mas que uma escuridão jazia sobre os corações dos Homens (como a sombra do Fratricídio e da Sentença de Mandos jazia sobre os Noldor) [os Eldar] percebiam claramente até mesmo no povo dos Amigos-dos-Elfos, a quem primeiro conheceram."

No alto da página seguinte do texto há uma anotação muito rápida e desconjuntada na qual são citados os *Eruhildi*, filhos de Deus, descendentes de Sem ou Jafé (filhos de Noé).

[5] *Melekō*: uma nota de rodapé desse texto afirma: "Ele tinha muitos nomes em línguas diferentes, mas tal era o seu nome entre os Númenóreanos, o qual significa Tirano." Essa é a forma do nome no texto SA I, mas com a primeira vogal longa: *Mēlekō*.

[6] *Eresse* é a forma na primeira versão do texto em inglês antigo de Edwin Lowdham, pp. 378–9 — Sobre o porto de *Avallon(de)*, ver a nota 12. Em "cujo principal porto ficava a oeste", leia-se "a leste".

[7] Em *A Queda de Númenor* (§10), o funeral em navios passou a ser praticado pelos Exilados nas costas do oeste da Terra-média.

[8] Isso (presumivelmente) contradiz a afirmação anterior, colchetes, no mesmo texto (p. 478): "Os Enkeladim contaram a eles que o mundo era redondo, mas isso era duro para seu entendimento." A afirmação aqui é, claro, o oposto da história em *A Submersão de Anadûnê* (§§23, 31), na qual Sauron ensinou que o mundo era plano, contradizendo as instruções dos mensageiros dos Avalôi(m).

No Esboço III (p. 483) há o seguinte: "Os antigos Númenóreanos sabiam (tendo sido ensinados pelos Eledãi) que a Terra era redonda; mas Sauron lhes ensinou que ela era um disco e plana, e além dela havia o nada, onde o mestre dele reinava."

[9] *O Pilar do Céu se torna vulcânico*: cf. o comentário de Lowdham sobre o poema de Frankley (p. 323): "O seu Vulcão é... aparentemente um dos últimos picos de alguma Atlântida."

[10] Sobre *Ilu, Ilúve*, ver IV. 285, V. 60, 79 e as *Etimologias*, radical IL, V. 436. A palavra *menel* ocorre pela primeira vez aqui ou no manuscrito E da Parte Dois de *Os Documentos do Clube Notion*, no nome *Menelminda*, ou seja, o Pilar do Céu (p. 364).

[11] É a primeira ocorrência da palavra *kemen* nos textos, mas cf. o verbete adicional do radical KEM- nas *Etimologias*, V. 438.

onde sempre tinham tido como que uma habitação e um centro em sua contenda antiga com Melekō: essa é uma versão da lenda de que a ilha na qual os Valar habitavam antes que Morgoth derrubasse as Lamparinas era também aquela na qual Ulmo conduzira os Elfos até Valinor, e a que Ossë ancorara ao fundo do mar na parte distante do oceano, de modo que foi chamada de "a Ilha Solitária". A forma original da história se encontra em *O Livro dos Contos Perdidos* ("A Vinda dos Elfos", I. 148 e seguintes) e depois nas versões sucessivas de "O Silmarillion": o "Esboço da Mitologia" dos anos 1920 (IV. 19, 21, 54), o *Quenta Noldorinwa* (IV. 97, 104) e o *Quenta Silmarillion* (V. 247, 262–3).

[12] Na versão mais antiga do texto em inglês antigo da página sobrevivente do manuscrito de Edwin Lowdham (pp. 378–9), os Númenóreanos estavam proibidos de desembarcar em Eresse. Aqui, eles podem visitar a ilha, mas apenas rapidamente, e apenas o porto de Avallon(de) e a cidade de [Túna >] Tirion "na colina detrás dele"; mais tarde, os Poderes, em seu desagrado, transformaram isso numa proibição total do desembarque em Eresse (p. 483). Sobre a referência à "cidade de [Túna >] Tirion na colina detrás dele", ver a nota 16.

Em anotações acrescentadas ao Esboço II (p. 477), bem como na presente passagem, "Avallon(de)" aparece como o nome do porto em Eresse, e é aqui que a aplicação final desse nome (mais tarde, *Avallónë*) aparece pela primeira vez (em QdN III, *Avallon* ainda era o nome da Ilha Solitária, tal como continuou sendo no texto mais antigo em anglo-saxão a que me referi acima).

[13] *décimo da linhagem de Earendel*: isso pode ser equacionado com a afirmação no texto SA II, §20 (ver o comentário, p. 452) se o próprio Earendel for incluído na conta como o primeiro da linhagem, embora não o primeiro rei de Númenor.

[14] Isso presumivelmente implica que a ideia de uma terra no Oeste distante, onde os Deuses habitavam, era uma mentira de Sauron. Num trecho anterior do texto (p. 481), afirmou-se que os Deuses tinham habitado em Eresse mas que, depois da derrota final de Melekō, "eles não tinham mais qualquer habitação local na terra" (cf. também o Esboço I, p. 478: "exceto entre os sábios, surgiu

a teoria de que os grandes espíritos ou Deuses... habitavam no Oeste em uma Grande Terra além do sol"). Ver também p. 488.

[15] Cf. VIII. 200 e nota 37.

[16] Temos um caso curioso na afirmação do Esboço III, p. 482, de que "a cidade de [Túna >] Tirion" ficava "numa colina detrás do porto de Avallon(de)"; pois Tún(a) ou Tirion era, é claro, a cidade dos Elfos em Valinor. Poder-se-ia supor que Homero cochilou aqui; mas, no primeiro esboço de um texto em inglês antigo para a "página de Edwin Lowdham" (p. 382), o qual seguia de perto *A Queda de Númenor*, §6, conta-se que os Númenóreanos, desembarcando em Valinor, puseram fogo na cidade de Túna. A afirmação do Esboço III, portanto, deve ser tomada mais provavelmente como intencional, um exemplo de um nome famoso transmitido pela tradição, mas cuja verdadeira aplicação foi esquecida.

(vi) O Relato de Lowdham sobre a Língua Adunaica

Esse texto datilografado por meu pai termina na parte de baixo da décima sétima página, ponto no qual ele o abandonou (não há razão para supor que mais páginas existiam, mas foram perdidas). O fato de que está ligado aos textos finais SA III e SA IV de *A Submersão de Anadûnê* pode ser percebido facilmente por conta de vários nomes e suas formas, como *Nimīr, Azrubēl, Adūnāim, Minul-Tārik, Amatthāni* (ver pp. 461–2, §§5, 8, 13, 20, 23).

Ao publicar o "Relato de Lowdham", segui bem de perto o texto de meu pai, mantendo seu uso de letras maiúsculas, itálico, marcas de duração etc. apesar de algumas inconsistências aparentes, exceto onde correções eram óbvias e necessárias. O único ponto no qual alterei sua apresentação foi quanto às notas. Essas (como se tornou sua prática comum em ensaios desse tipo) ele simplesmente intercalava no corpo do texto conforme o compunha; mas, como algumas delas são muito substanciais, achei melhor reuni-las no final. Não acrescentei nenhum comentário meu.

É possível perceber que o "nós" da introdução de Lowdham se refere a ele mesmo e a Jeremy; cf. Notas de rodapé 2 e 6 das pp. 516–8.

ADUNAICO

É difícil, claro, dizer qualquer coisa sobre a pré-história de um idioma que, até onde o meu conhecimento vai, não tem relações próximas com nenhuma outra língua. O outro idioma contemporâneo transmitido junto com o adunaico em minhas "audições" recentes, e que eu chamei de avalloniano, parece ser distinto e não relacionado ao outro, ou pelo menos não "cognato". Mas imagino que originalmente, ou numa época muito anterior a estes registros, o avalloniano e o adunaico tenham sido aparentados de algum modo. De fato, agora está claro que o avalloniano é o *nimriyē* ou "língua nimriana", citada no texto exílico muito antigo acerca da Queda que conseguimos obter. Nesse caso, ela deve ser o idioma dos *Nimīr*, ou uma forma ocidental dele, sendo assim a fonte última dos idiomas dos Homens no oeste do Velho Mundo. Talvez eu deva dizer antes que os vislumbres da "língua nimriana" que temos recebido nos mostram um idioma, sem dúvida já bastante alterado, que descende *diretamente* do nimriano primevo. Desse nimriano em um estágio posterior, mas ainda assim mais antigo do que o avalloniano, é que o ancestral do adunaico deriva, em parte.

Mas o adunaico, portanto, deve ter se desenvolvido de forma bastante independente durante muito tempo. Além disso, acho que ele sofreu também outra influência. A essa influência eu dou o nome de khazadiano, porque recebi uma boa quantidade de ecos de uma língua curiosa, também conectada com o que chamaríamos de Ocidente do Velho Mundo, que está associada ao nome Khazad. Ora, ela lembra o adunaico foneticamente, e parece que também em alguns pontos do vocabulário e da estrutura; mas é precisamente nos pontos em que o adunaico mais difere do avalloniano que ele mais se aproxima do khazadiano.

Entretanto, o adunaico evidentemente teve contato próximo com o avalloniano de novo em épocas mais tardias, de modo que existe, por assim dizer, uma nova camada de semelhanças tardias entre as duas línguas: o adunaico, por exemplo, suavizou um pouco o seu caráter fonético mais duro, enquanto também mostra um número bastante grande de palavras que são idênticas aos equivalentes avallonianos, ou muito parecidas com eles. É claro que nem sempre se pode determinar, em tais casos, se estamos lidando com uma comunidade primitiva de vocabulário ou com um empréstimo tardio de termos avallonianos. Assim, estou inclinado a achar que a base adunaica MINIL, "firmamento, céu", é uma palavra primitiva, cognata da base nimriana MENEL, não sendo um empréstimo tardio da mesma; embora, certamente, se *Menel* tivesse sido emprestada, teria provavelmente adquirido a forma *Minil* [*riscado*: e o substantivo adunaico *Minal* poderia ser explicado como uma alteração feita para encaixar *Minil* no sistema adunaico de declinações]. Por outro lado, parece claro que a palavra adunaica *lōmi*, "noite", é um empréstimo avalloniano, tanto por causa de seu sentido (parece que quer dizer "noite bela, uma noite de estrelas", sem nenhuma conotação de treva ou medo), mas também porque é uma forma bastante isolada em adunaico. De acordo com a estrutura do idioma, como tentarei mostrar, *lōmi* exigiria ou uma base biconsonantal LUM ou, mais provavelmente, uma base triconsonantal LAW'M; mas nenhuma delas existe no nosso material, enquanto no avalloniano o termo *lóme* (radical *lómi-*) é formado de maneira normal a partir da base biconsonantal avalloniana LOM.

Agora, tentarei apresentar um esboço da estrutura e da gramática do adunaico, até onde o material que recebemos permitir que isso seja feito. O idioma retratado é o que existia por volta do período da Queda, ou seja, mais ou menos durante o fim do reinado do Rei Ar-Pharazōn. É daquele período que a maioria dos registros vem. Há só vislumbres ocasionais de estágios anteriores, ou das formas mais tardias (exílicas) do idioma em meio aos descendentes dos que sobreviveram. Alguns de nossos principais textos, notadamente *A Submersão*, são exílicos quanto ao momento em que foram compostos: ou seja, devem ter sido coligidos em alguma época posterior ao reinado de Ar-Pharazōn; mas sua linguagem é virtualmente idêntica à do adunaico "clássico". Isso se deve provavelmente a duas causas: o fato de se apoiarem em materiais mais antigos e o uso continuado da linguagem mais antiga para propósitos mais elevados. Pois a verdadeira fala diária dos Exilados parece, de fato, ter mudado e divergido rapidamente nas costas ocidentais. Dessas formas alteradas e divergentes temos apenas uns poucos ecos, mas por vezes eles ajudam a elucidar as formas e a história da língua em sua versão mais antiga.

ꕥ

Estrutura geral.

A maioria das bases vocabulares do adunaico é *triconsonantal*. Essa estrutura lembra um pouco os idiomas semíticos; e, nesse ponto, o adunaico mostra mais afinidade com o khazadiano do que com o nimriano. Pois, embora o nimriano apresente radicais triconsonantais (além dos que são produtos da inserção normal de sufixos), tais como o radical MENEL citado acima, eles são mais raros em nimriano, e em geral correspondem a radicais de *substantivos*.

Os arranjos vocálicos dentro da base, entretanto, não se assemelham muito aos das línguas semíticas; nem há no adunaico nada estritamente comparável às "gradações" de línguas que nos são familiares, tais como a variação *e/o* do grupo indo-europeu. Numa base adunaica existe uma vogal característica (VC), que compartilha com as consoantes o papel de caracterizar ou identificar a base. Assim, KARAB e KIRIB são bases distintas e podem ter significados totalmente diferentes. A VC pode, entretanto, ser modificada de certos modos reconhecidos (descritos abaixo junto com as vogais), os quais podem produzir efeitos não muito diferentes das gradações.

Além das bases *triconsonantais*, no adunaico existia também um grande número de bases biconsonantais. Muitas delas são claramente antigas, embora algumas possam ter sido emprestadas do avalloniano, no qual a base biconsonantal é normal. Essas bases biconsonantais antigas provavelmente são um indicativo de que as formas mais longas seriam, de fato, um desenvolvimento posterior do ponto de vista histórico. Algumas das ideias verbais mais comuns são expressadas por meio de formas biconsonantais, embora a forma verbal no adunaico normalmente seja triconsonantal: assim, temos NAKH, "vir, aproximar-se", BITH, "dizer", que podem ser comparadas com SAPHAD, "entender", NIMIR, "brilhar", KALAB, "cair" etc. [*Nota de rodapé 1*]

Existem também alguns elementos antigos, como afixos, radicais de numerais e pronomes, radicais preposicionais e assim por diante, que apresentam apenas *uma* consoante. Quando, entretanto, uma "palavra completa", como um substantivo, tem uma forma uniconsonantal, deve-se normalmente suspeitar que uma segunda consoante mais antiga desapareceu. Assim, *pâ*, "mão", provavelmente deriva de uma base PA3.

Consoantes.

A seguir, temos uma tabela das consoantes que o adunaico parece ter possuído originalmente (ou num estágio mais antigo): [*Nota de rodapé 2*]

	(a) Série-p	(b) Série-t	(c) Série-c	(d) Série-k
OCLUSIVAS				
1. *Surdas:*	P.	T.	C.	K.
2. *Sonoras:*	B.	D.	J.	G.
3. *Surdas aspiradas:*	Ph.	Th.	CH.	Kh.
CONTÍNUAS				
4. *Surdas*	--	S.	2.	H.
5. *Sonoras (fracas)*	W.	L, R, Z.	Y.	3. ?.
6. *Sonoras: Nasais:*	M.	N.	--	9.

[*Nota de rodapé 3*]

Os sons da série-C (C, J, Ch, 2] eram originalmente de consoantes anteriores ou "palatais"; ou seja, grosso modo, o de consoantes da série-K produzidas na posição anterior extrema, ou posição-*y*, e podem ser assim representadas, mas a notação acima foi adotada porque seu desenvolvimento tardio as transformou em consoantes simples. O sinal 2 representa um Y surdo fricativo, ou seja, o *ich*-laut do alemão, ou uma forma consideravelmente mais forte do Y surdo que se ouve com frequência, na posição inicial, em palavras inglesas como *huge*.

Pode-se notar que a série-T é a mais rica, possuindo *três* consoantes sonoras. É provavelmente a mais empregada na formação de bases, e certamente é a mais usada em elementos pronominais e formativos (em especial aqueles de forma uniconsonantal). A série-P é a mais pobre e não possui fricativas surdas; mas é muito provável que alguma existisse em tempos mais antigos, algo como um *w* surdo (como o *wh* do inglês), mas que tenha se tornado H em épocas pré-históricas.

O H representa o som fricativo surdo posterior, o *ch* do galês, gaélico e alemão (como em *acht*). O 3 é a aspirada sonora correspondente, ou G "aberto".

O adunaico emprega a afixação na formação de palavras, embora de maneira mais parcimoniosa que o avalloniano; e, ao contrário do avalloniano, emprega a prefixação com mais frequência do que a sufixação. A segunda é pouco usada na formação de radicais (nos quais os dois elementos ficam unidos), mas é mais frequente nas flexões (nas quais os dois elementos normalmente permanecem distintos). As combinações de consoantes no adunaico primitivo, em consequência disso, devem-se principalmente ao contato entre as consoantes básicas e têm predominantemente a forma "consoante contínua + alguma outra consoante" ou vice-versa. Isso acontece porque a forma predominante (mas não exclusiva) das bases adunaicas, quando são triconsonantais, é X + Contínua + X; ou X + X + Contínua, onde X = qualquer consoante.

Um método muito empregado de derivação, contudo, é o alongamento ou "redobro" de uma das consoantes básicas. A consoante dobrada é normalmente a medial ou final da base, embora em certas formações a inicial possa ser dobrada (apenas *uma* das consoantes básicas recebe esse tratamento em cada palavra).

Parecida com esse método e, portanto, competindo com ele em suas funções, é a colocação de uma nasal homorgânica antes da consoante básica final ou, menos frequentemente, medial: assim, temos as transições B para MB; D para ND; G para NG. Esse método, é claro, não pode ser distinguido do redobro no caso das consoantes nasais. Há dúvidas sobre sua ocorrência original antes das outras contínuas: os casos aparentes de NZ podem se dever à combinação *NJ, a qual se tornou NZ, ou à analogia com casos como esses. [*Nota de rodapé 4*].

O adunaico, assim como o avalloniano, não tolera mais do que uma única consoante básica em posição inicial em qualquer palavra (note que Ph, Th, Kh são consoantes simples). Ao contrário do avalloniano, a língua tolera um grande número de combinações em posição medial, e as consoantes que entram em contato sofrem assimilação com parcimônia. No período "clássico", o adunaico não possuía combinações de consoantes em posição final, já que os afixos sempre terminavam numa vogal ou consoante isolada, enquanto os radicais básicos eram sempre organizados das seguintes formas: ATLA, TAL(A) no caso de bases biconsonantais; AK(A)LAB(A), (A)KALBA no caso das triconsonantais. Mas a omissão do A curto final (não o I ou U), tanto na fala quanto na escrita, já era usual antes do fim do período clássico, com a consequência de que um grande número de combinações de consoantes ganhou posição final.

A lista a seguir mostra o desenvolvimento normal das consoantes mais primitivas no adunaico tardio. As consoantes são dispostas aqui na ordem da tabela anterior, e não de acordo com a classificação fonética.

	(a)	(b)	(c)	(d)
1.	P.	T.	S.	K.
2.	B.	D.	Z.	G.
3.	Ph.	Th.	S.	Kh.
4.	--	S.	S.	H.
5.	W.	L., R., Z.	Y.	- (G). --.
6.	M.	N.	--	(N) [*Nota de rodapé 5*]

Pode-se observar que as consoantes não sofreram nenhuma grande mudança, exceto no caso da série-C, que se tornou dental (exceto o Y, que permaneceu inalterado). É possível comparar o desenvolvimento de C, Ch, 2 rumo ao S com o desenvolvimento do C anterior do latim em parte da área das línguas românicas e com o desenvolvimento do K indo-europeu rumo ao S no eslavônio. A hipótese da existência de uma série-C primitiva se baseia, em parte, em fragmentos de evidências internas (tais como a presença de um infixo NZ, enquanto infixos de nasais não ocorrem antes das consoantes genuínas); em parte nas formas antigas, especialmente fragmentos de uma inscrição primitiva, [*Nota de rodapé 6*] que mostra duas letras diferentes para o S e duas para o Z. O tratamento que os empréstimos do avalloniano recebem também é significativo. Em empréstimos antigos, as consoantes avallonianas Ty e Hy (aproximadamente equivalentes ao *t* do inglês *tune* e ao *h* de *huge*) tornaram-se S em adunaico. Isso ocorre, por exemplo, no adunaico *sulum*, "mastro", e *sūla*, "naipe", derivados do nimriano *kyulumā*, *hyōlā*, em avalloniano *tyulma*, *hyóla*.

Na forma mais antiga da língua, as consoantes Ph, Th, Kh claramente eram oclusivas aspiradas, como no grego antigo. Isso pode ser visto de maneira mais clara quando esses sons entram em contato com outros (ver abaixo). Mas parece, com base em muitos indícios de ortografia, dos desenvolvimentos posteriores na língua exílica e da própria pronúncia das palavras registradas em forma audível, que, antes da Queda, essas consoantes se tornaram aspiradas fortes: F (bilabial), Þ (como no *th* surdo do inglês) e X (o som de *ach* originalmente associado ao H, que sofreu uma coalescência com o Kh em casos nos quais o H não tinha se transformado em

H-soprado). Ao mesmo tempo, as combinações PPh, TTh, KKh se transformaram nas "africadas" PF, TÞ, KX e, mais tarde, as aspiradas longas ou dobradas FF, ÞÞ, XX, PTh e KTh parecem ter se transformado em FÞ, XÞ.

O H originalmente era, como apontado acima, a aspirada posterior surda; porém, na língua clássica, normalmente acabou se tornando o H soprado, sempre na posição inicial e, entre vogais, na posição medial. Entretanto, o H nunca se torna silencioso nessas posições. [*Nota de rodapé 7*] O som aspirado do H foi mantido antes de S [*acrescentado*: e onde existe o HH longo ou dobrado] (posição na qual, portanto, acabou se fundindo mais tarde com o Kh); e, em algumas "audições", ele parece ocorrer antes do T e do Th, ainda que normalmente, antes de consoantes, ele seja ouvido como um sopro sem aspiração, tendo o timbre da vogal precedente. Sobre o desenvolvimento do H em contato com outros fonemas, ver abaixo.

As consoantes W e Y originais eram fracas (formas consonantais das vogais U e I). Em posição medial, elas desapareceram, no período pré-histórico, antes das vogais U e I, respectivamente. Mas, na posição inicial, foram fortalecidas, tornando-se mais aspiradas (embora o W continuasse sendo bilabial), de modo que as combinações iniciais WU e YI se mantiveram. O mesmo fortalecimento aconteceu entre vogais (onde o W e o Y não tinham se perdido). Depois de consoantes, tanto o W quanto o Y permaneceram mais fracos, tal como o W e o Y do inglês. Antes de consoantes e em posição final, eles passaram a ser vocalizados e, em geral, combinados com as vogais precedentes para formar ditongos (ver as *Vogais*). [*Nota de rodapé 8*]

O som ? [ver Nota de rodapé 1] não tinha correspondente na escrita adunaica, exceto na inscrição arcaica citada acima [p. 500 e Nota de rodapé 6]. Presumivelmente, desapareceu muito cedo. Não é possível determinar se alguma vez foi usado em posição medial como consoante formadora de bases. Provavelmente não.

A consoante 3 se enfraqueceu até que, no período clássico (num fenômeno paralelo à suavização do equivalente surdo do H, que se tornou o H-soprado), fundiu-se com as vogais adjacentes. Essa suavização das aspiradas posteriores pode ser atribuída à influência avalloniana.

Em posição inicial, a consoante 3 desapareceu. Em posição medial, entre vogais, também desapareceu, o que levou ao surgimento de contrações (sempre, no caso de vogais idênticas, A3A tornando-se Ā); U3 + vogais se tornou UW-, e I3 + vogal se tornou IY-. Em posição final, ou antes de uma consoante, o som 3 se fundiu à vogal precedente, a qual, se fosse breve, acabou ficando alongada, tal como em A3DA, que se tornou ĀDA.

Assimilações por contato.

Conforme assinalado acima, essas assimilações eram feitas com parcimônia, devido à forte consciência acerca do padrão consonantal básico do adunaico. E mesmo aquelas assimilações que aconteciam mais comumente na fala natural raramente são representadas na escrita, exceto nos casos comparativamente raros nos quais a estrutura da palavra não era mais reconhecida.

As consoantes nasais oferecem, entretanto, uma exceção surpreendente a essa tendência conservadora, tanto na escrita quanto na fala. Isso é ainda mais marcante considerando que as combinações MP, NT, NK não apenas nos parecem fáceis como também são altamente aceitas em avalloniano. Em adunaico elas não eram apreciadas, e a tendência era mudá-las mesmo no ponto de contato entre palavras distintas em vocábulos compostos. Um exemplo é *Amātthāni*, derivada de AMĀN + THĀNI, "o reino de Amān".

A nasal dental N, durante a fala, era assimilada, em sua posição, às consoantes seguintes de outras séries. Assim, tornava-se M antes de P, Ph, B e M — embora, notavelmente, o NW permanecesse inalterado (NW é uma combinação preferida pelo avalloniano) — e 9 antes de K, Kh, G, H e 3. Nos locais onde a nasal continuava sendo nasal, como em MB e NG, essa mudança de posição frequentemente é desconsiderada na escrita.

Depois dessas mudanças de posição, todas as combinações de nasal + consoante surda sofreram mudanças. Nas combinações MP, MPh, NT, NK e NKh, a nasal primeiro passou a ser surda e depois foi desnasalada, resultando nas combinações PP, PPh, TT, TTh, KK e KKh. Essas mudanças eram reconhecidas, via de regra, na escrita, embora um sinal diacrítico normalmente fosse colocado em cima do P, T ou K que era derivado de uma nasal; as evidências oriundas das formas audíveis parecem indicar que esse sinal era etimológico e gramatical, não fonético. Em formações antigas, a combinação N + H se tornou 9H e, mais tarde, HH (foneticamente, XX, uma aspirada surda posterior longa); porém, no contato de consoantes que ocorria depois do enfraquecimento do H para H-soprado, ou em remodelamentos posteriores, o NH era mantido e pode ser ouvido como um NN surdo com sopro de transição. O NS se transformou em TS.

Uma vez que o M não era assimilado, em sua posição, às consoantes seguintes, existiam as combinações MT, MTh, MK, MKh, MS e MH. Em paralelo com os desenvolvimentos citados acima, essas combinações se transformavam em PT, PTh, PK, PKh e PS, mas não existe nenhum exemplo de M-H se transformando em P-H. Nos poucos casos de contato de M + H, a forma escrita é MH, e (tal como no caso de NH), o que se ouve é um MM surdo.

Onde a consoante seguinte era sonora, as mudanças são poucas (além das mudanças nas posições descritas acima). A consoante 3, depois de N ou do 9 infixo homorgânico, não desaparece, mas se torna nasalizada, produzindo então a combinação 99, que se torna NG (foneticamente, 9G). As combinações NR, NL tendem a se transformar em RR, LL, mas normalmente com a retenção da nasalidade (transferida para a vogal precedente) na pronúncia; a mudança, via de regra, não é representada na escrita, embora textos com NRR, NLL sejam encontrados. Conforme a tendência geral da consoante 3 em ser assimilada a uma consoante sonora precedente, a combinação M3 se torna MM. Já MW, na pronúncia, também se transforma em MM (em termos coloquiais, uma labial precedente normalmente absorve o W seguinte), mas essa mudança normalmente não aparece na ortografia.

Outras assimilações são mais raras e menos marcantes. Na fala, havia a tendência de que consoantes em contato fossem assimiladas quanto à sonoridade; mas essa tendência é menos forte do que, digamos, no inglês, e em geral é ignorada na escrita. Assim, normalmente vemos palavras como *Sapda*, derivada da base SAPAD, e *Asdi*, da base ASAD, enquanto a pronúncia poderia ser *sabda* e *azda* (embora o *z* nesse caso seja apenas parcialmente sonoro, diferente do som fortemente zumbido de um Z básico).

As consoantes aspiradas Ph, Th, Kh naturalmente exercem forte influência sobre os sons seguintes, de modo a torná-los surdos, e transferem sua aspiração ou sopro audível na transição para o fim do grupo consonantal. Assim, Ph + D, ou T, ou Th se transformam em PTh (ou, a rigor, em PhTh). Assim, a partir da base

SAPHAD deriva-se o termo **saphdān*, "homem sábio, mago", que mais tarde se tornou *sapthān* (foneticamente, conforme descrito acima, *safþān*). Mas tais combinações não são muito comuns e, em formas perspícuas (como, por exemplo, as que aparecem em flexões verbais ou nominais, ou em compostos casuais), costumavam ser remodeladas, especialmente depois da mudança das consoantes aspiradas para fricativas; assim, *usaphda*, "ele entendeu" no lugar de *usaptha*.

As consoantes contínuas W, Y, L, R e Z são pronunciadas de modo surdo depois das aspiradas, mas não sofrem outras mudanças. Também deixam de ser sonoras antes de S e H. Antes de H e S, as consoantes contínuas L, R e Z eram surdas, mas o W e o Y já tinham se tornado vogais (U e I). O M e o N eram surdos antes das aspiradas (enquanto elas continuaram a ter essa característica), mas não depois de outros sons; depois do desenvolvimento posterior das fricativas F, Þ e X, a transformação do M e N em consoantes surdas era apenas parcial.

Depois de sons surdos, a consoante 3, enquanto ainda era audível, transformava-se em H. Depois de consoantes sonoras, era assimilada a elas, de forma que, por exemplo, B3 e D3 se transformavam em BB, DD. Conforme apontado acima, N3 e 93 se transformavam em 99 e, depois, em NG.

Depois de consoantes sonoras, o H não se tornava sonoro também, mas tendia a tornar surda a consoante precedente. Do mesmo modo, isso se dava quando ele precedia uma consoante contínua sonora (como nas combinações HR, HM, HZ etc.); porém, antes de B, D e G, ele tendia a se tornar sonoro, ou seja, a se igualar à consoante 3 e, assim, a desaparecer, fundindo-se à vogal precedente.

As Vogais Adunaicas.

O adunaico originalmente possuía apenas as três vogais primárias A, I e U e os dois ditongos básicos AI e AU.

Cada base possuía *uma* dessas vogais A, I e U como um de seus componentes essenciais; é o que chamo de VC (Vogal Característica).

O lugar normal da VC era entre a primeira e a segunda consoante básica: assim, temos NAK-, KUL'B.

As bases de duas consoantes também podiam acrescentar a VC no final, e as bases com três consoantes podiam acrescentá-la antes do último radical: NAKA, KULUB. Essas formas com duas vogais básicas podem ser chamadas de formas completas da base.

Várias outras formas ou modificações também ocorriam.

(i) Prefixação da VC: ANAK, UKULB, IGIML.
(ii) Sufixação da VC em bases de três consoantes: KULBU, GIMLI.
(iii) Supressão da VC em sua posição normal; nesse caso, ela precisa estar presente em algum outro local: -NKA, -KLUB, -GMIL.

Essa "supressão" da VC normal só pode ocorrer em bases de duas consoantes nas quais ela também é um sufixo. Também é necessário que a VC seja prefixada: ANKA, UKLUB, IGMIL; ou (mais raramente) que algum outro prefixo formativo terminado em vogal esteja presente: DA-NKA, DA-KLUB, DA-GMIL.

Essas modificações raramente são combinadas: isto é, uma forma básica normalmente apresenta a VC repetida mais de duas vezes (tal como em UKULBU, KULUBU); ainda que uma forma como UKULB originalmente não pudesse ser considerada uma palavra em adunaico, alguma vogal que não a VC era assumida como terminação (como em UKULBA).

Uma das vogais de um radical básico tem de ser ou a VC ou uma de suas modificações normais (descritas abaixo); mas a segunda vogal da "Forma completa" não precisa ser a VC, mas pode ser qualquer uma das vogais primárias (ou suas modificações). Assim, temos NAKA – NAKI, NAKU; KULUB – KULAB, KULIB. A vogal prefixada (que não é o mesmo que um prefixo formativo separado) deve ser sempre a VC; mas a vogal sufixada também pode variar: assim, temos KULBA, KULBI; GIMLA, GIMLU. [*Nota de rodapé 9*]

Todas as vogais primárias (A, I, U) podem apresentar uma das seguintes modificações:

(i) Alongamento: Ā, Ī, Ū.
(ii) Fortificação ou infixação do A: Ā, AI, AU.
(iii) Infixação do N: AN, IN, UN. [*Nota de rodapé 10*]

Na forma mais antiga do idioma, vogais ultralongas eram reconhecidas e marcadas com um sinal especial, representado pelo ^ na minha transcrição. Tais vogais apareciam: (i) como uma verdadeira modificação da base, principalmente nas bases de duas consoantes e, de qualquer modo, apenas antes da última consoante básica; (ii) como o produto da contração de vogais, onde uma das vogais fundidas já era longa. Assim, a base ZIR, "amor, desejo", produz tanto *zīr* como *zîr*, e também as formas *zaira* e *zâir*, "anseio".

Formas similares às vezes eram produzidas a partir de bases com W e Y mediais e VC alongada: é o caso da Base DAWAR, que produz **dāw'r* e, assim, *dâur*, "treva"; *zāyan*, "terra", produz o plural **zāyīn* e, assim, *zâin*.

Com exceção dos textos e formas "ouvidas" mais antigos, os ditongos *ai*, *au* tornaram-se monotongos que correspondem ao *ē* e ao *ō* longos (abertos), respectivamente. Os ditongos longos continuaram inalterados e, independentemente de sua origem, em geral soam como ditongos com uma vogal longa em seu primeiro elemento, e uma vogal mais breve (sempre I ou U) no segundo elemento, embora esse segundo elemento seja um tanto mais longo e claro que um ditongo normal: a entonação é "ascendente-descendente".

A única fonte das vogais *ē*, *ō* em adunaico são os ditongos mais antigos *ai*, *au*. Consequentemente, a língua não possui ĕ ou ŏ breves. No avalloniano, as vogais ĕ e ŏ normalmente são representadas por *i* e *u*, respectivamente, embora por vezes (especialmente nas sílabas átonas antes do *r*, ou onde o sistema adunaico favorece isso) ambos apareçam como *a*. Nos empréstimos mais antigos do avalloniano, presumivelmente antes que *ai*, *au* se tornassem monotongos, as vogais avallonianas *ē*, *ō* aparecem como *ī* e *ū*, respectivamente; mais tarde, porém, tornam-se *ē* e *ō*.

Contato entre vogais.

Pode ser produzido (i) pela perda de uma consoante medial, especialmente 3; (ii) com a sufixação, especialmente com o acréscimo dos elementos flexionais: *ī̆*, *ū̆*, *ā̆*, *āt*, *im*, etc.

Se um dos componentes ou ambos forem longos, então o produto é um ditongo longo ou uma vogal ultralonga.

U se contrai com U; I com I; e A com A.

Depois de U, uma consoante de transição W aparece (assim, *ū̆* – *ā̆*, *ū̆* – *ī̆* se tornam *ū̆wā̆*, *ū̆wī̆*), conforme descrito acima. Do mesmo modo, depois do I, aparece um Y (assim, *ī̆* – *ā̆*, *ī̆* – *ū̆* passam a ser *ī̆yā̆*, *ī̆yū̆*).

O adunaico mais primitivo também possuía os ditongos longos: ÔI, ÔU e ÊI, ÊU. Eram todos produtos de contrações, e o ÊU era raro. No período clássico, ÔI (e ÊU) foram mantidos; mas ÔU se tornou a vogal simples ultralonga Ô e, do mesmo modo, ÊI se tornou Ê.

Esses ditongos eram encontrados principalmente em sílabas flexionadas, onde parecem ser produzidos pelo acréscimo de elementos flexionais, tais como *-i*, *-u*, diretamente na forma não flexionada (que passou a ser considerada como o radical), e não no radical etimológico. Assim, o plural de *manō*, "espírito", derivado de **manaw-* ou **manau*, é *manôi*.

Mas formas similares também podem ser produzidas a partir das bases. Assim, uma base como KUY pode produzir, por "fortificação", *kauy-* e *kōy, kôi*. Também por "fortificação", uma base KIW pode produzir *kaiw- e kēw, kêu*. É possível que as formas flexionadas também sejam, pelo menos em parte, de origem semelhante. Se a flexão do plural de fato fosse originalmente YĪ, e não Ī (como parece ser o caso, já que o Y se perdia antes do I em posição medial), então o desenvolvimento deveria ser o seguinte: *manaw*, *manau* + *yi*, *manōyi* e *manôi*; do mesmo modo, *izray*, *izrai* + *yī*, *izrēyī*, *izrêi* e *izrê*.

Pelos processos de (i) infixação do N e duplicação de consoantes; (ii) de variação da posição da VC e de modificação dela; e de variação das vogais das sílabas subordinadas, as bases do adunaico, e especialmente as das formas com três consoantes, eram capazes de um número enorme de formas derivadas, sem recorrer à prefixação ou à sufixação. Naturalmente, nenhuma base mostra, sozinha, mais do que algumas das variações possíveis. De qualquer modo, qualquer forma derivada nunca mostra dois dos *tipos* de variação ao mesmo tempo; para esse propósito, a infixação do N e a duplicação de consoantes contam como um tipo de processo, enquanto o Alongamento e a Fortificação do A contam como outro. Alterações na posição da VC e variações das vogais subordinadas podem ser combinadas com qualquer outro processo de derivação.

Mesmo com essas limitações, bases como KULUB e GIMIL podem desenvolver, por exemplo, as seguintes variantes (entre outras formas possíveis):

KULBU, -A, -I; KULAB, KULIB, KULUB; UKLUB — *Kulbō, -ā, -ē, -ū, -ī; kōlab, kōlib, kōlub, kulōb, kulēb, kulāb, kulūb, kulīb; uklōb, uklūb*

Kullub, -ib, -ab (com variantes apresentando *-ūb, īb, āb, ēb, ōb*); *kulubba, kulubbi, kulabbu, kulabba, kulabbi, kulibbu, kulibbi, kulibba; kulumba* (também *kulimba, kulamba* etc., embora a infixação do N normalmente seja encontrada com a VC precedendo a consoante nasal; *uklumba*; etc.

GIMLI, -A, -U; GIMAL, GIMIL, GIMUL; IGMIL com variações paralelas como GĒMIL, GIMĒL, IGMĒL, GIMMIL, GIMILLA etc.

As gradações aparentes produzidas por essas mudanças são:
Base A: a – ā – â
Base I: i – ī – î; ē – âi
Base U: u – ū – û; ō – âu.

Declinação dos substantivos.

Os substantivos podem ser divididos em duas classes principais: *Forte* e *Fraca.* Substantivos *fortes* formam o Plural e, em alguns casos, certas outras formas, pela modificação da última vogal do Radical. Substantivos *fracos* acrescentam uma flexão em todos os casos.

Os radicais dos substantivos fortes eram originalmente, sem dúvida, sempre radicais básicos em alguma das formas mais completas, como em NAKA, GIMIL, AZRA; mas a flexão de tipo forte acabou se espalhando para a maioria dos substantivos cujo radical terminava em uma vogal breve seguida por uma única consoante. Não existem substantivos fortes com radical monossilábico.

Os radicais dos substantivos fracos eram ou monossilábicos ou terminados em uma sílaba alongada ou fortalecida (tais como *ā-, -ān, -ū, -ōn, -ūr* etc.), ou eram formados com um sufixo ou com o acréscimo de algum elemento.

Também é conveniente dividir os substantivos nas categorias Masculino, Feminino, Comum e Neutro; embora, rigorosamente falando, não exista "gênero" algum em adunaico (não existe f. m. ou forma n. dos adjetivos, por exemplo). Mas o caso *subjetivo,* como pode ser chamado, difere quanto a essas quatro formas citadas no singular; e sua formação é diferente, no plural neutro, do método empregado nas f. m. e c. Isso acontece porque o subjetivo originalmente era produzido com afixos pronominais, e o adunaico distinguia o gênero (ou, antes, o sexo) nos pronomes da terceira pessoa.

Todos os substantivos são Neutros, exceto (i) nomes próprios de pessoas e personificações; (ii) substantivos que denotam funções masculinas ou femininas; e animais machos ou fêmeas, nos casos em que eles são caracterizados de forma específica: exemplos são "mestre, mestra, ferreiro, ama, mãe, filho" ou "garanhão, cadela".

O Masculino e Feminino são personificações de objetos naturais, especialmente regiões e cidades, que podem ter uma forma neutra e outra personalizada lado a lado. Muitas vezes a "personificação" é simplesmente o meio para criar um nome próprio a partir de um substantivo comum ou adjetivo: assim, tem-se *anadūni* "ocidental", *Anadūnē* f. "Ociente". Abstrações também podem ser "personificadas" e consideradas agentes: assim, temos *Agān* m. "Morte", *agan* n. "morte". Em tais casos, entretanto, como em *nīlō* n. "lua" e *ūrē* n. "sol", que coexistem com as formas personalizadas *Nīlū* m. e *Ūrī* f., o que temos não é bem a mera personificação, mas os nomes de pessoas reais, ou que os Adūnāim consideravam ser pessoas reais: os espíritos guardiões da Lua e do Sol, "O Homem da Lua" e "A Dama do Sol", para ser exato.

À classe Comum pertence o substantivo *anā* "homo, ser humano"; os nomes de todos os animais, quando não recebem caracterização especial; e os nomes de povos (especialmente quando estão no plural, como *Adūnāim*). [*Nota de rodapé 11*]

Os radicais dos substantivos podem terminar em qualquer das consoantes básicas isoladas, ou em vogal. Deve-se notar, entretanto, que as consoantes básicas originais W, Y e 3 acabaram se vocalizando em posição final, e que essas formas finais tendem a ser consideradas equivalentes aos radicais verdadeiros. Assim, *pā* "mão", provavelmente derivada de **pa3a*, pl. *pâi*; *khâu* e *khō* "corvo", derivados de **khāw* e **khăw;* pls. *khāwī(m)* e *khôi* (a segunda forma deveria ser *khăwī* por critérios históricos).

Consoantes longas ou combinações de consoantes não ocorrem em posição final no adunaico clássico. [*Nota de rodapé 12*] Os radicais dos substantivos, consequentemente, só podem terminar em uma consoante (ou nenhuma). Elementos sufixais normalmente terminam em vogal ou em oclusivas dentais: *t, th, d;* ou em continuantes, especialmente *s, z, l, r,* as nasais *n* e *m*; mais raramente, em consoantes das outras séries, tais como *h, g, p, ph, b*, embora o *k* não seja incomum.

Entretanto, nos casos em que um substantivo tem um radical básico, não há limitações. Assim, temos *pūh* "alento"; *rūkh* "grito";

nīph "tolo"; *urug* "urso"; *pharaz* "ouro". Tais formas "básicas" não são muito comuns, exceto em substantivos neutros; e são muito raras nos femininos (já palavras especificamente femininas normalmente são formadas com os sufixos *-ī*, *-ē* a partir do radical masculino ou comum). O único substantivo f. frequente desse tipo é *nithil* "moça". A palavra *mīth* "bebê do sexo feminino, menininha" parece ser desse tipo, mas provavelmente foi construída com um afixo *-th* (presente com frequência em formas femininas) a partir da base MIYI "pequeno"; cf. a forma m. *mīk* e o dual *miyāt* "(bebês) gêmeos".

Em substantivos e nomes compostos, entretanto, um radical simples (com frequência contendo uma vogal alongada ou fortificada) é muito frequente como elemento final. Em tais formações, qualquer que seja a função do radical usado na forma simples, esse elemento final, muito frequentemente, tem uma força de agente, e, portanto, requer a forma *objetiva* no elemento precedente (sobre a forma objetiva, ver abaixo). Assim, tem-se *izindu-bēth* "o que diz a verdade, profeta"; *Azrubēl* n. p. "Amante-do-mar". Compare-se com o radical simples *bēth* "expressão, dito, palavra".

Substantivos *masculinos* normalmente têm *ō, ū̆* ou *ā̆* na sílaba final. Se tiverem elementos afixados, eles terminam em *-ō̱* ou *-ū*; ou nas consoantes "masculinas" preferenciais *k, r, n* e *d* precedidas por *-ō*, *ū̆* ou *ā̆*.

Os *femininos* normalmente têm *ē, ī̆* ou *ā̆* na sílaba final; e, se tiverem elementos afixados (como é usual), terminam em *ē* ou *ī̆*; ou nas consoantes "femininas" preferenciais *th*, *l*, s, *z*, precedidas por *ē*, *ī̆* ou *ā̆*.

Os substantivos *comuns* possuem formas "neutras" em seus radicais, ou têm preferencialmente as vogais *-ā* ou *ā̆* na sílaba final.

Substantivos *neutros* não apresentam *ī* ou *ū* na última sílaba de seus radicais nem empregam sufixos que contêm *ū, ō* ou *ī, ē*, uma vez que esses são sinais do masculino e do feminino, respectivamente. [*Nota de rodapé 13*].

Os substantivos distinguem *três* números: *Singular, Plural* e *Dual.* Na maioria dos casos, o singular é a forma normal e os outros são derivados dele. Há, entretanto, um bom número de palavras com significado mais ou menos plural cuja forma é "singular" (ou seja, não flexionada), enquanto os singulares correspondentes são derivados delas, ou apresentam uma forma menos simples da base.

Assim, *gimil* "estrelas", que pode ser comparada aos singulares *gimli* ou *igmil* (o segundo termo normalmente indica uma figura com forma de estrela, e não uma estrela no céu). Esses singulares-plurais são, na verdade, coletivos, e normalmente se referem a todos os objetos de seu tipo (ou todos os que existem no mundo, ou todos os que existem num lugar específico sobre a respeito do qual se pensa ou se fala). Assim, *gimil* significa "as estrelas do firmamento, todas as estrelas que são vistas", como na frase "Saí ontem à noite para olhar as estrelas"; o plural dos singulares *gimli, igmil — gimlî, igmîl* — corresponde a "estrelas, várias estrelas, algumas estrelas"; e, consequentemente, são as únicas formas usadas junto com um numeral específico, como *gimlî hazid* "sete estrelas". Do mesmo modo, no título da *Avalē* ou "deusa" *Avradī*, o termo *Gimilnitīr* "A que Acende as Estrelas", trata-se de uma referência a um mito, aparentemente, no qual ela acende todas as estrelas do firmamento; *gimlu-nitīr* significaria "a que acende uma estrela (específica)".

Os duais são coletivos ou pares, com o significado de "ambos" ou "os dois". Portanto, nunca exigem a presença de um artigo. São formados com o sufixo *-at*. O dual só é usado normalmente para designar coisas que existem em pares naturais ou costumeiros: sapatos, braços, olhos. Para falar de, digamos, dois sapatos separados que não formam um par, o adunaico usaria o substantivo *singular* junto com o numeral "dois", *satta*, na sequência. Mas, na forma mais antiga da língua, coisas que só estão juntas de modo casual e que designaríamos com a expressão "as duas", às vezes são citadas usando o dual.

O principal uso do dual no adunaico clássico era a formação de substantivos-pares quando (a) dois objetos geralmente eram associados um ao outro, como "orelhas"; ou, às vezes, (b) quando geralmente existe um contraste ou oposição entre eles, como "dia e noite". O primeiro caso não traz dificuldades: temos, por exemplo, *huzun* "orelha", *huznat* "as duas orelhas (de uma pessoa)". No segundo caso, se os dois objetos são suficientemente diferentes a ponto de ter nomes separados, então ou (a) os dois radicais podem formar um composto e a flexão dual é acrescentada no final; ou ocasionalmente (b) só um dos radicais é usado, enquanto o outro fica subentendido ou é acrescentado separadamente no singular. Assim, a expressão "sol e lua" pode ser encontrada como *ūriyat*, *ūrinīl(uw)at* e *ūriyat nīlō*.

Os substantivos possuem *duas* formas ou "casos" em cada número: 1. *Normal* 2. *Subjetivo*. Além disso, apenas no singular, existe a forma do *Objetivo*.

O *Normal* (N) não apresenta inflexão relativa ao "caso".

Ele é usado em todos os locais onde o *Subjetivo* (S) ou o *Objetivo* (O) não são obrigatórios. Assim, ele aparece: (i) como o objeto de um verbo. Ele nunca precede imediatamente um verbo do qual é o objeto. (ii) Antes de outro substantivo, ele atua ou (a) como aposto dele, ou (b) numa relação adjetival ou genitivo-possessiva. O primeiro substantivo é o que corresponde ao genitivo em adunaico (adjetivos normalmente precedem os substantivos). For essa razão, os numerais cardinais, que são todos (exceto "um") substantivos, seguem seu substantivo: *gimlī hazid* = 7 de estrelas. As duas funções, a de aposto e a de adjetivo genitivo, normalmente eram diferenciadas pela ênfase e entonação. [*Nota de rodapé 14*]. (iii) Como predicativo: *Ar-Pharazōnun Bār 'nAnadūnē* "Rei Pharazon é Senhor de Anadune". (iv) Como sujeito quando precede imediatamente um verbo totalmente flexionado. Nesse caso, o verbo precisa conter os prefixos pronominais necessários. Se o subjetivo for usado, o verbo não precisa ter nenhum desses prefixos. Assim, *bār ukallaba* "o senhor caiu", ou *bārun (u)kallaba*; a segunda formulação é traduzida mais precisamente com "foi o senhor que caiu", especialmente onde tanto o prefixo subjetivo como o pronominal são usados. (v) Como base à qual certos afixos adverbiais "preposicionais" são acrescentados, tais como *ō* "de", *ad*, *ada* "para, na direção de", *mā* "com", *zē* "em".

O *Subjetivo* (S) é usado como o sujeito de um verbo. Conforme mostrado acima, o subjetivo não precisa ser usado imediatamente antes de um verbo com prefixos pronominais; um substantivo com função de objeto nunca é colocado nessa posição. O S. também representa o verbo "ser" como verbo de ligação; cf. (iii) acima. Quando dois ou mais substantivos em aposição são justapostos em adunaico, apenas o último da sequência recebe a inflexão do subjetivo: assim, *Ar-Pharazōn kathuphazgānun* = "Rei Ar-Pharazon, o Conquistador". Por outro lado, *Ar-Pharazōnun kathuphazgān* = "O Rei Ar-Pharazon é (era) um Conquistador".

A forma do *Objetivo* (O) só é usada em expressões compostas ou em substantivos compostos propriamente ditos. Antes de um verbo-substantivo, ou de um verbo-adjetivo (particípio), ou de quaisquer palavras que consideremos ter esse tipo de sentido, ele passa a ter um significado de objetivo-genitivo. Assim, temos *Minul-Tārik* "Pilar do Céu", nome de uma montanha. Aqui *minul* é a forma O. de *minal* "céu", uma vez que *tārik* "pilar", nesse contexto, significa "aquilo que dá apoio". Já *minal-tārik* significaria "pilar celestial", p. ex. um pilar no céu, ou feito de nuvens. Compare-se *Azru-bēl* (onde *azru* corresponde à forma O. de *azra* "mar"), "Amante-do-mar", com *azra-zāin*.

Substantivos plurais raramente são colocados em tal posição (e os substantivos duais, nunca). Quando um substantivo plural é empregado dessa forma, ele sempre tem relação de *objeto*, e não relação adjetival ou possessiva, com o substantivo que o segue, de modo que os plurais não precisam de uma forma objetiva especial. O genitivo de um substantivo plural só pode ser expresso com o prefixo *an-* descrito na nota cima [ver Nota de rodapé 14]; assim, temos *Ārū'nAdūnāi* "Rei dos Anadunianos".

A *pluralidade*, em adunaico, é expressada ou pelo uso do ī como última vogal do radical antes da consoante final (nos substantivos fortes), ou pelo uso do elemento -ī como sufixo. Sugeriu-se acima que esse sufixo originalmente tinha a forma *-yī* [ver pp. 506–7].

Expressa-se a *dualidade* com o sufixo *-at*. Não há formas "fortes".

O *Subjetivo*: nos substantivos neutros, ele é marcado pela fortificação-*a* da última vogal do radical, no caso dos substantivos fortes, como *zadan*, que tem a forma S. *zadān*; em substantivos fracos, o sufixo *-a* é usado. Nos substantivos masculinos, fortes ou fracos, o sufixo *-un* é usado; nos femininos, o sufixo *-in*; em substantivos comuns, os sufixos *-an* ou *-n*. No plural, usa-se o sufixo *-a* nos substantivos neutros e o *-im* em todos os outros substantivos.

O *Objetivo* tem a vogal *u* na última sílaba do radical, ou então o sufixo *-u*.

Exemplos de Declinação

Os substantivos podem ser divididos, conforme assinalado acima [ver p. 508], em fortes e fracos. Nos substantivos *fortes*, os casos e radicais do plural são formados, em parte, por alterações da última vogal do radical (originalmente, a vogal variável da segunda sílaba dos radicais básicos), em parte por sufixos; nos substantivos *fracos*, as inflexões são inteiramente sufixais.

Os substantivos fortes podem ser subdivididos em Fortes I e Fortes II. No grupo I, a vogal variável ocorre antes da última consoante (forma da base KULUB); no grupo II, a vogal variável é o final da palavra (formas das bases NAKA, KULBA).

Substantivos neutros

Forte I

Exemplos: *zadan*, casa; *khibil*, fonte; *huzun*, orelha...

Singular	N.	zadan	khibil	huzun
	S.	zadān	khibēl	huzōn
	O.	zadun	khibul	huzun, huznu [*Nota de rodapé 15*]
Dual	N.	zadnat	khiblat	huznat
	S.	zadnāt	khiblāt	huznāt
Plural	N.	zadīn	khibīl	huzīn
	S.	zadīna	khibīla	huzīna

O Dual normalmente apresenta, conforme os exemplos acima, a supressão da vogal final antes do sufixo *-at*; mas a vogal final da forma N com frequência é mantida, especialmente nos locais em que a supressão levaria ao acúmulo de mais de duas consoantes, ou onde a vogal a precedente é longa: assim, normalmente a forma é *tārikat* "dois pilares".

Em todos os substantivos, o N. e o S. dos duais só eram distintos em textos mais antigos. Antes dos períodos exílicos, a terminação *-āt* era usada tanto para o N. como para o S. Isso, sem dúvida, deveu-se à coalescência de N. e S. na classe Forte II, muito numerosa.

Forte II

Exemplos: *azra*, mar; *gimli*, estrela; *nīlu*, lua.

Singular	N.	azra	gimli	nīlu
	S.	azrā	gimlē	nīlō
	O.	azru	gimlu	nīlu

Dual	N.	azrāt, -at	gimlat, -iyat	nīlat, -uwat
	S.	azrāt	gimlāt, -iyāt	nīlāt, -uwāt
Plural	N.	azrī	gimlī	nīlī
	S.	azrīya	gimlīya	nīlīya

Além do plural normal *gimli*, existe ainda, conforme assinalado acima [ver pp. 510–1], o plural com forma singular *gimil* (declinado como *khibil*, só que sem formas plurais ou duais), no sentido de "as estrelas, todas as estrelas" ou "estrelas" em afirmações gerais. Outros plurais desse tipo não são incomuns: *kulub* "raízes, vegetais comestíveis que são raízes, não frutos", por oposição a *kulbī* (uma quantidade definida de raízes de plantas).

As formas duais N. *azrat*; N. *gimlat*, S. *gimlāt*; N. *nīlat*, S. *nīlāt* são arcaicas, mas estão de acordo com o sistema básico do adunaico e mostram uma supressão da vogal variável paralela à que é vista em palavras como *zadnat* etc. As formas mais tardias se devem ao surgimento da impressão de que as vogais finais das formas N. *azra*, *gimli*, *nīlu* são sufixais e invariáveis, de modo que o *-āt* foi acrescentado à forma N. sem supressão, produzindo *azrāt*, *gimilyat*, *nīluwat*. As formas tardias apresentam o *-āt* tanto no N. como no S. devido à predominância numérica dos substantivos com final *-a*.

Fracos

Pertencem a essa classe os substantivos monossilábicos e os dissilábicos com uma vogal longa ou ditongo na sílaba final, tais como *pūh*, hálito; *abār*, força, resistência, fidelidade; *batān*, estrada, caminho.

Singular	N.	pūh	abār	batān
	S.	pūha	abāra	batāna
	O.	pūhu	abāru	batānu
Dual	N.	pūhat	abārat	batānat
	S.	pūhāt	abārāt	batānāt
Plural	N.	pūhī	abārī	batānī
	S.	pūhīya	abārīya	batānīya

Substantivos masculinos, femininos e comuns

Substantivos m., f. e c. diferem apenas no Subjetivo Singular, no qual o sufixo *-n* normalmente é distinguido pela inserção dos marcadores de sexo ou gênero *u*, *i* e *a*. Em textos mais tardios, mas ainda pré-exílicos, o Objetivo Feminino muitas vezes assume a vogal *i* (assim, tem-se *nithli* no lugar de *nithlu*) devido à associação da vogal *u* com o masculino. Os substantivos femininos raramente têm a forma "básica", ou seja, poucos pertencem à Declinação Forte I*a*, já que palavras especificamente femininas normalmente são formadas a partir do M[asculino]

Aqui, o "Relato" de Lowdham é interrompido no pé de uma página (ver p. 520). As "notas de rodapé" do texto vêm a seguir.

Nota de rodapé 1

Na contagem do número de consoantes de uma base, deve-se observar que muitas bases originalmente começavam com consoantes fracas que mais tarde desapareceram, em especial o "início claro" (ou possivelmente a "oclusiva glotal") para o qual usei o símbolo ?. Assim, a base ?IR "único, sozinho", da qual derivam certas palavras (p. ex. *Ēru* "Deus"), é biconsonantal.

Nota de rodapé 2

Nos pontos em que essa tabela difere da lista das consoantes realmente presentes nos nossos registros, os dados derivam de deduções feitas a partir de mudanças observáveis que ocorrem na formação de palavras, de variações na ortografia nos documentos escritos "vistos" por Jeremy, dos efeitos sobre empréstimos vocabulares do avalloniano e da alteração das formas mais antigas detectada ocasionalmente.

Nota de rodapé 3

O adunaico não possuía, como elementos independentes formadores de bases, consoantes nasais das séries-C ou -K. O segundo grupo (simbolizado aqui pelo 9), o som de *ng* do inglês *sing*, ocorre, entretanto, na forma assumida (a) por uma nasal "infixada" antes de consoantes da série-K e (b) pela nasal dental N (não o M) quando ela entra em contato com uma consoante da série-K durante o processo de formação de palavras. Sobre os "infixos", ver abaixo [p. 499 e Nota de rodapé 4]. Originalmente, sem dúvida, o adunaico possuía, da mesma maneira, uma nasal da série-C, mas, como todas elas se tornaram dentais, exceto o Y, se ela chegasse a ocorrer, poderia a ocorrer apenas no grupo NY. Nessa combinação, entretanto, os Adūnāim parecem ter usado a mesma letra que a empregada para o N dental.

Nota de rodapé 4

A infixação nasal tem importância considerável no avalloniano, mas não parece ocorrer de modo nenhum no khazadiano, de modo que esse elemento da estrutura do adunaico pode se dever à influência do avalloniano durante o período pré-histórico.

Nota de rodapé 5

Esse som ocorre apenas na combinação NG, para a qual o adunaico empregava uma única letra.

Nota de rodapé 6

Jeremy não conseguiu observar a inscrição com muita clareza; talvez já fosse muito antiga e parcialmente ilegível no período rumo ao qual sua "visão" foi direcionada. Acreditamos que estava em algum monumento marcando o desembarque de Gimilzōr, filho de Azrubēl, na costa leste de Anadūnē. Não pode ter sido um monumento exatamente contemporâneo desse evento, já que os textos parecem falar da escrita adunaica como algo que foi inventado depois que o povo tinha habitado a ilha por certo tempo. É provável, mesmo assim, que ele date de uma época pelo menos 500 anos, e muito possivelmente até 1.000 anos, antes da época de Ar-Pharazōn. Essa ideia é corroborada tanto pelas formas das letras quanto pelo arcaísmo do estilo linguístico. A duração do período durante o qual os Adūnāim habitaram Anadūnē não pode, é claro, ser computada de nenhum modo acurado a partir do nosso material fragmentário; mas os textos parecem mostrar que (a) Gimilzōr era jovem na época do desembarque; (b) Ar-Pharazōn era idoso na época da Queda; (c) houve doze reis entre um e outro: ou seja, praticamente 14 reinados [ver pp. 452–3, §20]. Mas os membros da casa real parecem ter vivido frequentemente perto de 300 anos, enquanto os reis, normalmente, parecem ter sido sucedidos por seus *netos* (seus filhos tinham, via de regra, 200 ou até 250 anos antes que o rei "adormecesse", e transmitiam a coroa para seus próprios filhos, de modo que um reinado tão longo e contínuo quanto possível pudesse ser mantido, e porque eles mesmos tinham se envolvido profundamente com algum ramo de arte ou estudo). Isso significa que o reino de Anadūnē pode ter durado bem mais do que 2.000 anos.

Nota de rodapé 7

Casos aparentes, tais como a variação entre *u-* e *hu-*, devem-se à existência de dois radicais, um que se inicia com uma consoante fraca (3 ou ?), outro com a forma intensificada do H.

Nota de rodapé 8

Nas composições ou inflexões, um W "deslizante" passou a se desenvolver entre o U e a vogal seguinte (que não o U), e isso, por sua vez, desenvolveu-se numa consoante propriamente dita em adunaico. Do mesmo modo, um Y se desenvolveu entre o I e a vogal seguinte (que não o I). A melhor representação do W adunaico no alfabeto inglês provavelmente é o *w*; mas usei o *v* ao anglicizar os nomes adunaicos.

Nota de rodapé 9

Note que essas variações só são permitidas onde a VC está em posição normal; formas como AN'KU, UKLIB não são permitidas.

Nota de rodapé 10

Não se considera que essas modificações mudem a identidade da VC, de modo que podem ocorrer juntamente com a variação de vogais em sílabas subordinadas: assim, a partir da base GIM'L, é possível uma forma como GAIMAL.

A infixação do N, embora não seja estritamente uma modificação vocálica, é incluída aqui porque desempenhar um papel semelhante, na gramática e na derivação, ao Alongamento. Ela só ocorre antes de um radical medial ou final (nunca, como no avalloniano, antes do inicial) e fica limitada a ocorrências antes das Oclusivas e do Z (a esse respeito, ver acima [pp. 498–9]).

Nota de rodapé 11

Substantivos comuns podem ser transformados em M. ou F. quando necessário pelo uso de modificações ou afixos apropriados; ou, naturalmente, palavras diferentes podem ser usadas. Assim, temos *karab* "cavalo", pl. *karīb*, junto com *karbū*, m.

"garanhão", *karbī* "égua"; *raba* "cão", *rabō* m. e *rabē* f. "cadela"; *anā* "ser humano", *anū* "do sexo masculino", *anī* "do sexo feminino", junto com *naru* "homem", *kali* "mulher"; *nuphār* "genitor" (dual *nuphrāt* "pai e mãe" como um par), ao lado de *ammī, ammē*, "mãe"; *attū, attō* "pai".

Nota de rodapé 12

Na maioria dos nossos registros, aproximadamente a partir da época da Queda, o *-ă* final muitas vezes acabava sendo omitido na fala, não apenas antes do início vocálico de outra palavra, mas também (especialmente) em posição final (isto é, no fim de uma sentença ou frase) e em outros casos; de modo que a linguagem falada poderia ter várias combinações finais de consoantes.

Nota de rodapé 13

Esse uso de *ū̆* e *ī̆* (e também o de *ō* derivado de *au* e o de *ē* derivado de *ai*) como marcadores m. e f. perpassa toda a gramática adunaica. O *u* e o *i* são as bases dos radicais pronominais usados para "ele" e "ela". O uso dos elementos afixados *-ū* e *-ī* na posição final para marcar gênero (ou sexo), como em *karbū* "garanhão" ou *urgī* "ursa", provavelmente é, de fato, um paralelo muito próximo com formações do inglês moderno como "he-goat", "she-bear".

Nota de rodapé 14

Em apostos, cada substantivos era separado e apresentava uma tonicidade independente. Na função genitiva, o substantivo precedente ou adjetival recebia uma ênfase mais forte e um tom mais alto, com o segundo substantivo em situação subordinada. Essas combinações são compostos virtuais. Na escrita adunaica, é comum que eles sejam unidos com uma marcação semelhante a um hífen (-) ou (=), ou então aparecem como verdadeiros compostos. Mesmo quando não estão unidos, o fim de um substantivo frequentemente é assimilado pelo seguinte, como em *Amān-thāni*, que se torna *Amāt-thāni, Amatthāni* "Terra de Aman". O adunaico tem outro modo de expressar o genitivo, no qual o nexo entre os elementos não é tão próximo: pelo uso do prefixo adjetival *-an*. Embora isso lembre a função do inglês "of" ["de"], não se trata de uma preposição (as preposições do adunaico, de fato, normalmente são "pós-posições", vindo depois do substantivo); é o equivalente de uma flexão ou sufixo. Assim, temos *thāni anAmān*, ou mais comumente *thāni 'nAmān* "Terra de Aman". O mesmo prefixo ocorre em *adūn* "oeste, no rumo oeste", *adūni* "o Oeste", *anadūni* "ocidental". Outros exemplos do uso adjetival são: *kadar-lāi* "povo da cidade", *azra-zāin* "terras-do-mar, isto é, regiões marítimas", *Ar-Pharazōn* "Rei Pharazon".

Nota de rodapé 15

A forma do O. *huznu*, emprestada dos substantivos das classes Forte II e Fraca, frequentemente é encontrada em substantivos cuja vogal final é *u*. Também ocorre nos que têm outras vogais finais (como *zadnu*), mas com menos frequência.

Nota de rodapé 16

Às vezes, os substantivos dissilábicos com uma sílaba final longa (contendo *a*), especialmente nos textos mais antigos, formam um plural forte pela troca de *a* por *i*, mas não no caso de outras formas fortes: assim, tem-se *batīn, batīna*, "estradas".

ↄ

> Não há muito mais material sobre o adunaico além do "Relato de Lowdham", e o que se pode encontrar consiste quase inteiramente em esboços iniciais, alguns dos quais bastante rudimentares, do texto apresentado acima. A partir do ponto em que o relato foi interrompido (no começo da seção sobre Substantivos Masculinos, Femininos e Comuns, p. 516), entretanto, existem esboços manuscritos da continuação do texto. As complexidades da passagem desses substantivos da declinação "forte" para a "fraca" estão dispostas e apresentadas de modo bastante obscuro, e há trechos ilegíveis. Fiquei em dúvida quanto à publicação desse esboço; mas, de modo geral, parece uma pena omiti-lo. A forma apresentada aqui passou por alguma edição, como a remoção de repetições, o uso de formulações um pouco mais claras, a omissão de algumas notas obscuras e o uso da marcação de vogal longa no lugar da mistura confusa desse sinal com o acento circunflexo no manuscrito.

Os substantivos masculinos, femininos e comuns só diferem no Subjetivo Singular, no qual os sufixos são M. *-un*, F. *-in*, C. *-(a)n*. Os femininos, além disso, muito raramente são "básicos", sendo quase sempre formados com um sufixo derivado de um substantivo masculino ou comum [ver pp. 509–10].

Substantivos m. e f., em geral, também se tornaram fracos, já que, via de regra, apresentam alongamento do radical (sílaba final) como uma característica formativa, e não flexional.

Portanto, correspondendo à classe Neutra Forte I, temos uma pequena classe I(a) com *tamar* "ferreiro" e uma variedade menor I(b) com *phazān* "príncipe, filho do rei". Correspondem à classe Neutra Forte II uma pequena classe II(a) de substantivos em geral comuns, como *raba* "cão", e a II(b), com substantivos que terminam em *ū* (masc.), *ī* (fem.) e *ā* (comum). A eles se somam os substantivos terminados em *ō* (masc.) e *ē* (fem.) [a respeito deles, ver abaixo]. Essas formas normalmente se tornam fracas.

Forte I(a)

Exemplos: *tamar*, m. "ferreiro"; *nithil*, f. "menina"; *nimir*, c. "Elfo"; *uruk*, c. "gobelim, orque".

Singular	N.	tamar	nithil	nimir	uruk
	S.	tamrun	nithlin	nimran	urkan
	O.	tamur	nithul-	nimur-	uruk-
		(tamru-)	(nithlu-)	(nimru-)	(urku-)
Dual		tamrat	nithlat	nimrat	urkat
Plural	N.	tamīr	nithīl	nimīr	urīk
	S.	tamrim	nithlim	nimrim	urkim

I(b)

Exemplos: *phazān* "príncipe"; *banāth* "esposa"; *zigūr* "mago".

Singular	N.	phazān	banāth	zigūr
	S.	phazānun	banāthin	zigūrun
	O.	(phazūn-)	(banūth-)	(zigūr-)
		phazānu-	banāthu-	zigūru
Dual		phazānat	banāthat	zigūrat
Plural	N.	phazīn	banīth	zigīr
	S.	phazīnim	banīthim	zigīrim

Aqui cabem apenas os masculinos com *ā* e *ū* nas sílabas finais e os femininos com *ā*. E esses podem ser todos declinados na forma fraca: plural *phazānī*, *-īm*, *banāthī*, *zigūrī* etc.

II(a)

Existem pouquíssimos substantivos m., f. e c. nessa categoria porque eles normalmente possuem radicais finais longos e se tornaram fracos. Entram aqui principalmente termos arcaicos como *naru* "macho", *zini* "fêmea" (em paralelo a *narū*, *zinī*), e substantivos que designam animais, como *raba* "cão".

Singular	N.	naru	zini	raba
	S.	narun	zinin	raban
	O.	naru-	zinu-	rabu-
Dual		narat	zinat	rabat
Plural	N.	narī	zinī	rabī
	S.	narīm	zinīm	rabīm

Substantivos correspondentes ao grupo II(b) tornaram-se todos fracos, com exceção de *anā* "ser humano", o qual possui o plural *anī* além da forma fraca *anāi*.

Singular	N.	anā	Dual	anāt	Plural	N.	anī
	S.	anān				S.	anīm
	O.	anū-					

Fraco(a)

Fazem parte do grupo os substantivos que terminam em consoante. Eles raramente são "básicos" (exceto do modo descrito acima em compostos).

Exemplos: *bār* "senhor"; *mīth* "menininha"; *nūph* "tolo" [mas ver *nīph* pp. 509–10].

Singular	N.	bār	mīth	nūph
	S.	bārun	mīthin	nūphan (ou m.f. *núphun*, *-in*)
	O.	bāru-	(mīthu-) mīthi	nūphu- (f. nūphi-)
Dual		bārat	mīthat	nūphat

Plural	N.	bārī	mīthī	nūphī
	S.	bārīm	mīthīm	nūphīm

Fraco(b)

Pertencem a essa classe (i) masculinos e femininos terminados em *ū* e *ī* e substantivos comuns em *ā*. O mesmo vale para (ii) uma nova classe, a dos masculinos terminados em *ō* e a dos femininos em *ē*. A origem deles não está muito clara. Parecem derivar (a) de radicais básicos terminados em *aw*, *ay*; (b) de *-aw*, *-ay* empregados como sufixos m. f. como variantes de *u*, *i*; (c) de substantivos comuns em *a* + m. *u*, f. *i*, em vez de vir de vogais variantes. Assim, temos *raba* > *rabau* > *rabō*. Essas desinências são especialmente usadas no f., já que *rabī* daria a impressão de ser igual ao plural comum.

Exemplos: *nardū* "soldado"; *zōrī* "ama"; *mānō* "espírito"; *izrē* "querida, amada"; *anā* "ser humano". A essa classe (especialmente no plural) pertencem muitos nomes de povos, como *Adūnāi*.

Singular	N.	nardū	zōrī	mānō	izrē
	S.	nardūn	zorīn	mānōn	izrēn
	O.	nardū-	zōrī (arc. zōrīyu)	mānō-	izrē (izrāyu)
Dual		nardū̆wā̆t	zōrī̆yā̆t	mānōt (mānawā̆t)	izrēt (izrayā̆t)
Plural	N.	nardū̆wī	zōrī	mānōi	(izrē) izrēni
	S.	nardū̆wīm	zōrīm	mānōim	(izrēm) izrēnīm

Outras páginas rascunhadas são interessantes por mostrar que uma grande mudança na concepção de meu pai sobre a estrutura do idioma foi introduzida conforme o trabalho avançou, pois no início os substantivos adunaicos podiam ser declinados em cinco casos: Normal, Subjetivo, Genitivo, Dativo e Instrumental. Para dar um só exemplo, nos substantivos masculinos a flexão do genitivo era *ō* (plural *ōm*); a do dativo era *-s*, *-se* (plural *-sim*); e a do instrumental, *-ma* (plural *-main*), sendo essa originalmente uma pós-posição aglutinada com o sentido de "com", expressando uma relação instrumental ou comitativa. Nesse estágio, a palavra masculina *bār* "senhor" apresentava o seguinte sistema flexional (se o interpretei corretamente):

Singular			Dual		Plural	
	N.	bār		bārut		bāri
	S.	bārun		bārut		bārim
	G.	bārō		bārōt		bāriyōm
	D.	bārus		bārusit		bārisim
		bāruma		bārumat		bārumain

Quase não há traços de anotações sobre outros aspectos da gramática adunaica: uns poucos rabiscos muito rudimentares sobre o sistema verbal são ilegíveis demais para que se decifre muita coisa deles. Pode-se afirmar, entretanto, que havia três classes de verbos: I Biconsonantais, como *kan* "manter"; II Triconsonantais, como *kalab* "cair"; III Derivativos, como *azgarā-* "guerrear", *ugrudā* "fazer sombra". Havia quatro tempos verbais: (1) aoristo ("correspondente ao 'presente' do inglês, mas usado com mais frequência como presente histórico ou passado numa narrativa"); (2) continuativo (presente); (3) continuativo (passado); (4) o tempo pretérito ("frequentemente usado como um mais que perfeito quando o aoristo é usado = pretérito, ou como futuro do perfeito quando o aoristo = futuro). O futuro, subjuntivo e optativo eram representados por verbos auxiliares; e o passivo era expressado por formas verbais impessoais "com o sujeito no acusativo".

Já comentei antes a dificuldade quase impossível representada por boa parte dos escritos filológicos de meu pai. Como escrevi em *A Estrada Perdida e Outros Escritos* (V. 410–11):

> Ver-se-á então que o componente filológico na evolução da Terra-média mal pode ser analisado, e certamente não pode ser apresentado, como o podem os textos literários. Seja como for, meu pai talvez estivesse mais interessado nos processos de mudança do que em mostrar a estrutura e o uso das línguas em algum período específico — embora isso sem dúvida deva-se em certa medida ao fato de que ele com frequência recomeçava desde o início com os sons primordiais dos idiomas quendianos, embarcando em um projeto grandioso que não podia ser mantido (de fato, parece que a própria tentativa de escrever um relato definitivo acarretava numa insatisfação imediata e no desejo por novas construções: assim, os manuscritos mais belos eram logo tratados com desdém).

O "Relato de Lowdham", assim, é notável pelo fato de que foi mantido como está, sem virtualmente nenhuma alteração subsequente; e a razão disso é que meu pai abandonou o desenvolvimento do adunaico e nunca voltou a ele. É preciso enfatizar que não estou sugerindo, é claro, que no momento do abandono do projeto ele não tivesse projetado — e provavelmente projetado de modo bastante completo — a estrutura da gramática adunaica como um todo; apenas que (até onde pude apurar) ele não colocou no papel mais elementos dela. O porquê de isso ter acontecido deve continuar sendo um mistério; mas é bem possível que seu trabalho tenha sido interrompido pela pressão de outras preocupações no ponto em que o "Relato de Lowdham" termina, e que, quando teve tempo de voltar ao tema, ele se forçou a trabalhar novamente em *O Senhor dos Anéis*.

Nos anos que se seguiram, ele tomou rumos diferentes; mas, se tivesse voltado ao desenvolvimento do adunaico, o "Relato de Lowdham", na forma que o temos, sem dúvida teria sido reduzido a frangalhos, conforme novas concepções causassem mudanças e reviravoltas na estrutura da obra. É mais do que provável que ele começasse de novo, refinando a fonologia histórica — e talvez nunca chegando ao Verbo outra vez. Pois a "completude", o estabelecimento de uma Gramática e um Léxico fixos, não era, conforme acredito, o objetivo principal. O deleite estava na própria criação, a criação de novas formas linguísticas que evoluíam no conjunto de um tempo imaginado. A "incompletude" e a mudança incessante, muitas vezes frustrantes para aqueles que estudam essas línguas, eram inerentes a essa arte. Mas, no caso do adunaico, da maneira como as coisas aconteceram, alcançou-se uma estabilidade, ainda que incompleta: um relato substancial sobre uma das grandes línguas de Arda, graças aos estranhos poderes de Wilfrid Jeremy e Arundel Lowdham.

Índice remissivo I

Correspondente à Parte Um, *O Fim da Terceira Era*

Este primeiro índice remissivo foi feito com o mesmo grau de completude que os dos volumes anteriores que dizem respeito à história da composição de *O Senhor dos Anéis*. Tal como antes, os nomes são, em geral, apresentados em sua forma "padrão"; além disso, certos nomes não estão indexados: os que ocorrem nos títulos de capítulos etc.; os de destinatários de cartas; e os que aparecem nas reproduções de páginas manuscritas. A palavra *passim* é, mais uma vez, usada para indicar que, numa sequência longa de referências, há uma página aqui e ali onde o nome não ocorre.

Celebdil Uma das Montanhas de Moria. 96. Nome anterior *Celebras* 96, 98
Celeborn (1) "Árvore de prata", um dos nomes da Árvore Branca de Valinor. 82–3; *Keleborn* 83. Mais tarde, a Árvore de Tol Eressëa, 82.
Celeborn (2) Senhor de Lothlórien. 74, 88–9, 99–100, 150, 159–61, 170, 172; *Keleborn* 150, 170
Celebrant, Campo de 99
Celebras Ver *Celebdil.*
Celebrian Filha de Celeborn e Galadriel, desposada por Elrond. 83
Charcoso Um dos rufiões da Vila-dos-Hobbits. 110–1, 114, 123; Homem-orque ("o Chefão") em Bolsão 120–1, 124, 136, 139–40; (com a mesma referência?) *Grande Charcoso* 110–1, 123–4, 136; nome de Saruman 123–5, 127–8, 134, 140, 142, 144, *Sharkû* 139
Chefão, O. Ver *Sacola-Bolseiro, Cosimo*; mais tarde, o homem-orque em Bolsão. 120–1, 124. (Substituído por *O Chefe*).
Chefe, O Ver *Sacola-Bolseiro, Cosimo. Condestável-chefe*, ver (*O*) *Condado.*
Círdan, o Armador 92, 143
Cisnefrota, Rio 96, (98). Ver *Glanduin.*
Colinas Brancas 122, 143
Colinas Distantes 143
Colinas do Norte Em Arnor. 103
Colinas Verdes No Condado. 130–1, 139
Colinas-dos-túmulos 48, 104
Companhia (do Anel), A 70; *Companheiros do Anel* 81
Condado, O 34, 39, 51, 67, 74–6, 87– 91, 93–4, 100, 103, 105, 107–8, 112–3, 115–25, 129, 130–45, 147, 150–6, 162–7, 171; em sindarin, *Drann* 165 *Gente-do-Condado* 159, *Ratos-do-Condado* 119; *Casa(s)-do-Condado* 108, 113, 131, 136, *Casa-de-Condestáveis* 136; *Condestáveis* 107–10, 125; *Condestável-chefe* 106–7, (120), 136; *Prefeito* 106–8, 136, 141, 152, 164, em sindarin *Condir* 165; *Vice-Prefeito* 141; *Thain* 130, 132, 135; *Expurgo do Condado* (não como título de capítulo) 122–3, 135, 166
Condestáveis, Condestável-Chefe Ver *(O) Condado.*
Contos Inacabados 66, 98, 170
Cordof Tradução de *Pippin* (Gamgi) feita por Aragorn. 152, 162, 165
Cormallen Ver *Kormallen.*
Coroa Branca 79–80; no estandarte de Aragorn 31, 79
Covamiúda, Robin Também *Covas-miúdas* (106–7, 136). Hobbit, um dos Condestáveis. 108, 125, 136, 139
Cronologia (1) Dentro da narrativa. 20–6, 29–33, 34, 39, 43–4, 56, 64, 67–8, 71, 73, 81–5, 95–6, 98–100, 102, 104, 115–6, 135–8, 143, 146, 152–4, 163–5, 170. (2) Anos da Terra-média (Registro do Condado). 133, 140–2, 145–6, 148, 155–6, 165, 171–2. (3) Da composição (datação externa). 20–1, 27–9, 165

Denethor 43, 47; *O Senhor (de Minas Tirith)* 39, 111
Descampado (de Rohan) 87, 97
Desfiladeiro de Rohan 74, 88–9
Dias Antigos 94
Dias Recentes 94
Distâncias 24–25, 30–32,52–6, 116, 122, 135–6
Dol Amroth 32; *o Príncipe de Dol Amroth* 85; *Amroth* 78
Dragão Verde A estalagem em Beirágua. 109
Dúnedain 74, 79
Durin 158, 171
Durthang Forte-orque nas montanhas a oeste de Udûn, originalmente uma fortaleza de Gondor. 52–6

Ëarnur Último rei da linhagem de Anárion. 83
Eastemnet Trecho de Rohan a leste do Entágua. 23
Edoras 86, 97–100
Eirien Forma final do nome *Margarida* (Gamgi) na tradução de Aragorn. 162, 164–5. Ver *Arien, Erien.*
elanor Flor dourada de Lórien. (148–9), 159, 167. Para a filha de Sam chamada *Elanor*, ver *Gamgi.*
Elbereth Varda. 146
Eldamar Casadelfos, a região de Aman na qual os Elfos viviam. 83
Elendil 80, 82–3; *a Trompa de Elendil (Mastro-de-vento)* 16–7
Elessar (O) Pedra-élfica, Aragorn. 74, 82, 152, 154, 165. Ver *Aragorn.*
Elfhelm, o Marechal Cavaleiro de Rohan. 83
Élfico (com referência ao idioma) 81, 98, 152, 156, 162, 167; élfico sendo citado 49, 68, 73, 80–1, 87, 89, 94, 97, 98–9, 146, 165; (com outra referência) 22, 44, 54, 95, 150, 161
Élfico(a)- Manto-élfico 30, 48, 70, 73 (e ver *Lórien*); *graça-* 157; *luz-* 160; *senhor-* 72; *donzela-* 167

Elfos 21, 23, 30, 44, 75, 76, 82, 118, 142, 146, 149–50, 154, 158–61, 163, 166–7
Elladan Filho de Elrond. 81, 92, 163
Ellonel Nome que chegou a ser usado para a personagem que seria Arwen. 91. Ver *Finduilas* (1).
Elrohir Filho de Elrond. 81, 92, 163
Elrond 43, 52, 74, 76, 83, 88, 92, 94, 143, 146, 150, 154, 160–1, 166; *Conselho de Elrond* 97. *Filhos de Elrond* 81, *(87); Ver* *Elladan, Elrohir*.
Emmeril Nome original da esposa de Denethor. 78. Ver *Finduilas* (2).
Emrahil Nome usado temporariamente para a personagem *Arwen*. 92. Ver *Finduilas* (1).
Emyn Muil 21
Encruzamento Vila da Quarta Oeste onde as estradas do Vau Sarn e de Grã-Cava se juntavam à Estrada Leste 122, 132, 139; *Encruzada* 132, 139
Encruzilhadas Em Ithilien. 25, 34
Ents 721, 23, 76, 87, 97, 151, 154, 159; *Entesposas* 88, 151, 155, 159; *Entinhos* 97
Éomer, Rei Éomer 21, 70, 74, 77, 79, 80, 85, 86, 87, 92, 93, 99, 100, 159
Eorl, o Jovem 94, 99
Éowyn 74, 75, 77, 78, 80, 84, 86, 87, 93, 94, 158*; Senhora de Rohan* 86
Ephel Dúath 52, 55
Era Média Equivalente à Segunda e Terceira Eras. 94. *Dias Médios*. 94
Erebor A Montanha Solitária. 154

Erech, Pedra de Erech 31–3*;* a *palantír* de Erech 31
Ered Lithui As Montanhas de Cinza 26, 52, 55; *o maciço do norte* 52, 59
Ered Nimrais 32. Ver *Montanhas Brancas*.
Eressëa Ver *Tol Eressëa*.
Erien Substituída por *Arien*. 155–6. Ver *Arien, Eirien*.
erva-de-fumo (incluindo referências a *tabaco, folha*) 102, 103, 107
Escada do Riacho-escuro O passo que ficava debaixo de Caradhras (ver VII. 199). 88
Espectro(s)-do-Anel 17, 37, 58, 62, 142
Espelhágua 171. Ver *Kheled-zâram*.
Espelho de Lothlórien 51, 103, 119, 138
Estrada Leste 104, 116, 131, 137; ver *Estradas*.
Estrada segue sempre avante, A 88
Estrada Sul 135
Estradas Estrada costeira no Sul de Gondor 30–33. Estrada principal de Minas Morgul até Barad-dûr 25, 37–40; de Durthang até a Boca-ferrada 55–56; da Boca-ferrada até Barad-dûr 59, 64. "Estradas do Norte" saindo de Minas Tirith 85; a Estrada Leste 104, 116, 131, 137; a Estrada de Beirágua, deixando a Estrada Leste no "encontro de caminhos" (138), 115–7, 122, 126, 129, 132, 137, 140. A antiga Estrada Sul. 135
Estreitos, Os A abertura entre as esporas montanhosas que cercavam o Narch. 52
Estrela do Norte 79*;* estrela na fronte de Aragorn 79; estrela(s) em seu estandarte 31–32, 79
Ethir Anduin 31–3; *o Ethir* 31–3
Etimologias No Vol. V, *A Estrada Perdida*. 99
Exército branco 21–2

Fangorn (1) Barbárvore. 97. (2) Floresta de Fangorn. 87–8, 138, 159
Fano-da-Colina 34, 173–5, 178–9; *o Forte* 175
Fanuidhol Uma das Montanhas de Moria. 96. Nome anterior *Fanuiras* 96, 98
Faramir 21, 39, 74–5, 77–80, 83–4, 87, 158*; Príncipe de Ithilien* 85, 96*; Regente de Gondor* 79, 96
Fendas da Terra 15. *Fenda (da Perdição)* 18, 57
Ferroada 18, 20, 40–2, (48), 51–2, 73–5, (88), 98, 114, 121, 124, 137–8
Filhos de Elrond Ver *Elrond*.
Finduilas (1) Filha de Elrond (precursora de Arwen). 74, 78, 83, 85, 87, 91–2; chamada de *Meio-Elfa* 83. Outros nomes transitórios antes de *Arwen*: *Amareth, Ellonel, Emrahil*.
Finduilas (2) de Dol Amroth, esposa de Denethor. 78, 83. Nomes anteriores *Emmeril, Rothinel*.
Fingolfin 66
Floresta Cinzenta (também *Floresta-cinzenta, Bosques Cinzentos*). Ver *Amon Dîn*. 93
Floresta Druadan, Floresta de Druadan 34, 39, 80, 93
Floresta Velha 104
Folcwine Décimo quarto Rei da Marca. 93
Fornost Erain Cidade nas Colinas do Norte, Norforte dos Reis. 104
Fortes do Passadiço Na Muralha da Pelennor, na entrada da via proveniente de Osgiliath. 35
Fosso dos Mortos Nome de Fornost depois de ser arruinada. 103
Fossobranco Vila na Quarta Leste (substituiu *Glebafava*). 139
Frána Língua-de-Cobra. 90, 99. (Substituído por *Gríma*).
Frasco de Galadriel Ver *Galadriel*
Frodo Bolseiro Ver *Bolseiro*.

Galadriel 60, 74, 76, 83, 88–9, 99–100, (119), 142–3, 146, 160, 166, 170; *a Senhora* 84, 149–50. *O Frasco de Galadriel, o Frasco* 21, 29, 40, 42, 51, 62, 68, 92; a caixa, presente dela a Sam 62, 68, 75, 119, 142
Galathilion A Árvore Branca de Valinor. 82. Mais tarde, a Árvore de Tirion, 82
Galdaran, Rei Nome anterior do Senhor de Lothlórien. 51
Gamgi 106
Gamgi, Bilbo Décimo filho de Sam. 171
Gamgi, Cachinhos D'ouro Sexta filha de Sam. 148, 152, 157, 162, 164. Ver *Glorfinniel.*
Gamgi, Elanor Filha mais velha de Sam (71), 142, 144, 148–50, 159–65, 170–2; apelidada de *Ellie* e chamada de *Elanorellë* por Samwise. Ver *elanor.*
Gamgi, Feitor (86–7), 97, 109, 131, 138
Gamgi, Frodo Segundo filho de Sam e mais velho do sexo masculino 148–53, 155–7, 162, 164; também chamado de *menino Frodo,* com o apelido de *Fro.* Ver *Iorhael.*
Gamgi, Hamfast. Sétimo filho de Sam 152, 156, 162, 164; apelidado de *Ham.* Ver *Baravorn, Marthanc.*
Gamgi, Margarida Oitava filha de Sam. 149, 152, 155–7, 162, 164, 171. Ver *Arien, Eirien, Erien.*
Gamgi, Merry. Quarto filho de Sam. 148–52, 154–6, 158, 162, 164. Ver *Gelir, Riben.*
Gamgi, Pippin. Quinto filho de Sam. 148–53, 157, 162, 164, 171. Ver *Cordof.*
Gamgi, Prímula. Nona filha de Sam. 157, 171
Gamgi, Rosa. (1) Rosa Villa, esposa de Sam. 128 *(Rosinha),* 129, 142, 148–9, 152–3, 161–5, (166), 170, 172. (2) Terceira filha de Sam 148–53, 157, 162, 164; chamada também de *menina Rosinha.* Ver *Beril, Meril.*
Gamgi, Samwise ou *Sam.* 16–30, 34–76 *passim,* 80, 85–7, 88, 97, 103, 106–9, 111–5, 116–9, 121, 125–66 *passim,* 167–72; em inglês antigo, *Samwís* 68–9. O Louvor a Frodo e Sam em Kormallen 68–9, e em Edoras 86, 97–9; sua canção na Torre de Kirith Ungol Ungol 45–6, 49; sua espada tirada das Colinas-dos-túmulos 42–6, 48, 52, 70, 73; seu livro 75; o presente que lhe foi dado por Galadriel, ver *Galadriel.* Ver *Lanhail, Panthael, Perhael.*
Gandalf 15, 18, 20–1, 26, 43, 51, 66–8, 70–1, 73, 79–86, 88–90, 94–5, 97, 99–107, 112, 119, 121, 125–6, 134, 137, 143–7, 151, 155–6, 158, 166 ("Guardião da Terceira Era")
Gelir Tradução de *Merry* (Gamgi) feita por Aragorn. 152, 162, 165. (Substituiu *Riben.*)
Ghân-buri-Ghân 80, 86, 93; *Ghân* 93
Ghash Ver *Muzgash.*
Gilthoniel Varda. 146
Gimli 70–1, 74–5, 86–8, 92, 94, 96, 150, 154, 158–9, 171
Glamdring A espada de Gandalf. 105. Ver *Orcrist.*
Glanduin, Rio. 98. Ver *Cisnefrota.*
Glebafava (1) Vila na Quarta Leste (substituída por Fossobranco). 139. (2) Fazenda de Magote. 139
Gléowine Menestrel de Théoden. 99 (e forma anterior *Gleowin*).
Glorfinniel Tradução de *Cachinhos D'Ouro* (Gamgi) na carta de Aragorn. 152, 162, 165
Gnomos 82
Gobelim(ns) 30, 154; *rei-gobelim* 154
Gochressiel 66. Ver *Montanhas Circundantes.*
Golfimbul Líder dos Orques do Monte Gram (em *O Hobbit*). 154
Gollum 15–22, 24, 26–7, 30, 53, 56–7, 61–2, 97, 155
Gondolin 66
Gondor 21, 25, 35, 49, 54, 67, 71–2, 74, 79–80, 83–4, 94, 97, 111, 115, 120, 158, 162, 165
Gorbag Orque de Minas Morgul (mas também da Torre de Kirith Ungol, ver 23). 22–5, 29, 30, 34, 40–2, 44, 46–7
Gorgor 21–2 (*campos de Gorgor, a planície de Gorgor),* 40 *(vale de Gorgor);* substituído por *Gorgoroth.* Ver *Kirith Gorgor.*
Gorgoroth 35, 40, 54, 74. Ver *Gorgor, Kirith Gorgor.*
Gorgos Torre de guarda oriental de Kirith Ungol, principal passo para adentrar Mordor. 47
Grã-Cava 107–10, 113, 115–6, 120, 122, 130–1, 137, 141
Gram, Monte 154. Ver *Golfimbul.*
Grande Mar. Ver *(O) Mar.*
Grande Rio 72; *o Rio* 150. Ver *Anduin.*
Gríma Língua-de-cobra. 90, 99. (Substituiu *Frána.*)
Griságua, Rio 98, 102, 135
Guarda-Cerca, Hob Hobbit; um dos guardas na Ponte do Brandevin. 106–7
Guerra do Anel 145; *a Guerra* 131–2
Gwaewar Ver *Gwaihir.*
Gwaihir. "O Senhor-dos-Ventos", Águia do Norte; o nome anterior *Gwaewar* (66–7). (1) Nos Dias Antigos, vassalo de Thorondor. 66–7. (2) Na Terceira Era, descendente de Thorondor. 20–1, 65–7
Gwirith. Abril. 165

Háma Décimo primeiro Rei da Marca. 93. (Substituído por *Brytta,* também chamado de *Léofa.*)
Harad O Sul. *Homens de Harad* 31
Haradwaith Povos do Sul. 32–3; *Haradrianos* 33
Hasufel Cavalo de Aragorn em Rohan. 86 (usado erradamente no lugar de *Arod*), 96, 98
Helm Nono Rei da Marca. 99
Henneth Annûn 72, 78
Hobbit, O 28, 154, 167
Holbytlan Hobbits (em inglês antigo). 69
Holdwine Nome de Merry Brandebuque em Rohan. 93
Homens 81; *Homens do Oeste* 37*; Domínio dos Homens* 81, 94
Homens Selvagens, Homem Selvagem (da Floresta Druadan) 39, 80, 86, 93; *Homens Selvagens das Matas* 80*; Ghân das Matas Selvagens* 80, 93
Homens Sombrios 31
Homens-Púkel 174–5; nome anterior *Homens-Hoker* 175
Hoste de Sombra Os Mortos do Fano-da-Colina. 32; *Homens sombrios, Homens-de-sombra* 31

Ildramir Nome usado temporariamente no lugar de *Imrahil.* 92
Imlad Morghul O vale de Morghul. 64
Imrahil 79, 92; e ver *Dol Amroth, Ildramir.*
Inglês antigo 68–9, 139
Ioreth Mulher de Gondor; a grafia anterior *Yoreth* 78
Iorhael Tradução do nome *Frodo* (Gamgi) feita por Aragorn 162, 165; Grafia anterior *Iorhail* 152, 172
Isen, Rio 89, 95, 102
Isengard 76, 87, 89, 94, 97, 100, 110–1, 120, 125, 135, 139, 156, 158, 173*; o Círculo de Isengard* 173
Isildur 31; o estandarte de Isildur 31
Ithilien 21, 35, 71–2, 85, 150*; Príncipe de Ithilien* (Faramir) 85, 96

Keleborn Ver *Celeborn* (1) e (2).
Kheled-zâram Espelhágua. 171
Kirith Gorgor O grande passo na entrada de Mordor 21–2, 26–7, 37, 54. [Kirith Gorgor originalmente não era separado de Gorgor(oroth): ver. 51–3]
Kirith Ungol O passo ou fenda elevada acima do Vale de Morgul. 22, 24–6, (30, 34), 35, 37–8, 43.
A Torre de Kirith Ungol guardando esse passo (incluindo referências à *Torre* e a *Kirith Ungol* com esse significado) 21, 22, 28, 34, 36, 38, 39, 43, 73, 98, 171 (algumas referências são imprecisas, seja ao passo ou à fortaleza 26, 43, 50, 55–6). *O torreão* (ou *chifre do torreão*) da Torre (visível do lado ocidental do passo) 35, 40–2, 44–5; o *portão inferior, porta brônzea, portão brônzeo* 34, 38–9, 41, 43, 46*;* a descrição da fortaleza 35, 39, 44. Sentido original: o principal passo na entrada de Mordor. 47
Kormallen, Campo de 65, 67–9, 72–5, 77, 78, 84, 89, 94, 111, 121; *Cormallen* 137

Lagduf Orque da Torre de Kirith Ungol; nome anterior *Lughorn.* 44
Lamedon 31, 33
Lameduin, Rio 32–3; *Lamedui* 31, 33; *Vaus do Lameduin* 32–3; *Fozes do Lamedui(n)* 32
Landroval Ver *Lhandroval.*
Lanhail "Só-sábio", nome atribuído a Samwise por Aragorn 152. Ver *Panthael.*
Laracna 40, 147*; a Aranha* 149
Laurelindórenan O antigo nome élfico de Lórien empregado por Barbárvore, anteriormente *Laurelindórinan.* 99
Lebennin 31–2
Lebethron Árvore de Gondor. 79
Legolas 70–2, 81, 86–8, 96–7, 150, 155–6, 158–9
Lembas 26, 43
Léofa Nome dado a Brytta, décimo primeiro Rei da Marca, anteriormente *Léof.* 93, 98
Lestenses 72
Lhandroval "Asa-larga", Águia do Norte. (1) Nos Dias Antigos, vassalo de Thorondor. 66. (2) Na Terceira Era, descendente de Thorondor e irmão de Gwaihir. 65–6, 73. Forma posterior *Landroval.* 73
Língua comum 50; *língua simples* 162
Língua-de-Cobra 89, 90, 99, 131. Ver *Frána, Gríma.*
Linhir Vila de Gondor, no rio Morthond. 32–3
Lithlad "Planície de Cinza", no norte de Mordor. 35
Livro Vermelho do Marco Ocidental 145*; o* (ou *um*) *Livro Vermelho, o Livro (*142*),* 145–6, 148, 155, 157, 167, 171
Lórien 16–7, 23–4, 30, 47–8, 83, 88, 99, 149–50, 159, 166–7. *Manto de Lórien* 24, 30*;* outras referências aos mantos 42, 48, 60, 70, 73
Lothlórien 32, 81, 138. Ver *Espelho de Lothlórien.*

Nargos Torre de guarda ocidental de Kirith Ungol quando vista como o principal passo na entrada de Mordor, 47; uma das Torres dos Dentes, 37, 47 (substituído por *Narchost*).
Narya Um dos Três Anéis dos Elfos, usado por Gandalf. 146; *o Anel Vermelho, o Terceiro Anel* 143, 166
Navio Branco O navio no qual os Portadores-do-Anel partiram dos Portos Cinzentos. 156, 158; outras referências ao navio 143, 170
Nazgûl 17–20, 22, 25, 29–30, 42–3, 58
Necromante, O 15
Nenuial O lago em Arnor ao lado do qual Annúminas foi construída. 103, 104. Ver *Vesperturvo*.
Nenya Um dos Três Anéis dos Elfos, usado por Galadriel. 146; *o Anel Branco* 166
Nimloth A Árvore Branca de Valinor. 82–3. Mais tarde, também nome da Árvore de Númenor, 82
Ninquelótë A Árvore Branca de Valinor (em sindarin, *Nimloth*). 82
niphredil Flor branca de Lórien. (149), 159
Nob Serviçal do *Pônei Empinado*. 102
Norforte dos Reis. 103. Ver *Fornost Erain*.
Norte, O 79, 82, 85, 88–9, 94, 103, 120, 123, 158
Nova Era, A A Quarta Era. 94
Númenor 31; *Árvore Branca de Númenor* 83 *(Nimloth)*. Ver *Ociente*
Númenóreano 49
Núrnen, Lago 80

O Leste 121; *as Terras do Leste* 88
Ociente Númenor. 72
Oeste, O 92, 111, 166; *ilha do Oeste* 76; *Rei do Oeste* 100; *o Verdadeiro Oeste* 144. Ver *Capitães do, Homens do, Oeste*.
Olho, O (na Torre Sombria) 18–9, 22, 27, 39, 50, 58–9; ver especialmente 59.
Olifante 72
Orcrist A espada de Thorin Escudo-de-Carvalho, atribuída a Gandalf. 105
Orodruin 16, 19, 21–2, 25–7, 39, 58. Ver *Montanha de Fogo, Monte da Perdição*.
Orque(s) (incluindo compostos, como *lâmina-órquica, trapos de orque, vozes-órquicas*) 24, 26, 34, 38, 40–4, 47–8, 50–1, 53–6, 64, 87, 112, 120; *homem-orque, homens-orques*, 121, 123, 136–8, *meio-orques* 112; *órquico* 51, 123; fala-orque 50 (ver *Órquico*)
Órquico (idioma) 49, 139
Orthanc 76, 87, 94, 98, 173, 176–7

Os Mortos 31. Ver *Sendas dos Mortos*.
Osgiliath 25, 73

Paço Dourado, O 86–7, 93
palantír 31, 88; *palantíri* 31
Pântano, O 138
Panthael "Todossábio", nome cunhado por Aragorn para designar Samwise 162, 164–59; grafia anterior *Panthail* 155, 172; *Panthail-adar* 172 (*adar*, "pai"). Ver *Lanhail*.
Passolargo 105, 156, 164. Ver *Telcontar*.
Pausa do Silêncio Feita antes das refeições em Gondor. 73
Pealvo, Will Prefeito do Condado 108, 141, 144; chamado de *Bolinho de Farinha* 108
Pedra das Três Quartas 109
Pedra-élfica, (O) Aragorn; 89, 91–2, 152, 154, 164; a pedra verde 79; em sindarin, *Edhelharn* 165. Ver *Elessar*.
Pelargir Vila à beira do Anduin. 32
Pequenos 69. Ver *Periain, Periannath*.
Peregrin Tûk, Pippin Ver *Tûk*
Perhael Tradução de *Samwise* ("Semissábio") na carta de Aragorn. 162, 164–5, *(a) Pherhael* 166; *Perhael-adar* 162 (*adar*, "pai"); grafia anterior *Perhail Perhail* 152, 155, 172. Ver *Lanhail, Panthael*.
Periain. Pequenos. 78. (Substituiu *Periannath* na Segunda Edição de SA).
Periannath Pequenos. 78; *(i)Pheriannath* 68–9, 78
Pictures by J.R.R. Tolkien 60, 174
Pinnath Gelin Colinas na parte oeste de Gondor. 83
Planície da Batalha 21, 29
Pônei Empinado, O 101–2
Ponta do Bosque 75, 133, 142, 146
Portador-do-Anel, O (24), 30, 67, 92, 111, 146; *Portadores-do-Anel* 69, 146
Portão Negro 67, 78. Ver *Morannon*.
Porto de Cobas Baía ao norte de Dol Amroth. 32–3; *Cobas* 31, 33
Portos Cinzentos 76, 97, 107, 141, 144, 146, 166, 171–2; *os Portos* 75–6, 143, 161, 166. Ver *Mithlond*.
Portos, Os Ver *Portos Cinzentos*.
Povo Grande Homens (vistos pela perspectiva dos hobbits). 151, 162
Prefeito, O Ver *(O) Condado*.
Primavera 152, 154, 164; em sindarin, *Ethuil* 165

Quarta Era, A 172
Quarta Norte 133

Índice remissivo II

Correspondente à Parte Dois, *Os Documentos do Clube Notion*, e à Parte Três, *A Submersão de Anadûnê*

Em vista da grande quantidade de nomes que ocorrem nessas duas partes do livro, este segundo índice é um pouco mais restrito em seu escopo do que o primeiro, especialmente pela redução ou omissão de identificações explanatórias em muitos casos e, em certa medida, pela quantidade de referências cruzadas a nomes relacionados. Alguns dos nomes que ocorrem nas Notas da Parte Dois, os quais têm presença casual e pouco significativa fora do contexto imediato, foram omitidos, mas isso vale para muito poucos dos que aparecem nos textos propriamente ditos dos Documentos. Inevitavelmente, a escolha entre omissão e inclusão em tais casos é um tanto arbitrária. No caso dos nomes oriundos das obras de C.S. Lewis e dos relatos de Michael Ramer sobre suas experiências, a proveniência deles é indicada pelas marcações "[Lewis]" e "[Ramer]", frequentemente sem outras explicações.

As exclusões mencionadas na nota ao Índice Remissivo I também foram feitas aqui; e, do mesmo modo, os nomes são apresentados na forma "padrão", especialmente quanto aos acentos e marcas de duração: assim, o acento circunflexo é, de forma geral, usado nos nomes adunaicos.

Os membros do Clube Notion estão elencados pelo sobrenome, e as referências incluem as iniciais dos membros e as páginas nas quais cada pessoa fala, mas não é citada por nome. Todas as designações de ruas, faculdades e outras construções em Oxford estão reunidas no verbete *Oxford*. Ing. ant. = inglês antigo.

Muitos nomes e grupos de nomes trouxeram dificuldades excepcionais para a organização e apresentação, pois constam daqui não apenas várias línguas, formas cambiantes dentro dessas línguas, rejeições e substituições de nomes, como também identidades mutáveis e incertezas deliberadas quanto às referências.

Angel Antigo lar dos ingleses 332; *Angol* 333
Anglo-saxão (idioma) 191–2, 201, 287, 289–90, 292–3, 296–8, 312–3, 316, 339–40, 342, 344–5, 352, 361, 363–4, 366, 368, 384, 493. Outras referências em *Inglês antigo, Inglês.*
Anglos 335
Antirion, a Dourada. Cidade dos Númenóreanos. 415, 424, 437, 453, 457. Ver *Tar Kalimos.*
Aphanuzîr Amandil. 463–5. (Substituiu *Arbazân.*)
Ar-Gimilzôr Vigésimo terceiro Rei de Númenor. 454. Ver *Gimilzôr.*
Ar-Pharazôn (incluindo referências com a expressão *o Rei*) 432–6, 438, 440–2, 444, 452, 454–6, 458–9, 463–4, 466, 487; *Rei Pharazôn* 512, 520. Ver *Tarkalion.*
Ar-Zimrahil Nome anterior de Ar-Zimraphel. 443, 460. Ver *Tar-Ilien.*
Ar-Zimraphel Rainha de Ar-Pharazôn (*Tar-Míriel*). 460
Aragorn 449
Arbazân Amandil. 434–6, 438–9, 443, 455, 463, 465. (Ver *Aphanuzîr.*)
Arbol, Campo de [Lewis] O Sistema Solar. 263; *Campos de Arbol* 248, 253, 270, *Arbol* (o Sol) 248, 252, 270
Archenfield Em Herefordshire. 328, 330, 353–4; Em ing. ant. *(æt) Ircenfelda* 330, 354, *Ircingafeld* 354
Arda 302, 374, 377, 479, 484, 525
Arditi, Colombo Membro do Clube Notion. 201
Armenelos Cidade dos Númenóreanos. 449
Arminalêth, Ar-Minalêth Cidade dos Númenóreanos. 432, 434, 436, 437, 438, 453; chamada de *a Dourada.* 437. (Substituída por *Armenelos.*)
Arthur, Rei 239, 267, 280–1, 344, 372; *lenda arthuriana, romances arthurianos* 267, 280
Arthurson, John Pseudônimo de J.R.R. Tolkien. 370, 372
Arûn Nome original de Mulkhêr (Morgoth). 426–7, 433, 436, 446, 456–7, 464–5; *Arûn-Mulkhêr* 436, 457. Substituiu *Kherū*,446
Arundel (1) Ver *Lowdham, Alwin Arundel.* (2) Localidade de Sussex. 344
Árundil Nome transitório de um dos filhos de Elendil. 479
Árvore Branca de Númenor Ver *Nimloth.*
Árvore, A Em *A Morte de São Brandão.* 319, 321, 323, 357–9; *A Árvore Branca de Númenor* 456–7, ver *Nimloth. As Árvores Bem-Aventuradas* [Ramer] 242; ver *Drama da Árvore Prateada.*
Ásia 474, 491
Atalante "A Decaída" (*Akallabêth*). 304, 305, 375, 381, 421
Atenienses; *Sólon, o ateniense* 349
Athânâte, Athânâti A Terra da Dádiva. 368, 376, 445, 448. (Substituída por *Amatthânê.*)
Athelney Localidade em Somerset. 353
Atlântico, O 287, 301, 309
Atlântida 193, 254–5, 272, 285, 305, 323, 341–2, 344, 349–50, 490, 493
Atlas (1) O titã que segurava o firmamento. 350; *filha de Atlas* 305, 350 (ver *Calipso*). (2) Primeiro Rei de Atlântida. 350
Audoin, o Lombardo 345, 350; *Auduin* 289; *Éadwine* 335
Aulë 399
Aurvandill (Aurvendill) Nome em nórdico antigo que é cognato de *Éarendel.* 363, 371; *Dedo do Pé de Aurvandill,* nome de estrela, 363, 371. Nomes cognatos em outras línguas 291, 363, 371
*Avalāi*Deuses e Elfos. (ver 421–2). 408, 411–7, 419–25, 453, 460, 487. (Substituiu *Balâi.*)
Avalē "Deusa". 511
Avallon A Ilha Solitária. 350, 378–80, 391, 398–403, 423–4, 450, 459, 477, 482, 492–4
Avallondē "Porto dos Deuses", terra dos Avalâi (Balâi). 411, 419, 422–4, 450, 487. Ver *Avallôni.*
Avallónë O Porto dos Eldar em Tol Eressëa. 451, 459, 468–72, 493; forma anterior *"Avallon(de)"* 477, 482, 487, 492–4
Avallôni "Porto dos Deuses", terra dos Avalôi(m). 431, 442, 443, 450, 462, 465, 466, 467, 470, 487 (ver especialmente 458–9)
Avalloniano Nome empregado por Lowdham para designar o quenya. 295–6, 303, 305, 316, 369, 373, 395–500, 502, 506, 516–7; *língua A* de Lowdham, ou *númenóreano A* 292–5, 302–3, 368–9, 373, 450. Ver *Eresséano, Nimriano, Quenya.*
Avalôi Os Valar; 426–7, 429–39, 442, 444–8, 450–4, *passim*, 458–62, 487, 491–2; *Filhos dos Avalôi* 427, 447. Ver *Avalôim.*
Avalôim Os Valar (substituiu *Avalôi* na narrativa). 445, 454, 456, 457, 461, 462, 463, 466
Avaltiri Os Fiéis em Númenor. 414, 424

Avradî Varda. 511. Ver *Gimilnitîr.*
Azrubêl Eärendil. 433, 445, 447, 448, 453, 461; anteriormente *Azrabêl* 428–9, 432, 435, 438–9, 445, 447–8, 461*; Azrabêlo* 434, 455*, Azrabêlôhin* 455, filho de Azrabêl; a esposa de Azrabêl 429. Forma adunaica anterior do nome: *Pharazîr* 445, 369, 445.

Balada de Leithian 189
Balāi, Nome substituído por *Avalâi.* 408–11, 421–2
Barad-dûr 454
Bārim an-adûn Senhores do Oeste 302, 377; *Bârun-adûnô* Senhor do Oeste 376
Beleriand 189, 339, 397, 406, 485; *Anais de Beleriand* 339*; Homens de Beleriand* 398*; beleriândico* (idioma) 367, 372
Bell-Tinker Professor de Oxford 270–1
Bëor 399
Beowulf (o poema) 183
Bideford Localidade em Devon. 324
Blackwell, Basil Livreiro de Oxford. 194. Ver *Whitburn e Thoms.*
Borrow, D.N. Acadêmico de Oxford interessado em *Os Documentos do Clube Notion.* 198, 199
Brandão, São 192, 318, 321–3, 329, 343, 352, 356, 359, 360; *Abade de Clonfert* 352; obras medievais sobre 192, 322. *A Morte de São Brandão* (poema) 318, 355, 356; versão posterior, *Imram* 356–60
Brandon Hill Lugar da costa de Kerry. 325, 353
Bretanha 267, 281, 330, 339–40; em ing. ant., *Brytenrice* 330
Britânicas, ilhas 312
Butler, Samuel 264; *Erewhon* 217, 264

Calipso Filha de Atlas 305, 350; sua ilha, *Ogígia* 350
Câmara, A Ver *Oxford.*
Cambridge 263, 344
Camelot 281–3
Cameron, Alexander Membro do Clube Notion. 191, 202, 218–9, 261, 265, 300, 309, 317
Camlan, Batalha de 284, 344
Campo de Arbol Ver *Arbol*
(Campo de) Bosworth, Batalha do 218, 248, 253, 265, 270, 344
Carpenter, Humphrey (Os Inklings) 190, 192; *(Cartas de J.R.R. Tolkien)* 194
Cartas de J.R.R. Tolkien, As 183, 191–4, 263, 268, 271, 345, 352, 452, 487, 489–91
Casadelfos 340
Cataclismo, O 422, 458, 470, 472*;* em ing. ant., *Midswípen* 296, 347; relatos a respeito 382, 403, 419, 442, 459
Cavernas dos Esquecidos 403, 459
Céltico 200, 267*; céltico antigo* 354
Ceola Companheiro de Ælfwine e Tréowine. 338
Céolwulf (1) Pai de Tréowine. 328, 332 (2) Citado antes de Tréowine como recitador de *Rei Feixe.* 354–5
Céu 319, 356, 357, 433, 445, 453, 457, 470, 479*; Alto Céu* 319, 356, 357, 477. Ver *Céu Profundo; Menel, Pilar do Céu.*
Céu Profundo [Lewis] O espaço sideral. 263
China 246*; chinês* 246, 295, 369
Clonfert, Abadia de Em Galway. 325, 352
Cluain-ferta Clonfert. 318, 322, 352, 356, 360
Clube Notion, o Clube 184–7, 190–4, 200, 244, 262, 264, 269, 280, 310, 336, 342, 344, 353, 356, 372, 406, 421, 473
Contos Inacabados 346, 351, 381, 449–50, 452, 454, 460, 486
Contos Perdidos Ver *(O) Livro dos Contos Perdidos*
Cornualha 324, 354; em ing. ant., *Cornwealas* 354. Ver *Gales, Galês.*
Cortirion Cidade dos Elfos em Tol Eressëa. 339
Coruja e o Rouxinol, A 189
Criador, O 350, 382, 403, 477; em ing. ant., *Scyppend* 382
Crist Poema em inglês antigo. 290, 345–6
Cristo 290, 345*; cristão* (mito) 290, 491
Culbone Em Somerset. 326
Cynewulf Autor do *Crist.* 346

Daneses 328, 331, 335, 337, 353–5; em ing. ant., *Denisc* 326; *História Dinamarquesa* de Saxo 371
Demônio, O 380; em ing. ant., *Déofol* 314
Deus 304, 331, 374, 376–7, 380, 422, 428, 466, 478–82, 489, 492, 516; ing. ant. 377. Ver também *Filhos de Deus, Serviçais de Deus.*
Deuses 279, 299, 347, 383, 399, 411–2, 422–3, 431, 447, 450, 458, 460, 478–9, 483, 493–4; *Deusa* 511 (ver *Avalê*)*; (um, o) Deus* 408, 412, 427, 432, 475, 478–9, 487*; Terra dos Deuses* 399, 403, 487*; Primeira Batalha dos Deuses* 455*; Porto dos Deuses,* ver *Avallondē, Avallôni; Senhor dos Deuses* (Manwë) 382, em ing. ant. *Ósfruma* 382; *Filhos dos Deuses* 399, *filhos de Deuses* 400

Gaélico 498
Galês 239, 335, 498; (língua) 329, 498; = romano 335 (ver V. 112); *galeses do oeste*, o povo da Cornualha, 329, 354
Gales 331; *sul de Gales* 325; *Gales do Oeste* (Cornualha) 338
Galway 318, 322, 325, 356, 360; (cidade) 353; *Baía de Galway* 325, 353
Gamgi, Sam 487
Gársecg (ing. ant.) O Oceano. 314, 329–30, 332, 348, 382
Gente-élfica 481. *Raça-élfica* 318–9, 357
Gentios, Os Vikings 328–9, 331; *os nobres gentios* 328
Geoffrey de Monmouth 239, 267
Geraint Nativo da Cornualha, companheiro de Ælfwine e Tréowine. 338
Germânico 297, 346; (idioma) 297
Gilgalad 488
Gimilnitîr "A que acende as estrelas", Varda. 511. Ver *Avradî.*
Gimilzôr Elros. 452, 455. (Substituiu *Indilzar*). Ver *Ar-Gimilzôr.*
Gimlad "Na direção da estrela", Númenor. 449, 473
Glastonbury 329
Glund [Lewis] O planeta Júpiter. 252, 271; *Glundandra* 271
gobelins 474
Godos 335, 355; *gótico* (idioma) 347
Gondolin 339, 351, 381
Gondor 397
Gormok [Ramer] O planeta Marte. 254, 272. Ver *Karan.*
Gow, Professor Jonathan 248
Grande Água O Grande Mar. 399; *grandes águas* 419, 443, 466–8
Grande Batalha No final dos Dias Antigos. 398, 422
(Grande) Explosão 198, 210, 229–30, 232, 263, 266, 293; *o Buraco Negro* 232
Grande Marcha (dos Elfos) 485
Grande Onda 268; *Onda Verde* 242; *Onda Cheia de Dobras* 256, 272
Grande Porta [Ramer] 256; *a Porta* 256, 272
(Grande) Tempestade 198–9, 262, 324–5, 351, 402, 418; *a Noite Negra* 325
Grande(s) Mar(es) 329, 331, 351, 371, 403, 409–10, 422, 428, 459–60, 475–7, 485, 480; *Mar Sem-Costas* 281, *Mar do Oeste* 476, *Grande Oceano do Oeste* 349; também muitas referências ao *Mar(es)*, não indexadas. Ver *Gársecg. Grandes Mares* (do Espaço) 254
Grandes Terras Terra-média 380, 408–9, 411, 428, 431, 475–6, 480; *Grande Terra Central* 491. Ver *Kemen. Uma Grande Terra além do sol,* ver *Reino Abençoado.*
Green, Howard Editor dos Documentos do Clube Notion. 187, 195, 196, 198, 262, 263, 266, 268, (343)
Grego 256, 272, 294, 305, 345, 500; *gregos* 349
Guardiões [Ramer] 244, 269
Guerra dos Seis Anos 198–9, 238, 276, 288, 344; *Segunda Guerra Alemã* 344; *Guerra de* 1939 345
Guildford, Nicholas Membro do Clube Notion e seu relator; frequentemente chamado de *Nick.* 189–91, 197, 204–14, 217, 219, 221, 223, 226, 230, 238, 252, 263–6, 268, 270, 272, 275, 279–80, 282–5, 288, 309, 311–2, 324, 341–4, 351, 354, 365. *Maister Nichole of Guldeforde.* 190. (Substituiu *Latimer.*)
Gyönyörü [Ramer] 265–6, 270. (Substituído por *Emberü.*)
Gyürüchill [Ramer] O planeta Saturno. 272. (Substituído por *Shomorú.*)

Habitantes do Oeste Ver *(O) Oeste.*
Hador 399
Havard, Dr. Robert 190, 192
Hebraico 292, 361
Herefordshire 353–4
Herunúmen "Senhor do Oeste." 374–5; *Númekundo* 375. *Númeheruvi* "Senhores do Oeste" 302, 375
Hesíodo 350
Hespéria Terra ocidental. 366, 373. Ver *Westfolde.*
Hespérides 350
Hibérnia Irlanda. 325, 353–4
Hildi "filhos, ou seguidores", os Homens. 479. Ver *Eruhildi.*
Hnau [Lewis] 220, 251, 253–4, 256, 260–1, 265, 272
Hobbits 490
Homens do Norte 335
Homens Selvagens (da Terra-média) 400, 444, *homens do ermo* 420
Homero 350, 494; *homérico* 488; *a Ilíada* 232
Homilias Blickling 345–6
Hressa-hlab [Lewis] 264, 271–2. Ver *Solar antigo.*
Hrossa [Lewis] 253, 271–2
Humana (tradição) 486–7
Humano antigo (idioma) 252, 271; *adâmico primitivo* 252, 271, *adâmico* 271

Merlin [Lewis] 372–3
Mesopotâmia 491
Midlands Ocidentais (da Inglaterra) 352; dialeto da região 313, 352; nativos da região 352. Ver *Mércia.*
Minal-zidar [Ramer] 247–8, 269–70; traduzido como *Equilíbrio no Firmamento* 249
Minas Tirith 183, 268
Minul-Târik O Pilar do Céu. 291, 295, 305, 445, 462, 466–7, 470, 494, 513. Ver *Menelmin.*
Mircwudu "Trevamata", os Alpes Orientais (ver V. 112). 335
Montanha Branca Ver *Taniquetil.*
Montanha da Mesa (Cidade do Cabo) 224
Montanha de Ilúvatar Ver *Ilúvatar.*
Mordred Sobrinho do Rei Arthur. 344
Morgoth 383, 398, 400–2, 406, 422, 485, 493; em ing. ant., *Malscor* 383
Morris, William 264; *News from Nowhere* 264
Morte de São Brandão, A Ver *(São) Brandão.*
Mulkhêr "Senhor da Escuridão" (427), Morgoth. 427–9, 431–3, 437–8, 457, 465, 492; *Arûn-Mulkhêr* 436, 457; *prole de Mulkhêr* 431
Mull (Ilha de) Em Argyll, na Escócia. 325
Mundo, O (Passagens relacionadas ao conceito do Mundo Tornado Redondo na Queda de Númenor) 268, 294, 307, 350, 373, 397, 398, 447, 460, 470, 488, 495, 323, 337–8, 359, 397, 403–6, 412, 415, 420, 423, 433, 435–6, 453, 455, 459, 467–72, 478–9, 483, 488–93; e ver *(O) Cataclismo, (A) Rota Reta*
O Novo Mundo 405, 468–9, 471–2; *o Velho Mundo* 405, 460, 495; e ver *Novas Terras, Terras Antigas. O(s) círculo(s) do mundo* 442, 489
Mundos Inferiores [Lewis] Planetas do Sistema Solar. 264

Neowollond, -land (ing. ant.) "A Terra que caiu no abismo" (381), *Atalante.* 315, 352, 378; *Niwelland* 352, 378–9.
Netunianos Habitantes de Netuno. 219
Nevrast 381
Nīlū a Lua. 295, 509; *Nil, Njūl* 369
Nimloth A Árvore Branca de Númenor. 456–7
Nimrî "Os Luzentes" (Eldar). 427–31, 433, 442, 446–8, 450–1, 458, 459, 461, 485, 487, 491; forma posterior *Nimîr* 448, 461, 466, 470, 485, 487, 491
Nimriano (língua) 430, 445, 449–50, 473, 495–7, 500; *nimriyê*, "língua nimriana" 495. Ver *Avalloniano, Eresséano, Quenya.*
Nimrûn, Torres de Desconhecido. 453; forma anterior *Nimroth* 433, 453
Nimruzân Elendil. 438–40, 443–4, 455, 460, 463; seus filhos 444, 460. (Substituído por *Nimruzîr.*)
Nimruzir Elendil. 302, 306, 308, 350, 377, 438–40, 443–444, 455, 463; Lowdham, abordado por Jeremy 306, 308
Noite Afora 321, 353, 359
Noldor 485, 492
Nórdico 218, 289; *nórdicos* 343, 347
Nórdico, nórdico antigo 218, 265, 347, 343, 371, 491
Norte, O 371, 400, 408, 411, 418, 426, 431, 435, 440, 455, 475–6, 480; *nortistas ilhas* 332; *Mares do Norte* 332; *Países do Norte* 334; *terras do Norte* 335
Noruega 232, 287
Novas Hébridas 361
Novas Terras 329, 403, 460, 469, 471; *uma Nova Terra* (a oeste de Eressëa) 482; *a Nova Terra (Númenor),* ver *Vinya.* Ver *(O) Mundo.*
Nówendaland (ing. ant.) "Terra dos Navegantes", Númenor. 346, 383, 384
Númenor 185–6, 268, 272, 337, 339, 341, 344, 346, 351, 371–2, 381–2, 397, 399–403, 405–6, 421–5, 450, 452, 454, 456, 459, 471, 477–8, 481, 483–4, 486–91, 493 (outras referências em *(A) Queda). Uma Descrição de Númenor* 486
Nūmenōre 295–6, 363, 368, 374. *Numinor* [Lewis] 194, 370, 372, 373
Fala de Númenor 399, 410, 422, 430, 450; o número de Reis anteriores a Ar-Pharazôn 401, 406–7, 432, 453–4, 483, 493, 517; *a Árvore Branca de Númenor*, ver *Nimloth.* Ver *Anadûnê, Ociente, Terra da Dádiva.*
Númenóreano (idioma) 339, 350–2, 365, 373, 378, 381, 383–4, 399, 400–2, 404–5, 407, 423–5, 449–54, 458–9, 474, 477–9, 481–4, 488–9, 491–4; (alfabeto) 313, 339, 351, 378, 384; (com outras referências) 193, 341, 350, 381, 453, 458, 461, 474, 483–4, 487
Númenóreanos. 352, 380, 383, 399–402, 404–5, 407, 410–15, 418–20, 423–5, 449–54, 458–9, 477–9, 481–4, 488–9, 491–4; em ing. ant., *Númenoriscan* 379. Chamados de *Homens vindos do Mar* 412, *Reis-do-mar* 432, 462; e ver *Reis de Homens, Adûnai, Adûnaim*
Tempo de vida dos Númenóreanos 400, 404, 407, 410, 430, 449, 478, 481, 488,

383–4). Ver *Bârim na-adûn, Herunúmen; Águias.*
Separação das Vias/"mais alta encruzilhada" Em *A Morte de São Brandão.* 321, 359
Serviçais de Deus 408, 422, 426, 477. Ver *Eru-bênî.*
Sete Pedras As Palantíri. 457
Severn, Rio 353–4; *Mar do Severn, embocadura do Severn* 327–8, 353–4
Shannon, Rio 318, 352, 356
Shaw, G.B. shaviana 210
Shomorú [Ramer] O planeta Saturno. 272. (Substituiu *Gyürüchill,* foi substituído por *Eneköl.*)
Silmarillion, O 372, 377, 446, 484, 492–3; (obra publicada) 407, 421, 468, 492. Ver *Quenta Silmarillion.*
Sindarin 367*;* palavras em sindarin citadas 365, 369
Sistema Solar 210, 253, 263, 270; outro Sistema Solar 257. Ver *Planeta(s), Mundos Inferiores; En.*
Skidbladnir 218, 264–5
Slieve League Montanha na costa de Donegal. 325, 353
Snorri Sturluson Historiador islandês, autor da *Edda em Prosa (Snorra Edda)* 264, 371, 491
Sol, O 243, 247, 254, 270, 365, 369, 478, 494, 509; *sóis* 248; outro sol 254, 257. Ver *Anar, Arbol.*
Solar antigo [Lewis] 191, 212, 248, 250, 252–3, 263–4, 270–2; *Hlab-Eribol-ef-Cordi* 264. Ver *hressa-hlab.*
Sombra, A 380, 401, 432*; a Sombra Antiga* 432*; a Sombra-da-morte* 315–6, 374, 376, 381, 415–6, 438, em ing. ant. *Déaþscúa* 379, 383
Somerset 326, 328–9, 338, 353*; somersets,* "homens de Somerset" 328, 353
Staffordshire 354
Stainer, Ranulph Membro do Clube Notion. 192, 201, 287, 292–4, 300–1, 309–11, 317–8, 336, 365, 368
Stapledon, Olaf 265*; The Last Men in London* 219, 265
Suábios 335
Submersão de Númenor, A Título do texto original de *A Submersão de Anadûnê.* 408
Suecos 335
Sul, O 400, 411, 431, 435, 455
Sussex 288, 344

Tamil Idioma do sudeste da Índia e do Sri Lanka. 300
Tâmisa, Rio (261)*; Vale do Tâmisa* 261
Tamworth Localidade de Staffordshire. 354
Taniquetil 402, 405, 466; *a Montanha de Amân* (Manwë) 466; *a Montanha Branca* 468–9, 472
Tar Kalimos Nome élfico de Arminalêth. 453
Tar-Atanamir Décimo terceiro Rei de Númenor. 454
Tar-Calion Ver *Tarkalion.*
Tar-Ilien Nome anterior de *Tar-Míriel.* 419, 460; *Ilien* 382–3, 336; *Iligen* em ing. ant. 382–3. Ver *Ar-Zimrahil.*
Tar-kalion (também *Tarcalion, Tar-Calion,* e incluindo referências ao *Rei*) 304, 314, 315, 379, 382, 383, 394, 401, 402, 403, 406, 407, 452, 489; em ing. ant., *Tarcaligeon* 382–3; chamado *o Dourado* 382, 403, 452, 483. Ver *Ar-Pharazôn.*
Tar-Míriel Rainha de Tarkalion (Ar-Zimraphel). 460. Ver *Tar-Ilien.*
Tar-Palantir Décimo quarto Rei de Númenor. 452, 454
Tavrobel Em Tol Eressëa. 339
Tekel-Mirim [Ramer] 257–9, 261, 273; nome anterior: *Tekel-Ishtar* 273
Tempestade, A Ver *Grande Tempestade.*
Templo O templo de Morgoth em Númenor. (1) No alto do Pilar do Céu. 349, 380, 402, 406, 425, 457, 479. (2) Na Cidade dos Númenóreanos. 306, 315, 402, 406, 415, 418, 421, 425, 437, 441, 444, 456–7, 464. Em ing. ant., *alh* 314, *ealh* 379. O templo descrito 415, 437, 456, 464
Tempo, viagem no tempo 191, 201, 206, 213, 219–20, 223–4, 228, 243, 247–8, 250, 259, 266, 269, 271
tengwar 187, 352, 378–9, 383–4, 388, 393
Terceira Era, A 488, 490
Terra da Dádiva (Também *Terra da Dádiva dele,* isto é, a dádiva de Amân) 295, 303, 399, 430, 443, 445, 448, 449, 458, 462, 467, 470, 473; *a Dádiva* 473; em ing. ant., *léanes lond* 315. Ver *Andórë; Athânâte, Amatthânê, Zen'nabâr, Abarzâyan, Yôzâyan.*
Terra da Estrela. 438, 465. Ver *(A) Estrela de Eärendil.*
Terra do Gelo Ver *Islândia.*
Terra dos Viventes Em *A Morte de São Brandão* 319, 357
Terra Sem-morte 442, 443, 458*; Terras Sem-morte* 459. Ver *Terras Imortais.*
Terra-média 193, 296, 333, 340, 347, 368–9, 382, 398–401, 403–5, 411–2, 414–5, 420–1, 424–5, 427–8, 430–2, 435, 437, 444, 449–52, 454–5, 459–60, 463,

Vinyamar (1) Númenor. 381. (2) A casa de Turgon em Nevrast. 381
Voronwë ("Resoluto, Fiel"). (1) Elfo de Gondolin. 351. (2) Companheiro de Elendil; identificado com Tréowine; Jeremy é chamado assim por Lowdham. 337, 339, 353.
Voyage to Arcturus, A Ver *Lindsay, David.*
Vulcão Ver *(O) Pilar do Céu*

Watchet Localidade de Somerset. 328, 353
Wells, H.G. 208, 263. *A Máquina do Tempo* 208; *Os Primeiros Homens na Lua* 208, 263
Wessex Reino do Saxões do Oeste 327, 332; *saxão-ocidental* (dialeto) 351
Westfolde Em Rohan. 373
Westfolde Númenor em ing. ant. 366, 373, 380, 382
Whitburn e Thoms. Editora e livreiros de Oxford 189, 194; *Whitburn* 365–6. Ver *Blackwell.*
Wihawinia Ver 296, 347
Williams, Charles 270; *Carolus* 248, 270
Wingalótë, Wingelot Ver *Vingalótë.*
Wormald, W.W. Estudioso de Oxford interessado em *Os Documentos do Clube Notion.* 198–9
Wychwood 352 (ver *hwicciano*).
Yavanna 399
Yôzâyan A Terra da Dádiva. 346, 445, 462, 463, 466, 473. Para os nomes anteriores, ver *Terra da Dádiva.*

Zenn'abâr A Terra da Dádiva. 449, 452, 458, 462; anteriormente, *Zenn'abâr* 449. (Substituída por *Abarzâyan.*)
Zen'namân O Reino Abençoado. 452, 458
Zeus 272, 349
Zigûr Sauron 432, 435, 436, 437, 438, 440, 441, 442, 443, 444, 456, 457, 463, 467, 470 (e ver 522).
Zingil [Ramer] O planeta Vênus. 254, 272

Poemas originais

Prefácio

[A] p. 11:

There was a Pig, that sat alone,
Beside a ruined Pump.
By day and night he made his moan:
It would have stirred a heart of stone
To see him wring his hoofs and groan,
Because he could not jump.

[B] p. 11:

Uprose that Pig, and rushed, full whack,
Against the ruined Pump:
Rolled over like an empty sack,
And settled down upon his back,
While all his bones at once went 'Crack!'
It was a fatal jump.

PARTE UM: O Fim da Terceira Era

2. A Torre de Kirith Ungol

[A] pp. 45–6:

I sit upon the stones alone;
the fire is burning red,
the tower is tall, the mountains dark;
all living things are dead.
In western lands the sun may shine,
there flower and tree in spring
is opening, is blossoming:
and there the finches sing.

But here I sit alone and think
of days when grass was green,
and earth was brown, and I was young:
they might have never been.
For they are past, for ever lost,
and here the shadows lie
deep upon my heavy heart,
and hope and daylight die.

But still I sit and think of you;
I see you far away
Walking down the homely roads
on a bright and windy day.
It was merry then when I could run
to answer to your call,
could hear your voice or take your hand;
but now the night must fall.
And now beyond the world I sit,
and know not where you lie!
O master dear, will you not hear
my voice before we die?

[B] p. 46: *For they are gone, for ever lost,*
and buried here I lie
and deep beneath the shadows sink
where hope and daylight die.

[C] p. 46: *O Master, will you hear my voice*
and answer ere we die?

[D] p. 46: *In western lands the Sun may shine;*
there flower and tree in Spring
are opening, are blossoming,
and there the finches sing.

PARTE DOIS: Os Documentos do Clube Notion

Os Documentos do Clube Notion, Parte Dois

[A] p. 275: *I've got a very Briny Notion*
To drink myself to sleep.

[B] p. 276: *Bring me my bowl, my magic potion!*
Tonight I'm diving deep.
down! down! down!
Down where the dream-fish go.

[C] p. 297: *a straight way lay westward, now it is bent.*

[D] p. 298: *My soul's desire over the sea-torrents*
forth bids me fare, that I afar should seek
over the ancient water's awful mountains
Elf-friends' island in the Outer-world.
For no harp have I heart, no hand for gold,
in no wife delight, in the world no hope:
one wish only, for the waves' tumult.

[E] p. 300:

il me a cuppe of ful gode ale,
for longe I have spelled tale!
Nu wil I drinken or I ende
that Frenche men to helle wende!'

[F] pp. 318–22:

The Death of St. Brendan

At last out of the deep seas he passed,
and mist rolled on the shore;
under clouded moon the waves were loud,
4 *as the laden ship him bore*
to Ireland, back to wood and mire,
to the tower tall and grey,
where the knell of Cluain-ferta's bell
8 *tolled in green Galway.*
Where Shannon down to Lough Derg ran
under a rainclad sky
Saint Brendan came to his journey's end
12 *to await his hour to die.*

'O! tell me, father, for I loved you well,
if still you have words for me,
of things strange in the remembering
16 *in the long and lonely sea,*
of islands by deep spells beguiled
where dwell the Elven-kind:
in seven long years the road to Heaven
20 *or the Living Land did you find?'*

'The things I have seen, the many things,
have long now faded far;
only three come clear now back to me:
24 *a Cloud, a Tree, a Star.*
We sailed for a year and a day and hailed
no field nor coast of men;
no boat nor bird saw we ever afloat
28 *for forty days and ten.*
We saw no sun at set or dawn,
but a dun cloud lay ahead,
and a drumming there was like thunder coming
32 *and a gleam of fiery red.*

Upreared from sea to cloud then sheer
a shoreless mountain stood;
its sides were black from the sullen tide
36 *to the red lining of its hood.*
No cloak of cloud, no lowering smoke,

no looming storm of thunder
in the world of men saw I ever unfurled
40 *like the pall that we passed under.*
We turned away, and we left astern
the rumbling and the gloom;
then the smoking cloud asunder broke,
44 *and we saw that Tower of Doom:*
on its ashen head was a crown of red,
where fires flamed and fell.
Tall as a column in High Heaven's hall,
48 *its feet were deep as Hell;*
grounded in chasms the waters drowned
and buried long ago,
it stands, I ween, in forgotten lands
52 *where the kings of kings lie low.*

We sailed then on, till the wind had failed,
and we toiled then with the oar,
and hunger and thirst us sorely wrung,
56 *and we sang our psalms no more.*
A land at last with a silver strand
at the end of strength we found;
the waves were singing in pillared caves
60 *and pearls lay on the ground;*
and steep the shores went upward leaping
to slopes of green and gold,
and a stream out of the rich land teeming
64 *through a coomb of shadow rolled.*

Through gates of stone we rowed in haste,
and passed, and left the sea;
and silence like dew fell in that isle,
68 *and holy it seemed to be.*
As a green cup, deep in a brim of green,
that with wine the white sun fills
was the land we found, and we saw there stand
72 *on a laund between the hills*
a tree more fair than ever I deemed
might climb in Paradise:
its foot was like a great tower's root,
76 *it height beyond men's eyes;*
so wide its branches, the least could hide
in shade an acre long,
and they rose as steep as mountain-snows
80 *those boughs so broad and strong;*
for white as a winter to my sight
the leaves of that tree were,

they grew more close than swan-wing plumes,
84 *all long and soft and fair.*

We deemed then, maybe, as in a dream,
that time had passed away
and our journey ended; for no return
88 *we hoped, but there to stay.*
In the silence of that hollow isle,
in the stillness, then we sang –
softly us seemed, but the sound aloft
92 *like a pealing organ rang.*
Then trembled the tree from crown to stem;
from the limbs the leaves in air
as white birds fled in wheeling flight,
96 *and left the branches bare.*
From the sky came dropping down on high
a music not of bird,
not voice of man, nor angel's voice;
100 *but maybe there is a third*
fair kindred in the world yet lingers
beyond the foundered land.
Yet steep are the seas and the waters deep
104 *beyond the White-tree Strand.'*

'O! stay now, father! There's more to say.
But two things you have told:
The Tree, the Cloud; but you spoke of three.
108 *The Star in mind do you hold?'*

'The Star? Yes, I saw it, high and far,
at the parting of the ways,
a light on the edge of the Outer Night
112 *like silver set ablaze,*
where the round world plunges steeply down,
but on the old road goes,
as an unseen bridge that on arches runs
116 *to coasts than no man knows.'*

'But men say, father, that ere the end
you went where none have been.
I would hear you tell me, father dear,
120 *of the last land you have seen.'*

'In my mind the Star I still can find,
and the parting of the seas,
and the breath as sweet and keen as death
124 *that was borne upon the breeze.*

But where they bloom those flowers fair,
in what air or land they grow,
what words beyond the world I heard,
128 *if you would seek to know,*
in a boat then, brother, far afloat
you must labour in the sea,
and find for yourself things out of mind:
132 *you will learn no more of me.'*

In Ireland, over wood and mire,
in the tower tall and grey,
the knell of Cluain-ferta's bell
136 *was tolling in green Galway.*
Saint Brendan had come to his life's end
under a rainclad sky,
and journeyed whence no ship returns,
140 *and his bones in Ireland lie.*

[G] p. 356: *then the smoking cloud asunder broke*
and we looked upon Mount Doom:
tall as a column in high Heaven's hall,
than all mortal mountains higher,
the tower-top of a foundered power,
with crown of redgold fire.

We sailed then on…

[H] pp. 356–60: *IMRAM*

At last out of the deep sea he passed,
and mist rolled on the shore;
under clouded moon the waves were loud,
4 *as the laden ship him bore*
to Ireland, back to wood and mire
and the tower tall and grey,
where the knell of Cluain-ferta's bell
8 *tolled in green Galway.*
Where Shannon down to Lough Derg ran
under a rain-clad sky
Saint Brendan came to his journey's end
12 *to find the grace to die.*

'O tell me, father, for I loved you well,
if still you have words for me,
of things strange in the remembering
16 *in the long and lonely sea,*
of islands by deep spells beguiled

where dwell the Elvenkind:
in seven long years the road to Heaven
20 *or the Living Land did you find?'*

'The things I have seen, the many things,
have long now faded far;
only three come clear now back to me:
24 *a Cloud, a Tree, a Star.*

'We sailed for a year and a day and hailed
no field nor coast of men;
no boat nor bird saw we ever afloat
28 *for forty days and ten.*
Then a drumming we heard as of thunder coming,
and a Cloud above us spread;
we saw no sun at set or dawn,
32 *yet ever the west was red.*

'Upreared from sea to cloud then sheer
a shoreless mountain stood;
its sides were black from the sullen tide
36 *up to its smoking hood,*
but its spire was lit with a living fire
that ever rose and fell:
tall as a column in High Heaven's hall,
40 *its roots were deep as Hell;*
grounded in chasms the waters drowned
and swallowed long ago
it stands, I guess, on the foundered land
44 *where the kings of kings lie low.*

'We sailed then on till all winds failed,
and we toiled then with the oar;
we burned with thirst and in hunger yearned,
48 *and we sang our psalms no more.*
At last beyond the Cloud we passed
and came to a starlit strand;
the waves were sighing in pillared caves,
52 *grinding gems to sand.*
And here they would grind our bones we feared
until the end of time;
for steep those shores went upward leaping
56 *to cliffs no man could climb.*
But round by west a firth we found
that clove the mountain-wall;
there lay a water shadow-grey
60 *between the mountains tall.*

Through gates of stone we rowed in haste,
and passed, and left the sea;
and silence like dew fell in that isle,
64 *and holy it seemed to be.*

'To a dale we came like a silver grail
with carven hills for rim.
In that hidden land we saw there stand
68 *under a moonlight dim*
a Tree more fair than ever I deemed
in Paradise might grow:
its foot was like a great tower's root,
72 *its height no man could know;*
and white as winter to my sight
the leaves of that Tree were;
they grew more close than swan-wing plumes,
76 *long and soft and fair.*

'It seemed to us then as in a dream
that time had passed away,
and our journey ended; for no return
80 *we hoped, but there to stay.*
In the silence of that hollow isle
half sadly then we sang:
softly we thought, but the sound aloft
84 *like sudden trumpets rang.*
The Tree then shook, and flying free
from its limbs the leaves in air
as white birds rose in wheeling flight,
88 *and the lifting boughs were bare.*
On high we heard in the starlit sky
a song, but not of bird:
neither noise of man nor angel's voice,
92 *but maybe there is a third*
fair kindred in the world yet lingers
beyond the foundered land.
But steep are the seas and the waters deep
96 *beyond the White-tree Strand!'*

'O stay now, father! There is more to say.
But two things you have told:
the Tree, the Cloud; but you spoke of three.
100 *The Star in mind do you hold?'*

'The Star? Why, I saw it high and far
at the parting of the ways,
a light on the edge of the Outer Night

104 *beyond the Door of Days,*
where the round world plunges steeply down,
but on the old road goes,
as an unseen bridge that on arches runs
108 *to coasts that no man knows.'*

'But men say, father, that ere the end
you went where none have been.
I would hear you tell me, father dear,
112 *of the last land you have seen.'*

'In my mind the Star I still can find,
and the parting of the seas,
and the breath as sweet and keen as death
116 *that was borne upon the breeze.*
But where they bloom, those flowers fair,
in what air or land they grow,
what words beyond this world I heard,
120 *if you would seek to know,*
in a boat then, brother, far afloat
you must labour in the sea,
and find for yourself things out of mind:
124 *you will learn no more of me.'*

In Ireland over wood and mire
in the tower tall and grey
the knell of Cluain-ferta's bell
128 *was tolling in green Galway.*
Saint Brendan had come to his life's end
under a rain-clad sky,
journeying whence no ship returns;
132 *and his bones in Ireland lie.*

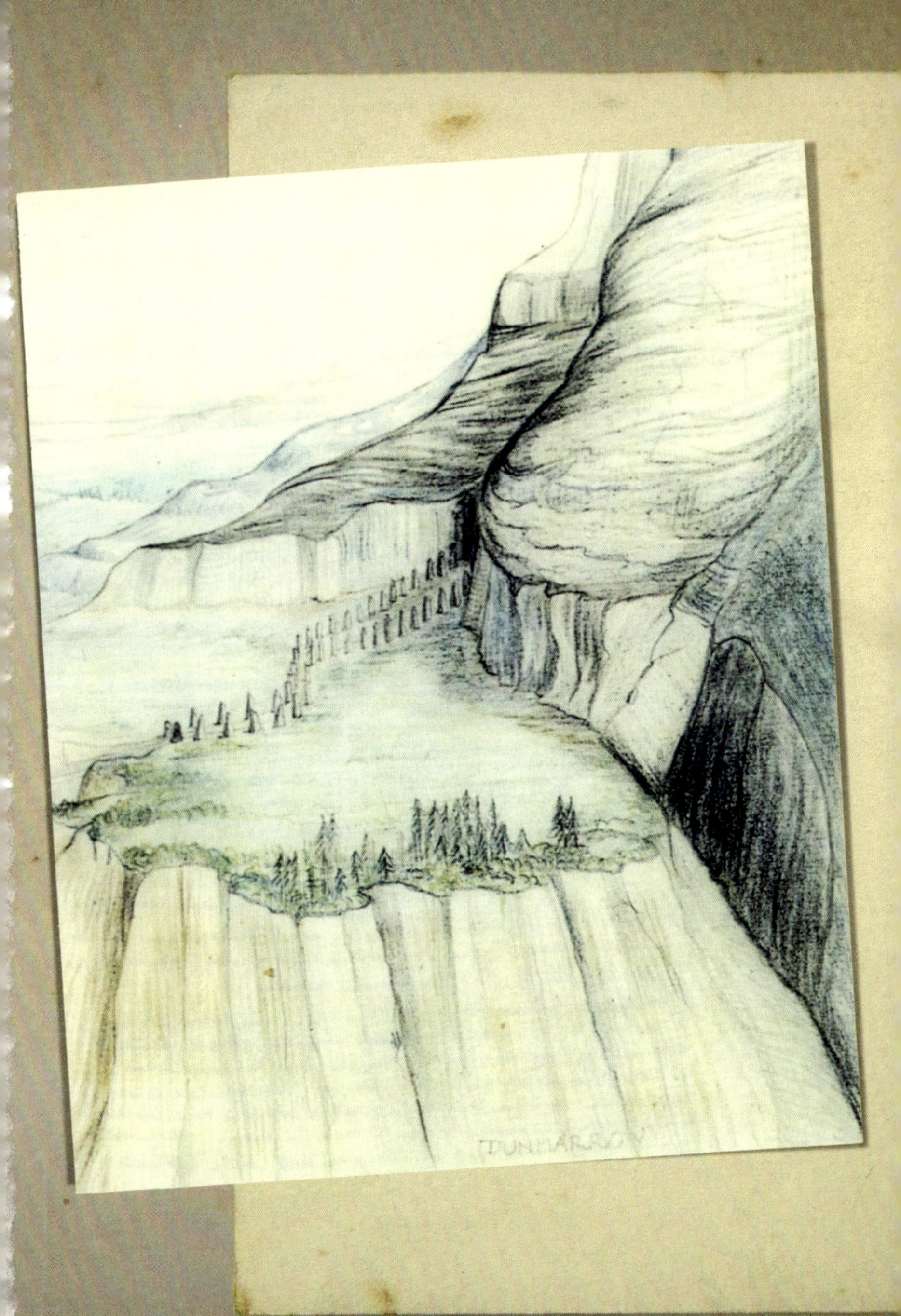

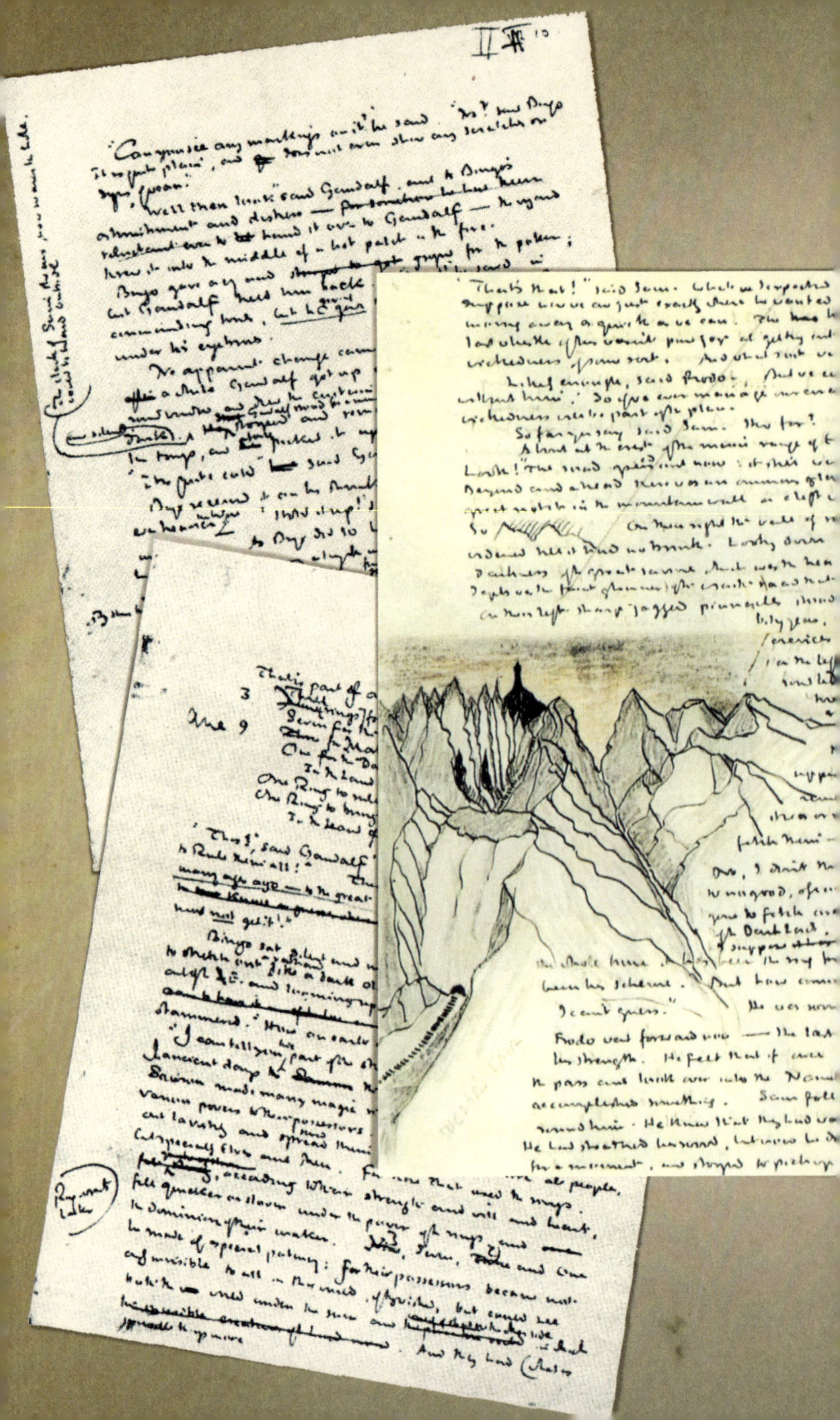